Przełożyła Danuta Chmielowska

Orhan Pamuk
Nazywam się Czerwień

Wydawnictwo Literackie

Tytuł oryginału
Benim Adım Kırmızı

Copyright © Iletisim Yayincilik A.S., 1998
© Copyright for the Polish edition by Wydawnictwo Literackie,
Kraków 2007

Wydanie pierwsze

ISBN 978-83-08-03998-4 — oprawa broszurowa
ISBN 978-83-08-03999-1 — oprawa twarda

Dla Rüyi

(...) zabiliście pewnego człowieka i sprzeczaliście
się w tej sprawie (...)

Koran, sura *Krowa*, 72

Niewidomy nie jest równy temu, który widzi.

Koran, sura *Stwórca*, 19

Do Boga należy Wschód i Zachód!

Koran, sura *Krowa*, 115

(cyt. za: *Koran*, tłum. J. Bielawski, Warszawa 1986)

1.
Jestem trupem

Jestem trupem, nieruchomym ciałem na dnie studni. Choć ostatnie tchnienie wydałem z siebie wiele godzin temu, choć moje serce dawno przestało bić, nikt oprócz nikczemnego mordercy nie wie, co mi się przydarzyło. Skoro już o nim wspomniałem — łajdak ów sprawdził mój oddech i puls, aby się upewnić, że nie żyję, po czym wymierzył kopniaka w bok, zawlókł mnie pod studnię i wrzucił w jej czeluść. Zderzywszy się z dnem, moja czaszka, wcześniej rozbita kamieniem, rozpadła się na kawałki; z twarzy, czoła i policzków została krwawa miazga, kości połamały się, a usta wypełniła krew.

Nie wracam do domu już od czterech dni. Żona i dzieci pewnie mnie szukają. Córka zalewa się łzami, wpatrując się w bramę ogrodu: wszyscy wyczekują, licząc na mój powrót.

Ale czy rzeczywiście czekają? Pewności nie mam. Może przywykli do mej nieobecności — to byłoby straszne! Bo tu, po drugiej stronie, człowiekowi się wydaje, że życie, w którym już nie uczestniczymy, toczy się jak dawniej. Lecz czym jest życie? Przed moim narodzeniem istniał czas niezmierzony. Po mojej śmierci — czas bezkresny! Przedtem nigdy o tym nie myślałem; po prostu egzystowałem sobie pomiędzy mrokami nieskończoności.

Byłem szczęśliwy, tak, szczęśliwy — teraz zdaję sobie z tego sprawę. W pracowni naszego sułtana uchodziłem za najlepszego pozłotnika i żaden miniaturzysta nie mógł dorównać mojemu mistrzostwu. Za prace wykonywane poza pałacem dostawałem miesięcznie dziewięćset akcze*. To, rzecz jasna, czyni moją śmierć jeszcze trudniejszą do zniesienia.

Wykonywałem ilustracje i pozłotę ksiąg; zdobiłem brzegi kart najpiękniejszymi wzorami liści, gałązek, róż, kwiatów i ptaków; malowałem chmurki chińskie, winorośle, kolorowe laski i ukryte w nich gazele; rysowałem galery, sułtanów, drzewa, pałace, konie, myśliwych... Dawniej zdobiłem czasem talerze lub odwrocia luster, drewniane łyżki, sufity willi i pałacyków nad Bosforem, a nawet skrzynie... W ostatnich latach zajmowałem się jednak wyłącznie iluminacją manuskryptów, ponieważ sułtan dobrze za nie płacił. Nie mogę powiedzieć, że to nie ma teraz znaczenia. Człowiek docenia wartość pieniędzy, nawet gdy jest martwy.

Jeśli jakimś cudem słyszycie mój głos, myślicie sobie zapewne: „Kogóż obchodzi, ile zarabiałeś za życia? Lepiej opowiedz nam, co widzisz. Czy jest jakieś życie po śmierci? Gdzie przebywa twoja dusza? Jak wygląda raj, a jak piekło? Jak to jest umrzeć? Czy towarzyszy temu ból?". Nie dziwię się wam. Żyjących zżera ciekawość, by dowiedzieć się, jak to jest po drugiej stronie. Słyszałem historię o człowieku, który z powodu owej ciekawości krążył między trupami na polach bitew... Szukał wśród rannych wojowników, walczących o życie w kałużach krwi, takiego, który wrócił z krainy zmarłych, aby poznać dzięki niemu tajemnice zaświatów. Żołnierze Timura uznali ciekawskiego za wroga i jeden z nich przeciął go mieczem na pół. Nieszczęśnik w chwili śmierci uznał, że tak się właśnie dzieje na tamtym świecie: człowiek dzieli się na połowy.

---

* akcze — srebrna moneta używana w imperium osmańskim (wszystkie przypisy pochodzą od redakcji)

Nic z tych rzeczy. Rzekłbym nawet, iż dusze rozdzielone za życia tutaj łączą się w całość. W przeciwieństwie do tego, co twierdzą giaurzy, pozostający pod wpływem szatana, zaświaty, dzięki Bogu, naprawdę istnieją. Najlepszym dowodem jest to, że stamtąd właśnie do was przemawiam. Umarłem, ale — jak widzicie — nie przestałem istnieć. Muszę jednak przyznać, że nie zauważyłem tu opisywanych w Koranie złotych i srebrnych pałaców ani wijących się między nimi rzek. Nie dojrzałem drzew o wielkich liściach, obwieszonych dojrzałymi owocami, ani pięknych dziewic, choć doskonale pamiętam, jak często z przyjemnością szkicowałem te rajskie hurysy o wielkich oczach, które wspomina sura *Wydarzenie*. Niestety, nie natknąłem się tu też na owe cztery rzeki mlekiem, winem, słodką wodą oraz miodem płynące, opisywane kwieciście nie przez Koran akurat, lecz przez takich mistyków jak Ibn Arabi. Ponieważ jednak nie mam zamiaru podważać wiary tych, którzy karmią się nadzieją i marzeniami o tamtym świecie, do czego mają zresztą prawo, chciałbym podkreślić, iż moje obserwacje wynikają z mego specyficznego położenia. Każdy wierny muzułmanin, choć trochę zorientowany w kwestii życia po śmierci, przyzna, że taki niespokojny duch jak ja, w dodatku znajdujący się w podobnej do mojej sytuacji, może mieć trudności z odnalezieniem rajskich rzek. Nie owijając w bawełnę: ja, Elegant, sławny w środowisku ilustratorów i mistrzów, umarłem, lecz nie zostałem pogrzebany, dlatego też moja dusza nie opuściła całkowicie ciała. I póki się od owych nieczystych zwłok nie uwolni, póty nie będę mógł wstąpić ani do raju, ani do piekła (w zależności od tego, co mi przeznaczone). Owa wyjątkowa sytuacja — choć oczywiście mój przypadek nie jest pierwszy — sprawia, że nieśmiertelna cząstka mnie cierpi straszliwe katusze. Nie czuję, co prawda, ani roztrzaskanej czaszki, ani połamanych kości i gnijącego, pokrytego ranami ciała, zanurzonego w lodowatej wodzie, ale boli mnie przeżywająca męki dusza, która rozpaczliwie pragnie uwolnić się z cielesnej powłoki. Czuję się tak, jakby cały świat, łącznie z moimi członkami, skurczył się nagle do zwykłej grudki bólu.

Wrażenie to mógłbym porównać tylko do zdumiewającego poczucia wolności, jakie ogarnęło mnie w chwili śmierci. Owszem, natychmiast zrozumiałem, że ten drań chce mnie zabić, gdy nagle uderzył mnie kamieniem i roztrzaskał mi czaszkę, lecz nie wierzyłem, że posunie się tak daleko. Okazało się, jak drogie jest mi życie, z czego nie zdawałem sobie wcześniej sprawy, prowadząc monotonną egzystencję, dzieloną między dom i pracownię. Broniłem więc tego życia rękami, nogami i zębami, które zacisnąłem na ciele mordercy... Ale nie zamierzam zanudzać was wstrząsającymi opisami jego kolejnych ciosów.

Gdy uświadomiłem sobie ze smutkiem, że umieram, wypełniło mnie zdumiewające poczucie ulgi. Chwila przejścia na drugą stronę była łagodna, płynna, zupełnie jakbym podczas snu obserwował siebie — pogrążonego we śnie. Ostatnią rzeczą, jaką zapamiętałem, były ośnieżone i zabłocone buty mojego nikczemnego kata. Zamknąłem oczy, jakbym zasypiał, i w ten sposób znalazłem się po drugiej stronie.

Nie skarżę się jednak, że moje zęby, niczym ziarna prażonego grochu, wpadły do zalanego krwią gardła, że twarz mam zmasakrowaną i leżę na samym dnie studni. Czuję żal o to, że wszyscy nadal uważają mnie za żywego. Moja dusza cierpi męki, ponieważ rodzina i przyjaciele wyobrażają sobie, że jestem zajęty błahymi sprawami gdzieś w Stambule, a nawet że uganiam się za jakąś kobietą. Dosyć tego! Niech jak najszybciej znajdą moje zwłoki, pomodlą się, urządzą pogrzeb i pochowają! Nie ma jednak nic ważniejszego niż odnalezienie mordercy! Bo nawet jeśli złożycie mnie we wspaniałym grobowcu, to dopóki ten zbir pozostanie na wolności, dopóty będę przewracał się w grobie, sącząc w wasze dusze niewiarę w Boga. Znajdźcie tego łajdaka, a ja wam opowiem ze szczegółami, jak wyglądają zaświaty. Ale pamiętajcie, że kiedy już drania złapiecie, macie go poddać torturom, połamać mu powolutku w imadle osiem lub dziesięć kości, najlepiej żeber, tak by trzeszczały, a później specjalnymi szpikulcami podziurawić czaszkę i powyrywać te obrzydliwe, tłuste włosy, pasemko po pasemku, tak żeby krzyczał z bólu.

Kim jest zabójca, którego tak nienawidzę? Czemu nieoczekiwanie targnął się na moje życie? Zastanówcie się dobrze. Mówicie, że świat jest pełen podłych morderców? Może zamordował mnie któryś z nich? Pozwólcie zatem, że was ostrzegę: za moją śmiercią kryje się nikczemny spisek przeciwko naszej religii, obyczajom, naszemu pojmowaniu świata. Otwórzcie oczy, dowiedzcie się, dlaczego zabili mnie wrogowie islamu oraz życia, które wiedziecie. Pamiętajcie, pewnego dnia i was to może spotkać. Zwróćcie uwagę, że wszystkie przepowiednie wielkiego hodży* Nusreta z miasta Erzurum, którego słuchałem ze łzami w oczach, spełniają się jedna po drugiej. Dodam jeszcze, że gdyby ktoś opisał sytuację, w jakiej wszyscy się znaleźliśmy, to nawet najbardziej uzdolniony miniaturzysta nie zdołałby takiej księgi zilustrować. Podobnie jak w wypadku Koranu — broń Boże nie zrozumcie mnie źle! — wstrząsająca siła takiego dzieła brałaby się z niemożności jej zilustrowania. Wątpię, czy do końca pojmujecie, co mam na myśli.

Słuchajcie. Gdy byłem jeszcze uczniem, też się bałem i dlatego ignorowałem głębokie prawdy i nie słuchałem głosów

---

*   hodża — nauczyciel, człowiek uczony, zwykle prawnik, teolog, osoba będąca autorytetem w sprawach religii i otoczona powszechnym szacunkiem

płynących z tamtego świata; drwiłem sobie z takich rzeczy. I skończyłem na dnie tej ohydnej studni! Miejcie oczy szeroko otwarte, bo wam również może się to przydarzyć. Nie pozostało mi nic prócz nadziei, że me zwłoki zgniją jak najszybciej, a wydzielany przez nie fetor kogoś zaalarmuje. Nie pozostało mi nic prócz tej nadziei. I wymyślania różnych rodzajów tortur, jakie zada życzliwy człowiek memu podłemu mordercy, gdy już zostanie ujęty.

2.

Nazywam się Czarny

Po dwunastu latach nieobecności powróciłem jak lunatyk do Stambułu, miasta, w którym się urodziłem i wychowałem. „Ziemia go wezwała", mówi się o tych, co mają niedługo umrzeć, lecz w moim wypadku to śmierć tu mnie ściągnęła. Na początku sądziłem, że chodzi jedynie o śmierć, ale później zrozumiałem, że była to również miłość. Wydawała się ona jednak czymś tak mglistym i odległym jak moje wspomnienia. To właśnie w Stambule dwanaście lat temu zakochałem się w mojej siostrze ciotecznej — wtedy jeszcze dziecku.

Cztery lata później, gdy po raz pierwszy opuściłem Stambuł i podjąłem pracę — roznosząc listy i zbierając podatki, przemierzając nie kończące się stepy, melancholijne perskie miasta i pokonując ośnieżone góry — zdałem sobie sprawę, iż powoli zapominam twarz mojej miłości z czasów młodzieńczych. Zaniepokoiłem się i starałem się ją sobie przypomnieć, ale zrozumiałem, że choćby nie wiem jak bardzo się kogoś kochało, długo nie widziana twarz w końcu zaciera się w pamięci. W szóstym roku pobytu na Wschodzie, który upływał mi na podróżach lub pracy sekretarza w służbie paszów, dotarło do mnie, że wizerunek ukochanej żyjącej w mej wyobraźni nie odpowiada już rzeczywistości. Jeszcze gorzej było po ośmiu latach od opuszczenia Stambułu: wtedy to zatarł się nawet obraz mej lubej, który malowałem w myślach dwa lata wcześniej. A gdy wreszcie po dwunastu latach, mając lat trzydzieści sześć, wróciłem do swego umiłowanego miasta, stwierdziłem z bólem, że wspomnienie ukochanej ulotniło się z mej pamięci na dobre.

Większość przyjaciół, krewnych i znajomych z dzielnicy zmarła w ciągu tych dwunastu lat mej nieobecności. Poszedłem więc na cmentarz, z którego roztaczał się widok na zatokę Złotego Rogu, aby odwiedzić groby matki oraz wujów i pomodlić się za nich. Zapach błotnistej ziemi wyzwolił we mnie wspomnienia. Ktoś rozbił gliniany dzban, stojący przy grobie matki. Patrząc na strzaskane skorupy, nie wiedzieć czemu, rozpłakałem się. Rozpaczałem z żalu po zmarłych czy dlatego że po tych wszystkich latach dziwnym trafem wciąż byłem na początku swego życia? A może odwrotnie — płakałem, bo czułem, iż moja życiowa podróż dobiega końca?

Zaczął padać drobny śnieg. Ośnieżony rzadkimi płatkami tak zadumałem się nad zawiłościami swego losu, że dopiero po chwili zauważyłem w ciemnym rogu nekropolii czarnego psa.

Przestałem płakać. Wytarłem nos. Zwierzę przyjaźnie machało do mnie ogonem, gdy opuszczałem cmentarz. Nieco później w dzielnicy, w której dorastałem, wynająłem dom, zajmowany niegdyś przez krewnego ze strony ojca. Jego właścicielka stwierdziła, że przypominam jej syna, zabitego przez żołnierzy safawidzkich*, i chyba dlatego zgodziła się mi sprzątać i gotować.

Chodziłem na długie spacery, jakbym nigdy przedtem nie mieszkał w Stambule, lecz w jednym z miast arabskich gdzieś

---

* Safawidzi — dynastia pochodzenia tureckiego, panująca w Iranie w latach 1502–1736. Szachowie safawidzcy byli wielkimi mecenasami sztuki, za ich panowania nastąpił dynamiczny rozkwit wytwórczości jedwabnych kobierców, drogich tkanin jedwabnych, ceramiki, wyrobów metalowych i malarstwa miniaturowego.

na krańcach świata. Czy ulice stały się naprawdę węższe, czy było to jedynie moje wrażenie? W niektórych miejscach na uliczkach wciśniętych między pochylające się ku sobie domy musiałem wtulać się w drzwi i ściany, aby nie zderzyć się z objuczonymi końmi. Przybyło bogaczy, czy również tak mi się tylko wydawało? Zauważyłem ciągnięty przez dumne konie okazały niczym twierdza powóz, jakiego próżno by szukać w Arabii i Persji. Na Çemberlitaş* w smrodzie dochodzącym z kurzego targu zauważyłem namolnych żebraków w łachmanach. Jeden z nich był ślepy i uśmiechał się, jakby podziwiał padający śnieg.

Być może nie uwierzyłbym, gdyby ktoś mnie przekonywał, że dawniej Stambuł był biedniejszym, mniejszym, ale i szczęśliwszym miastem, lecz to właśnie podpowiadało mi serce. Wprawdzie dom mojej ukochanej nadal stał wśród lip i kasztanów, ale — jak mi powiedziano przy wejściu — mieszkał w nim już kto inny. Matka umiłowanej, moja ciotka, zmarła. Jej mąż, mój wuj, wyprowadził się wraz z córką. Dowiedziałem się też — a ludzie w tego typu sytuacjach paplają bezmyślnie, co

---

im ślina na język przyniesie, nie zdając sobie sprawy, iż mogą ranić czyjeś serce lub niweczyć marzenia — że podobno dotknęły ich przeróżne nieszczęścia. Nie będę się teraz nad tym rozwodził, dodam tylko, że gdy o tym myślałem, przypominałem sobie gorące, słoneczne, zielone dni, spędzone w owym starym ogrodzie, teraz zaś patrzyłem na sople lodu wielkości małego palca, zwisające z gałęzi lipy rosnącej w zaniedbanym, pokrytym śniegiem miejscu, które przywodziło na myśl jedynie śmierć.

Część historii moich krewnych znałem z listu wuja, który otrzymałem, przebywając w Tabrizie. Wuj zapraszał mnie do Stambułu, pisał, że w tajemnicy przygotowuje manuskrypt dla naszego sułtana, i chciał, abym mu pomógł. Słyszał bowiem, że w pewnym okresie przygotowywałem w Tabrizie księgi dla osmańskich paszów, gubernatorów i bogaczy. Tymczasem ja w Tabrizie pieniędzmi przysyłanymi mi przez klientów ze Stambułu opłacałem miejscowych miniaturzystów i kaligrafów, którzy narzekali na wojnę i obecność żołnierzy osmańskich, ale nie wyjechali jeszcze do Kazwinu lub innego perskiego miasta. Zamawiałem u tych wielkich mistrzów, niezadowolonych z braku zainteresowania i pieniędzy, pisanie, iluminację i oprawę ksiąg, a potem gotowe dzieła wysyłałem do Stambułu. Gdyby w młodości wuj nie zaszczepił we mnie upodobania do iluminacji i pięknych ksiąg, nie podjąłbym się takiej pracy.

Na rogu ulicy wychodzącej na bazar, przy której kiedyś mieszkał mój wuj, znalazłem jego golibrodę, urzędującego w tym samym salonie wśród luster, brzytew, dzbanków i pędzli do golenia. Przez szybę nasze spojrzenia spotkały się, ale nie wiem, czy mnie poznał. Ucieszyłem się na widok zwisającego z sufitu na łańcuchu naczynia do mycia głowy, kołyszącego się jak dawniej w przód i tył, gdy balwierz napełniał je gorącą wodą.

Część znanych mi z młodości dzielnic i ulic znikła w płomieniach i dymie rozlicznych pożarów, zmieniając się w ruiny i zgliszcza, w których gromadziły się bezpańskie psy, a wariaci straszyli dzieci. Z kolei w innych miejscach, również strawionych przez ogień, powstały zadziwiająco luksusowe rezydencje. W niektórych oknach wstawiono kosztowne szyby z kolorowego weneckiego szkła. Pojawiło się również wiele bogatych dwupiętrowych domów z wykuszami wiszącymi nad smukłymi murami. W Stambule, tak jak i w wielu innych miastach, pieniądze straciły na wartości. Kiedy wyjeżdżałem na Wschód, piekarnie za jedno akcze sprzedawały wielki chleb o wadze czterystu dirhemów*, a teraz za tę samą cenę można było kupić o połowę mniejszy bochenek, w dodatku smakiem wcale nie przypominający tego z dzieciństwa. Gdyby moja świętej pamięci matka dożyła czasów, w których za dwanaście jajek trzeba zapłacić trzy akcze, powiedziałaby pewnie: „Powinniśmy wyjechać do innego kraju, zanim kurczaki tak się rozwydrzą, że narobią nam na głowę zamiast na ziemię". Zdawałem sobie jednak sprawę, że malejąca wartość pieniądza to zjawisko powszechne. Podobno statki handlowe przybywające z Holandii i Wenecji po brzegi wypełnione były kuframi bezwartościowych monet. Dawniej w mennicy ze stu dirhemów bito pięćset akcze, a teraz z powodu nie kończących się wojen z Safawidami — osiemset. Gdy janczarzy odkryli, że pieniądze, jakimi im płacono, unoszą się na wodach zatoki Złotego Rogu niczym sucha fasola, która spadła ze straganu na przystani, zbuntowali się i oblegli pałac naszego sułtana, jakby to była forteca wroga.

---

* dirhem — srebrna moneta używana w krajach arabskich, także miara wagi, równa 3,207 g

Hodża imieniem Nusret, prawiący kazania w meczecie Bejazyta i głoszący, że wywodzi się z rodu Proroka Mahometa, zdobył sławę właśnie w czasach upadku moralności, drożyzny, morderstw i rabunków. Ów kaznodzieja, pochodzący z Erzurumu, tłumaczył nieszczęścia, jakie spadły na Stambuł w ciągu ostatnich dziesięciu lat — pożary w dzielnicach Bahçekapı i Kazancılar, dżumę, która za każdym razem zbierała tysiące ofiar, pochłaniające mnóstwo istnień ludzkich nie kończące się wojny z Safawidami oraz potyczki o niewiele znaczące fortece osmańskie zajęte przez zbuntowanych chrześcijan — tym, że muzułmanie zbłądzili z drogi Proroka Mahometa, oddalili się od nakazów Koranu, zbyt tolerancyjnie traktowali chrześcijan, otwarcie handlowali winem, a członkowie bractw religijnych spędzali w tekke* czas na zabawach.

Sprzedawca warzywnych marynat, z podnieceniem przekazujący mi wiadomości o hodży pochodzącym z Erzurumu, oznajmił też, że tracące na wartości pieniądze — nowe dukaty, fałszowane guldeny holenderskie z lwem i osmańskie akcze, zawierające z każdym dniem coraz mniej srebra — zalewały targi i bazary (podobnie jak tabuny Czerkiesów, Abchazów, Bośniaków, Gruzinów i Ormian) oraz prowadziły do upadku, z którego trudno będzie się podnieść. Sprzedawca powiedział też, że różnej maści łajdacy i buntownicy zbierali się w kawiarniach i knuli całymi nocami. Ci nędznicy wątpliwego pochodzenia, szaleńcy palący opium i niedobitki bractwa derwiszów kalenderytów, twierdząc, że kroczą drogą Allaha, wieczory spędzali w murach tekke, tańczyli przy muzyce do białego rana, wbijali sobie szpikulce w różne miejsca na ciele i oddawali rozpuście, kopulując na lewo i prawo, często przy udziale małych chłopców.

---

* tekke — klasztor, dom wspólnego zamieszkania i praktyk religijnych derwiszów

Nie wiedziałem, czy to wpadający w uszy słodki dźwięk ud*, czy wspomnienia i marzenia spowodowały, że nie mogłem już słuchać zrzędzenia handlarza, więc — nie zastanawiając się wiele — wstałem i poszedłem za płynącą z dali muzyką. Jeśli kochacie jakieś miasto i dużo po nim spacerowaliście, wasze ciało, nie wspominając nawet o duszy, uczy się rozkładu ulic, tak że w chwili smutku, gdy smętnie sypie śnieg, nogi same niosą was na ulubione wzgórze.

Tym właśnie sposobem po wyjściu z Targu Kowali zatrzymałem się przy meczecie Sülejmaniye, by obserwować padający na Złoty Róg śnieg, który zaczął już pokrywać dachy domów zwróconych na północ i kopuły muskane północno-wschodnim wiatrem. Opuszczane żagle statku wpływającego do portu pozdrawiały mnie łopotem. Ich kolor harmonizował z ołowianą mgłą unoszącą się nad zatoką. Cyprysy i platany, dachy, wieczorny nastrój, głosy dochodzące z położonych niżej dzielnic, nawoływania sprzedawców i krzyki dzieci bawiących się na dziedzińcu meczetu mieszały się w mojej głowie; uzmysławiały mi, że tylko tu będę w stanie żyć. W pewnej chwili przyszło mi nawet na myśl, że może znów przypomnę sobie twarz ukochanej, której od lat już nie potrafiłem sobie wyobrazić.

Zszedłem ze wzgórza. Wmieszałem się w tłum. Po wieczornym wezwaniu na modlitwę najadłem się do syta u sprzedawcy podrobów. W pustym lokalu uważnie słuchałem opowieści właściciela, który z lubością obserwował, jak jem, zupełnie jakby karmił swego kota. Potem zgodnie z jego wskazówkami powędrowałem jedną z wąskich ulic na tyłach targu niewolników — okolica tonęła już w mroku — i odnalazłem wspomnianą podczas pogawędki kawiarnię.

---

* ud — instrument strunowy, rodzaj lutni

W środku było tłoczno i gorąco. Na podwyższeniu obok paleniska usadowił się meddah* z rodzaju tych, których widziałem w Tabrizie i innych perskich miastach, zwanych tam perdedar. Rozłożył i powiesił na ścianie przed gośćmi rysunek psa wykonany na grubym papierze w pośpiechu, lecz umiejętnie. Wskazując nań od czasu do czasu, snuł opowieść z psiego punktu widzenia.

---

* meddah — opowiadacz, aktor tureckiego teatru ludowego „jednego aktora"

3.
Jestem psem

Jak sami widzicie, drodzy przyjaciele, moje kły są tak długie i spiczaste, że z trudem mieszczą się w pysku. Wiem, że to nadaje mi przerażający wygląd, ale mnie się podoba. Pewnego razu jeden rzeźnik, przyglądając się owym kłom, powiedział: „Ejże, to nie pies, tylko świnia".

Tak mocno ugryzłem go w nogę, że moje zęby przebiły jego tłuste udo aż do kości. Bo, widzicie, dla psa nie ma nic przyjemniejszego, niż w napadzie furii wbić kły w ciało wstrętnego wroga. Gdy pojawia się taka okazja, to znaczy gdy ofiara zasługująca na ugryzienie przechodzi obok mnie, niczego nie podejrzewając, z emocji ciemnieje mi w oczach, moje zęby drętwieją w oczekiwaniu i bezwiednie wydaję z siebie warkot, który jeży ludziom włosy na głowie.

Jestem psem, a ponieważ wy, ludzie, nie jesteście takimi racjonalnymi stworzeniami jak ja, myślicie sobie: „Przecież psy nie mówią". Ale jednocześnie wierzycie w opowieści o zmarłych przemawiających zza grobu lub ludziach wypowiadających słowa w nie znanych im językach. Tymczasem psy umieją mówić, ale tylko do tych, którzy potrafią słuchać.

Dawno temu za górami, za lasami do jednego z największych meczetów stolicy, dajmy na to do meczetu Bejazyta, przybył z prowincjonalnego miasteczka pewien niedoświadczony kaznodzieja. Być może należałoby zataić jego imię i nazwać go Husret Hoca, ale nie ma co owijać w bawełnę: człowiek ten był tępym hodżą. Braki w intelekcie nadrabiał paplaniną. Podczas każdego piątkowego nabożeństwa doprowadzał zebranych wręcz do ekstazy. Wzruszał ich do tego stopnia, że niektórzy wypłakiwali ostatnie łzy, a potem mdleli z wycieńczenia. Nie zrozumcie mnie źle, ale w przeciwieństwie do innych hodżów, również mocnych w gębie, szlochanie tłumu wcale go nie roztkliwiało. Wręcz przeciwnie: gdy wszyscy wkoło płakali, on nieporuszenie przemawiał z jeszcze większą siłą, jak gdyby w ten sposób chciał skarcić zgromadzenie. Widocznie wszyscy ci ogrodnicy, świta sułtańska, producenci chałwy, pospólstwo i inni kaznodzieje stali się wiernymi słuchaczami tego człowieka, bo uwielbiali być łajani. No cóż, on nie był psem, co to to nie, lecz po prostu człowiekiem — a błądzić jest rzeczą ludzką — i stojąc przed tymi tłumami, zauważył, że równie przyjemnie jest wywoływać w słuchaczach strach, jak i doprowadzać ich do łez. Gdy jednak zorientował się, że można z tego czerpać niezłe zyski, przebrał miarę i miał czelność głosić:

„Jedynym powodem drożyzny, dżumy i klęsk militarnych jest to, że zapomnieliśmy o islamie z czasów Proroka i uwierzyliśmy w inne księgi i kłamstwa, rzekomo przedstawiające wiarę muzułmańską. Czy w czasach Proroka Mahometa odprawiało się mewlity*? Czy modlono się w czterdziesty dzień po śmierci człowieka za spokój jego duszy, podawano chałwę i lokumy**? Czy w czasach Proroka Mahometa recytowano Koran z zaśpiewem, jakby to była jakaś pieśń? Czy żarliwie i wzniośle

---

* mewlity — modlitwy dziękczynne recytowane w czasie uroczystości narodzin Mahometa; także nazwa poematu opisującego jego życie (*Mewlud-i Nebi* — Narodziny Proroka)
** lokum — rachatłukum, tureckie słodycze, wyrabiane z mąki ryżowej i cukru

wzywający na modlitwę z minaretu muezin, pyszniąc się i kokietując jak zenne*, chciał się przypodobać Arabom, pokazując, jak bliski jest mu język arabski? Dzisiaj ludzie chodzą na cmentarze i błagają o przebaczenie, mając nadzieję, że zmarli im pomogą. Pielgrzymują do grobów świętych, czczą kamienie jak poganie, wiążą kawałki materiału, składają obietnice poprawy. Czy w czasach Proroka Mahometa istniały bractwa głoszące takie prawdy? Wielbiony przez nich mędrzec Ibn Arabi stał się grzesznikiem, przysięgając, że pogański faraon przyjął islam i zmarł jako muzułmanin. Wiadomo, że grzesznikami są członkowie takich bractw muzułmańskich, jak mewlewici, halwetyci i kalenderyci, którzy recytowali Koran w takt muzyki, ośmielali się tańczyć z chłopcami i głosili, że modlą się wspólnie. Dlatego tekke powinny być zniszczone, ich fundamenty przekopane na głębokość siedmiu arszynów**, a wydobyta ziemia wrzucona do morza. Dopiero wówczas można by na tym miejscu odprawiać modły".

Podobno ten Husret Hoca, rozogniony, krzyczał, a ślina tryskała z jego ust: „Ach, moi muzułmanie! Picie kawy jest grzechem! Nasz Prorok nie pił kawy, gdyż wiedział, że zaćmiewa ona umysł, powoduje wrzody żołądka, przepuklinę i bezpłodność oraz jest podstępnym wymysłem szatana. Ponadto kawiarnie są miejscami bezeceństw, gdzie wesołkowie i bogacze szukający wrażeń, siedząc obok siebie, oddają się plugawym przyjemnościom! Kawiarnie należy zamknąć jeszcze wcześniej niż tekke! Czy biedacy mają pieniądze na kawę? Ludzie często odwiedzający te miejsca uzależniają się od niej i tracą kontrolę nad umysłem do tego stopnia, że zaczynają wierzyć

---

*   zenne — (dosł. kobieta), tu: postać kokieteryjnej kobiety z tureckiego teatru ludowego
**   arszyn — dawna miara długości (ok. 71–81 cm)

w gadające psy, w bezpańskie kundle! Tymczasem kundlami
są właśnie ci, co przeklinają mnie i naszą religię!".

Za pozwoleniem, chciałbym się odnieść do ostatnich słów
tego czcigodnego hodży. Powszechnie wiadomo, że hodżowie,
pielgrzymi, kaznodzieje oraz imamowie nie lubią nas, psów.
Według mnie chodzi o pewien epizod z życia Proroka Mahometa, gdy ten obciął kawałek swojej szaty, na której spał kot,
byle tylko go nie obudzić. W ten sposób niby podkreślił swą
miłość do kotów, z którymi, jak wiemy, psy walczą od zawsze
i które — o czym łatwo może się przekonać nawet najgłupszy
człowiek — są niewdzięcznikami. Stąd wyciąga się wniosek,
jakoby Wielki Mahomet był wrogiem psów. Skutek tych fałszywych przekonań jest taki, że nie wpuszcza się nas do meczetów, bo podobno jesteśmy nieczyste i nasza obecność kalałaby
rytuał ablucji, a dozorcy od wieków przepędzają nas miotłami
z dziedzińców świątyń.

Chciałbym w związku z tym przypomnieć wam najpiękniejszą z sur Koranu — surę *Grota*. Robię to nie dlatego, że
podejrzewam, iż ktoś z was w tej kawiarni nie zna Koranu, ale
po to, abyście odświeżyli sobie pamięć. Opowiada ona historię siedmiu młodzieńców, którzy mieli dość życia wśród pogan i nieustannego prześladowania, więc znaleźli schronienie
w pewnej grocie, gdzie zmorzył ich głęboki sen. Allah nałożył
pieczęć na ich uszy i sprawił, że spali dokładnie trzysta dziewięć lat. Po przebudzeniu jeden z nich chciał kupić od napo-
tkanych ludzi prowiant za nie używane już, jak się okazało,
srebrne monety, i wtedy uświadomili sobie, jak długo przeby-
wali w pieczarze. Bardzo się zdziwili. Ta sura opowiada o po-
dziwie człowieka dla Allaha, o cudach Najwyższego, o prze-
mijaniu czasu i przyjemności głębokiego snu. Chociaż niezbyt
mi wypada, pozwólcie, iż przypomnę też werset osiemnasty,
w którym mowa o psie śpiącym przy wejściu do jaskini, gdzie

schronili się młodzieńcy. Oczywiście każdy byłby zadowolony, gdyby pojawił się w Koranie. Jako pies jestem dumny z tej sury i mam nadzieję, że owa historia przywróci rozsądek słuchaczom hodży z Erzurumu, nazywającym moich pobratymców swymi wrogami i nieczystymi pomiotami.

Jaka jest więc prawdziwa przyczyna tej wrogości do psów? Dlaczego twierdzicie, że są one nieczyste? Dlaczego musicie wszystko dokładnie wypucować, gdy to zwierzę przekroczy próg waszego domu? Dlaczego jego dotknięcie kala ablucję? Dlaczego, jeśli róg kaftana otrze się o wilgotną sierść psa, niczym znerwicowane baby pierzecie go siedmiokrotnie? A już bzdury mówiące o tym, że garnek przez psa wylizany należy wyrzucić lub ponownie pokryć cyną, mogli wymyślić tylko pobielacze cyną. Ewentualnie koty...

Kiedy ludzie zrezygnowali z koczownictwa, zaczęli się przenosić ze wsi do miast, ale psy pasterskie zostały na miejscu — to właśnie wtedy pojawiły się pierwsze pogłoski o nieczystości moich pobratymców. Tymczasem przed nastaniem islamu aż dwa z dwunastu miesięcy w roku były miesiącami psa. Dziś zaś widok tego zwierzaka uważa się za zły omen. Ale nie chcę was zadręczać moimi problemami, drodzy przyjaciele, którzy przyszliście posłuchać opowieści i wyciągnąć z niej nauki. Szczerze mówiąc, gniew mój skierowany jest przeciw atakowi hodży na kawiarnie.

Co sobie pomyślicie, gdy wyjawię, że nie wiadomo, kto jest ojcem Husreta z Erzurumu? Już mi wypominano: „Co z ciebie za pies? Wygadujesz bzdury o szanownym hodży tylko dlatego, że chcesz bronić swego pana meddaha, który w jakiejś kawiarni powiesił na ścianie rysunek i opowiada historie!”. Broń Boże, nikogo nie chcę urazić! Ja po prostu bardzo lubię nasze kawiarnie. Nie martwi mnie, że mój rysunek został wykonany na tanim papierze ani też że jestem psem. Przykro mi tylko, że nie piję kawy, siedząc razem z wami jak człowiek. Jesteśmy gotowi umrzeć za kawę i za kawiarnie, prawda? Teraz patrzcie, mój pan nalewa mi kawę z tygielka. „Przecież rysunek nie może pić kawy", powiecie. No to patrzcie, patrzcie, jak pies ją chłepcze.

O, tak, kawa dobrze mi zrobiła, ogrzała mnie, wyostrzyła zmysły, pobudziła umysł. Posłuchajcie, co mam wam do powiedzenia: Czy wiecie, co oprócz chińskiego jedwabiu i chińskiej porcelany w niebieskie kwiatki doża z Wenecji przysłał Nurhayat, córce Jego Wysokości Naszego Sułtana? Weneckiego pieska o sobolowej miękkiej sierści. Ta suczka podobno była tak rozpieszczona, że miała nawet kubraczek z czerwonego jedwabiu. Jeden z moich przyjaciół ją przeleciał i od niego właśnie wiem to wszystko. Nie chciała wręcz odbyć stosunku bez swojego stroju. Zresztą, w tym jej kraju wszystkie psy noszą podobne szatki. Krąży nawet opowieść, że wytworna i dobrze urodzona żona pewnego Wenecjanina, ujrzawszy nie ubranego psa — a może nawet dostrzegła jego małego, nie jestem pewny — krzyknęła: „Dobry Boże, ten pies jest goły!" — i zemdlała.

W krainie niewiernych Franków, czyli Europejczyków, każdy pies ma właściciela. Te biedne stworzenia paradują po ulicach w kagańcach i na smyczy jak najnędzniejsi niewolnicy. Ludzie później na siłę prowadzą je do swoich domów, co więcej, zabierają do łóżek. Psom nie wolno spacerować, nie wspominając już o wzajemnym obwąchiwaniu się i swawoleniu. Gdy spotkają się na ulicy, smutnym wzrokiem mierzą się z daleka i to wszystko. Niewierni nie mogą pojąć, że na ulicach Stambułu my, psy, włóczymy się swobodnie, biegamy sobie w grupkach, zastępujemy ludziom drogę, jeśli zajdzie potrzeba, zwijamy się w kłębek w ciepłym kącie lub, położywszy się w cieniu, słodko śpimy; że załatwiamy swe potrzeby, gdzie nam się podoba, i gryziemy, kogo chcemy. Przyznam, że domyślam się, dlaczego słuchacze hodży z Erzurumu nie chcieli modlić się za psy czy rzucać im mięsa na ulice w zamian za boskie względy i dlaczego w ogóle byli przeciwni takiej dobroczynności. Jeśli oni zamierzają traktować nas jak wrogów i giaurów, to przypominam, że niechętni psom i niewierni to jedno i to samo. Mam nadzieję, że w niedalekiej przyszłości ci podli ludzie zostaną straceni i że nasi przyjaciele kaci, jak się mawia, rzucą ich ciała psom na pożarcie, co czasami robią ku przestrodze innych.

Na koniec powiem tak: mój poprzedni pan był bardzo sprawiedliwym człowiekiem. Gdy w nocy wychodziliśmy na rozbój, dzieliliśmy się pracą — on podrzynał gardło ofierze, ja zaczynałem szczekać, zagłuszając w ten sposób jej krzyki. W zamian za moją pomoc ćwiartował zdobycz, gotował i dawał mi do jedzenia. Nie lubię surowego mięsa.

W Bogu nadzieja, że kat owego hodży z Erzurumu weźmie to pod uwagę, dzięki czemu nie nabawię się sensacji żołądkowych, pożerając surowe mięso tego łajdaka.

4.
Nazwą mnie mordercą

Gdyby mi powiedziano, że odbiorę komuś życie — nawet tuż przed zamordowaniem tego głupca — tobym nie uwierzył. Dlatego też wspomnienie popełnionego czynu stopniowo się ode mnie oddala, niczym galeon znikający na horyzoncie. Czasem czuję się wręcz tak, jakbym nie dopuścił się żadnej zbrodni. Minęły cztery dni od chwili, kiedy zostałem zmuszony, by skrócić życie biednemu Elegantowi, który był dla mnie jak brat, i dopiero teraz zaczynam przyzwyczajać się do nowej sytuacji.

Bardzo pragnąłem rozwiązać ten okropny i nieoczekiwany problem, nikogo nie zabijając, ale wiedziałem, że nie ma innego wyjścia. Załatwiłem więc sprawę szybko; wziąłem na siebie całkowitą odpowiedzialność. Nie mogłem przecież dopuścić, by z powodu oszczerstw jakiegoś głupca cały cech miniaturzystów znalazł się w niebezpieczeństwie.

Trudno jednak przywyknąć do tego, że jest się mordercą. Nie mogę usiedzieć w domu, więc wychodzę na ulicę; nie mogę na niej wystać, dlatego idę na inną, a później z tamtej na jeszcze inną i obserwując twarze ludzi, stwierdzam, że wielu z nich uważa się za niewinnych tylko dlatego, iż okazja do popełnienia przestępstwa jeszcze się im nie trafiła. Trudno mi przyjąć, że większość ludzi jest bardziej moralna i lepsza ode mnie tylko dlatego, że przeznaczenie inaczej pokierowało ich życiem. Przybierają nieco głupszy wyraz twarzy, ponieważ jeszcze nie zabili, i jak wszyscy idioci zdają się mieć dobre zamiary. Po zabójstwie owego nieszczęśnika przez cztery dni spacerowałem po ulicach Stambułu i przekonałem się, iż każdy, kto w oczach miał błysk inteligencji, a na twarzy cień rozterek trapiących duszę, był skrytym mordercą. Niewinni są jedynie głupcy.

Na przykład dziś wieczorem, pokrzepiając się gorącą kawą w kawiarni na tyłach Targu Niewolników, spoglądając na umieszczony za mną rysunek psa i stopniowo zapominając o swoim położeniu, śmiałem się z całego serca razem z innymi, słuchając opowieści meddaha. Nagle nabrałem przekonania, że pewien typ siedzący obok mnie również jest mordercą. Śmiał się jak ja, ale dzięki przebłyskowi intuicji rozpoznałem w nim zabójcę, a może po tym, że położył rękę tuż obok mojej i niespokojnymi palcami pocierał filiżankę. Nie wiem dokładnie, jak wyczułem, że coś nas łączy, ale w pewnej chwili spojrzałem mu prosto w oczy. Przestraszył się, jego twarz znieruchomiała. Kiedy lokal zaczął pustoszeć, jeden z jego znajomych wziął go pod rękę, mówiąc: „Ludzie hodży Nusreta z pewnością zrobią nalot na to miejsce”. Uciszył go, podnosząc brew. Ich niepokój udzielił się również mnie. Nikt tu nikomu nie ufał, każdy spodziewał się jakiejś podłości po swoim sąsiedzie.

Zrobiło się jeszcze zimniej, na rogach ulic i pod ścianami budynków leżało już sporo śniegu. W tych egipskich ciemnościach wędrowałem wąskimi ulicami jedynie na wyczucie. Czasem słabe światło kaganka, palącego się w czyimś domu, przenikało przez szczelnie zamknięte okiennice bądź okna zabite deskami i odbijało się na śniegu, lecz najczęściej w zupełnym mroku nasłuchiwałem odgłosów pałek, którymi stróże nocni uderzali w kamienie, wycia psów, przebiegających przez drogę, oraz dźwięków dochodzących z domostw — tak znajdowałem swoją drogę. W środku nocy wydawało mi się, że śnieg emanował niezwykłym blaskiem, oświetlając wąskie i przerażające ulice Stambułu, a wśród ruin i drzew dostrzegałem duchy, które przez wieki czyniły z tego miasta miejsce złowieszcze. Niekiedy słyszałem też nieszczęśliwych ludzi: nieprzerwanie kasłali, pociągali nosami, popłakując przez sen, wydawali okrzyki, a mężowie gwałtownie kłócili się z żonami w obecności płaczących dzieci.

Przez kilka dni przychodziłem do tej kawiarni, aby powspominać swoje szczęśliwe życie, gdy jeszcze nie byłem mordercą, aby poprawić sobie nastrój i posłuchać meddaha. Moi bracia miniaturzyści bywali tutaj prawie co wieczór. Ale od kiedy skrzywdziłem durnia, z którym od dziecka razem wykonywaliśmy ilustracje, nie chciałem już widzieć żadnego z nich. Zawstydzała mnie atmosfera nieprzystojnej zabawy, panująca w tym miejscu, gdzie moi bracia dobrze się czuli, a spotykając się, nie potrafili się powstrzymać od plotkowania. Aby mi nie wytykali, że zadzieram nosa, również zrobiłem kilka rysunków dla meddaha, ale nie sądzę, aby to zmniejszyło ich zawiść.

A mieli mi czego zazdrościć. Jestem przecież największym mistrzem w dobieraniu kolorów, zaznaczaniu konturów, układaniu stron, wybieraniu tematów, przedstawianiu twarzy, aranżowaniu scen batalistycznych i myśliwskich, szkicowaniu sułtanów, statków, zwierząt, wojowników i zakochanych, pozłacaniu, a nawet nasycaniu ilustracji duchem poezji. Nie mówię tego, aby się chwalić, po prostu wyjaśniam, aby być dobrze zrozumiany. Z czasem w życiu mistrza iluminatora zawiść staje się nieodzowna, jak farba.

Niekiedy podczas spacerów, które w miarę narastającego niepokoju stawały się coraz dłuższe, napotykałem spojrzenie jednego z braci muzułmanów i wtedy przychodziła mi do głowy dziwna myśl: jeśli w tej chwili pomyślę, że jestem mordercą, to mijający mnie człowiek wyczyta to z mojej twarzy.

Dlatego zmuszam się do myślenia o czymś innym, podobnie jak bywało w latach młodości, gdy — zwijając się ze wstydu — starałem się, aby podczas modlitwy nie zaprzątały mi głowy kobiety. W przeciwieństwie do owych młodzieńczych fantazji, których nie umiałem odpędzić, myśli o popełnionym morderstwie potrafiłem się pozbyć.

Z pewnością rozumiecie, iż opowiadam o tym wszystkim z powodu mojego kłopotliwego położenia. Ale gdybym ujawnił choć jeden ze szczegółów zabójstwa, wtedy byście wszystko zrozumieli i to uwolniłoby mnie od bycia bezimiennym, mordercą bez twarzy, włóczącym się między wami jak zjawa. Zostałbym zdegradowany do roli zwykłego przestępcy, który przyznał się do winy, poddał się po to, by wkrótce zapłacić głową za swoją zbrodnię. Pozwólcie mi nie rozwodzić się nad każdym szczegółem, niech będzie mi wolno zatrzymać pewne ślady tylko dla siebie: spróbujcie odkryć, kim jestem, poprzez mój dobór słów i kolorów, tak jak skrupulatni ludzie, tacy jak wy, mogliby badać ślady stóp, aby złapać złodzieja. Nawiasem mówiąc, napotykamy tu zresztą bardzo popularny obecnie dylemat artystyczny: czy miniaturzysta ma, czy powinien mieć własny styl, ulubione kolory, indywidualny wyraz.

Przyjrzyjmy się miniaturze czarodzieja iluminacji Behzada*, mistrza nad mistrzami. Natknąłem się na nią na jednej ze stron imponującej dziewięćdziesięcioletniej księgi, reprezentującej szkołę heracką, i pochodzącej z biblioteki perskiego księcia, bezlitośnie zamordowanego w wyniku walki o tron. Doskonale pasowała do mojej sytuacji, gdyż przedstawiała

---

* Behzad (ok.1455–1535) — największy miniaturzysta perski, działał w Heracie i Tabrizie.

morderstwo i opowiadała historię Chosrowa i Szirin*. Ich losy z pewnością są wam znane; oczywiście nie mówię tu o wersji Firdausiego**, lecz Nizamiego***: Dwoje zakochanych pobiera się po wielu dramatycznych przygodach, lecz młody i podstępny Sziruje, syn Chosrowa i jego poprzedniej żony, nie daje za wygraną. Książę upatrzył sobie nie tylko tron ojca, ale i jego młodą żonę Szirin. Sziruje, o którym Nizami napisał, iż „z jego ust śmierdzi jak z paszczy lwa", doprowadza do uwięzienia Chosrowa i zasiada na tronie. Pewnej nocy wchodzi do komnaty, w którym śpią jego ojciec z Szirin, w ciemności po omacku odnajduje ich w łóżku i kindżałem godzi Chosrowa prosto w pierś. Krew sączy się aż do świtu i ranny umiera przy pięknej Szirin, błogo śpiącej u jego boku.

Miniatura wielkiego mistrza Behzada, podobnie jak sama opowieść, od lat budziła we mnie strach: wyobraźcie sobie grozę ogarniającą człowieka, który — wyrwany ze snu w środku nocy, w ciemnej sypialni — słyszy niepokojące odgłosy i domyśla się obecności czyhającego w pobliżu nieprzyjaciela! Pomyślcie, że zabójca w jednej ręce trzyma kindżał, a drugą ściska was za gardło. Obraz dopracowano w najmniejszych szczegółach: układ pomieszczenia, ornamenty na oknie i fra-

---

*   Chosrow II Parwiz (590–628) — władca sasanidzki; miłość Chosrowa do ormiańskiej księżniczki Szirin stała się tematem wielu poematów, a sceny związane z ich przygodami miłosnymi wykorzystywali miniaturzyści.

**   Firdausi (ok. 932–ok. 1020) — poeta perski, autor epopei *Szahname* (*Księga królewska*), w której ukazał dzieje Iranu od czasów legendarnych do panowania Sasanidów. Rękopisy dzieła były często ilustrowane miniaturami.

***   Nizami Gandżawi (1141–1210) — wybitny poeta perski, autor *Chamse*, czyli *Piątki*, pięciu poematów, na których wzorowało się wielu poetów perskich i tureckich. Poematy te były bardzo często ilustrowane miniaturami.

mudze, geometryczne wzory na czerwonym dywanie — kolor ten symbolizuje niemy krzyk uwięziony w waszej ściśniętej krtani — oraz subtelne żółte i fioletowe kwiaty wyszyte z precyzją na wspaniałej kołdrze, po której brutalnie stąpa naga stopa mordercy. Wszystkie te szczegóły służą konkretnemu celowi: z jednej strony podkreślają artyzm obrazu, a z drugiej — uzmysławiają, jak zachwycająca jest komnata, w której umieracie, i świat, który porzucacie. Beztroskie, obojętne piękno świata i jego przedstawienia w odpowiedzi na waszą śmierć, fakt absolutnego osamotnienia w momencie uchodzącego życia, nawet jeśli przy waszym boku jest żona — oto co przychodzi na myśl, gdy patrzy się na tę miniaturę.

— To dzieło Behzada — oznajmił dwadzieścia lat temu stary mistrz, gdy razem przeglądaliśmy księgę, którą trzymałem w drżących dłoniach. Jego twarz rozpromieniła się nie od blasku świecy stojącej obok, lecz od samej przyjemności patrzenia. — Jest to tak oczywiste, że dzieło wyszło spod ręki Behzada, że nawet niepotrzebny jest podpis.

Ponieważ Behzad również doskonale o tym wiedział, nie podpisał się nawet skrycie w rogu miniatury. Według starego mistrza zachowanie artysty zdradzało jego wielką skromność i powściągliwość. Wierzył, że to prawdziwa sztuka i zdolności artystyczne prowadzą do powstania niezwykłych cudownych dzieł i pozostawianie śladu wskazującego ich twórcę jest zbyteczne.

Obawiając się o moje życie, zamordowałem swoją nieszczęsną ofiarę szybko, w pospolity i brutalny sposób. Żeby przekonać się, czy nie zostawiłem na miejscu zbrodni jakichś śladów, które mogłyby pomóc mnie zdemaskować, każdej nocy wracałem na owo pogorzelisko i wtedy znów narastały w mej głowie pytania o styl. To bowiem, co z uporem nazywano stylem, otwierało drogę do rozpoznania cech artystycznych twórcy.

Nawet bez światła bijącego od śniegu odnalazłbym to miejsce z łatwością: pogorzelisko, na którym zabiłem człowieka, będącego od dwudziestu pięciu lat moim przyjacielem. Śnieg pokrył wszelkie ślady, które mogłyby stanowić mój podpis. To tylko potwierdza, że Allah podziela mój i Behzada pogląd na temat stylu i autografu. Gdyby, jak jeszcze cztery dni temu twierdził ten głupiec, ilustrowanie ksiąg było grzechem, choćby nieświadomym, to Allah nie okazałby mi swej łaski.

Tamtej nocy, gdy przybyliśmy z Elegantem na pogorzelisko, śniegu jeszcze nie było. Słyszeliśmy dochodzące z daleka szczekanie psów.

— Po co tu przyszliśmy? — dopytywał się nieszczęśnik.

— Co chcesz mi pokazać o tak późnej porze?

— Tam jest studnia. Dwanaście kroków od niej zakopałem pieniądze. Zbierałem je latami — odpowiedziałem. — Jeśli nikomu nie zdradzisz, o czym tutaj rozmawialiśmy, Wuj i ja cię wynagrodzimy.

— A więc jesteś świadom tego, że źle postępujesz! — wykrztusił z przejęciem.

— Przyznaję — skłamałem, nie mając innego wyjścia.

— Czy wiesz, że wasz rysunek jest ogromnym grzechem? — zapytał naiwnie. — To herezja, bluźnierstwo, jakich nie odważyłby się popełnić żaden człowiek. Będziecie się smażyć w piekle. Wasze tortury i cierpienie nigdy się nie skończą. W dodatku uczyniliście mnie swoim wspólnikiem!

Słuchając tych słów, z przerażeniem zdałem sobie sprawę, jak wielu ludzi by mu uwierzyło. Czemu? Ponieważ słowa te miały taką siłę i były tak wiarygodne, iż człowiek, chcąc nie chcąc, zaczynał w nie wierzyć, licząc, że w ten sposób potwierdzi się jego opinia o ludzkiej podłości. Krążyło już wiele pogłosek o Wuju i przygotowywanej przez niego w tajemnicy księdze oraz o pieniądzach, które był gotów na nią wyłożyć.

Poza tym naczelny iluminator, mistrz Osman, nienawidził go. Zrozumiałem, że mój przyjaciel pozłotnik przebiegle wykorzystał plotki do wsparcia swoich oskarżeń. Do jakiego stopnia był szczery?

Kazałem mu powtórzyć zarzuty, które uczyniły z nas wrogów. Nie przebierał w słowach. Zupełnie jak za czasów naszej praktyki, gdy w obawie przed chłostą mistrza Osmana namawiał mnie, bym tuszował jego błędy. Wówczas jego prośby wydawały mi się szczere. Wpatrywał się we mnie szeroko otwartymi oczami, tak jak teraz, tylko że wtedy oczy te nie nosiły jeszcze śladów wytężonej pracy nad miniaturami. Ale moje serce nie mogło zmięknąć — ten człowiek był przecież gotów wszystko wyjawić innym!

— Posłuchaj mnie — powiedziałem z wymuszoną łagodnością. — My tworzymy ilustracje, zdobimy brzegi ksiąg, wyznaczamy kontury, dekorujemy różnymi odcieniami złota stronę po stronie, robimy najwspanialsze ryciny, upiększamy szafki i skrzynie. Zajmujemy się tym od lat. To nasza praca. Zamawiają u nas miniaturę statku, antylopy lub sułtana, ptaków albo ludzi, taką czy inną scenę z opowieści, a my to wykonujemy. Pewnego razu Wuj powiedział do mnie: „Narysuj konia z wyobraźni". Przez trzy dni, jak dawni wielcy mistrzowie, rysowałem setki koni, aby w końcu przekonać się, jak go sobie wyobrażam. Aby wyrobić rękę, stworzyłem serię koni na grubym papierze z Samarkandy.

Wyjąłem szkice i podałem Elegantowi do obejrzenia. Wziął moje prace z zainteresowaniem i przybliżywszy je do oczu, w bladym świetle księżyca zaczął oglądać czarne i białe konie.

— Dawni mistrzowie z Szirazu i Heratu twierdzili, że miniaturzysta musi rysować konie nieprzerwanie przez pięćdziesiąt lat, aby oddać ich prawdziwy wizerunek, zgodny z wyobrażeniami i pragnieniami Allaha. Byli zdania, że najlepszy rysunek powstaje w ciemności, ponieważ miniaturzysta po tylu latach tak wytężonej pracy ślepnie, ale jego ręka zapamiętuje kształty konia na zawsze.

Jego niewinne spojrzenie, które pamiętałem z dzieciństwa, uświadomiło mi, że zapatrzył się w naszkicowane przeze mnie rysunki.

— Składają nam zamówienie, a my staramy się stworzyć najbardziej tajemniczego i niedoścignionego konia, tak jak dawni mistrzowie, to wszystko. Niesprawiedliwe jest obarczanie nas odpowiedzialnością za rzecz, która została zamówiona.

— Nie wiem, czy to właściwe — odparł. — My też mamy obowiązki i wolę. Ja nie boję się nikogo prócz Allaha. A on dał nam rozum, abyśmy odróżniali dobro od zła.

To była właściwa odpowiedź.

— Allah wszystko widzi i wszystko wie... — powiedziałem po arabsku. — Zrozumie również, że ty, ja, my wykonaliśmy tę pracę, nie będąc świadomi tego, co robimy. Komu doniesiesz na Wuja? Nie wierzysz, że za tą pracą stoi wola naszego wielkiego sułtana?

Zamilkł. Zastanawiałem się, czy naprawdę ma taki kurzy móżdżek, czy też mówi głupstwa, gdyż stracił zimną krew z powodu strachu przed gniewem Allaha?

Zatrzymaliśmy się przy studni. W ciemności przez chwilę widziałem jego oczy i zrozumiałem, że się boi. Zrobiło mi się go żal. Było już jednak za późno. Modliłem się do Allaha, aby dał mi jeszcze jeden dowód na to, iż człowiek stojący naprzeciw mnie jest nie tylko tchórzem, ale i łajdakiem.

— Odlicz dwanaście kroków i kop — powiedziałem.

— A ty co potem zrobisz?

— Powiem Wujowi, by spalił miniatury. Co innego możemy zrobić? Jeśli jakiś stronnik hodży Nusreta z Erzurumu usłyszy te słowa, to przepadniemy i my, i nasza pracownia. Czy znasz któregoś z nich? Na razie przyjmij te pieniądze, żebym miał pewność, że na nas nie doniesiesz.

— W czym są ukryte?

— Siedemdziesiąt pięć weneckich złotych monet w starym glinianym garnku po marynatach.

Weneckie dukaty — to jeszcze miało sens, ale skąd przyszło mi do głowy gliniane naczynie po marynatach? To było tak głupie, że aż przekonujące. W ten sposób jeszcze raz doszedłem do wniosku, że Allah jest po mojej stronie, gdyż mój przyjaciel z dzieciństwa, który z wiekiem stawał się coraz bardziej chciwy, z zaangażowaniem zaczął odmierzać owe dwanaście kroków we wskazanym przeze mnie kierunku.

Skupiłem się na dwóch sprawach. Przede wszystkim w ziemi nie było żadnego weneckiego złota ani niczego podobnego! A jeśli nie dam mu pieniędzy, ten zachłanny dureń nas zniszczy! Przez chwilę miałem ochotę przytulić i pocałować drania, tak jak to robiłem, gdy byliśmy uczniami, lecz minione lata zbyt oddaliły nas od siebie. Poza tym zastanawiałem się, jak należałoby kopać. Rękami? Te wszystkie myśli przemykały mi przez głowę w mgnieniu oka, a może nawet i szybciej.

W panice chwyciłem oburącz kamień leżący przy studni. Gdy Elegant odliczał dopiero siódmy czy ósmy krok, dogoniłem go i z całej siły uderzyłem w tył głowy. Kamień dosięgnął go tak szybko i brutalnie, że aż się wzdrygnąłem — zupełnie jakby głaz uderzył w moją głowę, nawet poczułem ból. Zamiast jednak martwić się swoim uczynkiem, chciałem jak najszybciej zakończyć brudną robotę. Leżący na ziemi Elegant zaczął tak gwałtownie wierzgać nogami, że mimo woli wpadłem w panikę.

Jeszcze długo po tym, jak go wrzuciłem do studni, nie byłem w stanie przyznać, że ten ohydny czyn wcale, ale to wcale nie pasował do artystycznej natury miniaturzysty.

5.
Jestem waszym ukochanym Wujem

Dla Czarnego jestem wujem, lecz inni też się tak do mnie zwracają. To matka Czarnego zażyczyła sobie, by mówił mi wuju, a potem i pozostali zaczęli używać tego miana. Pierwszy raz Czarny odwiedził nas trzydzieści lat temu, gdy przeprowadziliśmy się na podmokłą, zacienioną lipami i kasztanowcami ulicę na tyłach dzielnicy Aksaray. Tam był nasz poprzedni dom. Gdy po letnich wyprawach z Mahmudem Paszą jesienią wróciłem do domu, zastałem w nim Czarnego i jego matkę (pokój jej duszy). Była ona starszą siostrą mojej świętej pamięci żony. Czasem w zimowe wieczory zastawałem je obie w uścisku, jak z zapłakanymi oczami żaliły się sobie nawzajem. Ojciec Czarnego, który nie potrafił utrzymać posady nauczyciela w małych odległych medresach*, był wybuchowy, gniewny i dużo pił. Sześcioletni wówczas Czarny płakał, jego mama płakała, milkł, gdy mama milkła, a na mnie, swojego wuja, spoglądał ze strachem.

Jestem zadowolony, gdy widzę go teraz przed sobą — zdecydowanego, dorosłego i pełnego szacunku. Szacunek, jaki mi okazywał, gdy z czołobitnością całował mnie w rękę i przykła-

---

*   medresa — teologiczna uczelnia muzułmańska, w której wykłada się zasady islamu, prawa, interpretacji Koranu, gramatyki arabskiej, a także nauki ścisłe

dał ją do swego czoła, ton, jakim oznajmił: „Tylko na czerwony atrament", dając mi w prezencie mogolski kałamarz, skromność, z jaką siedział naprzeciw mnie ze złączonymi nogami — wszystko to uświadamiało mi niezbicie, że nie tylko stał się statecznym mężczyzną, jakim zawsze chciał być, lecz również, że ja jestem już starszym panem, jakim pragnąłem zostać. Był podobny do ojca, którego widziałem zaledwie kilka razy: wysoki, szczupły, nerwowo poruszający rękami i nogami. Ale miał wdzięk. Zwyczaj kładzenia rąk na kolanach, patrzenia mi głęboko w oczy, kiedy mówiłem coś ważnego, jakby chciał podkreślić: „Rozumiem, słucham z uwagą", i potakiwanie głową w takt moich słów — zachowanie to uważałem za godne pochwały. Ponieważ przeżyłem już wiele lat, wiem, że okazywanie szacunku nie pochodzi z serca, lecz jest przejawem uniżoności i podporządkowania się konwenansom.

Był taki czas, że matka Czarnego przyprowadzała go do naszego domu, ponieważ tu widziała jego przyszłość. Odkryłem, że chłopak lubi księgi, co nas do siebie zbliżyło. Domownicy mawiali, że był u mnie praktykantem. Opowiadałem mu, w jaki sposób miniaturzyści z Sziraz, przesuwając linię horyzontu na samą górę obrazu, stworzyli nowy styl. Objaśniałem, jak wszyscy mistrzowie zwykli przedstawiać nieszczęśliwego i oszalałego z miłości do Lejli Madżnuna, błąkającego się po pustyni, a jednak wielki mistrz Behzad zdołał lepiej wyrazić rozpaczliwą samotność Madżnuna, ukazując go wśród namiotów i w tłumie kobiet, próbującego rozpalić ogień dmuchaniem na drwa. Zwracałem uwagę na absurd, że większość iluminatorów — przedstawiających scenę podglądania przez Chosrowa nagiej Szirin, kąpiącej się w jeziorze głęboką nocą — którzy nie przeczytali poematu Nizamiego, kolorowała konie i stroje zakochanych, jak im się podobało. Próbowałem w ten sposób wyrazić opinię, iż miniaturzysta nie zadający sobie trudu dokładnego przeczytania utworu, na którym oparta będzie ilustracja, bierze pędzel do ręki z jednego powodu — dla pieniędzy.

Z radością stwierdziłem, iż Czarny zrozumiał podstawową zasadę: jeśli nie chcesz doznać rozczarowania w sztuce, nie traktuj jej jako profesji. Niezależnie od tego, jak wielki posiadasz talent i jak wielkie zdolności, pieniędzy i władzy szukaj gdzie indziej, abyś nie obraził się na sztukę, gdy za swoje umiejętności i pracę nie otrzymasz spodziewanego wynagrodzenia.

Czarny opowiadał mi, że mistrzowie iluminatorzy i kaligrafowie, których poznał przy pracy nad księgami zamówionymi przez bogaczy i paszów ze Stambułu i z prowincji, klepali biedę bez nadziei na przyszłość. Z tego powodu nie tylko w Tabrizie, ale również w Maszhadzie i Aleppo wielu porzuciło zdobienie manuskryptów i zaczęło tworzyć jednostronicowe iluminacje ku uciesze europejskich podróżników, przedstawiające różne osobliwości, a także nieprzyzwoite sceny. Chodziły słuchy, że stronice księgi, którą szach Abbas podarował w prezencie naszemu sułtanowi podczas podpisywania pokoju w Tabrizie, zostały wydarte i dołączone do innej księgi. Podobno władca Indii Akbar przeznaczył dużo pieniędzy na nowy duży manuskrypt, więc najbardziej utalentowani iluminatorzy z Tabrizu i Kazwinu porzucili swoje zajęcia i ruszyli do jego pałacu.

Wszystkie te historie Czarny zręcznie przeplatał innymi opowieściami. Na przykład, uśmiechając się do mnie, przytoczył zabawną anegdotę o fałszywym Mehdim albo o popłochu, jaki zapanował wśród Uzbeków, gdy ten idiota książę, wysłany do nich przez Safawidów z misją pokojową, dostał gorączki i w ciągu trzech dni zmarł. Ale z wyrazu twarzy Czarnego wywnioskowałem, że sprawa, o której trudno nam było rozmawiać i która dręczyła nas obu, nie zakończyła się i trzeba będzie do niej wrócić.

Chodziło o to, że Czarny, jak każdy młody mężczyzna odwiedzający nasz dom lub znający go z opowieści, zakochał się w mojej cudownej jedynej córce Şeküre. W owym czasie wszyscy, nawet ci, którzy jej nie znali, kochali się w tej piękności nad pięknościami, nie uznałem więc tego faktu za niebezpieczny i nieco go lekceważyłem. Ale Czarny, który był w naszym domu lubiany i akceptowany, ponadto miał okazję widzieć Şeküre na co dzień, zapałał do niej wielkim, nieszczęśliwym uczuciem. Zawiódł mnie również, bo miałem nadzieję, iż ukryje to uczucie i nie zdradzi się z nim, on jednak popełnił błąd, otwarcie wyznając mojej córce swą gwałtowną namiętność.

W takim razie jego noga nie mogła więcej postać w naszym domu.

Wydaje mi się, że Czarny wiedział, iż trzy lata po jego wyjeździe ze Stambułu moja córka (będąca wtedy w wieku, który najlepiej podkreślał jej urodę) wyszła za mąż za sipahi* i że ten lekkoduch, któremu urodziła dwóch synów, wyruszył na wyprawę wojenną i z niej nie powrócił. Od czterech lat nikt nie otrzymał od niego żadnej wiadomości. Przypuszczałem, że Czarny o tym wszystkim wiedział — docierały do mnie przecież błyskawicznie rozchodzące się po Stambule plotki, a poza tym czułem, że prawdę poznał już dawno temu. Świadczyły o tym okresy milczenia, jakie panowały między nami w przeszłości, a także sposób, w jaki patrzył mi w oczy. Wydaje mi się, że nawet teraz, przeglądając leżącą przed nim na podstawce *Księgę duszy*, nasłuchiwał głosów dzieci z głębi budynku, ponieważ wiedział, że córka wróciła do domu swego ojca wraz z dwoma synami.

---

* sipahi — uzbrojony kawalerzysta, lennik sułtana, zobowiązany do udziału w kampaniach wojennych

Nie zamieniliśmy słowa o nowym domu, zbudowanym przeze mnie podczas jego nieobecności. Być może, jak każdy młodzieniec, który postanowił zostać bogatym i poważanym człowiekiem, uznał podejmowanie takich tematów za niestosowne. Ale gdy tylko wszedł do środka, oznajmiłem mu na schodach, że drugie piętro jest mniej wilgotne i że pobyt tam działa na moje bóle w kościach. Mówiąc „drugie piętro", odczułem dziwny wstyd, lecz chcę, abyście to wiedzieli: już wkrótce na wybudowanie sobie dwupiętrowego domu stać będzie ludzi mających mniej pieniędzy niż ja, zwykłych sipahi posiadających małe lenno.

Znajdowaliśmy się w pomieszczeniu, które zimą stanowiło moją pracownię. Byłem świadomy tego, że Czarny wyczuwa obecność Şeküre w sąsiednim pokoju, natychmiast więc przeszedłem do zasadniczej sprawy, którą opisałem mu w wysłanym do Tabrizu liście, zawierającym zaproszenie do Stambułu.

— Podczas gdy ty w Tabrizie pracowałeś z kaligrafami i miniaturzystami, ja również przygotowywałem iluminowany manuskrypt — rzekłem. — Moim klientem jest Jego Ekscelencja Nasz Sułtan, Pan Świata. Ponieważ księga ta jest przygotowywana w sekrecie, sułtan wziął dla mnie w tajemnicy pieniądze od podskarbiego. Porozumiałem się z największymi mistrzami iluminacji z pracowni naszego sułtana. Jednemu kazałem narysować psa, drugiemu drzewo, trzeciemu zleciłem zdobienie brzegów stronic i odmalowanie chmur na horyzoncie, a jeszcze innemu koni. Chciałem, aby miniatury przedstawiały cały świat naszego sułtana, podobnie jak obrazy weneckich mistrzów. Ilustracje te nie miały przedstawiać obiektów materialnych, ale oczywiście ilustrować bogactwo wewnętrzne, radości i strach w królestwie naszego sułtana. Jeśli kazałem narysować monetę, to dlatego, aby pomniejszyć znaczenie pieniędzy, a szatana i śmierć włączyłem po to, by podkreślić, że się ich boimy. Nie wiem, co mówią plotki. Zależało mi, aby ponadczasowość drzew, zmęczenie koni i zajadłość psa symbolizowały Jego Ekscelencję Sułtana oraz otaczający go świat. Chciałem również, aby moi miniaturzyści, mający przydomki Bocian, Oliwka, Elegant i Motyl, wybrali sobie tematy według własnych upodobań. Nawet w mroźniejsze posępne zimowe noce przychodzili do mnie potajemnie, aby mi pokazać swój rysunek do księgi. W tej chwili nie mogę do końca wyjawić, jakie ilustracje robiliśmy i dlaczego w sekrecie. Nie dlatego, żebym przed tobą coś ukrywał, lecz ponieważ ja sam do końca nie jestem pewien, co mają zawierać. Wiem jednak, jak należy je wykonać.

Cztery miesiące po wysłaniu listu dowiedziałem się od balwierza, którego zakład mieścił się na tej samej ulicy co mój stary dom, że Czarny wrócił do Stambułu. Zaprosiłem go więc do siebie. Byłem świadom tego, że moja historia niosła ze sobą zapowiedź zarówno cierpienia, jak i szczęścia, które miały nas połączyć.

— Każda miniatura opowiada jakąś historię — powiedziałem. — Aby upiększyć czytany manuskrypt, ilustrator przedstawia najpiękniejsze sceny z danego tekstu: pierwsze spotkanie zakochanych, ścięcie głowy diabelskiego potwora przez bohaterskiego Rustama*; rozpacz Rustama, gdy pojmuje, że nieznajomy, którego zabił, to jego syn; Madżnuna oszalałego z miłości, błąkającego się po stepie wśród lwów, tygrysów, jeleni i szakali; rozterki Aleksandra, który przed bitwą udaje się do lasu, aby z zachowania ptaków wywróżyć przyszłość, i tam widzi, jak ogromny orzeł rozszarpuje jego bekasa... Oczy, które męczą się, czytając owe opowieści, odpoczywają, podziwiając rysunek. Jeśli w baśni jest coś, czego nasz umysł lub

---

* Rustam — legendarny bohater perski, jedna z najważniejszych postaci *Księgi królewskiej* Firdausiego

wyobraźnia nie potrafią przedstawić, miniatura natychmiast przychodzi z pomocą. Ukwieca, ozdabia tekst. Ale rysunek bez opisu nie mógłby istnieć. A przynajmniej tak mi się wydawało — dodałem jakby z żalem. — Tymczasem jest to możliwe. Dwa lata temu udało mi się powtórnie do Wenecji jako ambasador naszego sułtana. Wpatrywałem się w obrazy wykonane przez włoskich mistrzów. Przyglądałem się im, starając się zgadnąć, jaką ilustrują opowieść i jaką przedstawiają scenę. Pewnego dnia natrafiłem na wiszący na ścianie pałacu wizerunek i stanąłem jak wryty. Był to portret osoby przypominającej mnie. Oczywiście musiał to być jakiś niewierny, a nie ktoś z naszych, lecz patrząc na niego, czułem, że coś nas łączy. Przy czym on wcale, ale to wcale nie był do mnie podobny. Jego twarz była okrągła i sprawiała wrażenie pozbawionej kości policzkowych, co więcej, nie miała nawet śladu mojego wspaniałego podbródka. W niczym mnie nie przypominał, ale serce biło mi mocniej, gdy na niego patrzyłem, bo z jakiegoś powodu wydawało mi się, że to mój portret.

Od pewnego Wenecjanina, który oprowadzał mnie po pałacu, dowiedziałem się, że obraz ten przedstawia jego przyjaciela, również szlachcica. Kazał on uwiecznić na swoim portrecie wszystko, co było dla niego ważne w życiu: widok z otwartego za jego plecami okna na gospodarstwo, wieś i wielobarwną plamę odległego, wyglądającego jak żywy, lasu. Na stole przed nim widniał zegar, książki, pióro, mapa, kompas, pudełka ze złotymi monetami, różne przedmioty i drobiazgi, które raczej wyczuwałem, niż rozróżniałem, tak jak dzieje się to na wielu obrazach... Cień złego ducha, szatana oraz piękności nad pięknościami, dziewczyny jak marzenie — córki stojącej u boku ojca. Czy ten obraz został wykonany w celu upiększenia i dopełnienia jakiejś opowieści? Patrząc, zdałem sobie sprawę, że nie, że był opowieścią sam w sobie.

Nigdy o nim nie zapomniałem. Wyszedłem z pałacu, wróciłem do rezydencji, w której się zatrzymałem, i przez całą noc myślałem o tym malunku. Ja też chciałbym zostać w ten sposób sportretowany. Nie, nie mam do tego prawa; to nasz sułtan powinien być tak przedstawiony! Nasz sułtan powinien być ukazany ze wszystkim, co posiada, z przedmiotami, które symbolizują i określają jego świat. Doszedłem do przekonania, że właśnie tak można ozdobić księgę.

Włoski mistrz namalował Wenecjanina w taki sposób, że od razu było wiadomo, kogo przedstawia portret. Gdybyś nigdy nie widział tego człowieka, a kazano by ci go odnaleźć w tłumie, mógłbyś to zrobić dzięki temu dziełu. Włoscy malarze posługiwali się takim stylem, techniką, która umożliwiała oddanie rysów twarzy, a nie strojów i orderów. To się właśnie nazywa portretem.

Jeśli twoja twarz choć raz zostałaby w taki sposób uwieczniona, nikt by cię już nie zapomniał. Nawet gdybyś był bardzo daleko, ktoś, patrząc na obraz, czułby twą bliską obecność. Nawet ci, którzy cię nigdy nie widzieli za życia, mogliby się z tobą spotkać twarzą w twarz wiele lat po twojej śmierci, jakbyś stanął żywy naprzeciw nich.

Na długą chwilę zamilkliśmy. Przez górną część małego okna znajdującego się w korytarzu i wychodzącego na ulicę wpadało jasne, zimne światło; jego dolnych okiennic nigdy nie otwieraliśmy i niedawno obiłem je nawoskowanym materiałem.

— Był jeden taki iluminator — podjąłem. — Przychodził do mnie potajemnie, tak jak i inni miniaturzyści, dla dobra sekretnej księgi sułtana. Pracowaliśmy razem do rana. To on robił najlepsze złocenia. Biedny Elegant pewnego wieczoru wyszedł stąd, ale nigdy nie dotarł do domu. Obawiam się, że mój nieszczęsny mistrz pozłoty został zamordowany.

6.
Ja, Orhan

— Zamordowany? Na pewno? — zapytał Czarny.

Czarny był wysoki, chudy i lekko przerażający. Szedłem w ich kierunku, kiedy usłyszałem, jak dziadek mówi: „Został zamordowany". A zaraz potem mnie zauważył.

— Co ty tutaj robisz?

Spojrzał na mnie tak dobrodusznie, że bez wahania usiadłem mu na kolanach, szybko jednak postawił mnie na ziemi.

— Ucałuj rękę Czarnego — polecił.

Pocałowałem, po czym przyłożyłem dłoń Czarnego do czoła. Nie poczułem żadnego zapachu.

— Bardzo sympatyczny — stwierdził Czarny i cmoknął mnie w policzek. — W przyszłości będzie odważny jak lew.

— To jest Orhan, ma sześć lat. Jest też i starszy, Şevket, ma siedem lat i jest bardzo uparty.

— Poszedłem na tę ulicę w dzielnicy Aksaray, na której poprzednio mieszkaliście — opowiadał Czarny. — Było zimno, wszystko pokryte śniegiem i lodem, ale zdawało mi się, że nic się nie zmieniło.

— Wszystko się zmieniło, i to na gorsze, o wiele gorsze — narzekał dziadek. Zwrócił się do mnie: — Gdzie jest twój starszy brat?

— Jest razem z mistrzem.

— A ty czemu jesteś tutaj?

— Mistrz pochwalił mnie i zwolnił do domu.

— Przyszedłeś sam? — zapytał dziadek. — Twój brat powinien był cię przyprowadzić. — Następnie zwrócił się do Czarnego: — Mam przyjaciela introligatora, do którego chodzą dwa razy w tygodniu po nauce w medresie, pomagają mu i jednocześnie uczą się oprawy ksiąg.

— Lubisz robić iluminacje tak jak twój dziadek? — zapytał Czarny.

Nie odpowiedziałem.

— No dobrze — rzekł dziadek. — Zostaw nas teraz.

Gorąco bijące od piecyka było tak przyjemne, że wcale nie chciałem wychodzić. Wyczuwałem w powietrzu zapach farby i kleju. Zwlekałem jeszcze przez chwilę. Do mych nozdrzy dotarła woń kawy.

— Czy rysowanie w inny sposób jest jednoznaczne z innym postrzeganiem rzeczywistości? — zapytał mój dziadek. — To właśnie za to zabili tego biednego pozłotnika. A przecież nakładał złoto w starym stylu. Zresztą nie jestem pewien, czy rzeczywiście został zabity, czy jedynie zaginął. Obecnie w pałacowej pracowni pod kierunkiem naczelnego miniaturzysty, mistrza Osmana, powstają miniatury do *Księgi uroczystości obrzezania* dla sułtana. Rysownicy pracują w swoich domach, a mistrz Osman w pracowni. Chciałbym, żebyś najpierw tam poszedł i wszystko zobaczył. Boję się, że Eleganta zabił jeden z miniaturzystów, którym wiele lat temu główny iluminator mistrz Osman nadał przydomki: Motyl, Oliwka, Bocian... Możesz ich zastać w domach i przekonać się, jak pracują.

Zamiast zejść po schodach, zawróciłem na górę. Z pokoju z wbudowaną w ścianie szafą, w którym sypiała Hayriye, dobiegł mnie jakiś szmer. Wszedłem do środka. Nie zastałem tam naszej Hayriye, lecz moją mamę. Zawstydziła się, gdy mnie zobaczyła. Wychylała się z szafy.

— Gdzie byłeś? — zapytała.

Ale dobrze wiedziała, skąd wracam. W szafie znajdował się otwór, przez który obserwowało się pracownię dziadka, a gdy niebieskie drzwi pracowni były otwarte, również korytarz, a po drugiej stronie — jego sypialnię (oczywiście jeśli i tamte drzwi były otwarte).

— Byłem z dziadkiem — odpowiedziałem. — A co ty tu robisz, mamo?

— Czy nie powtarzałam ci, że twój dziadek ma gościa i nie wolno do niego wchodzić? — zganiła mnie ściszonym głosem, gdyż nie chciała, by przybysz usłyszał. A potem dodała łagodniej: — Co robili?

— Siedzieli, ale nie z farbami. Dziadek opowiadał, a ten drugi słuchał.

— Jak on siedział?

Szybko usiadłem na podłodze i zacząłem naśladować gościa: „Spójrz, mamo, teraz jestem poważnym człowiekiem; słucham dziadka ze ściągniętymi brwiami i kiwam głową w takt mewlitu, tak jak gość".

— Zejdź na dół — rozkazała. — Przyślij do mnie natychmiast Hayriye.

Usiadła i zaczęła pisać na małej kartce, pod którą podłożyła deseczkę.

— Mamo, co piszesz?

— Czy nie mówiłam ci, żebyś szybko zszedł na dół i zawołał Hayriye?

Pomaszerowałem do kuchni. Był tam mój starszy brat Şevket. Hayriye położyła przed nim garnek pilawu, przygotowanego też i dla gościa.

— Zdrajca — syknął mój brat. — Zostawiłeś mnie z mistrzem i zniknąłeś. Sam wykonałem wszystkie ozdoby. Mam od tego całe posiniałe palce.

— Hayriye, mama cię woła.

— Jak zjem, to cię zleję — groził mój starszy brat. — Dostanie ci się za lenistwo i zdradę.

Po wyjściu Hayriye mój brat, nie skończywszy nawet pilawu, ruszył na mnie. Nie udało mi się uciec. Chwycił moją rękę w nadgarstku i wykręcił.

— Przestań, Şevket, przestań, to bardzo boli!

— Nie będziesz więcej porzucał lekcji i znikał?

— Nie, nie.

— Przysięgnij.

— Przysięgam.

— Przysięgnij na Koran.

— Przysięgam.

— Przysięgnij na Koran.

— Przysięgam... na Koran.

Mimo to mnie nie puścił. Przyciągnął do siebie i przygiął do ziemi. Był ode mnie silniejszy, więc jedną ręką jadł pilaw znajdujący się na tacy, której używaliśmy w miejsce stołu, drugą zaś coraz bardziej wykręcał mi dłoń.

— Tyranie, nie wyżywaj się na bracie! — zawołała Hayriye. Szykowała się do wyjścia na ulicę i zakryła dokładnie czarczafem* głowę. — Zostaw go!

— Ty się nie wtrącaj, niewolnico — burknął mój starszy brat. Nadal wykręcał mi rękę. — Dokąd idziesz?

— Kupić cytryny.

— Kłamczucha — stwierdził Şevket. — Szafka jest pełna cytryn.

Ponieważ poluzował uścisk, oswobodziłem się, kopnąłem go i chwyciłem świecznik dla obrony, ale podciął mi nogi i po-

---

* czarczaf — zasłona okrywająca głowę i twarz muzułmanek

toczyłem się po podłodze. Świecznik kopnął w kąt, a miedziana taca wywróciła się.

— Skaranie boskie z wami! — powiedziała mama. Nie krzyczała głośno, gość mógł usłyszeć. Jak ona przeszła przy otwartych drzwiach korytarza i w dół po schodach nie zauważona przez Czarnego? Rozdzieliła nas. — Doprowadzicie mnie kiedyś do szału, wstrętni smarkacze.

— Orhan dzisiaj skłamał — poskarżył się Şevket. — Zostawił mnie z mistrzem i z całą robotą i uciekł.

— Cicho bądź — powiedziała mama i spoliczkowała go. Uderzyła lekko, bo brat nawet nie zapłakał.

— Chcę do taty — jęknął. — Gdy tata wróci, to wyciągnie miecz wujka Hasana z rubinową rękojeścią i przeprowadzimy się stąd z powrotem do jego domu.

— Milcz — powiedziała mama. Nagle tak się rozzłościła, że chwyciła Şevketa za rękę i pociągnęła go do ciemnego kamiennego pomieszczenia na końcu korytarza. Poszedłem za nimi. Mama otworzyła drzwi i zobaczywszy mnie, rozkazała:

— Obaj wchodźcie do środka.

— Ale ja nic nie zrobiłem — protestowałem, lecz wszedłem do pomieszczenia. Mama zamknęła za nami drzwi. Chociaż nie było całkiem ciemno, bo wpadało tam słabe światło przez szpary okiennic wychodzących na drzewo granatu, to i tak czułem strach.

— Mamo, otwórz drzwi — błagałem. — Zimno mi.

— Nie mazgaj się, tchórzu — powiedział Şevket. — Zaraz otworzy...

Rzeczywiście otworzyła.

— Czy będziecie grzeczni, dopóki gość sobie nie pójdzie? — zapytała. — Dobrze, to w takim razie macie siedzieć w kuchni przy piecu i nie pokazywać się na górze, dopóki Czarny nie odjedzie.

— Będziemy się nudzić — narzekał Şevket. — Dokąd poszła Hayriye?

— Przestań się wtrącać do cudzych spraw — powiedziała mama.

Usłyszeliśmy, jak jeden z koni cicho zarżał w stajni. A później jeszcze raz. To nie był koń dziadka, tylko Czarnego. Tak się ucieszyliśmy, jakby zaczynał się dzień jarmarku albo świąteczny poranek. Mama też się uśmiechnęła, pewnie chciała, abyśmy się rozchmurzyli. Przeszła dwa kroki i otworzyła drzwi stajni wychodzące na naszą stronę.

— Prrr — krzyknęła w kierunku koni.

Wróciła i wprowadziła nas do pachnącej tłuszczem i pełnej myszy kuchni Hayriye.

— Nie ważcie się stąd wychodzić, dopóki nasz gość nie odjedzie. I nie kłóćcie się, by ktoś nie pomyślał, że jesteście rozpuszczeni i nieznośni.

— Mamo! Mamo! — krzyknąłem, zanim zamknęła drzwi.

— Chcę coś powiedzieć! Zabili biednego mistrza pracującego z dziadkiem, tego od złoceń!

7.
Nazywam się Czarny

Gdy po raz pierwszy ujrzałem jej dziecko, natychmiast uzmysłowiłem sobie, które części twarzy Şeküre zatarły mi się w pamięci przez te wszystkie lata. Twarz Orhana, podobnie jak
Şeküre, była drobna, ale bardziej pociągła, niż zapamiętałem
u jego matki. Dlatego również usta mojej ukochanej muszą być
mniejsze i węższe. Przez dwanaście lat wędrówek z miasta do
miasta powiększyłem w wyobraźni wargi Şeküre, widziałem je
pełniejsze, podobne do jędrnej, dużej i lśniącej wiśni, bardziej
mięsiste i pociągające.

Gdybym miał przy sobie portret Şeküre, wykonany w stylu
włoskich mistrzów, nie czułbym się taki samotny podczas długiej podróży, gdy nie mogłem sobie przypomnieć ukochanej,
którą zostawiłem gdzieś daleko. Jeśli widok umiłowanej żyje
w sercu człowieka, to świat należy do niego.

Widziałem syna Şeküre, rozmawiałem z nim, patrzyłem na
niego z bliska i pocałowałem go, ale w efekcie poczułem niepokój właściwy pechowcom, mordercom i grzesznikom. Mój
wewnętrzny głos mówił mi: „No, idź, spotkaj się z Şeküre".

Przez chwilę zastanawiałem się, czy nie wstać i nic nie mówiąc mojemu wujowi, nie otworzyć kolejno wszystkich drzwi
wzdłuż korytarza w poszukiwaniu Şeküre — policzyłem je
kątem oka, było ich pięć, z czego jedne prowadziły na schody. Lecz przez to, że niegdyś w złą porę i nieroztropnie wyja-

wiłem, co skrywałem w głębi serca, dwanaście lat spędziłem z dala od ukochanej. Postanowiłem więc teraz zaczekać spokojnie i z niczym się nie zdradzając, słuchać tego, co mówi wuj. Patrzyłem jednocześnie na przedmioty, których dotykała Şeküre, i na poduszki, na których kto wie, ile razy spoczywała.

Wuj mi powiedział, iż pragnieniem sułtana jest, aby księga została ukończona na tysięczną rocznicę hidżry*. Nasz Sułtan, Opiekun Świata, chciał pokazać, że w tysięcznym roku muzułmańskiego kalendarza on sam i jego państwo znają europejski sposób malowania oraz panujące w Europie obyczaje i potrafią ich tak samo dochowywać. Poza tym sułtan zlecił przygotowanie *Księgi uroczystości obrzezania* i nakazał niezwykle zajętym innymi zleceniami mistrzom miniatury, aby malowali w swoich domach, a nie w zatłoczonych pracowniach. Oczywiście wiedział również o potajemnych wizytach artystów u mojego wuja.

— Odwiedzisz naczelnego iluminatora, mistrza Osmana — powiedział wuj. — Jedni mówią, że oślepł, a inni, że postradał zmysły. Ja tam myślę, że on jest i ślepy, i szalony.

Sam wuj nie był mistrzem iluminacji i właściwie iluminatorstwo wcale nie było jego zawodem, ale ponieważ za zgodą i zachętą sułtana kontrolował prace nad księgą, stosunki między nim a Osmanem się popsuły.

Wspominając swoje dzieciństwo, oglądałem przedmioty znajdujące się w domu. Mimo upływu dwunastu lat pamiętałem niebieski kilim z Kula leżący na podłodze, miedziany dzbanek, tacę, kubek oraz filiżanki do kawy, które przybyły przez Portugalię aż z Chin, o czym moja świętej pamięci ciocia wielokrotnie z dumą opowiadała. Takie rzeczy, jak stojący

---

* hidżra — wyjście Mahometa z Mekki do Medyny w 622 roku; rok ten jest początkiem ery muzułmańskiej

w rogu inkrustowany masą perłową pulpit pod Koran, półka na turban, czerwona aksamitna poduszka, której miękkość przypomniałem sobie po dotknięciu, pochodziły jeszcze z domu w dzielnicy Aksaray, gdzie mieszkałem jako mały chłopiec razem z Şeküre. Nadal miały w sobie coś ze szczęścia i błogości owych dni, które spędzałem na malowaniu.

Szczęście i rysunek. Chciałbym, abyście wy, drodzy czytelnicy, którzy poświęciliście uwagę mojej opowieści i mojemu losowi, zawsze pamiętali o tych dwóch rzeczach, gdyż stanowią one punkt wyjścia mego świata. Był czas, kiedy byłem tutaj bardzo szczęśliwy — wśród ksiąg, pędzli oraz miniatur. Potem się zakochałem i zostałem wypędzony z raju. Później, podczas wieloletniego wygnania, często myślałem, jak wiele zawdzięczam Şeküre i mojej miłości do niej, gdyż dzięki nim w młodości optymistycznie patrzyłem na życie i świat. W dziecięcej naiwności sądziłem, że moje uczucie zostanie odwzajemnione, nabrałem pewności siebie i zaakceptowawszy świat, uznałem go za miejsce idealne. Właśnie dzięki temu optymizmowi poznałem i pokochałem książki, które wuj kazał mi przeczytać, chłonąłem wiedzę przekazywaną nam w medresach oraz nabyłem umiejętności ilustrowania i szkicowania. Ale tak jak miłość do Şeküre spowodowała, że pierwsze lata nauki jawiły mi się słoneczne i pełne optymizmu, tak również przez nią w następnych latach poznałem prawdziwie gorzki smak życia: w czasie lodowatych nocy w ubogich pomieszczeniach odległych karawanserajów wraz z płomieniami piecyka gasło pożądanie. Po miłosnej nocy spędzonej z przypadkową kobietą śniłem, że lecę po prostu w przepaść. Byłem przekonany, że nie jestem nic wart... Wszystko to zawdzięczałem Şeküre.

— Czy wiedziałeś — spytał wuj o wiele później — że nasze dusze po śmierci będą mogły się spotkać z duszami tych, którzy słodko śpią w swoich łóżkach?

— Nie wiedziałem.

— Po śmierci udajemy się w długą podróż, dlatego nie boję się umrzeć. Obawiam się tylko, że umrę, zanim skończę księgę dla naszego sułtana.

Wuj zauważył, że zmężniałem, stałem się silniejszy i mądrzejszy, a ja myślałem o tym, jak drogi był kaftan, nabyty przed udaniem się do człowieka, który dwanaście lat temu nie pozwolił mi ożenić się ze swoją córką. Myślałem o srebrnej uprzęży i ręcznie zdobionym siodle na koniu, którego miałem dosiąść po zejściu ze schodów i wyprowadzeniu go ze stajni.

Przyrzekłem, że przekażę mu umiejętności, które nabyłem u zagranicznych miniaturzystów. Pocałowałem wuja w rękę i zbliżyłem ją do swego czoła, zszedłem ze schodów, stanąłem na dziedzińcu, poczułem chłód i uzmysłowiłem sobie, że nie jestem ani dzieckiem, ani starcem: przez skórę czułem radość świata. Gdy zamykałem drzwi do stajni, powiał wiatr. Biały koń, którego prowadziłem po ścieżce wyłożonej kamieniami, zadrżał tak jak ja: wydawało mi się, że jego silne nogi o grubych żyłach, niecierpliwość i trudny do poskromienia charakter są moimi cechami. Wyszliśmy na ulicę. Już miałem wskoczyć na mojego rumaka, już miałem zniknąć wśród wąskich uliczek i niczym legendarny jeździec nigdy tu nie wrócić, kiedy nie wiadomo skąd pojawiła się potężna kobieta z węzełkiem w ręku, Żydówka, cała ubrana na różowo i zagadała do mnie. Była tak duża i szeroka jak szafa, ale równocześnie zręczna, ruchliwa, a nawet kokieteryjna.

— Mój ty lwie, młodzieńcze! — zawołała. — Rzeczywiście jesteś tak przystojny, jak mówią. Czyś żonaty, czyś wolny, kupisz jedwabną chusteczkę dla swej sekretnej kochanki od Ester, wędrownej sprzedawczyni, jednej z bardziej znanych w Stambule?

— Nie.

— A może szarfę z czerwonego atłasu?

— Nie.

— Przestań powtarzać „nie, nie"! Czyż to możliwe, żeby taki odważny młodzieniec nie miłował skrycie żadnej kobiety? Któż wie, ile panien wypłakuje sobie oczy, płonąc z miłości do ciebie?

W pewnym momencie skręciła swe ciało jak akrobatka i subtelnie pochyliła się w moją stronę. Ze zręcznością magika, który wyczarowuje coś z niczego, sprawiła, że w jej ręku znalazł się list. W mgnieniu oka chwyciłem go i schowałem za pas z taką wprawą, jakbym latami ćwiczył dla tej chwili. List był duży i trzymając go za pasem, czułem jego żar na skórze zimnej jak lód.

— Dosiądź konia i jedź kłusem — powiedziała wędrowna sprzedawczyni Ester. — Na rogu skręć w prawo. Podążaj przed siebie, nie zmieniając tempa, lecz gdy dotrzesz do drzewa granatu, zawróć i spójrz na dom, który właśnie opuściłeś, na okno po prawej stronie.

Poszła swoją drogą i po chwili znikła. Dosiadłem konia niczym nowicjusz, jakbym robił to po raz pierwszy. Moje serce biło jak szalone, mój umysł ogarnęło podniecenie, moje ręce zapomniały, jak należy trzymać wodze, lecz gdy ścisnąłem boki konia, rozsądek i umiejętności przejęły kontrolę nade mną i nad zwierzęciem i mój mądry rumak, jak mówiła Ester, pobiegł kłusem. Skręciliśmy w uliczkę po prawej stronie.

Wtedy tak naprawdę dotarło do mnie, że być może rzeczywiście jestem przystojny. Jak w bajkach, zza każdej okiennicy i zza każdego zakratowanego okna obserwowały mnie kobiety, a ja pomyślałem, że znów mógłbym rozpalić w sobie ogień pożądania. Czy tego właśnie chciałem? Czy znowu wracała choroba, na którą cierpiałem tyle lat? Nagle zza chmur wyszło słońce.

Gdzie jest drzewo granatu? Czy jest nim ta smutna wątła roślina? Tak, to ono! Nieznacznie przekręciłem się w siodle: dokładnie naprzeciwko mnie znajdowało się okno, lecz nikogo w nim nie było. Ta wiedźma Ester oszukała mnie!

Lecz nagle pokryte lodem okiennice otworzyły się z trzaskiem i w oświetlonym słońcem oknie pojawiła się moja śliczna ukochana: po dwunastu latach ujrzałem jej piękną twarz pomiędzy ośnieżonymi gałęziami drzew. Czy moja czarnooka patrzyła na mnie, czy też obserwowała świat poza mną? Nie wiedziałem, czy była smutna, czy też smutno się uśmiechała. Ty głupi koniu, zwolnij, nie podążaj za mym sercem! Znów odważnie obróciłem się w siodle i patrzyłem z tęsknotą na okno aż do chwili, gdy drobna tajemnicza twarz znikła za białymi gałęziami.

O wiele później, po przeczytaniu listu i obejrzeniu załączonej miniatury uzmysłowiłem sobie, jak ta scena — ja na koniu, a ona w oknie — przypominała legendarną chwilę uwiecznioną tysiące razy: Chosrow przychodzi pod okno Szirin. Tylko że w naszym wypadku w tle stało smutne drzewo. Gdy uświadomiłem sobie to podobieństwo, zapłonąłem ognistą miłością, opisywaną w ulubionych księgach z dzieciństwa.

8.
Nazywam się Ester

Wiem, że wszyscy zastanawiacie się, co zawierał list, który dałam Czarnemu. Mnie też to ciekawiło, więc się dowiedziałam. Jeśli chcecie, możecie sobie wyobrazić, że wracacie do początku tej historii, a ja opowiem wam, co się wydarzyło, zanim doręczyłam Czarnemu wiadomość.

Ma się ku wieczorowi, siedzimy razem z mężem Nesimem w naszym domu w małej żydowskiej dzielnicy nad zatoką Złotego Rogu, chuchając i dmuchając w ogień, jak przystało na dwoje starych ludzi; próbujemy się ogrzać, wrzucając drewno do pieca. Nie zwracajcie uwagi na to, że nazwałam się staruchą. Wystarczy, kiedy zarzucę na plecy swój węzełek z jedwabnymi chusteczkami, rękawiczkami, czarczafami i kolorowymi koszulami z portugalskich statków, wystarczy, że zapakuję rzeczy cenne oraz coś taniego, co skusi damy — jak pierścionki, kolczyki, naszyjniki czy inne świecidełka... — mówię wam, nie ma takiej ulicy, której bym nie odwiedziła! Czuję się niczym chochla mieszająca w stambulskim kociołku. Nie ma takiego listu i takich plotek, których bym nie przekazała, i to ja wyswatałam połowę dziewcząt w mieście — ale nie wspominam o tym teraz, aby się chwalić.

Tak jak mówiłam, pod wieczór siedzieliśmy sobie i nagle słyszymy „puk, puk" — ktoś zapukał do drzwi. Podeszłam i otworzyłam, a naprzeciwko mnie stała niewolnica Hayriye.

Trzymała w ręku list. Nie wiem, czy z zimna, czy też z podniecenia, w każdym razie cała drżała, opowiadając mi, czego
chciała Şeküre.

Najpierw myślałam, że ten list ma otrzymać Hasan, dlatego
tak mnie jej prośba zaskoczyła. Wiecie już o mężu Şeküre, tym,
który nigdy nie wrócił z wojny — ja sądzę, że nieszczęśnik już
dawno gryzie ziemię. Otóż miał on kochliwego brata o imieniu
Hasan. Ale zdziwiłam się jeszcze bardziej, kiedy zobaczyłam,
że list Şeküre wcale nie jest do Hasana, tylko do kogoś innego.
Co w nim było? Ester umierała z ciekawości, więc w końcu go
przeczytała.

Lecz my się zbyt dobrze nie znamy, prawda? Szczerze mówiąc, poczułam wstyd i skrępowanie. Nie powiem wam, jak
udało mi się przeczytać list. Może odczujecie wstręt i pogardę
dla mnie z powodu mego wścibstwa — jakbyście sami nie byli
przynajmniej tak ciekawscy jak balwierze. Powiem wam tylko,
co zdołałam się z niego dowiedzieć. Şeküre napisała:

Szanowny Panie Czarny,
dzięki bliskim stosunkom z moim ojcem składa Pan wizyty
w moim domu. Niech Pan jednak nie sądzi, iż otrzyma ode
mnie jakiś znak. Wiele się wydarzyło od czasu pańskiego wyjaz-
du. Wyszłam za mąż i mam dwóch wspaniałych synów. Jednego
z nich, Orhana, widział Pan dopiero co, gdy wszedł do pokoju.
Od czterech lat czekam na męża i nie myślę o niczym innym.
Być może jestem samotna, zrozpaczona i słaba, być może po-
trzebuję wsparcia i ochrony ze strony mężczyzny, lecz niech
nikt nie sądzi, że może wykorzystać tę sytuację. Dlatego błagam,
proszę nie przychodzić więcej do naszego domu. Już raz mnie
Pan zawstydził. Jakżesz bardzo musiałam się wtedy natrudzić,
aby odzyskać dawną pozycję w oczach ojca! Wraz z listem prze-
kazuję Panu miniaturę, którą Pan namalował i wysłał mi, gdy

był młodzieńcem bujającym w obłokach. Czynię to, aby Pan nie żywił żadnych nadziei i błędnie nie tłumaczył sobie moich znaków. Nieprawdą jest, że ludzie mogą się w kimś zakochać, patrząc jedynie na jego portret. Najlepiej będzie, jeśli pańska noga nie postanie więcej w naszym domu.

Biedna Şeküre nie jest ani mężczyzną, panem, ani też paszą, aby przystawić na końcu listu okazałą pieczęć! Na dole kartki napisała więc lękliwie jak ptak malutką pierwszą literę swojego imienia, to wszystko.

Powiedziałam „pieczęć". Na pewno zastanawiacie się, jak też ja otwieram i zamykam listy opatrzone pieczęcią. Ale tak naprawdę to one wcale nie są zalakowane. Droga Şeküre myśli, że Ester jest analfabetką, Żydówką i nie odczyta jej pisma. To prawda, ja nie wiem, co napisała, ale ktoś inny może mi przeczytać. Doskonale wiem, co zrobić, by poznać treść listu. Nie zamieszałam wam w głowach?

Pozwólcie, iż wyjaśnię wszystko tak, aby zrozumieli nawet ociężali umysłowo: List nie przesyła wiadomości jedynie za pomocą słów. Tak jak książkę czyta się go, wąchając, dotykając i bawiąc się nim. Dlatego też inteligentni ludzie mówią: „No, przeczytaj, co jest w tym liście". Głupcy natomiast mówią: „No, przeczytaj, co jest napisane". Sztuka nie polega na czytaniu samych słów, lecz całego listu. Posłuchajcie zatem, co jeszcze zawierała wiadomość Şeküre:

1. Nawet jeśli w sekrecie przekażę ten list dzięki pomocy Ester, która z doręczania listów uczyniła swą profesję i przyzwyczajenie, aż tak bardzo nie zależy mi na zachowaniu tajemnicy.

2. To, że złożyłam go wiele razy, jak ciasto francuskie, również sugeruje tajemniczość. Ale jest otwarty i dołączono do

niego obrazek. Znaczy to: „Pod żadnym pozorem nie ujawnij naszego sekretu". To bardziej przypomina list miłosny niż z wyrzutami.

3. Zapach papieru również to potwierdza. Był tak delikatny, a jednocześnie wzbudzający ciekawość — czy to zapach olejku, czy też jej dłoni? I to wystarczyło, by wzbudzić pożądanie. Myślę, że w taki sam sposób przesyłka podziała na Czarnego.

4. Jestem Ester, która nie umie ani pisać, ani czytać, ale wiem jedno: chociaż charakter pisma zdaje się mówić: „Śpieszę się, piszę niedbale i nieuważnie", litery, które elegancko drgają, jakby pochylone na wietrze, mówią coś zupełnie innego. Zdanie dotyczące Orhana wskazuje, że list był pisany pospiesznie, ale dowodzi też, że każda linijka została starannie przemyślana.

5. Nawet ja, Żydówka Ester, wiem, że obrazek dołączony do listu przedstawia scenę, w której legendarna piękna Szirin patrzy na portret przystojnego Chosrowa i zakochuje się w nim. Wszystkie romantyczne mieszkanki Stambułu uwielbiają tę opowieść, lecz nigdy nie widziałam, żeby ktoś przesłał obrazek z nią związany.

Wam, szczęściarzom, ludziom umiejącym czytać i pisać, znana jest dobrze taka sytuacja: analfabeta błaga was, abyście przeczytali mu list, który właśnie otrzymał. List jest tak zadziwiający, ekscytujący i niepokojący, że jego odbiorca — choć zawstydzony, że poznaliście jego tajemnice — skrępowany i zażenowany prosi was, abyście go przeczytali jeszcze raz. Czytacie więc ponownie. W końcu tyle razy wypowiedzieliście te zdania, że obaj nauczyliście się go na pamięć. Potem nieszczęśnik bierze list do ręki i pyta: „Czy to słowo tutaj jest napisane? Czy o tym mówi się na tej stronie?". Pyta i patrzy z niezrozumieniem na litery, które wskazujecie koniuszkiem palca.

Gdy niepiśmienne dziewczęta patrzą na kręte litery słów, których nie rozumieją, lecz znają już na pamięć i wylewają nad nimi łzy, czasem tak się rozczulam, że zapominam, iż sama nie umiem czytać ani pisać, i mam ochotę je ucałować.

Zdarzają się też inne biedaczki: gdy biorą list do ręki, aby go jeszcze raz dotknąć, aby bez zrozumienia, gdzie co zostało powiedziane, popatrzeć, te bydlaki — uważajcie, żeby się do nich nie upodobnić — mówią: „No i co robisz, przecież nie umiesz czytać. Na co tam jeszcze patrzysz?". Niektórzy nie oddają nawet listu, tak jakby należał do nich, i czasem na mnie, Ester, spada zadanie wykłócania się z nimi. Taka ze mnie właśnie dobra kobieta, ja, Ester. Jeśli was polubię, to wam też pomogę.

9.
Ja, Şeküre

Czemuż stałam w oknie, gdy Czarny przejeżdżał na białym koniu? Dlaczego dokładnie w tamtym momencie otworzyłam okiennice i długo na niego patrzyłam spoza zaśnieżonych gałęzi granatu? Nie potrafię wam tego tak do końca wytłumaczyć. Skontaktowałam się z Ester poprzez Hayriye i oczywiście wiedziałam, że Czarny będzie tędy przejeżdżał. Poszłam do pokoju z szafą wnękową, którego okno wychodziło na drzewo granatu, aby przejrzeć prześcieradła w skrzyni. Po chwili bezwiednie z całej siły pchnęłam okiennice i słońce zalało całe pomieszczenie: stanęłam w oknie i spotkałam się oko w oko z Czarnym, którego widok oślepił mnie podobnie jak blask słońca.

Wydoroślał, dojrzał, stracił młodzieńczą niezgrabną chudość i wyprzystojniał. „Słuchaj, Şeküre — mówiło do mnie moje serce — Czarny jest nie tylko przystojny. Spójrz w jego oczy, jego serce jest jak serce dziecka, bardzo czyste i bardzo samotne. Wyjdź za niego za mąż”.

Lecz ja wysłałam mu list mówiący coś zupełnie innego.

Chociaż był ode mnie starszy o dwanaście lat, gdy sama miałam lat dwanaście, czułam, że jestem od niego dojrzalsza. W dawnych czasach, zamiast stanąć przede mną pewnie jak mężczyzna i powiedzieć: zrobię to, zrobię tamto, skoczę stamtąd, będę się wspinał tam — on milczał zawstydzony, pochylając głowę nad leżącymi przed nim księgami i rysunkami.

Później się we mnie zakochał i wyraził tę miłość w stworzonej przez siebie miniaturze.

Oboje już podrośliśmy. Gdy byłam jeszcze dwunastolatką, wyczuwałam, że Czarny nie może mi spojrzeć w oczy, gdyż boi się, iż zrozumiem, że jest we mnie zakochany. Mówiąc na przykład: „Czy możesz mi podać ten nóż z rączką z kości słoniowej?" — patrzył na nóż, a później, gdy podniósł oczy, nie mógł spojrzeć w moje. Gdy zaś pytałam: „Czy dobry jest ten sok wiśniowy?" — nie mógł po prostu potwierdzić wyrazem twarzy, słodkim uśmiechem, jak to bywa, gdy mamy pełne usta. Zamiast tego z całej siły krzyczał: „Tak!!!" — jakby rozmawiał z głuchym, ponieważ bał się na mnie spojrzeć. A byłam wtedy bardzo piękna. Wszyscy mężczyźni, którzy raz mnie ujrzeli, choćby z daleka, za zasłonami, przez przymknięte drzwi czy też warstwy materiału zakrywające mą postać, natychmiast się we mnie zakochiwali. Mówię wam to wszystko nie dlatego, aby się chwalić, lecz abyście zrozumieli mą historię i dzielili ze mną mój smutek.

W znanej wszystkim opowieści o Chosrowie i Szirin jest pewien epizod, o którym ja i Czarny wiele razy rozmawialiśmy. Szapur, przyjaciel Chosrowa, chce, aby Chosrow i Szirin zakochali się w sobie. Pewnego dnia, gdy Szirin wybrała się ze swoimi towarzyszami na przejażdżkę, potajemnie zawiesił portrecik Chosrowa na gałęzi jednego z drzew, pod którymi całe towarzystwo zatrzymało się na odpoczynek. Szirin, dostrzegłszy podobiznę przystojnego Chosrowa, zakochuje się w nim. Ilustratorzy, rysujący ten moment lub — jak mówią malarze — tę scenę, przedstawiali Szirin wpatrującą się z zachwytem w Chosrowa. Gdy Czarny pracował z moim ojcem, często widział tę miniaturę i raz czy dwa, patrząc na oryginał, dokładnie go przerysował. Później, jak się we mnie zakochał, zrobił kopię dla siebie, lecz w miejsce Chosrowa i Szirin wstawił nas — Czarnego i Şeküre. Gdyby na obrazku pod postaciami mężczyzny i kobiety nie było imion, to i tak bym wiedziała, że chodzi o nas, ponieważ, gdy żartowaliśmy, przedstawiał nas właśnie w taki sposób: mnie na niebiesko, a siebie na czerwono. Tymczasem, jak gdyby to nie wystarczyło, pod postaciami Chosrowa i Szirin dodał nasze imiona. Rysunek zostawił w takim miejscu, abym go łatwo zauważyła, i uciekł, jakby popełnił jakiś występek. Potem obserwował, jak spoglądam na obrazek, aby zobaczyć moją reakcję.

Dobrze wiedziałam, że nigdy nie będę kochać Czarnego tak jak Szirin Chosrowa, więc nie dałam po sobie niczego poznać. Tego letniego wieczoru, gdy próbowaliśmy chłodzić się sokiem wiśniowym z lodem, podobno sprowadzonym aż z Uludağ, powiedziałam ojcu, że Czarny wyznał mi miłość. Wtedy dopiero co skończył medresę i nauczał na przedmieściach; starał się zjednać sobie silnego i powszechnie szanowanego Naima Paszę — kierując się tu bardziej namowami mojego ojca niż własną chęcią. Według mego ojczulka Czarny bujał w obłokach, mimo to ojciec zadał sobie wielki trud, aby wprowadzić go w środowisko Naima Paszy, by mógł rozpocząć pracę przynajmniej jako sekretarz. Podobno jednak sam Czarny niewiele robił w tym kierunku, innymi słowy — popełniał głupstwa. Tego wieczoru, mając na myśli mnie i Czarnego, ojciec powiedział do matki: „Myślę, że nasz zubożały siostrzeniec mierzy zbyt wysoko", i dodał: „Okazał się sprytniejszy, niż sądziliśmy".

Ze smutkiem wspominam to, co mój ojciec zrobił w następnych dniach: musiałam trzymać się z daleka od Czarnego, a on przestał przychodzić najpierw do naszego domu, a potem do dzielnicy. Nie będę wam o tym opowiadać z obawy, że poczujecie do mnie i mojego ojca niechęć. Uwierzcie jednak, że nie mieliśmy innego wyjścia. W takiej sytuacji rozsądni ludzie przyznają, że miłość bez nadziei nie ma przyszłości, serce zna granice wytrzymałości, i wszystko ucinają grzecznymi stwierdzeniami: „Nie pasowaliśmy do siebie" i „Tak to już jest". Przypomnę wam tylko, iż moja matka kilka razy powtórzyła: „Nie łam przynajmniej temu dziecku serca". Czarny miał wtedy dwadzieścia cztery lata, a ja o połowę mniej. Ojciec uznał jednak jego wyznanie miłosne za akt arogancji i nie miał zamiaru spełnić prośby matki.

Gdy Czarny wyjechał ze Stambułu — nawet jeśli o nim zupełnie nie zapomnieliśmy — wyrzuciliśmy go całkiem z naszych serc. Ponieważ przez lata nie docierały do nas żadne wiadomości o nim, nie widziałam niczego niestosownego w tym, że przechowywałam rysunek jako pamiątkę naszej dziecięcej przyjaźni... Aby ojciec, a potem również mój wojowniczy mąż nie odczuli niepokoju ani zazdrości, gdy znajdą tę miniaturę, mistrzowsko ukryłam imiona „Şeküre" i „Czarny", zalewając je zręcznie kroplami tuszu Hasan Pasza, używanego przez ojca — plamy atramentu utworzyły kwiaty. Niech wstydzą się ci, którzy pomyśleli źle o mnie, dowiedziawszy się, że odesłałam mu to arcydziełko, a następnie pokazałam się w oknie.

Ukazawszy mu swoją twarz, długo stałam w otwartym oknie — aż zmarzłam. Skąpana w czerwonych promieniach wieczornego słońca z zachwytem patrzyłam, jak ogród zmienia w tym świetle barwę z bladoczerwonej na pomarańczową. Nie było wcale wiatru. Nie obchodziło mnie, co powiedziałby jakiś przechodzień lub mój ojciec, gdyby zobaczyli mnie tutaj albo gdyby Czarny zawrócił i przejechał przede mną na koniu. Jedna z córek Zivera Paszy, Mesrure, z którą spotykałam się raz w tygodniu w łaźni, mówiła najbardziej zaskakujące rzeczy w najbardziej nieodpowiednich chwilach i to ona pewnego razu stwierdziła, że tak do końca nigdy nie wiadomo, o czym człowiek w danym momencie naprawdę myśli. Zgadzam się z nią: czasem coś mówię i jestem przekonana, że odbija to moje myśli, lecz gdy się zastanowię, okazuje się, że myślę coś zupełnie odwrotnego.

Zmartwiło mnie, że biedny Elegant, jeden z miniaturzystów, których mój ojciec zapraszał do domu, zaginął tak jak mój mąż. Nie ukrywam, że potem obserwowałam przychodzących do nas artystów. Stwierdziłam, że Elegant był najbrzydszy z nich i najbardziej ubogi duchowo.

Zamknęłam okiennice, opuściłam pokój i zeszłam do kuchni.

— Mamo, Şevket się ciebie nie posłuchał — powiedział Orhan. — Gdy Czarny wyprowadzał konia ze stajni, wyszedł z kuchni i podglądał go przez szparę.

— No i co z tego?! — krzyknął Şevket, wymachując ręką w powietrzu. — A mama też go podglądała przez dziurkę w szafie!

— Hayriye, usmaż im na wieczór chleb na niewielkiej ilości tłuszczu, z marcepanem i cukrem.

Orhan skakał z radości, a Şevket milczał. Gdy wchodziłam po schodach na górę, obaj dogonili mnie z krzykiem. Hałasując, popychali się i przekomarzali. Wybuchając śmiechem, powiedziałam, gdy przebiegli obok mnie:

— Ciszej, ciszej. Ach, wy łotry!

Poklepałam ich po wątłych plecach.

Jak to dobrze być w domu wieczorem razem z dziećmi! Mój ojciec czytał księgę.

— Twój gość już odjechał — powiedziałam. — Mam nadzieję, że nie sprawił ci kłopotu.

— Nie — odparł. — Przeciwnie, rozweselił mnie. Jest taki jak kiedyś, pełen szacunku dla swego wuja.

— To dobrze.

— Lecz jest też cwany i wyrachowany.

Powiedział to w sposób lekceważący, nie po to jednak by sprawdzić moją reakcję, lecz żeby zamknąć temat. Przy każdej innej okazji odparowałabym mu ostro, ale miałam jeszcze przed oczami obraz człowieka odjeżdżającego na białym koniu i zamilkłam.

Nie wiem, jak to się stało, że później w pokoju z szafą w ścianie Orhan i ja przytuliliśmy się do siebie. Şevket do nas dołączył; przez chwilę się przepychali. Baraszkowaliśmy jak szczeniaki. Pieściłam ich, całowałam w tył głowy, po włosach, przytulałam do piersi, czułam na sobie ich ciężar.

— Och — skrzywiłam się. — Wasze włosy śmierdzą. Jutro pójdziecie z Hayriye do łaźni.

— Nie chcę chodzić z nią do łaźni — zaprotestował Şevket.

— Jesteś już na to za duży?

Şevket nie odpowiedział, tylko poważnie na mnie spojrzał:

— Mamo, czemu włożyłaś tę śliczną fioletową bluzkę?

Poszłam do garderoby i zdjęłam ją. Wyjęłam wypłowiałą zieloną, którą zawsze nosiłam. Gdy się przebierałam, zrobiło mi się zimno. Zadrżałam, lecz czułam, że moje ciało płonie jak ogień, co więcej — pulsuje i żyje. Na policzki położyłam trochę różu, który zmazał się, gdy bawiłam się z chłopcami. Roztarłam go, zwilżając rękę językiem. Czy wiecie, że krewni, kobiety, które spotykam w łaźni, i wszyscy ludzie mówią, że wyglądam jak szesnastoletnia dziewczyna, a nie podstarzała, dwudziestoczteroletnia matka dwojga dzieci? Musicie im uwierzyć albo nic więcej wam nie opowiem.

Nie dziwcie się, że z wami rozmawiam. Latami oglądałam rysunki w księgach ojca, zawsze szukając w nich kobiet — wielkich piękności. One istnieją, choć rzadko. Wstydliwe i nieśmiałe, zawsze patrzą przed siebie, w ostateczności na siebie — przepraszająco. Nigdy nie podnoszą głów i nie spoglądają na świat prosto, jak mężczyźni, żołnierze czy sułtani. Ale w tanich księgach z rysunkami wykonanymi w pośpiechu, czasami na skutek niedbałości miniaturzysty, wzrok niektórych nie jest zwrócony ku ziemi ani w kierunku żadnej innej rzeczy na obrazku, tylko wprost na czytelnika. Zawsze zastanawiam się, kto jest tym czytelnikiem, na kogo one patrzą? Drżę na myśl o dwustuletnich księgach, pochodzących jeszcze z czasów Timura, o tomach, za które ciekawscy niewierni płacą złotymi monetami i wywożą je aż do swoich krajów: być może pewnego dnia ktoś z dalekiego kraju przeczyta i tę moją opowieść. Czyż nie jest to pragnienie, aby zostać uwiecznionym w księdze? Czyż nie dla tego dreszczyku wszyscy sułtani i wezyrowie dają sakiewki pełne złota pisarzom, tworzącym o nich księgi? Wyobrażam sobie, że jestem na miejscu owych pięknych kobiet, które patrzą na świat z dwóch perspektyw — miejsca w księdze i rzeczywistości. Chcę porozmawiać z wami o tym, kto i kiedy mnie w tej księdze zobaczy. Jestem piękna i inteligentna, i podoba mi się, że będziecie mnie oglądać. Jeśli od czasu do czasu skłamię, to dlatego, żebyście nie myśleli o mnie źle.

Być może zauważyliście, że ojciec bardzo mnie kocha. Przede mną miał trzech synów, lecz Allah zabrał ich do siebie jednego po drugim, a mnie, córkę, zostawił. Ojciec trzęsie się nade mną, mimo że nie poślubiłam kandydata, o jakim marzył. Wyszłam za kawalerzystę, którego sama wypatrzyłam. Gdyby to zależało od ojczulka, mój mąż byłby największym uczonym, znałby się na sztuce, posiadałby siłę i władzę, byłby bogaty jak Karun*. A ponieważ ktoś taki nie istnieje, nawet na kartach ksiąg, czekałabym na niego w domu aż do śmierci.

Mój mąż był znany ze swej wspaniałej postury i krążyły o nim legendy. Aby go spotkać, rozesłałam wiadomości przez

---

*   Karun — postać koraniczna, mityczny bogacz; za pychę został ukarany przez Boga w ten sposób, że ziemia rozstąpiła się pod nim i zapadł się w głąb

swatów i po raz pierwszy ujrzałam go podczas powrotu z łaźni. Jego zielone oczy promieniały ognistym blaskiem, a ja natychmiast się zakochałam. Był przystojnym mężczyzną o ciemnych włosach, jasnej cerze i silnych ramionach, choć w głębi duszy był niewinny i łagodny jak śpiące dziecko. Ponieważ całą swą siłę i energię zużył na wojnach, gdzie zabijał i z których przywoził trofea, wydawało mi się, że czuć było od niego krwią, ale w domu był spokojny, wyciszony i delikatny jak kobieta. Ojciec początkowo nie chciał mnie mu oddać, gdyż uważał go za biednego żołnierza, potem jednak przystał na nasz związek, bo zagroziłam samobójstwem. Mąż bohatersko walczył w wielu bitwach i został właścicielem lenna wartego dziesięć tysięcy srebrnych monet. Wszyscy nam zazdrościli.

Cztery lata temu, gdy nie wrócił razem ze swoją armią z wojny przeciwko Safawidom, początkowo się tym nie przejęłam. Im więcej doświadczenia zdobywał na polu walki, tym częściej działał na własną rękę, zagarniał większe łupy, lenna, szkolił żołnierzy. Poza tym świadkowie twierdzili, że razem ze swoimi ludźmi odłączył się od kolumny marszowej armii i udał się w kierunku gór. Najpierw miałam nadzieję, że lada chwila wróci, lecz po dwóch latach przywykałam do jego nieobecności, zdając sobie sprawę, ile jest w Stambule takich żon jak ja, których mężowie zaginęli w walce. Poddałam się losowi.

Nocami przytulałam dzieci i razem z nimi płakałam. Aby je uspokoić, kłamałam na przykład, że ktoś ma dowody, że ich ojciec powróci przed wiosną. Później, gdy moje kłamstwo wędrowało z ich ust do uszu innych i — zataczając krąg — wracało do mnie jako „radosna nowina", pierwsza w to wierzyłam.

Kiedy męża zabrakło, wraz z jego cichym i spokojnym ojcem i zielonookim bratem wynajęliśmy dom w dzielnicy Çarşıkapı. Nastały dla nas ciężkie czasy. Stary teść, który porzucił produkcję luster, gdy syn wzbogacił się na wojnie, mimo podeszłego wieku wrócił do swego zajęcia. Hasan — brat męża, kawaler pracujący w służbach celnych — stopniowo przynosił do domu coraz większe sumy i zaczął odgrywać rolę głowy rodziny. Pewnej zimy, bojąc się, że nie będą mogli zapłacić czynszu, w pośpiechu zaprowadzili niewolnicę, która zajmowała się domem, na targ i sprzedali ją, a ode mnie zażądali, bym przejęła jej obowiązki: zaczęła gotować, prać, a nawet wychodzić na bazar po zakupy. Nie zapytałam: „Czy powinnam tak ciężko pracować?". Schowałam dumę i zabrałam się do roboty. Lecz gdy mój szwagier Hasan, pozbawiony niewolnicy, którą mógłby wziąć na noc do pokoju, zaczął pukać do moich drzwi, nie wiedziałam, co robić.

Oczywiście mogłam natychmiast wrócić do ojca, lecz według kadiego* mój mąż zgodnie z prawem nadal pozostawał wśród żywych, a rozzłoszczeni teściowie nie poprzestaliby na sprowadzeniu mnie i moich dzieci siłą do domu, ale poniżyliby nas, karząc i mojego ojca, gdyby chciał nas zatrzymać. Szczerze mówiąc, mogłabym się kochać z Hasanem, którego uważałam za bardziej ludzkiego i rozsądniejszego od męża i który, o czym wiedziałam, był we mnie zakochany. Lecz gdybym postąpiła nierozważnie, mogłoby się skończyć tak, że zostałabym jego niewolnicą zamiast żoną. Rodzina męża zaś, bojąc się, że zażądam swojej części spadku, a nawet zostawię ich i razem z dziećmi wrócę do ojca, nie chciała, aby kadi uznał mojego męża za zmarłego. W takim wypadku oczywiście nie mogłam poślubić Hasana ani nikogo innego. Sytuacja przywiązała mnie więc do tego domu i tego małżeństwa, a teść i szwagier woleli, aby mój mąż pozostał „zaginiony", gdyż — nie zapominajcie

---

* kadi — sędzia muzułmański, który rozstrzyga sprawy na podstawie prawa islamu, opierającego się na Koranie, hadisach (czyli relacjach z wydarzeń z życia Mahometa, a także jego wypowiedziach na określone tematy) i prawie zwyczajowym

o tym — wykonywałam w ich gospodarstwie wszelkie prace, począwszy od gotowania, a skończywszy na praniu. Ponadto jeden z nich był we mnie szaleńczo zakochany.

Najlepszym rozwiązaniem dla mojego teścia i szwagra byłby ślub z Hasanem, lecz najpierw trzeba było znaleźć świadków śmierci mego męża, a potem przekonać o niej kadiego. Gdyby najbliżsi mego męża zaakceptowali jego śmierć, a fałszywi świadkowie za kilka srebrnych monet zeznaliby, że widzieli go zabitego na polu walki, nikt nie sprzeciwiałby się uznaniu go za zmarłego i sędzia przychyliłby się do tej decyzji. Ale jako wdowie, najtrudniej byłoby mi przekonać Hasana, że nie opuszczę ich domu, nie zażądam praw do spadku ani posagu, a co ważniejsze — że poślubię go z własnej woli. Oczywiście wiedziałam, że aby zdobyć jego zaufanie, musiałabym się z nim kochać w bardzo przekonujący sposób. Nie powinien przy tym myśleć, że robię to dlatego, żeby mnie uznano za wdowę, lecz z prawdziwej miłości.

Gdybym się postarała, mogłabym się w Hasanie zakochać. Był osiem lat młodszy od mojego męża. Przed jego zaginięciem był dla mnie jak brat i to uczucie nas do siebie zbliżyło. Lubiłam jego uległy sposób bycia, przyjemność, jaką sprawiała mu zabawa z moimi dziećmi, i pożądliwe spojrzenia, które mi czasem rzucał, jak gdyby konał z pragnienia, patrząc na szklankę zimnego soku wiśniowego, czyli mnie. Wiedziałam jednak, że bardzo musiałabym się starać, aby zakochać się w kimś, kto każe mi prać i nie ma nic przeciwko temu, abym robiła zakupy na bazarze jak niewolnica. W owych dniach, gdy zachodziłam do domu ojca, długo, długo płakałam, patrząc na kociołki, garnki, miski i filiżanki, a nocami przytulałam się do dzieci, szukając u nich wsparcia. Hasan nie dawał mi okazji, bym mogła coś do niego poczuć. Nie wierzył, że mogę się w nim zakochać ani że jest to jedyna droga do naszego ślubu, a ponieważ brak mu było pewności siebie, zachowywał się jak gbur. Kilka razy próbowałem mnie schwytać, całować i dotykać. Zapewniał, że mój mąż już nigdy nie wróci, groził, że mnie zabije. Groził mi, płakał jak dziecko, a ponieważ w tym pośpiechu i wzburzeniu nie pozwalał, aby narodziła się między nami prawdziwa i głęboka miłość, opiewana w poematach, zrozumiałam, że nigdy go nie poślubię.

Pewnej nocy, gdy usiłował wejść do pokoju, w którym spałam razem z dziećmi, wstałam i nie przejmując się tym, że mogłabym je przestraszyć, krzyknęłam na cały głos, że złe duchy krążą po domu. Obudziłam teścia i tym samym ujawniłam zamiary Hasana, którego podniecenie było widoczne jak na dłoni. Te śmieszne pokrzykiwania o duchach nie zmyliły starego człowieka, który ze wstydem dostrzegł okropną prawdę: jego pijany syn nieprzyzwoicie zachowywał się w stosunku do żony brata i matki jego synów. Nic nie odpowiedział, gdy oznajmiłam, że nie będę już spała, tylko posiedzę naprzeciwko naszych drzwi, aby ochronić swoje dzieci. Gdy następnego ranka oświadczyłam, że na dłuższy czas razem z synami przeniosę się do rodzinnego domu, aby opiekować się chorym ojcem, Hasan pogodził się z porażką. Zabrałam z sobą kilka pamiątek z życia małżeńskiego: zegar z dzwonkiem, który mąż przywiózł z Węgier jako łup i którego nie chciał sprzedać, bat upleciony ze ścięgien najbardziej porywczego konia arabskiego, szachy z kości słoniowej z Tabrizu, którymi dzieci bawiły się w wojnę, oraz srebrne świeczniki, stanowiące trofeum z bitwy o Nachiczewan, które za wszelką cenę chciałam zachować.

Jak się spodziewałam, moje odejście z domu nieobecnego męża przemieniło urojoną i poniżającą miłość Hasana w beznadziejny, lecz godny szacunku ogień. Wiedząc, że ojciec go nie poprze, zamiast grozić, zaczął mi przysyłać listy miłosne na kartkach, w których rogach rysował ptaki, lwy o załzawionych oczach oraz smutne gazele. Nie będę przed wami ukrywała, że ostatnio na nowo zaczęłam czytać te listy, zdradzające zresztą bogatą wyobraźnię Hasana, której nie dostrzegałam, mieszkając z nim pod jednym dachem — zakładając oczywiście, że listów tych nie pisał i nie ozdabiał któryś z jego przyjaciół o malarskiej i romantycznej naturze. W ostatnich epistołach Hasan obiecywał, że już dłużej nie będę niewolnicą prac gospodarskich, ponieważ zarabia dużo pieniędzy. To wyznanie, uczynione pełnym szacunku, słodkim, a zarazem żartobliwym tonem, w połączeniu z nie kończącymi się kłótniami synów i narzekaniami mojego ojca sprawiło, że spuchła mi głowa i otworzyłam okiennice, tak jakbym chciała westchnąć do świata.

Zanim Hayriye nakryła stół do kolacji, przygotowałam dla ojca, czytającego właśnie *Księgę duszy*, letni napój z kwiatu daktyla pochodzącego z Arabii, z łyżeczką miodu i z kilkoma kroplami cytryny. Cicho jak duch podeszłam do niego i postawiłam przed nim szklankę, tak jak lubił, nie absorbując go swoją obecnością.

— Pada śnieg? — zapytał smutnym i słabym głosem.

Natychmiast zrozumiałam, iż będzie to ostatni śnieg, jaki mój biedny ojciec zobaczy w swoim życiu.

10.
Jestem drzewem

Jestem drzewem i jestem samotne. Płaczę, gdy pada deszcz. W imię Allaha, posłuchajcie tego, co mam wam do opowiedzenia. Wypijcie kawę, aby odegnać sen, otwórzcie szeroko oczy. Pozwólcie mi wyjaśnić przyczynę mej samotności.

1. Mówią, że narysowano mnie w pośpiechu na grubym papierze, bym wisiało na ścianie za meddahem. To prawda. Nie ma obok mnie ani innych smukłych drzew, ani siedmiolistnych roślin stepowych, ani falistych ciemnych skał, czasem przypominających szatana, a czasem człowieka, ani też chińskich kędzierzawych chmurek na niebie. Jest tylko ziemia, niebo, ja i horyzont. Ale moja opowieść jest bardziej skomplikowana.

2. Jako drzewo nie muszę być częścią księgi. Martwi mnie jednak, że jako miniatura nie należę do ilustracji jakiegoś manuskryptu. Nie stanowię bowiem elementu żadnego utworu. Obawiam się, że mój wizerunek będzie zawieszany na ścianie, a poganie zechcą mi oddawać pokłony. Niech słuchacze hodży z Erzurumu nie usłyszą, że skrycie jestem dumne z tej myśli, niech sądzą, że przepełniają mnie wielki strach i zawstydzenie.

3. Głównym powodem mojej samotności jest to, że nawet nie wiem, do jakiego poematu zamierzano mnie włączyć. Miałem być częścią ilustracji, ale spadłem stamtąd jak jesienny liść. Opowiem wąm o tym:

Wypadłem z poematu niczym jesienny liść

Czterdzieści lat temu szach perski Tahmasp, główny wróg imperium osmańskiego, a zarazem największy wśród władców miłośnik iluminacji, zaczął się starzeć i stracił zainteresowanie winem, muzyką, poezją i miniaturami. Zaniechał nawet picia kawy i oczywiście jego mózg przestał pracować. W wyniku natrętnych i ponurych myśli, zrodzonych w starej głowie, przeniósł stolicę z Tabrizu, który był wtedy na terytorium perskim, do Kazwinu, aby być dalej od armii osmańskiej. Pewnego dnia, walcząc ze złymi mocami, dostał nerwowego ataku i zaczął prosić Boga o przebaczenie — przeklął wino, młodych chłopców i ilustracje, co było najlepszym dowodem na to, że ten wielki szach, straciwszy ochotę na kawę, postradał również zmysły.

I tak oto wszyscy introligatorzy, kaligrafowie, złotnicy i miniaturzyści, którzy stworzyli w Tabrizie przez dwadzieścia lat największe dzieła na świecie, rozproszyli się jak pisklęta po innych miastach. Kuzyn i zięć szacha Tahmaspa, sułtan Ibrahim Mirza, zaprosił najbardziej utalentowanych do Maszhadu, gdzie pełnił funkcję gubernatora, i umieścił ich w swoim pałacu, aby pracowali nad iluminacją manuskryptu zawierającego siedem mesnewi* największego poety w Heracie Dżamiego pod tytułem *Siedem tronów*. Szach Tahmasp, który wprawdzie kochał swojego przystojnego i inteligentnego kuzyna, ale zarazem zazdrościł mu wszystkiego, zaczął żałować, że oddał mu swoją córkę, a usłyszawszy o tej wspaniałej księdze, poczuł zawiść i wiedziony gniewem pozbawił go stanowiska gubernatora Maszhadu, wysłał do miasta Kain, a potem w kolejnym

---

*   mesnewi — forma poetycka, dłuższy poemat składający się z dystychów rymujących się w połówkach (hemistychach), uprawiana w literaturach islamu — perskiej, tureckiej, mogolskiej, środkowoazjatyckiej

ataku gniewu do jeszcze mniejszego Sebzawaru. W ten sposób kaligrafowie i iluminatorzy z Maszhadu rozproszyli się i pracowali na dworach różnych sułtanów i książąt.

Jakimś cudem wspaniała księga sułtana Ibrahima Mirzy została jednak ukończona dzięki pomocy wiernego mu bibliotekarza. Człowiek ten pojechał konno aż do Szirazu, gdzie działali najlepsi mistrzowie w sztuce nakładania szczerego złota, potem zabrał z sobą dwie strony i zawiózł je do Isfahanu, do najlepszych kaligrafów w stylu nestalik*. Później, przemierzywszy góry, dotarł aż do Buchary, gdzie wielki mistrz miniaturzysta pracujący dla chana uzbeckiego przygotował iluminacje postaci ludzkich; następnie pojechał do Heratu, aby zlecić na wpół ślepemu, staremu mistrzowi namalowanie z pamięci roślin i liści; w Heracie zlecali również wykaligrafowanie złotą riką** znajdującego się na rysunku napisu nad drzwiami, a potem znów pojechał na południe do Kainu, gdzie pokazał sułtanowi Ibrahimowi Mirzie strony wykonane w ciągu pół roku i usłyszał od niego pochwały.

Stało się jasne, że w tym tempie jeden człowiek nie podoła obowiązkom i księgi nigdy nie skończy, wobec tego wynajęto posłańców tatarskich. Każdemu z nich oprócz strony manuskryptu, przeznaczonej do ozdobienia, wręczono również list, opisujący danemu mistrzowi, co powinien zrobić. Posłańcy przemierzyli Persję, Chorasan, kraj Uzbeków oraz Zakaukazie, dzięki czemu przyspieszono prace. Bywało, że w śnieżną noc, gdy rozlegały się wycia wilków, w karawanseraju spotykały się strona pięćdziesiąta dziewiąta ze sto sześćdziesiątą drugą. Podczas pogaduszek mistrzowie odkrywali, że pracują nad tą

---

*   nestalik — krój pisma arabskiego, wykształcony w Iranie, o płynnych, miękkich kształtach liter, stosowany najczęściej do kaligrafowania utworów poetyckich

** rika — krój pisma arabskiego, rodzaj kursywy

samą księgą — po porównaniu stron przyniesionych przez posłańców próbowano zgadnąć, z jakich mesnewi pochodzą.

Dzisiaj dowiedziałem się, że księga została ukończona i ja również miałem być na jednej z jej stron. Niestety, pewnego zimowego dnia na górskiej przełęczy rozbójnicy napadli na wiozącego mnie posłańca tatarskiego. Najpierw biedaka pobili, a potem obrabowali, zgwałcili i bezlitośnie zamordowali. Dlatego nie wiem nic o kartce, z której wypadłem. Mam do was prośbę, abyście na mnie spojrzeli i zapytali: „Czy miałeś może rzucać cień na Madżnuna, gdy przebrany za pasterza odwiedzał Lejlę w jej namiocie?" lub: „Czy miałeś się rozpłynąć w nocy obrazującej ciemną stronę duszy zrozpaczonego człowieka?". Jakże bardzo chciałbym towarzyszyć radości zakochanych, którzy uciekli od całego świata i przemierzywszy oceany, znaleźli szczęście na wyspie pełnej ptaków i owoców! Jakże bardzo chciałem dać cień Aleksandrowi w ostatnich momentach jego życia, gdy podbijał Indie i zmarł od krwotoku z nosa, wywołanego udarem słonecznym. Czy może miałem symbolizować siłę i wiek ojca dającego synowi rady na temat miłości i życia? Której opowieści miałem przydać znaczenia i wdzięku?

Jeden z rozbójników zabrał mnie ze sobą i woził po górach i miastach, gdyż chyba zdawał sobie sprawę z mojej wartości i miał tyle wrażliwości, aby zrozumieć, że patrzenie na rysunek drzewa jest przyjemniejsze od patrzenia na żywe drzewo, lecz nie wiedząc, z jakiego poematu pochodzę, szybko się mną znudził. Nie podarł mnie jednak i nie wyrzucił, jak się obawiałem, lecz w pewnej oberży sprzedał za dzban wina jakiemuś inteligentnemu człowiekowi. Ten niekiedy nocami wpatrywał się we mnie w blasku świecy i płakał. Z czasem zmarł ze smutku, a jego rzeczy sprzedano. Dzięki meddahowi, który mnie kupił, przybyłem aż do Stambułu. Teraz mam to szczęście i zaszczyt być tu tego wieczoru z wami, miniaturzystami i kaligrafami o orlim wzroku, stalowej woli, smukłych dłoniach, poddanymi sułtana osmańskiego. Na miłość boską, błagam was, nie wierzcie jednak tym, którzy twierdzą, że jakiś mistrz namalował mnie w pośpiechu na marnym papierze, aby mnie wieszano na ścianie.

Pomyślcie, jakie jeszcze kłamstwa, oszczerstwa i bezwstydne nieprawdy są rozpowszechniane! Może pamiętacie, jak wczoraj mój mistrz powiesił rysunek psa i opowiedział przygody tego nieczystego stworzenia, i jak w tym samym czasie mówił również o przypadkach hodży Husreta z Erzurumu? Teraz słuchacze Jego Ekscelencji hodży Nusreta opacznie zrozumieli tę historię; jakbyśmy go atakowali w naszej opowieści. Czyż ośmielilibyśmy się stwierdzić, że ojciec Jego Ekscelencji, wielki kaznodzieja, jest niewiadomego pochodzenia? Niech Bóg broni! To nam nigdy nie przeszłoby przez myśl. Co za intryga, co za podłe kłamstwo! Skoro Husret z Erzurumu jest mylony z Nusretem z Erzurumu, opowiem wam historię drzewa zezowatego hodży Nedreta z Sivasu.

Oprócz przeklinania miłości do pięknych młodzieńców oraz malarstwa ten Nedret Hoca z Sivasu twierdził, że kawa to wymysł szatana, a ci, którzy ją piją, pójdą do piekła. Ej, ty z Sivasu, czy zapomniałeś, jak zgina się ta moja ogromna gałąź? Opowiem wam, ale przyrzeknijcie, że nikomu nie powtórzycie, i niech Allah strzeże was od rzucania bezpodstawnych oskarżeń. Pewnego dnia ujrzałem olbrzyma, niech go Bóg chroni. Był tak wysoki jak minaret, a jego ręce przypominały pazury lwa. Ów olbrzym z hodżą wspięli się na moją gałąź i ukryli wśród gęstych liści, i — przepraszam za wyrażenie — parzyli się jak psy. Wielkolud, który, jak zrozumiałem, był szatanem, namiętnie całował piękne ucho hodży, szepcząc: „Kawa jest występkiem, kawa jest grzechem...". Zgodnie z tym ci, którzy wierzą w szkodliwość kawy, nie wierzą w przykazania naszej religii, lecz w szatana.

Na koniec wspomnę malarzy europejskich i jeśli ktoś ich naśladuje, niech to, co powiem, będzie dla niego przestrogą. Tak więc malarze ci w taki sposób przedstawiają twarze królów, księży, szlachetnie urodzonych panów, a nawet kobiet, że spojrzawszy na nie, można tę osobę rozpoznać na ulicy. Ich żony, wyobraźcie sobie, swobodnie chodzą po mieście, a reszty już sami możecie się domyślić. Lecz jakby to im nie wystarczało, posunęli się jeszcze dalej... Nie w nierządzie, ale w malarstwie...

Pewien wielki europejski mistrz sztuk plastycznych spacerował po europejskiej łące z innym znanym malarzem i rozmawiali o sztuce. Przed nimi pojawił się las. Jeden mistrz powiedział do drugiego: „Jeśli jesteś prawdziwym artystą, narysujesz to drzewo tak, że miłośnik przyrody, gdy tu przyjdzie, rozpozna je pośród innych".

Dziękuję Allahowi, że mnie, biednego drzewa, które tu widzicie, nie narysowano z taką precyzją. I nie dlatego, że boję się, iż gdybym powstało w stylu europejskim, to wszystkie psy Stambułu, uważając mnie za prawdziwe, siusiałyby na mnie, ale dlatego że ja nie chcę być drzewem samym w sobie, chcę być jego znaczeniem.

11.
Nazywam się Czarny

Śnieg zaczął padać wieczorem i padał aż do rana. Całą noc czytałem w kółko list Şeküre. Nerwowo spacerowałem po pustym pokoju pustego domu, pochylałem się w stronę świecznika i w mrugającym świetle patrzyłem na nerwowe drgania rozgniewanych liter mojej ukochanej, fikających koziołki, próbujących mnie okłamać, przesuwających się od prawej do lewej, wyczyniających wygibasy. Wtedy nagle przed oczami stawały mi otwarte okiennice, oblicze mojej ukochanej i jej smutny uśmiech. Gdy ujrzałem jej prawdziwą twarz, wykreśliłem z pamięci wszystkie inne, które pielęgnowałem w wyobraźni przez ostatnie sześć, siedem lat, zmieniając jej rysy i coraz bardziej poszerzając usta koloru wiśni.

W pewnej chwili w środku nocy oddałem się marzeniom o małżeństwie. W wyobraźni nie wątpiłem w moją miłość ani w to, że jest odwzajemniona. Pobraliśmy się w atmosferze wielkiego szczęścia, lecz w piętrowym domu moje wyśnione szczęście rozpłynęło się, ponieważ nie mogąc sobie znaleźć odpowiedniej pracy, kłóciłem się z żoną, a ona nie chciała mnie słuchać.

Gdy zdałem sobie sprawę, że te złowieszcze fantazje pochodziły z księgi Ghazalego *Ożywienie nauk religijnych*, z rozdziału opisującego wady małżeństwa, którą czytywałem nocami jako kawaler w Arabii, przyszło mi na myśl, że przecież na tych samych stronach przedstawiono również zalety małżeństwa. Niestety, przypominam sobie jedynie dwie: po pierwsze mężczyzna, żeniąc się, zyskiwał kogoś, kto utrzymywał porządek w jego gospodarstwie (choć w moim wymarzonym piętrowym domu porządkiem w ogóle nie trzeba było się przejmować), a po drugie nie musiał już odczuwać wyrzutów sumienia z powodu masturbowania się i uganiania za prostytutkami idącymi ciemnymi, bocznymi uliczkami do swoich opiekunów.

Ta myśl o późnej nocnej godzinie znowu przypomniała mi o masturbacji. Aby jak najszybciej pozbyć się uczucia pożądania, schowałem się w kącie pokoju, jak to zwykłem czynić, lecz po jakimś czasie zrozumiałem, że nic z tego nie wyjdzie. Ewidentnie po dwunastu latach znów się zakochałem. Tak mnie to zdumiało i przeraziło, że zacząłem krążyć po pokoju, drżąc jak płomień świecy. Skoro Şeküre zamierzała pojawić się w oknie, to po co list, który sygnalizował coś innego? Dlaczego jej ojciec po mnie posłał? Czyżby Şeküre z wujem knuli coś przeciwko mnie? Chodząc po pokoju, miałem wrażenie, że drzwi, ściana i skrzypiąca podłoga próbują odpowiedzieć na moje pytania.

Spojrzałem na rysunek, jaki zrobiłem wiele lat temu, przedstawiający Szirin ogarniętą miłością po obejrzeniu zawieszonego na gałęzi portretu Chosrowa. Zobaczyłem tę scenę w manuskrypcie, który dopiero co otrzymałem od wuja, i spróbowałem naszkicować taką samą. Obrazek nie zawstydził mnie, tak jak to się zdarzało w późniejszych latach za każdym razem, gdy sobie o nim przypominałem, ani też nie przywiódł na myśl szczęśliwych wspomnień z dzieciństwa. Nad ranem doszedłem do następującego wniosku: odsyłając mi rysunek, Şeküre zrobiła ruch jak w miłosnych szachach, po mistrzowsku wciągając mnie w tę grę. Usiadłem i w świetle świecy napisałem odpowiedź.

Rano, po krótkim śnie włożyłem list do kieszeni na piersi, wyszedłem na miasto i długo spacerowałem. Śnieg poszerzył wąskie ulice Stambułu i uwolnił je od tłumów. Wszystko było jak w dzieciństwie, ale jeszcze cichsze i pogrążone w jeszcze większym bezruchu. Dachy, kopuły i ogrody obsiadły wrony, zupełnie jak w zimowe dni przed wieloma laty. Szedłem szybko po śniegu, wsłuchując się w odgłosy swych kroków i obserwując parę wydostającą się z ust. Ekscytowała mnie myśl, że pałacowa pracownia, do której skierował mnie wuj, będzie tak cicha jak te ulice. Nie wchodząc do dzielnicy żydowskiej, za pośrednictwem jakiegoś chłopaczka dałem znać Ester, gdzie ma się ze mną spotkać przed południowym nabożeństwem, abym mógł jej wręczyć list do Şeküre.

Do pracowni na tyłach meczetu Aya Sofya przybyłem wcześniej niż trzeba. Nie licząc sopli lodu zwisających z okapu, budynek wyglądał jak zawsze. Często odwiedzałem to miejsce za sprawą wuja i przez jakiś czas tu terminowałem.

Idąc za młodym i przystojnym terminatorem, minąłem podeszłych wiekiem mistrzów introligatorów, którzy dostawali zawrotów głowy od zapachów żywicy i kleju, mistrzów miniaturzystów, którym w młodym wieku wyrosły garby, i pomocników, którzy mieszali farby, nie patrząc w misy na ich kolanach, lecz smętnie wpatrując się w płomienie pieca. W rogu zauważyłem starca, starannie malującego trzymane w rękach jajo strusia, innego starszego mężczyznę z przyjemnością ozdabiającego skrzynkę i młodego praktykanta, który obserwował ich z szacunkiem. Przez otwarte drzwi dostrzegłem młodych uczniów, skarconych przez mistrzów, którzy z rozpalonymi policzkami pochylając się delikatnie nad rozpostartymi przed nimi kartami, próbowali zrozumieć popełnione przez siebie błędy. W innym pomieszczeniu smutny i zmartwiony praktykant, zapomniawszy o farbach, kartonach i malarstwie, patrzył na ulicę, którą przed chwilą podekscytowany spacerowałem. W jednej z innych cel miniaturzyści kopiujący malowidło, przygotowujący szablon i farby oraz ostrzący pióra przyglądali się mi — obcemu — spode łba.

Weszliśmy na oblodzone schody. Przeszliśmy przez portyk otaczający drugie piętro budynku. Na dole, na wewnętrznym dziedzińcu pokrytym śniegiem dwóch uczniów, jeszcze dzieci, trzęsąc się z zimna mimo peleryn z grubej wełny, czekało na coś, być może na karę. Przypomniały mi się chłosty oraz uderzenia kijem w stopy aż do krwi, które otrzymywali leniwi lub marnujący drogie farby praktykanci.

Weszliśmy do ciepłego pomieszczenia. Zobaczyłem miniaturzystów wygodnie porozsiadanych na podłodze, lecz nie byli to mistrzowie z mych wspomnień, a tylko nowicjusze. Mistrzowie, którym w swoim czasie iluminator Osman nadawał przydomki, pracowali teraz w swych domach. Natomiast sala, która kiedyś budziła mój szacunek, teraz nie wyglądała już na pracownię pysznego sułtana, ale po prostu na większe pomieszczenie karawanseraju zagubionego w górach Wschodu.

Zaraz przy wejściu, z boku przy kufrze, po raz pierwszy od piętnastu lat zobaczyłem naczelnego iluminatora, mistrza Osmana. Wyglądał jak zjawa. Zawsze, gdy podczas podróży rozmyślałem o malarstwie i szkicowaniu, wielki mistrz jawił mi się na podobieństwo godnego podziwu Behzada. Teraz, w białym stroju i w śnieżnobiałym świetle wpadającym przez okno wychodzące na Aya Sofyę, wyglądał, jakby już dawno przeniósł się na tamten świat. Ucałowałem jego rękę pokrytą starczymi plamami i się mu przypomniałem. Opowiedziałem, jak to wuj ściągnął mnie tutaj, gdy byłem dzieckiem, i jak to, wybrawszy pracę biurową, odszedłem; opowiedziałem o latach spędzonych na podróżach, o latach służby jako sekretarz lub sekretarz skarbnika u paszów we wschodnich miastach.

Mówiłem, jak pracując z Serhatem Paszą i innymi paszami, miałem okazję spotkania w Tabrizie kaligrafów i iluminatorów, i jak sam przygotowywałem księgi. Objaśniałem, czym zajmowałem się w Bagdadzie i Aleppo, w Vanie i Tiflisie, a także wspomniałem o tym, że byłem świadkiem bitew.

— Ach, Tiflis! — odezwał się wielki mistrz, patrząc na światło wślizgujące się z ośnieżonego ogrodu do środka przez uszczelkę okienną. — Czy tam teraz pada śnieg?

Przypominał perskich mistrzów, którzy przez lata doskonaląc swoje rzemiosło, po przekroczeniu pewnego wieku tracili wzrok i wiedli żywot świętych starców, o jakich opowiadano legendy. Natychmiast po jego spojrzeniu poznałem, że nienawidził wuja i w związku z tym nabrał wobec mnie podejrzeń. Mimo to opowiedziałem mu, że na arabskich pustyniach nie pada śnieg, tak jak teraz na Aya Sofyę. Prószy jedynie w wyobraźni tamtejszych ludzi. Zdradziłem mu, że gdy śnieg padał na twierdzę w Tiflisie, kobiety robiące pranie śpiewały wesołe piosenki, a dzieci chowały lód pod poduszki, na lato.

— Opowiedz, co malarze i rysownicy tworzą w krajach, które odwiedziłeś — poprosił.

Młody rozmarzony miniaturzysta, który w kącie zakreślał linijką strony, podniósł głowę znad deski i spojrzał na mnie razem z innymi takim wzrokiem, jakby mówił: „Opowiedz nam swoją najprawdziwszą historię". Większość z nich nie wiedziała nawet, kto jest właścicielem sklepu spożywczego w ich dzielnicy, dlaczego ich sąsiad pokłócił się z właścicielem warzywniaka ani ile kosztuje okka* chleba, ale nie miałem wątpliwości, że byli poinformowani, kto i w jaki sposób ozdabiał księgi w Tabrizie, Kazwinie, Szirazie i Bagdadzie oraz ile poszczególni chanowie, szachowie, sułtani i książęta wydają na

---

* okka — dawna miara wagi równa 1283 g

przygotowanie manuskryptów. Nie miałem też wątpliwości, że znali najnowsze plotki i pogłoski, rozchodzące się w ich kręgu szybko jak dżuma. Mimo to opowiedziałem im o innych krajach, ponieważ wracałem ze Wschodu, z Persji, gdzie walczyły armie, książęta dusili siebie nawzajem i grabili miasta, zanim je spalili, gdzie codziennie mówiło się o wojnie i pokoju, gdzie od wieków powstawały najlepsze wiersze, obrazy i ilustracje.

— Szach Tahmasp, który zasiadał na tronie przez pięćdziesiąt dwa lata, pod koniec swego życia, jak wiecie, porzucił miłość do ksiąg i malarstwa, wzgardziwszy poetami, miniaturzystami i kaligrafami. Oddał się modlitwie i umarł, a jego miejsce zajął syn Ismail — mówiłem. — Nowy szach, którego ojciec trzymał w zamknięciu przez dwadzieścia lat ze względu na jego porywczy charakter, zaraz po przejęciu władzy wydusił swoich braci, a niektórych oślepił. W końcu jednak jego przeciwnicy, podawszy mu opium, otruli go i uwolnili się od niego, a na tronie posadzili jego głupkowatego starszego brata Mohammada Chüdabande. Za jego rządów wszyscy książęta, bracia, gubernatorzy i Uzbecy powstali przeciwko sobie nawzajem i naszemu sułtanowi Serhatowi z taką siłą, że w Persji zapanował nieład. Obecny szach, pozbawiony pieniędzy, głupi i na wpół ślepy, nie może zamówić księgi ani jej zilustrować. W ten sposób wszyscy ci legendarni miniaturzyści z Kazwinu i Heratu, wiekowi mistrzowie i praktykanci, którzy w warsztacie szacha Tahmaspa tworzyli wspaniałe dzieła, wszyscy ci malarze i koloryści, których pędzle sprawiały, że konie galopowały, a motyle wylatywały ze stron ksiąg, wszyscy introligatorzy i kaligrafowie zostali bez pracy, bez grosza przy duszy, a nawet bez ojczyzny. Niektórzy wyemigrowali na północ, by zamieszkać wśród Uzbeków, inni udali się do Indii, a jeszcze inni tutaj, do Stambułu. Imali się innych prac, zatracając siebie i swój honor, lub zaciągali do służby u boku wrogo do siebie nastawionych, mało znaczących książąt i gubernatorów. Rozpoczęli prace nad dziełami wielkości dłoni, zawierającymi najwyżej kilka stron rysunków. Pisane w pośpiechu i natychmiast ilustrowane tanie księgi pojawiły się wszędzie, odpowiadając gustom prostych żołnierzy, ordynarnych paszów i rozpieszczonych książąt.

— Ile za nie biorą? — zapytał mistrz Osman.

— Mówi się, że wielki Sadiki Beg zilustrował księgę *Dziwy stworzeń*, zamówioną przez uzbeckiego jeźdźca sipahi, za jedyne czterdzieści sztuk złota. W namiocie gburowatego paszy, wracającego z wyprawy ze Wschodu do Erzurumu, widziałem album pełen nieprzyzwoitych rysunków, wśród których znajdowały się również obrazy mistrza Sijawusza. Nie wszyscy wielcy mistrzowie porzucili miniatury — nie wszyscy tworzyli i sprzedawali pojedyncze rysunki, nie będące częścią żadnej opowieści ani księgi. Patrząc na taki obrazek, nie zastanawiasz się, z jakiej legendy pochodzi ani jaką scenę przedstawia. Podziwiasz go dla niego samego, oglądasz dla samej przyjemności patrzenia. Na przykład powstał bardzo ładny koń. „Ale śliczny" — mówisz i płacisz za niego mistrzowi. Popularne są zarówno sceny batalistyczne, jak i erotyczne. Cena za batalistykę spadła do trzystu srebrnych monet i rzadko kiedy trafia się zamawiający. Niektórzy wykonują czarno-białe miniatury na szorstkim papierze, nie używając nawet farby, aby było taniej i aby na pewno je sprzedać.

— Był sobie pewien mistrz pozłotnik, tak szczęśliwy i tak utalentowany, jak to tylko było możliwe — zabrał głos mistrz Osman. — Z taką elegancją wykonywał swoją pracę, że nazywaliśmy go Elegant. Lecz nas opuścił. Już od sześciu dni nigdzie go nie widziano. Po prostu zapadł się pod ziemię.

— Jakim cudem człowiek może porzucić pracownię, taki przybytek szczęścia? — zapytałem.

— Czterech młodych mistrzów, których wyszkoliłem —
Motyl, Oliwka, Bocian i Elegant — z rozkazu sułtana pracuje
w swych domach — wyjaśnił mistrz Osman.

Gdy przyszło mi na myśl, że ten rozkaz mógł zostać wy-
dany ze względu na księgę przygotowywaną przez mojego
wuja, zamilkłem. Malowali u siebie chyba dlatego, aby było
im wygodniej ilustrować *Księgę uroczystości obrzezania*, którą
przygotowywała cała pracownia. Tym razem sułtan nie przeznaczył dla mistrzów miniaturzystów specjalnego miejsca na
dziedzińcu pałacowym. Czy uwagi mistrza Osmana były jedynie insynuacjami?

— Nuri Efendi* — zwrócił się do bladego i zgarbionego miniaturzysty. — Proszę objaśnić szanownemu Czarnemu obecną
sytuację pracowni!

Prezentacja odbywała się zwyczajowo raz na dwa miesiące
w warsztatach, podczas wizyty sułtana, który w tych wspaniałych czasach na bieżąco śledził postępy prac. W towarzystwie podskarbiego Hazima, głównego kronikarza Lokmana
i naczelnego iluminatora mistrza Osmana wyjaśniano władcy,
kto czym się zajmował w danej chwili: kto wykonywał jakie
pozłoty, kto malował jaki rysunek i jakie zadanie mieli koloryści, kreślarze stron, złotnicy i miniaturzyści obdarzeni talentem. Zasmuciło mnie, że sułtan uczestniczył jedynie w imitacji
uroczystości, ponieważ wiek i choroba naczelnego kronikarza, autora większości zilustrowanych ksiąg, nie pozwalały
mu wychodzić z domu; ponieważ główny iluminator mistrz
Osman ciągle wpadał w gniew i oburzenie; ponieważ czterej
mistrzowie, o przydomkach Motyl, Oliwka, Bocian i Elegant,
pracowali w domach i w końcu dlatego, że podczas tych wizyt

---

* efendi — zaszczytny tytuł, odpowiednik polskiego zwrotu: wielmoż-
ny pan

nasz sułtan nie wykazywał już entuzjazmu. Nuri Efendi, tak jak większość miniaturzystów, zestarzał się, nie skorzystawszy z uroków życia ani nie osiągnąwszy większego mistrzostwa w swym rzemiośle. Ale zyskał garb, latami pochylając się nad deską: zawsze bacznie śledził, co dzieje się w warsztacie i kto jaką piękną wykonuje stronę.

Tak więc po raz pierwszy z emocjami oglądałem legendarne strony *Księgi uroczystości*, opisujące ceremonię obrzezania książąt naszego sułtana. Gdy jeszcze przebywałem w Persji, a księga ta była dopiero w przygotowaniu, słyszałem opowieści o tym wydarzeniu, trwającym pięćdziesiąt dwa dni, w którym uczestniczyli ludzie wszystkich zawodów i członkowie wszystkich cechów z całego Stambułu.

Na pierwszej miniaturze nasz sułtan, zbawca świata, siedząc w specjalnie na tę okazję wykonanej galerii pałacu zmarłego Ibrahima Paszy, z zadowoleniem przyglądał się scenom rozgrywającym się na Hipodromie*. Nawet jeśli jego twarz nie posiadała tylu szczegółów, aby można go było odróżnić od innych, narysowany był mistrzowsko i z szacunkiem. Znajdował się po lewej stronie tej dwustronicowej miniatury, a po prawej w oknach i pod arkadami stali wezyrowie, paszowie oraz perscy, tatarscy, europejscy i weneccy posłowie. Ponieważ nie byli sułtanami, ich oczy narysowano pospiesznie i niedbale, a ich spojrzenia nie były skoncentrowane na jakimś konkretnym punkcie, lecz wszystkie były skierowane na Hipodrom. Później zauważyłem, że kompozycja ta powtarza się na innych rysunkach, nawet jeśli ornamenty na ścianach, drzewa i dachówki nieco się różniły kształtem i kolorem. Czytelnik, przewracający strony *Księgi uroczystości obrzezania*, za każdym razem

---

*   Hipodrom — (tur. Atmeydanı), plac położony w centrum Stambułu, pochodzi z czasów bizantyjskich

miał ujrzeć inne wydarzenie — obserwowane przez sułtana i tłum jego gości, stojących zawsze w ten sam sposób i spoglądających na Hipodrom na dole — w nowym zestawie kolorów i w nowym ujęciu.

Widziałem ludzi na Atmeydanı bijących się o miseczki z pilawem, patrzyłem na zające i ptactwo wydostające się z wnętrza pieczonego wołu. Zauważyłem przedstawicieli cechu kotlarzy, przejeżdżających przed sułtanem w wozie, którzy walili w miedziane kowadło umieszczone na nagiej piersi jednego z nich, lecz nie robili mu krzywdy. Widziałem szklarzy, ozdabiających szyby na swoim pojeździe goździkami i cyprysami, gdy przejeżdżali przed sułtanem; cukierników recytujących słodkie wiersze, przemieszczających się na wielbłądach obładowanych workami cukru i klatkami z cukrowymi papugami; widziałem starych ślusarzy, prezentujących różnorodne zamki, kłódki, zasuwy, rygle i narzekających na nowe drzwi i nowe czasy. Motyl, Bocian i Oliwka przygotowali iluminację przedstawiającą magików: jeden z nich sprawiał, że jajka chodziły po tyczce, jakby poruszały się po szerokim marmurze, a drugi przygrywał mu na tamburynie. Na jednym z wozów admirał Kılıç Ali Pasza zmusił niewiernych, których pojmał na morzu, by wznieśli „górę niewiernych” z gliny, a potem załadował ich wszystkich do wozu i przejeżdżając przed samym sułtanem, podpalił proch znajdujący się w środku góry, aby pokazać, jak ziemie niewiernych, które podbił, wyły i jęczały pod ostrzałem armat. Widziałem rzeźników o kobiecych twarzach, bez zarostu, w różowych strojach, z nożami rzeźniczymi w rękach i uśmiechających się do różowych owiec obdartych ze skór, które zwisały z haków. Widzowie obserwowali też treserów, którzy przyprowadzili przed oblicze naszego sułtana lwa spętanego łańcuchami, drażniąc go i prowokując, aż oczy nabiegły mu krwią z wściekłości, a po drugiej stronie

widziałem lwa wyobrażającego islam, który gonił szaroróżo-
wą świnię, przedstawiającą chrześcijańskiego giaura. Długo
wpatrywałem się w cyrulika zwisającego głową w dół z sufitu
warsztatu balwierskiego zamontowanego na górze wozu, który
golił klienta, podczas gdy jego ubrany na czerwono asystent
trzymał lusterko i srebrną miseczkę z pachnącym mydłem,
czekając na napiwek. Zapytałem, kto był tym wspaniałym miniaturzystą, autorem obrazu.

— Ważne jest, że ta praca poprzez swoje piękno zwraca
nam uwagę na bogactwo życia, wzywa do miłości, do szacunku dla kolorów świata stworzonego przez Allaha, do refleksji
oraz wiary. Tożsamość autora nie jest ważna.

Czy miniaturzysta Nuri był bardziej bystry, niż sądziłem,
czy zachowywał się tak ostrożnie, gdyż zrozumiał, że wuj przysłał mnie w celu zbadania sprawy? A może powtarzał słowa
naczelnego iluminatora mistrza Osmana?

— Wszystkie pozłoty wykonywał Elegant? — zapytałem.

— Kto teraz to robi zamiast niego?

W sali dały się słyszeć krzyki i wrzaski dzieci dochodzące
z wewnętrznego dziedzińca. Na dole jeden z opiekunów zaczął
chłostać uczniów, którzy najprawdopodobniej ukryli w kieszeni rubinowy proszek lub listek złota zawinięty w papier.
Prawdopodobnie byli to ci dwaj, których wcześniej widziałem
trzęsących się z zimna. Młodzi miniaturzyści, czekający tylko
na okazję, aby się zabawić, podbiegli do uchylonych drzwi,
by na nich popatrzeć.

— Zanim terminatorzy pomalują na tym rysunku Hipodrom
na różowo, tak jak zarządził nasz mistrz Osman — ostrożnie
zaczął Nuri Efendi — nasz brat Elegant wróci i, jak Bóg da,
skończy złocenie tych dwóch stron. Mistrz Osman chciał, aby
to on pomalował ziemię Hipodromu za każdym razem na inny kolor: różany, khaki, szafranowy lub też gęsich odchodów.

Ten, kto spojrzy na pierwszą rycinę, zrozumie, iż jest to kolor ziemi, ale druga i trzecia miniatura powinny się różnić, żeby nie zanudzić widza. Ozdabianie ma ubarwiać stronę.

W rogu pracowni zauważyłem pozostawioną przez pomocnika kartę papieru z ilustracjami. Zajmował się jednostronicową miniaturą do *Księgi zwycięstw*, która przedstawiała flotę wyruszającą na wojnę, ale oczywiście usłyszawszy swoich kolegów bitych kijem po stopach, pobiegł zobaczyć, co się dzieje. Flota składająca się z identycznych statków nie sprawiała wrażenia, że płynie po morzu, ale brak wiatru w żaglach nie wynikał ze słabych umiejętności młodego miniaturzysty.

Ze smutkiem zauważyłem, że schemat został brutalnie wycięty ze starej księgi, której nie potrafiłem rozpoznać, być może z jakiegoś zeszytu do ćwiczeń. Oczywiste było, że mistrz Osman nie przywiązywał już wagi do wielu rzeczy.

Następnie, gdy podeszliśmy do deski, Nuri Efendi z dumą oświadczył, że zakończył już pozłacanie tugry* sułtana, nad czym pracował trzy tygodnie. Z szacunkiem patrzyłem na pozłotę i tugrę widniejącą na czystej karcie papieru, nie wyjawiając, komu i w jakim celu zostanie wysłana. Dobrze wiedziałem, że wielu niesubordynowanych paszów ze Wschodu rezygnowało z buntu, ujrzawszy ten szlachetny, pełen siły i piękna monogram sułtana.

Później obejrzeliśmy ukończone już najnowsze wspaniałe prace kaligrafa Cemala, ale pośpiesznie, by nie dać okazji do dyskusji przeciwnikom koloru i ornamentyki, którzy uważali, że prawdziwa sztuka to kaligrafia i że iluminacja jest tylko dodatkiem do tekstu.

Mistrz Nasir nieświadomie zniszczył stronę z *Piątki* Nizamiego z ilustracją przedstawiającą Chosrowa przyglądającego

---

* tugra — emblemat sułtana, rodzaj ozdobnego monogramu. Każdy sułtan miał własną tugrę, skomponowaną specjalnie dla niego

się nagiej Szirin w kąpieli, pochodzącą jeszcze z czasów synów Timura — stronę, którą miał konserwować.

Słabo widzący dziewięćdziesięciodwuletni mistrz Nasir opowiedział znaną wszystkim historię o tym, jak sześćdziesiąt lat temu w Tabrizie całował dłoń pijanego i ślepego legendarnego mistrza Behzada, i drżącą ręką pokazał ozdobiony piórnik, który powinien ukończyć za trzy miesiące i wręczyć sułtanowi jako świąteczny podarunek.

W ciasnych celach parteru, w których zatrudnionych było około osiemdziesięciu miniaturzystów, uczniów i pomocników, królowała cisza. Znana mi bardzo dobrze, do dziś dźwięcząca w uszach po zakończonej chłoście; przerywana czasami nerwowym chichotem lub żartami, czasami krótkim szlochem lub jękiem zbitego chłopca. Także mistrzom przypominała otrzymywane w latach praktyki lanie. Gdy patrzyłem na niemal ślepego dziewięćdziesięciodwuletniego Nasira, przyszło mi do głowy, że tutaj, z dala od wojny i burzliwych dni, wszystko powoli zmierza ku końcowi. I jeszcze pomyślałem, że przed nastaniem końca świata też zapanuje taka przejmująca cisza.

Rysowanie jest muzyką dla oczu i wyciszeniem umysłu.

Kiedy całowałem na pożegnanie rękę mistrza Osmana, poczułem nie tylko wielki szacunek do niego, ale coś jeszcze mocno poruszyło mą duszę: mieszanina litości i podziwu, jaka ogarnia człowieka w obliczu świętego — szczególne poczucie winy. Być może z powodu mego wuja, który stał się jego konkurentem jako zwolennik jawnego lub skrytego wprowadzania metod mistrzów europejskich?

W tym samym momencie zdałem sobie sprawę, że widzę mistrza chyba po raz ostatni w życiu, i pragnąc pozostawić dobre wrażenie, w pośpiechu zapytałem:

— Mój wielki mistrzu i panie, jaka jest różnica między malarzem uzdolnionym a przeciętnym?

Sądziłem, że przyzwyczajony do tego rodzaju głupawych pytań naczelny iluminator da odpowiedź wymijającą, byle się mnie szybko pozbyć.

— Nie ma jednoznacznego kryterium, określającego uzdolnionego malarza — odpowiedział jednak z powagą. — Kryteria zmieniają się z upływem czasu. Ważne jest, by talent i moralność miniaturzysty nie zagrażały, ale służyły tradycji naszej sztuki. Jeśli dziś chcę się zorientować, co reprezentuje sobą młody artysta, zadaję mu trzy pytania.

— Jakie?

— Czy podpatrując tak modne teraz kierunki malarskie, uprawiane przez chińskich i europejskich mistrzów, wie, że powinien wypracować własną technikę, własny styl? Czy zamierza udowadniać swą odrębność i klasę, podpisując się w rogu miniatury, podobnie jak czynią to mistrzowie europejscy? Tak, najpierw pytam o podpis i styl.

— A potem? — spytałem z szacunkiem.

— Potem chcę wiedzieć, co czuje ten miniaturzysta na myśl, że po śmierci szachów i sułtanów wykonane dla nich księgi zmieniają właścicieli, są niszczone, a stworzone przez nas ilustracje wykorzystywane w innych dziełach? To kwestia subtelna, a odpowiedź wykracza poza samo stwierdzenie, że kogoś to cieszy lub denerwuje. Następnie pytam o czas, czas miniaturzysty i czas Allaha. Czy rozumiesz, chłopcze?

Nie zrozumiałem. Nie przyznałem się jednak do tego.

— A trzecie pytanie? — spytałem.

— Trzecie dotyczy ślepoty — oznajmił naczelny iluminator Osman i zamilkł, sądząc, że wszystko jest jasne.

— Dlaczego ślepoty? — dociekałem nieśmiało.

— Ślepota jest ciszą. Jeśli połączysz to wszystko, co powiedziałem, pierwsze pytanie z drugim, pojawi się ślepota. Pamiętaj, największym wyróżnieniem dla miniaturzysty jest widzieć w ciemnościach zesłanych przez Allaha.

O nic więcej nie zapytałem i wyszedłem. Nie spiesząc się, kroczyłem po oblodzonych schodach. Wiedziałem, że wielkie pytania mistrza zadam Motylowi, Oliwce i Bocianowi, i to nie jedynie w celu podtrzymania rozmowy, lecz by zrozumieć tych już za życia owianych legendą moich rówieśników.

Ale nie udałem się od razu do domów wielkich miniaturzystów. Spotkałem się z Ester w pobliżu dzielnicy żydowskiej, na wzgórzu, gdzie mieścił się nowy bazar i skąd rozciągał się widok na zatokę Złoty Róg, łączącą się z wodami Bosforu. Zmuszona do noszenia różowego stroju, odznaczająca się dużą, ruchliwą sylwetką i nie zamykającymi się ustami Ester dała mi znak brwiami podkreślającymi bystre, wyraziste oczy. Wyglądała malowniczo wśród robiących zakupy niewolnic, kobiet z biednych dzielnic w wyblakłych, szerokich kaftanach, i tłumu rozglądającego się za marchwią, pigwami, cebulą i pęczkami rzodkwi. Niezauważalnym gestem wsunęła mój list do kieszeni szarawarów, jakby śledził nas cały rynek. Powiedziała, że Şeküre myśli o mnie. Wzięła bakszysz, a kiedy poprosiłem: „Na Boga, szybko go dostarcz", ruchem ręki pokazała tobołek, dając do zrozumienia, że ma jeszcze wiele do załatwienia. Zapewniła, że list dotrze do Şeküre około południa. Poprosiłem, by przekazała mej kuzynce, że wybieram się z wizytą do trzech młodych mistrzów miniatur.

12.
Nazywają mnie Motyl

Było to przed południową modlitwą. Rozległo się pukanie do drzwi, otworzyłem. Stał w nich Czarny. W czasie nauki zawodu przez pewien okres przebywał wśród nas. Objęliśmy się i ucałowali. Ciekaw byłem, czy przynosi informacje od Wuja, a on, jakby zgadując moje myśli, powiedział, że przychodzi po starej znajomości obejrzeć moje prace, ilustracje zdobiące strony ksiąg, i w imieniu naszego sułtana zadać mi pytanie.

— Zgoda — odpowiedziałem. — O co chodzi?

Wyjaśnił mi.

Styl i podpis

— Im więcej będzie artystów bez talentu, malujących dla pieniędzy i sławy zamiast dla przyjemności i wiary — mówiłem — tym dłużej stykać się będziemy z wulgarnością i zachłannością, z którymi wiążą się podpis i własny styl. — Zrobiłem takie wprowadzenie, mimo że w to nie wierzyłem. W rzeczy samej ani sława, ani złoto nie mają ujemnego wpływu na zdolności i umiejętności. Tak naprawdę, czego jestem zresztą przykładem, pieniądze i popularność idą w parze z talentem. Gdybym jednak wyjawił swe myśli, to z powodu mej szczerości przeciętni miniaturzyści z pracowni z zazdrości wpadliby w furię i zaatakowali mnie. Aby udowodnić, że kocham tę pracę bardziej niż oni, namaluję drzewko na ziarnku ryżu. Dobrze wiem, że to upodobanie do własnego stylu i podpisu przyszło do nas ze Wschodu od pewnych chińskich mistrzów, którzy ulegli europejskim wpływom. Pozwólcie, że opowiem wam trzy krótkie historie na ten temat.

Trzy przypowieści o stylu i podpisie

Alif*

Dawno temu w twierdzy znajdującej się w górach na północ od Heratu żył zauroczony malarstwem i rysunkiem młody chan. Ze znajdujących się w jego haremie kobiet pokochał tylko jedną. Ta, którą wybrał, najładniejsza z najładniejszych młoda Tatarka, też była w nim zakochana. Spędzali upojne noce i byli tak szczęśliwi, że pragnęli, aby w ich życiu nie zaszły żadne zmiany. Wymyślili, że najlepszą drogą do osiągnięcia celu będzie oglądanie godzinami, całymi dniami starych ksiąg i znajdujących się w nich po mistrzowsku namalowanych miniatur. Mieli wtedy wrażenie, jakby czas się zatrzymał i ich szczęście mieszało się z uwiecznionym na ilustracjach szczęśliwym okresem wieku złotego. W pracowni chana zatrudniony był mistrz nad mistrzami, który wykonywał równie doskonałe jak oryginał kopie rysunków ze starych dzieł. Jak nakazywał obyczaj, ów miniaturzysta, odtwarzając cierpienia miłosne Ferhada zakochanego w Szirin czy rzucających sobie nawzajem spojrzenia tęsknoty i uwielbienia Madżnuna i Lejli lub dwuznacznie przypatrujących się sobie z wielkim uczuciem Chosrowa i Szirin w niebiańskim ogrodzie, w postaci kochanków wpisał wizerunki chana i tatarskiej piękności. Ilustracje te sprawiały, że chan i jego ukochana mocno wierzyli, że ich

---

* Alif, ba, dżim, lam, mim — transkrypcja liter alfabetu arabskiego.

szczęście trwać będzie wiecznie, i obsypywali artystę pochwałami i złotem. W końcu bogactwo i komplementy tak przewróciły mu w głowie, że za namową szatana, zapominając o długu wobec dawnych mistrzów, na których pracach się uczył i dzięki którym osiągnął doskonałość, zaczął wprowadzać do rysunków własne pomysły, uważając, że miniatury będą się bardziej podobać. Ale to nowatorstwo, wprowadzanie swojego stylu i własnych motywów, sprawiło, że prace zostały uznane za błędne, a niezadowolony chan wraz z kochanką ocenili je jako nieudane. Władca, przypatrując się iluminacjom, zauważył niezwykłe zmiany w wyrazie twarzy swej ukochanej Tatarki i uznał, że go już nie kocha. By wzbudzić w niej zazdrość, wziął na noc inną niewolnicę. Tatarską piękność, gdy dowiedziała się o tym od plotkarek, ogarnął wielki smutek i powiesiła się na gałęzi cedru rosnącego w podwórzu haremu. Chan, pojąwszy swój błąd, uznał, że wszystkiemu winna jest fascynacja miniaturzysty własnym stylem, i jeszcze tego samego dnia kazał go oślepić za uleganie podszeptom szatana.

Ba

Dawno, dawno temu w jednym z krajów Wschodu żył wielbiący miniatury stary sułtan. Był bardzo szczęśliwy ze swą nowo poślubioną żoną, najładniejszą z najładniejszych Chinką. Nie wiedział jednak, że serca jego przystojnego syna z poprzedniego małżeństwa i nowej żony miały się ku sobie. Syn, który żył w strachu przed wiarołomstwem wobec ojca i wstydził się swych zakazanych uczuć, postanowił zamknąć się w pracowni i poświęcić malowaniu. Ponieważ jego obrazy powstawały ze smutku i miłości, wielbiciele nie mogli odróżnić jego miniatur od prac sławnych mistrzów. Sułtan był bardzo dumny z syna, a jego młoda chińska żona, przyglądając się miniaturom, mówiła: „Tak, bardzo ładne. Ale jeśli ich nie podpisze, któż po latach będzie wiedział, że wyszły spod jego rąk?". „Jeśli mój syn je podpisze, czyż nie przyzna sobie niezasłużenie praw do techniki i stylu dawnych mistrzów, których naśladuje? — odpowiedział sułtan. — Co więcej, jeśli je podpisze, czyż nie powie: «Czy moje obrazy nie noszą śladów mojej niedoskonałości?»". Chinka zrozumiała, że nie przekona swego starego męża do zgody na podpisanie miniatur przez jego syna, ale znalazła w końcu sposób, by nakłonić do tego młodego pasierba. Upokorzony koniecznością ukrywania swej miłości i zachęcony przez piękną macochę i szatana, młodzieniec podpisał się w rogu miniatury, między murem a łąką, w miejscu, gdzie, jak sądził, nikt tego nie zauważy. A była to miniatura przedstawiająca epizod z poematu *Chosrow i Szirin*. Znacie to: zaraz po ślubie Chosrowa z Szirin jego syn z pierwszego małżeństwa, Sziruje, zakochał się w Szirin i pewnej nocy wkradł się przez okno, by wbić kindżał w pierś śpiącego obok niej ojca. Oglądając rysunek syna, stary sułtan spostrzegł w pewnym momencie coś nietypowego — podpis — ale nie przywiązał do tego wagi, stwierdzając po prostu, że w miniaturze jest błąd. Zaniepokoiło go jednak, że nie była to kopia prac starych mistrzów. Co mogło oznaczać, pomyślał, iż to nie ilustracja do poematu czy legendy, ale zapowiedź czegoś niespodziewanego. Starzec przestraszył się. W tym momencie syn — tak jak na miniaturze — wślizgnął się przez okno do komnaty i nie patrząc w przerażone oczy ojca, zagłębił w jego piersi wielki jak na rysunku kindżał.

Dżim

Raszid ad-Din z Kazwinu z zadowoleniem pisze w swym *Zbiorze historii*, że dwieście pięćdziesiąt lat temu miasto to słynęło ze zdobnictwa ksiąg, a kaligrafia i miniatura należały do

sztuk szanowanych i lubianych. W tym czasie na tronie zasiadał szach rządzący leżącymi między Bizancjum a Chinami
czterdziestoma krajami, który, niestety, nie posiadał męskiego
potomka. Aby po jego śmierci nie nastąpił podział zdobytych
terenów, szach postanowił znaleźć swej pięknej córce męża
— mądrego ilustratora — i urządził w tym celu zawody, w których udział wzięli trzej kawalerowie, bardzo zdolni artyści
z pracowni szacha. Zgodnie z *Historią* Raszida ad-Dina temat
zawodów był bardzo prosty: kto narysuje najładniejszy obrazek! Od Raszida ad-Dina również dowiadujemy się, że wszyscy trzej artyści, wzorując się na starych mistrzach, narysowali
powszechnie lubianą scenę: w pięknym ogrodzie przypominającym raj, wśród cyprysów i cedrów, płochliwych królików
i wzlatujących jaskółek stała młoda i piękna dziewica, smutno
wpatrując się w ziemię. Wszyscy trzej, nie kontaktując się ze
sobą, przedstawili ten sam temat, ale jeden z nich, chcąc zwrócić na siebie uwagę, w mało rzucającym się miejscu, w którym namalowany był narcyz, ukrył swój podpis. Czyn ten po-
traktowany został jak wyzwanie rzucone mistrzom, za które
młodzieńca wydalono z Kazwinu i wysłano do Chin. Pozostali
dwaj artyści ponownie przystąpili do konkursu. Tym razem
każdy z nich narysował wspaniały ogród z dziewczyną sie-
dzącą na koniu. Nie wiadomo, czy jednemu z nich zatrzęsła
się ręka trzymająca pędzel, czy też rozmyślnie zrobił błąd, malując nozdrza białego konia, na którym siedziała dziewczyna
o skośnych oczach i wystających kościach policzkowych jak
u Chinki — w każdym razie ojciec z córką natychmiast uznali
to za defekt. Tak naprawdę miniaturzysta się nie podpisał, ale
chcąc się wyróżnić, po mistrzowsku umieścił na wspaniałym
rysunku konia z małą wadą. „Błąd jest matką stylu", oświadczył szach i wypędził go do Bizancjum. W czasie przygotowań
do ślubu córki szacha z trzecim utalentowanym rysownikiem,

który bezbłędnie skopiował prace mistrzów, nie stosując żadnego podpisu ani jakichkolwiek własnych znaków, Raszid ad--Din z Kazwinu odnotował w swej grubej *Historii* jeszcze jedno wydarzenie. W ostatni dzień przed weselem córka szacha z wielkim smutkiem przyglądała się miniaturze. Po nastaniu wieczoru udała się do ojca. „Dawni mistrzowie, zgodnie z zasadą przyjętą na Wschodzie, przedstawiali ładne Chinki — powiedziała. — Ale rysując ich twarze, oczy, usta, włosy, brwi, uśmiech, wkomponowywali jakiś element, będący cechą ich ukochanych. To był znak rozpoznawalny jedynie dla dwojga kochanków. Ojczulku, cały dzień patrzyłam na ten rysunek przedstawiający dziewczynę na białym koniu i nie znalazłam w nim nic, co by przypominało mnie. Może ten miniaturzysta jest przystojnym, młodym, zdolnym artystą. Ale mnie nie kocha". To zadecydowało o tym, że szach natychmiast odwołał wesele, a ojciec z córką żyli długo i szczęśliwie.

— Z trzeciego opowiadania wynika, że w tamtych czasach odstąpienie od normy z czasem stało się tym, co nazywano stylem — zauważył Czarny z szacunkiem. — Czy miłość artysty do pięknej dziewczyny poznaje się po ukrytych znakach wyłaniających się z jej twarzy, oczu, uśmiechu?

— Nie — odpowiedziałem z wiarą i dumą. — To, że mistrz zawarł w swej miniaturze rysy dziewczyny, którą kochał, nie jest ostatecznie niedoskonałością ani błędem, ale staje się nową artystyczną regułą. Po jakimś czasie młodzi twórcy naśladujący mistrza zaczynają rysować twarze dziewcząt tak jak on.

Chwilę pomilczeliśmy. Czarny z uwagą słuchał trzech parabol, ale nagle spostrzegłem, że z zainteresowaniem przysłuchiwał się dochodzącym z korytarza i pokoju obok odgłosom kroków mej pięknej żony. Wpiłem więc wzrok w jego oczy.

— Pierwsza historia mówi o naruszeniu stylu — powiedziałem. — Druga o tym, że idealny rysunek nie wymaga podpisu. Trzecia łączy myśli zawarte w pierwszej i drugiej i wyjaśnia, że styl i podpis świadczą tylko o głupocie i arogancji. Ciekawe, co wiedział o malarstwie mój rozmówca, któremu przed chwilą przedstawiłem swoje stanowisko. Spytałem:

— Czy usłyszawszy powyższe opowieści, zorientowałeś się, kim jestem?

— Zorientowałem się — odpowiedział bez przekonania.

Abyście na mnie nie patrzyli jego oczami, sam wam wyjaśnię, kim jestem. Umiem wszystko. Tak jak dawni mistrzowie z Kazwinu, bawiąc się i śmiejąc jednocześnie, mogę narysować i pokolorować miniaturę. Jestem o tym przekonany: jestem najlepszy ze wszystkich. I jeżeli słusznie się domyślam, przyczyną odwiedzin Czarnego jest zniknięcie cenionego Eleganta, z czym ja nie mam zresztą nic, ale to nic wspólnego.

Czarny spytał mnie, jak udaje mi się łączyć małżeństwo ze sztuką.

Dużo pracuję i z przyjemnością. Niedawno ożeniłem się z bardzo ładną dziewczyną z dzielnicy. Jeśli nie maluję, kochamy się jak szaleni. Potem wracam do pracy. Ale nie wyjawiłem tego Czarnemu. Odpowiedziałem, że to trudne pytanie. Jeśli pędzel miniaturzysty sprawia cuda na papierze, nie jest on w stanie zadowolić żony. I odwrotnie, jeśli artysta da szczęście żonie, to na pewno jego trzcinowy pędzel tym razem nic nie stworzy. Czarny, podobnie jak inni zazdroszczący talentu, uwierzył w te kłamstwa i wydawał się zadowolony.

Wyraził chęć obejrzenia mych ostatnich rysunków, więc posadziłem go przy desce między farbami, kałamarzami, prostownikami papieru, pędzlami i ołówkami. Kiedy oglądał dwustronicową miniaturę przeznaczoną do *Księgi uroczystości*, przedstawiającą ceremonię obrzezania książąt, usiadłem na leżącej obok czerwonej poduszce. Promieniujące z niej ciepło uzmysłowiło mi, że niedawno siedziała na niej moja ładna żona o kształtnych biodrach. O tak, posługiwałem się trzcinką, by oddać smutek na twarzach więźniów stojących przed naszym sułtanem, a w tym czasie moja mądra żona ściskała moją męskość.

Ta dwustronicowa scena przedstawiała naszego sułtana udzielającego łaski wtrąconym do więzienia za niespłacanie długów i ich rodzinom. Władcę posadziłem, tak jak widziałem go na innych uroczystościach, na skraju dywanu, na którym leżały liczne sakiewki ze srebrnymi akcze. W ręce siedzącego nieco za nim skarbnika włożyłem księgę, z której miał odczytywać informacje o długach. Następnie pokazałem zgryzotę i cierpienie doprowadzonych przed oblicze sułtana, zakutych w łańcuchy dłużników o ściągniętych brwiach, pochmurnych twarzach i oczach pełnych łez; w czerwonych tonach namalowałem wesołe twarze muzykantów przygrywających na tamburynach i lutniach ud. Dźwięki te towarzyszyły recytowanej poezji i odmawianej modlitwie dziękczynnej za szczęście spowodowane łaską sułtana, który wydając ze swej kiesy pieniądze, uwalniał poddanych z więzień. I chociaż podkreślenie upokorzenia i wstydu stojących w rzędzie dłużników nie było przewidziane, za ostatnim umieściłem jego długowłosą zasmuconą piękną córkę w czerwonej feradże* i przejętą sytuacją brzydką żonę w fioletowej sukni. Zamierzałem opowiedzieć Czarnemu o rozmieszczeniu skutych z sobą łańcuchami więźniów, o tajemniczej symbolice użycia czerwonego koloru na miniaturze; o tym, jak to zdecydowałem się na nie stosowaną dotychczas przez mistrzów rzecz: atłasowy kaftan sułtana

---

*   feradże — rodzaj kaftana, wierzchnie okrycie kobiet noszone w czasach imperium osmańskiego

i psa w rogu miniatury pokryłem tym samym kolorem, z czego potem żartowaliśmy z żoną... Chciałem wytłumaczyć, że tworzyć to znaczy kochać życie, ale on nagle wyskoczył z niestosownym pytaniem: Czy czasem nie wiem, gdzie może się znajdować nieszczęśliwy Elegant?

Cóż to za nieszczęśnik?! To nic niewart naśladowca, osioł, zainteresowany tylko złotą farbą dla zarobku, wcale nie godzien współczucia! — miałem wykrzyczeć, ale nie zrobiłem tego.

— Nie — odpowiedziałem spokojnie. — Nie wiem.

— Czy nie sądzisz, że mogło mu się przytrafić coś złego ze strony ludzi hodży z Erzurumu?

On jest jednym z nich — miałem już na końcu języka, lecz powstrzymałem się.

— Nie — odpowiedziałem. — A dlaczego by...?

Tego, że Stambuł został zniewolony przez biedę, dżumę, brak moralności, łajdactwo nie można inaczej wytłumaczyć jak tylko tym, że była to kara za odejście od islamu czasów Proroka, Bożego Apostoła, i rozpowszechnienie się wśród nas europejskiego stylu życia oraz przyjęcie nowych nieprzystojnych obyczajów. To samo mówił hodża z Erzurumu, lecz jego wrogowie próbowali przekonać sułtana, iż stronnicy kaznodziei niszczą groby świętych i napadają na klasztory derwiszów, w których dźwięczy muzyka. Ponieważ nie czułem wrogości do poczciwego erzurumczyka, pytano mnie w zawoalowany sposób: „Czy to nie ty czasem zabiłeś Eleganta?".

W pewnej chwili zdałem sobie sprawę, że te pomówienia muszą od dawna krążyć wśród miniaturzystów. To ci bez natchnienia, bez talentu, bez zdolności artystycznych z wielką satysfakcją rozpowszechniali teraz pogłoski, że jestem podłym mordercą. Poczułem przemożną chęć rzucenia kałamarzem w czerkieską głowę tego głupiego Czarnego za to, że poważnie potraktował rozpowiadane przez zazdrosnych iluminatorów pomówienia. Czarny starał się zachować w pamięci wszystko, co dostrzegł w mej pracowni: z uwagą patrzył na długie nożyczki do papieru, glinianą miskę pełną żółtego pigmentu, czarki z farbami, nadgryzione jabłko, stojącą na piecyku z tyłu dżezwę*, filiżanki do kawy, poduszki, światło wpadające przez na wpół otwarte okno, lustro, którym posługuję się przy sprawdzaniu stron, kitel i leżący z boku czerwony pasek — jak grzech — mojej żony, który upuściła, pośpiesznie wychodząc z pokoju po usłyszeniu pukania do drzwi.

Mimo że skrywałem przed nim swe myśli, rozpracowywał mnie, przypatrując się bacznie pokojowi, w którym mieszkam, i rysunkom, nad którymi ślęczę. Wiem, wszystkich zadziwia ta moja duma, ale w końcu to ja zarabiam najwięcej, co znaczy, że jestem najlepszym rysownikiem! O tak, Allah życzył sobie, by rysunek wyrażał radość i pokazywał tym, którzy umieją patrzeć, że cały świat — to właśnie radość!

---

* dżezwa — metalowe naczynie do parzenia kawy

13.
Nazywają mnie Bocian

Była pora południowego nabożeństwa, gdy ktoś zapukał do drzwi. Otworzyłem i ujrzałem w nich Czarnego, znajomego jeszcze z dzieciństwa. Rzuciliśmy się sobie w ramiona. Był zmarznięty, więc zaprosiłem go do środka, nawet nie pytając, jak odnalazł drogę do mego domu. Na pewno przysłał go do mnie jego wuj, by wypytać o zniknięcie Eleganta i zorientować się, czy nie wiem, gdzie mógłby teraz przebywać. Okazało się, że Czarny przyszedł tu nie tylko po to — przywiózł także wiadomości od mistrza Osmana i dodał, że ma do mnie pytanie. Według mistrza Osmana czas wyróżnia zdolnego miniaturzystę spośród innych. Czas miniatury. Co ja o tym myślę? Posłuchajcie.

Iluminacja i czas

Jak powszechnie wiadomo, ilustratorzy islamscy postrzegali świat tak, jak dzisiaj widzą go niewierni z Europy, więc rysowali wszystko, co ich otaczało: od włóczęgi i kundla na ulicy po sprzedawcę selerów. Ponieważ nie znali dzisiejszych technik perspektywy, którymi tak chełpili się europejscy mistrzowie, ich świat pozostał nudny i ograniczony do punktu widzenia wspomnianego kundla czy straganiarza. A potem wydarzyło się coś naprawdę niezwykłego i nasz sposób patrzenia na miniatury zmienił się diametralnie. I właśnie od tego momentu rozpocznę opowieść.

Trzy historie o miniaturach i czasie

Alif

W Bagdadzie, który trzysta pięćdziesiąt lat temu w pewien zimny lutowy dzień został zajęty przez Mongołów i bezlitośnie splądrowany, żył sobie wielki kaligraf Ibn Szakir, znany nie tylko w arabskich, ale też w innych krajach islamu. Choć był młody, w sławnych bibliotekach bagdadzkich przechowywano przepisane przez niego dwadzieścia dwie księgi, w większości kopie Koranu. Ponieważ Ibn Szakir wierzył, że doczekają one dnia Sądu Ostatecznego, żył w głębokim poczuciu nieskończoności czasu. My jednak tych ksiąg nie znamy, ponieważ w ciągu kilku dni żołnierze mongolskiego chana Hülegü spalili je, zniszczyli i podarte wrzucili do rzeki Tygrys — w tym ostatni manuskrypt, nad którym Ibn Szakir z poświęceniem pracował całymi nocami przy drżącym świetle świecy. Tak jak dawni mistrzowie arabskiej kaligrafii, przestrzegający zasad i dbający o księgi, którzy mieli w zwyczaju odwracać się od wschodzącego słońca i patrzeć na zachodni horyzont, Ibn Szakir wszedł pewnego chłodnego poranka na minaret meczetu Halifa i został świadkiem wydarzeń, które zakończyły pięć wieków rozwoju tradycji kaligrafii. Pierwszy zauważył wkroczenie do Bagdadu bezlitosnych żołnierzy chana Hülegü i zamarł w bezruchu na szczycie minaretu. Widział, jak wrzucano do rzeki Tygrys tysiące ksiąg, burzono biblioteki, gwałcono kobiety, zabito ostatniego z muzułmańskich kalifów*, którzy od pół wieku rządzili Bagdadem, przebito mieczem setki tysięcy ludzi, palono i grabiono całe miasto. Dwa dni później, kiedy wszędzie czuć było woń rozkładających się ciał i słychać było lament po umarłych, a wody Tygrysu spłynęły czerwienią od atramentu, którym

---

*   kalif — następca Mahometa, tytuł najwyższego zwierzchnika religijnego i świeckiego muzułmanów

krwawiły księgi, Ibn Szakir zdał sobie sprawę z tego, że wszystkie te manuskrypty, które ozdobił, a które właśnie przepadły, w najmniejszym stopniu nie przyczyniły się do powstrzymania tej okrutnej rzezi. I poprzysiągł sobie wtedy już nigdy więcej nie namalować ani jednej litery. Ponadto, choć do tej pory z lekceważeniem podchodził do sztuki malarskiej, uważając ją za obraźliwą dla Allaha, teraz, odczuwszy potrzebę przedstawienia tragedii, narysował oglądane z minaretu sceny na kartce papieru, z którą się nigdy nie rozstawał. Trwające trzysta lat po podboju mongolskim odrodzenie miniatury muzułmańskiej zawdzięczamy jej pewnej właściwości, która odróżniała ją od rysunku chrześcijańskiego i pogańskiego — przedstawianiu świata z pozycji wyniesionej, podobnej Bogu. Efekt ten osiągnięto poprzez rysowanie zwykłej linii horyzontu. Przyznajmy jednak, że odrodzenie to zawdzięczamy nie tylko tej linii, ale i Ibn Szakirowi. To on po mongolskiej masakrze, której był świadkiem, udał się z miniaturami w ręku na północ, skąd przybyły obce wojska. Wiele zawdzięczamy również jego technikom malarskim, których nauczył się od chińskich mistrzów. W ten sposób właśnie pielęgnowane przez pięćset lat w sercach kaligrafów arabskich pojęcie nieskończoności czasu ujawniło się w końcu nie w piśmie, ale malarstwie. Choć zniszczono wiele tomów manuskryptów, to znajdujące się w nich strony z miniaturami włączone zostały do innych ksiąg, gdzie przetrwały wieki, przedstawiając ziemskie królestwo Allaha.

Ba

Dawno, dawno temu, choć nie w zamierzchłej przeszłości, praktycznie wszystko wyglądało tak samo i gdyby nie zjawiska starzenia się i śmierci, człowiek nie dostrzegłby upływu czasu. Świat był w kółko opisywany za pomocą tych samych historii i tych samych ilustracji, zupełnie jakby czas się zatrzymał. Salim z Samarkandy opowiadał w swej *Kronice*: mała armia szacha Fahira rozgromiła żołnierzy chana Salah ad-Dina. Po zwycięstwie szach wziął do niewoli chana, torturował go, a potem zabił. Zgodnie ze zwyczajem, aby przypieczętować zwycięstwo, odwiedził jego bibliotekę i harem. W bibliotece doświadczony introligator najpierw porozrywał księgi chana, a następnie ułożył strony w innym porządku, tworząc nowe tomy. Napis w księgach zaś, sporządzony ongiś przez kaligrafów: „Zawsze zwycięski chan Salah ad-Din", wymieniono na: „Zwycięski szach Muzaffer Fahir". Następnie miniaturzyści doskonale wykonane podobizny nieżyjącego Salah ad-Dina, który zaczął blednąć w ludzkiej pamięci, zastąpili młodszą twarzą szacha. W haremie Fahir od razu znalazł najpiękniejszą kobietę chana, ale ponieważ znał się na sztuce i był oczytany, zamiast posiąść ją siłą, postanowił rozpocząć rozmowę i takim postępowaniem zdobyć jej serce. W efekcie najpiękniejsza z najpiękniejszych, Neriman Sultan o lśniących oczach, wdowa po chanie, poprosiła swego przyszłego męża Fahira tylko o jedno: aby miniatura jej pierwszego męża, zamieszczona w jednej z wersji poematu *Lejla i Madżnun*, gdzie Neriman przedstawiona została jako Lejla, a Madżnun nosił rysy Salah ad-Dina, pozostała bez zmian. Pragnęła, aby przynajmniej na tej jednej stronie jej mąż zyskał nieśmiertelność, którą chciał osiągnąć, zamawiając przez lata różne księgi. Zwycięski Muzaffer Fahir wykazał dobrą wolę i wyraził na to zgodę. Jego mistrzowie nie tknęli dzieła, dzięki czemu Neriman i Fahir spędzali upojne chwile, a po krótkim czasie, zapominając o przeżytej grozie, prawdziwie zakochali się w sobie. Miniatura Lejli i Madżnuna nie dawała jednak spokoju Fahirowi Szachowi. Nie, to nie była zazdrość o to, że jego żona stoi na rysunku obok poprzedniego małżonka. Gryzło go, że w pięknej księdze nie było jego postaci, zatem nie będzie mógł dołączyć wraz z żoną do grona nieśmiertelnych. Po pięciu latach zgryzoty szach Fahir, spędziwszy z żoną rozkoszną noc, wziął do ręki świecznik, wślizgnął się jak złodziej do biblioteki, otworzył odpowiednią księgę i w miejscu twarzy Salah ad-Dina zaczął malować własną. Ale tak jak inni chanowie, którzy wielce cenili ilustracje, był jedynie amatorem, więc nie potrafił dobrze siebie sportretować. Następnego ranka bibliotekarz otworzył księgę, podejrzewając jakiś podstęp, i obok rysunku Lejli o twarzy Neriman zamiast portretu jej poprzedniego męża Salah ad-Dina ujrzał twarz innej osoby. Nie przypominała ona szacha Fahira, więc bibliotekarz rozgłosił, że jest to portret głównego jego wroga, młodego i przystojnego szacha Abdullaha. Ta plotka złamała morale żołnierzy Fahira, natomiast rozbudziła odwagę w Abdullahu — w młodym, agresywnym władcy z sąsiedniego kraju. Już w pierwszej wyprawie pokonał Fahira i wziąwszy go do niewoli, zabił, po czym natychmiast przejął jego harem i bibliotekę oraz został nowym mężem wiecznie pięknej Neriman Sultan.

Dżim

Miniaturzyści w Stambule wielokrotnie opowiadali sobie historię o ślepocie i długim życiu Uzun Mohammada — znanego w Persji jako Mohammad z Chorasanu. Tak naprawdę jest to przypowieść o czasie i rysunku. Najważniejszą cechą twórczości Uzuna, który został czeladnikiem w wieku dziewięciu lat i, nie tracąc wzroku, malował mniej więcej przez sto dziesięć lat, był brak wyróżniającego go stylu. Nie próbuję wcale drwić, pragnę jedynie wyrazić mój szczery podziw. Uzun Mohammad rysował wszystko, jak inni, najczęściej w stylu wielkich mistrzów, dlatego osiągnął największą wśród nich biegłość.

Pokora i całkowite oddanie sztuce, którą uważał za służbę Allahowi, sprawiały, że mimo odpowiedniego wieku i talentu nie miał ambicji zostania głównym miniaturzystą. Stał ponad sporami toczącymi się w pracowni malarskiej, w której był zatrudniony. Przez całe swe zawodowe życie, trwające sto dziesięć lat, trzymał się na uboczu, cierpliwie odtwarzając błahe, wydawałoby się, szczegóły: rysował trawę, by wypełnić brzegi strony; tysiące liści na drzewach, falujące chmury. Za pomocą krótkich, powtarzających się dotknięć pędzla odtwarzał końską grzywę, mury z cegieł, nie kończące się ornamenty ścienne i dziesiątki tysięcy podobnych twarzy — skośnookich, o słabo zaznaczonym podbródku. Był szczęśliwy i zamknięty w sobie. Nigdy nie pragnął, aby go wyróżniano, nie starał się także odróżniać stylem czy wykazywać indywidualne cechy swego rzemiosła. Każdą pracownię, w której był zatrudniony, uważał za swój dom, a siebie za jeden z jego elementów. Chanowie i szachowie zacięcie walczyli ze sobą, a miniaturzyści, tak jak harem, przenosili się z miasta do miasta za swymi nowymi opiekunami. W pracowniach malarskich powszechnie naśladowano styl mistrza Uzun Mohammada, widoczny w motywach liści, źdźbłach trawy, zaokrągleniach kamieni i trudnych do wychwycenia konturach jego cierpliwych pociągnięć pędzla. Gdy miał już osiemdziesiąt lat, ludzie zapomnieli, iż był zwykłym śmiertelnikiem; byli przekonani, że żył już w czasach ilustrowanych przez siebie legend. Może z tego powodu zaczęto utrzymywać, że stoi ponad czasem, nigdy się nie zestarzeje i nie umrze. Byli też tacy, którzy uważali za cud, iż mimo braku własnego domu, nocowania w namiotach, pomieszczeniach obok pracowni malarskich czy spędzania większości czasu na wpatrywaniu się w kartę papieru nie utracił wzroku — najwyraźniej czas nie miał wpływu na Uzuna. Niektórzy utrzymywali jednak, że oślepł, ale wzrok nie był mu już potrzebny, bo malował z pamięci. W wieku stu dziewiętnastu lat legendarny mistrz, który nigdy się nie ożenił i nie uprawiał seksu, spotkał w pracowni malarskiej swój ideał z krwi i kości, rysowany przez niego od stu lat: szesnastoletniego szacha Tahmaspa, o ostrym podbródku i twarzy jak księżyc, skośnookiego, pięknego czeladnika, będącego owocem chorwacko-chińskiego związku. Natychmiast się w nim zakochał i aby uwieść tego ucznia o niewyobrażalnej urodzie, włączył się jak typowy kochanek w snucie intryg oraz w walkę o przywództwo, jaka toczyła się między miniaturzystami. Oddał się kłamstwu, podstępom i oszustwom. Pogoń za uciechami i atrakcjami artystycznego światka, będąca próbą nadrobienia prawie stuletnich zaległości, bardzo go ożywiła, ale jednocześnie oddaliła od zamierzchłych czasów baśni i legend, w których całkowicie był do tej pory pogrążony.

Pewnego późnego popołudnia, kiedy wpatrywał się z rozmarzeniem w pięknego ucznia, przeziębił się od mroźnego podmuchu wiatru z Tabrizu, który wdarł się do środka przez otwarte okno. Następnego dnia zaczął kichać i te gwałtowne prychnięcia sprawiły, że całkowicie oślepł. Dwa dni później spadł z wysokich kamiennych schodów pracowni i zmarł.

— Słyszałem o Uzun Mohammadzie z Chorasanu, ale nie znałem tej historii — przyznał Czarny.

Ta subtelna uwaga miała sugerować, że zorientował się, iż opowieść dobiegła końca, a jego umysł analizuje to, co przed chwilą usłyszał. Zamilkłem na chwilkę, by mógł spokojnie mi się przyjrzeć. Ponieważ zaczynam się denerwować, kiedy moje ręce nie mają zajęcia, zaraz po rozpoczęciu drugiej opowieści zabrałem się z powrotem do malowania. Mój urodziwy uczeń Mahmud, który zawsze siedział mi na kolanach i mieszał farby, ostrzył trzcinowe ołówki i czasem poprawiał moje błędy, teraz pokornie przycupnął obok, słuchając i popatrując na mnie. Z głębi domu ciągle dochodziły odgłosy krzątania się mojej żony.

— Aha — zauważył Czarny. — Sułtan powstał.

Kiedy z podziwem wpatrywał się w obraz, ja zachowałem się tak, jakbym nie rozumiał przyczyny tego zachwytu, ale pozwólcie, że szczerze się przyznam: na wszystkich dwustu miniaturach przedstawiających ceremonię obrzezania, zawartą w *Księdze uroczystości*, nasz wielki sułtan, przyglądający się przez pięćdziesiąt dwa dni (z okna galerii zbudowanej na tę okazję) paradzie kupców, bractw cechowych, żołnierzy, rabusiów, ukazany jest w pozycji siedzącej. Tylko na jednej stoi, kiedy to zebranym na placu ludziom rzuca pieniądze z sakiewek. Chodziło mi o przedstawienie radości i podniecenia tłumu, który z tyłkami wypiętymi ku niebu kopał i tratował się nawzajem, by zebrać z ziemi parę groszy.

— Jeżeli miłość jest tematem miniatury, to powinna być narysowana z uczuciem — pouczałem. — Jeśli ma przedstawiać ból, to powinien on z niej emanować. Ale nie poprzez wyraz twarzy czy łzy osób znajdujących się na obrazie, co wydawałoby się na pierwszy rzut oka najłatwiejsze, ale poprzez wewnętrzną harmonię obrazu. Ja nie malowałem wyrazu zdziwienia tak, jak to robiły przez wieki setki mistrzów, czyli rysując osobę wtykającą palec wskazujący w otwarte usta. Ja spowodowałem, że zdziwienie przebijało z całego obrazu. Właśnie poprzez pokazanie stojącego władcy.

Tak się przejąłem, gdy Czarny, szukając jakiegoś tropu, uważnie przyglądał się mym rzeczom i przyborom do malowania, i w ogóle memu życiu, że sam zacząłem spoglądać na swój dom jego oczami.

Znacie pewnie ilustracje pałaców, hamamów i twierdz, które swego czasu wykonywano w Tabrizie i Szirazie: aby przedstawić przeszywające spojrzenie Wszechwiedzącego Allaha, miniaturzyści malowali na przykład pałac w przekroju, jakby ktoś przeciął budynek na pół wielką magiczną brzytwą, a następnie odwzorowywali wnętrza z najdrobniejszymi szczegółami, których z zewnątrz nie dałoby się zobaczyć — włącznie z garami i patelniami, kubkami, ornamentami ściennymi, zasłonami, papugami w klatkach, najbardziej skrytymi zakątkami oraz poduszkami, na których kładła się tak piękna pani, jakiej światło dzienne nigdy nie widziało. Niczym ciekawski czytelnik z zachwytem patrzący na dzieło, Czarny przyglądał się moim farbom, papierom, książkom, nieprzyzwoitym scenom i *Księdze ubiorów*, którą przygotowałem dla europejskich podróżników; gorszącym scenom miłosnym i innym, jakie po kryjomu naszkicowałem dla pewnego paszy; kałamarzom z kolorowego szkła; ceramice i przedmiotom z brązu, scyzorykom z kości słoniowej, pędzlom ze złotym trzonkiem i oczom mojego pięknego czeladnika.

— W przeciwieństwie do starych mistrzów byłem świadkiem wielu wojen — odezwałem się, by wypełnić ciszę swoją obecnością. — Machiny wojenne, kule armatnie, wojska, martwe ciała. To ja ozdabiałem sufity wojskowych namiotów naszego sułtana i naszych paszów. W drodze powrotnej do Stambułu utrwalałem na miniaturach sceny walk, które inaczej zostałyby przez wszystkich zapomniane — przecięte na pół zwłoki, przemieszane nawzajem, niedawno bijące się wojska, giaurów, którzy w oblężonych wieżyczkach twierdz trzęśli się ze strachu przed naszymi armatami i armią, ciała buntowników ze ściętymi głowami, furię galopujących w ataku koni. Zapamiętuję wszystko, co ujrzę: nowy młynek do kawy, sposób okratowania okna, którego wcześniej nie widziałem, kulę, spust nowego europejskiego karabinu, kto co jadł, jakiego koloru nosił ubranie podczas festynu, kto, gdzie i jak położył rękę.

— Jaki jest morał tych trzech opowiadań? — spytał Czarny w sposób, który w zasadzie wszystko podsumowywał.

— Alif — odparłem. — Pierwsza opowieść o minarecie dowodzi, że talent miniaturzysty nie jest ważny, bo to czas czyni jego pracę doskonałą. Ba, druga opowieść o haremie i bibliotece, pokazuje, że jedynym sposobem, by uwolnić się od problemu czasu, jest rzucenie się w wir pracy, ilustrowanie i ćwiczenie. A co się tyczy trzeciej opowieści, to ty mi wyjaśnij.

— Dżim — powiedział z pewnością siebie Czarny. — Trzecia opowieść o studziewiętnastoletnim mistrzu łączy się z Alif i Ba. Mówi o tym, że dla kogoś, kto zrywa z nienagannym życiem i pracą, czas się kończy i przychodzi śmierć.

14.
Nazywają mnie Oliwka

Było już po modlitwie południowej. Wprawdzie w pośpiechu, ale też z przyjemnością malowałem piękne twarzyczki chłopców, gdy nagle usłyszałem pukanie do drzwi. Ręka drgnęła mi z zaskoczenia, odłożyłem pędzel. Delikatnie odłożyłem też na bok tablicę do malowania, którą trzymałem na kolanach, i rzuciłem się jak szalony w kierunku drzwi, odmawiając modlitwę. O Boże... Nie będę niczego przed wami ukrywał, bo wy, do których przemawiam za pośrednictwem kart tej księgi, jesteście bliżej Allaha niż my, biedni poddani sułtana na tym nikczemnym i nieszczęśliwym świecie. Sułtan Akbar, władca Indii, najbogatszy szach na świecie, przygotowuje księgę, która pewnego dnia stanie się legendarna. Rozesłał więc wiadomość na cztery strony świata islamu, zapraszając do siebie największych miniaturzystów. Posłańcy, których skierował do Stambułu, przyszli do mnie wczoraj z wezwaniem do władcy Indii. Lecz gdy otworzyłem drzwi, stwierdziłem, że tym razem to nie oni, tylko Czarny, znajomy jeszcze z dzieciństwa, o którym zupełnie zapomniałem. Dawniej nas unikał, bo był zazdrosny.

— Tak? W czym mogę pomóc?

Podobno przyszedł z przyjacielską wizytą obejrzeć moje miniatury i porozmawiać. Zaprosiłem go do środka. Dowiedziałem się, że był dziś u mistrza Osmana, naczelnego iluminatora, i ucałował jego rękę. A ten wypowiedział mądre słowa o tym, że miniaturzystę można ocenić, rozmawiając z nim o ślepocie i pamięci. Pozwólcie, że wytłumaczę.

Ślepota i pamięć

Nim powstała sztuka ilustracji, na świecie panowały ciemności — zapadną one również wtedy, gdy sztuki tej zabraknie. Dzięki kolorom, farbom, sztuce i miłości przypominamy sobie, że Allah rozkazał nam: „Patrzcie!". „Wiedzieć" znaczy „pamiętać, że się widziało". „Widzieć" znaczy „wiedzieć bez odwoływania się do pamięci". Tak więc malarstwo jest nieustannym przypominaniem o istnieniu ciemności. Wielcy mistrzowie, którzy miłowali sztukę malarską i uważali, iż kolor i zmysł wzroku wyłoniły się z czerni, pragnęli powrócić do owych pierwotnych Boskich ciemności za pomocą kolorów. Artyści pozbawieni pamięci nie są w stanie przypomnieć sobie ani Allaha, ani jego czerni. Wszyscy znani malarze poprzez swoje dzieła starają się dotrzeć do owej pierwotnej pustki ukrytej w barwach i wyzwolonej z okowów czasu. Pozwólcie, że wyjaśnię wam, na czym polega pamiętanie o ciemności, na przykładzie historii wielkich mistrzów z Heratu. Dzięki niej zrozumiecie, co miałem na myśli.

Trzy opowieści o ślepocie i pamięci

Alif

W przetłumaczonym na turecki przez Lamiiego Czelebiego utworze *Dary intymności* perskiego poety Dżamiego napisane było, że we wspaniałej kopii poematu *Chosrow i Szirin* znalazły się miniatury sławnego mistrza szejcha Alego Tabriziego, zatrudnionego w pracowni malarskiej władcy szacha Dżihana z Czarnych Baranów*. Podobno w tym legendarnym rękopisie, którego upiększenie trwało jedenaście lat, mistrz nad mistrzami, wspomniany szejch Ali, wykazał się takim talentem, że tylko najsławniejszy z dawnych mistrzów, Behzad, mógłby mu dorównać. I gdy księga była dopiero w połowie gotowa, szach Dżihan uświadomił sobie, że stanie się właścicielem jedynego takiego dzieła na świecie. Intuicja podpowiadała mu jednak, że jego prestiż wzrośnie niepomiernie wraz z zakończeniem księgi, ale jeszcze cenniejszą wersją rękopisu mogłaby się stać ta następna, zrobiona dla władcy Uzun Hasana z Białych Baranów. Z powodu strachu i zawiści ogłosił go więc swoim wrogiem. Co więcej, Dżihan Szach, jeden z najbardziej zazdrosnych ludzi na świecie, któremu myśl, że inni będą równie jak on szczęśliwi, zatruwała spokój ducha, doszedł do wniosku, że musi zabić szejcha Alego w chwili, gdy ten ukończy księgę. Na szczęście piękna Czerkieska o dobrym sercu z jego haremu przekonała władcę, że wystarczy oślepienie mistrza. Dżihan Szach przystał na to, a ponieważ wiadomość tę rozgłosili dworacy, dotarła ona również do uszu Alego. O dziwo szejch nie opuścił kraju i nie wyjechał z Tabrizu, jak się tego spodziewano i jak uczyniło wielu miernych malarzy. Nie próbował opóźniać zakończenia dzieła i oddalić momentu kaźni, nadal starał się pracować bez zarzutu, a nawet malował z jeszcze większym zapałem i przeświadczeniem o słuszności swego postępowania. Zaczynał po porannej modlitwie i kontynuował rysowanie jednakich koni, cyprysów, kochanków, smoków i przystojnych królewiczów przy blasku

---

* Czarne Barany i Białe Barany — federacje plemion turkmeńskich — więcej na ten temat zob. Kalendarium.

świec aż do północy, gdy ból i łzawienie oczu uniemożliwiały dalszą pracę. Zazwyczaj wpatrywał się całymi dniami w miniatury dawnych mistrzów z Heratu, a czasami wcale się im nie przyglądając, od razu kopiował je na czystej karcie papieru. Wreszcie ukończył zlecenie Dżihana Szacha i, jak się spodziewał, po wielkich pochwałach i szczodrej zapłacie w złocie został oślepiony igłą używaną do umocowywania egret* na turbanach. Szejch Ali opuścił Herat, nie czekając, aż ból minie, i udał się do władcy Białych Baranów, Uzun Hasana. „To prawda, jestem ślepy — oznajmił. — Pamiętam jednak każdy ze wspaniałych szczegółów rękopisu, który ilustrowałem przez ostatnie jedenaście lat, każdą postawioną na nim kropkę i każde pociągnięcie pędzla, a moja ręka mogłaby narysować ponownie to wszystko z pamięci. Mój władco — oświadczył — mógłbym ci zilustrować najpiękniejszy manuskrypt wszech czasów. Ponieważ od tej chwili moich oczu nie będą absorbować niedoskonałości tego świata, namaluję wszelkie doskonałości Allaha z pamięci, najlepiej, jak umiem, w ich najczystszej formie". Uzun Hasan uwierzył wielkiemu miniaturzyście i mistrz, dotrzymując obietnicy, ilustrował z pamięci najpiękniejszą z ksiąg dla władcy Białych Baranów. Wszyscy wiedzą, że duchowa moc emanująca z nowej księgi była powodem zwycięstwa Uzun Hasana nad armią szacha Dżihana podczas bitwy pod Bingöl. Owa wspaniała księga wraz z drugą, namalowaną przez szejcha Alego z Tabrizu dla szacha Dżihana, dotarła do skarbca naszego sułtana Mehmeda Zdobywcy w Stambule, gdy sułtan — pokój jego duszy — rozgromił wojska Uzun Hasana w bitwie pod Otlukbeli. Wiedzą ci, co naprawdę widzą.

---

* egreta — ozdoba z piór, zwykle strusich lub wykonanych z metalu i drogich kamieni, przypinana do nakrycia głowy

Ba

Ponieważ sułtan Sulejman Wspaniały cenił bardziej kaligrafów niż ilustratorów, nieszczęśliwi miniaturzyści jego czasów za pomocą opowieści, którą zaraz przytoczę, dowodzili wyższości rysunku nad kaligrafią. Naprawdę jednak każdy uważny czytelnik spostrzeże, iż historia ta dotyczy w rzeczywistości kwestii ślepoty i pamięci.

Po śmierci władcy świata Timura jego synowie i wnuki zaczęli wzajemnie atakować się i zwalczać. Gdy jeden z nich zajmował miasto drugiego, od razu kazał bić nowe monety z własnym imieniem, a w meczecie odprawiał modlitwy. Następnie rozrywał pozostałe po poprzedniku księgi, nakazywał wymieniać niektóre stronice i umieszczać na nich pod napisem: „Władca świata", strofę wychwalającą siebie jako zdobywcę oraz własne imię. Nakładano nową farbę i dzieło sklejano na nowo tak, by ci, którzy je potem oglądali, myśleli, iż nowy władca naprawdę był panem świata. Kiedy Abdullatif, syn Uług Bega, wnuka Timura, zajął Herat, natychmiast sprowadził swoich miniaturzystów, kaligrafów, introligatorów i nakazał bezzwłocznie przygotować księgi sławiące imię jego ojca, znawcy sztuki księgarskiej. Wymagał od artystów wielkiego pośpiechu, co skończyło się tym, że ilustracje z rozdartych, częściowo spalonych ksiąg się pomieszały. Przez wzgląd na honor swego ojca synowi Uług Bega nie wypadało uporządkować i złączyć tomów na chybił trafił. Zebrał więc wszystkich miniaturzystów z Heratu i rozkazał im przypomnieć sobie owe poematy, by następnie mogli ułożyć ilustracje w odpowiedniej kolejności. Ale każdy z mistrzów przedstawiał inną interpretację, więc uporządkowanie miniatur stało się jeszcze trudniejsze. Wówczas to, po długotrwałych poszukiwaniach, odnaleziono zapomnianego przez wszystkich starca, przełożonego miniaturzystów. Kiedy okazało się, że jest ślepcem, jedni wpadli w popłoch, inni zaczęli się podśmiewać, ale nie w ciemię bity starzec zażądał przyprowadzenia bystrego chłopca nie mającego jeszcze siedmiu lat i nie umiejącego czytać. Gdy go przyprowadzono, miniaturzysta położył przed nim ilustrację i kazał opowiedzieć, co widzi. Kiedy chłopak opisywał rysunek, staruszek, skierowawszy niewidzące oczy ku niebu, słuchał z wielką uwagą, po czym odezwał się: „Aleksander obejmuje umierającego Dariusza, scena z *Księgi królewskiej* Firdausiego... Z *Ogrodu różanego* Saadiego historia hodży, który zakochał się w swym pięknym uczniu... Turniej lekarzy ze *Skarbnicy tajemnic* Nizamiego...". Pozostali miniaturzyści zaczęli kpić ze starego i ślepego artysty, twierdząc, że nie wniósł do sprawy nic nowego. To znane obrazy z najbardziej znanych legend, prychali. Ale niewzruszony starzec położył przed dzieckiem miniatury z mało znanych opowieści i podobnie jak poprzednio zaczął z uwagą go słuchać. „Otrucie kaligrafów przez Hurmuza, to z *Księgi królewskiej* Firdausiego — mówił, kierując twarz ku niebu. — A to *Masnawi* Mewlany, głupia historia na mało wartościowej miniaturze o mężu, który przyłapuje na gruszy żonę i jej kochanka..." I w ten sposób niewidzący miniaturzysta z pomocą chłopca prawidłowo rozmieścił miniatury w księgach i zakończył ich składanie. Kiedy Uług Beg wszedł ze swą armią do Heratu, poprosił staruszka o odpowiedź na pytanie, jak to się stało, że obdarzeni dobrym wzrokiem miniaturzyści nie potrafili uporać się z zadaniem, a on, ślepiec, poradził z tym sobie bez problemu. „Nie jest tak, jak się powszechnie sądzi, że z powodu utraty wzroku wzmocniła mi się pamięć — wyjaśnił stary malarz. — Nigdy nie zapomniałem, że opowieści trwają nie tylko dzięki obrazom, ale i słowom".

Uług Beg odpowiedział, że jego miniaturzyści znali te słowa i historie, ale i tak nie mogli ułożyć obrazów. „Ponieważ

— odparł na to stary miniaturzysta — rozumowali całkiem dobrze w odniesieniu do malowania, co jest ich dziedziną, ale nie rozumieli, że starzy mistrzowie wykonali te obrazy z pamięci samego Allaha". Uług Beg zapytał więc, skąd dziecko mogło to wiedzieć. „Dziecko nie wie — powiedział stary malarz. — Ale ja, stary i ślepy miniaturzysta, wiem, że Allah stworzył to ziemskie królestwo w taki sposób, że inteligentny siedmiolatek chciałby je zobaczyć: co więcej, Allah stworzył to ziemskie królestwo w taki sposób, aby przede wszystkim mogło być widziane. Następnie wyposażył nas w słowa, abyśmy mogli dzielić się z innymi wrażeniami i dyskutować o tym, co widzieliśmy. Błędnie zakładaliśmy, że historie te powstały z naszych słów, a ilustracje zostały namalowane, aby im służyć. Wręcz przeciwnie, malowanie jest aktem poszukiwania pamięci Allaha i widzeniem świata tak, jak on go widzi".

Dżim

Jak wiadomo, miniaturzyści zawsze bali się ślepoty i starali się jej zapobiegać. Na przykład Arabowie o wschodzie słońca, skierowawszy wzrok na zachód, długo wpatrywali się w linię horyzontu. Wiek później miniaturzyści z Szirazu z rana zjadali na czczo miażdżone orzechy włoskie z płatkami róży, a artyści z Isfahanu tak samo mocno bali się dżumy, jak wierzyli, że przyczyną utraty wzroku są padające na deskę do malowania promienie słońca, i dlatego starali się rysować przy świecach w mrocznych kątach pomieszczeń. Z kolei w Bucharze po zakończeniu pracy mistrzowie myli oczy wodą pobłogosławioną wcześniej przez szejchów. Sławny miniaturzysta Sajjid Mirak z Heratu, nauczyciel wielkiego mistrza Behzada, miał inne zdanie o ślepocie. Oświadczył, że ślepota to nie tragedia! To ostatnie z błogosławieństw podarowane przez Allaha miniaturzyście za to, że całe życie poświęcił jego chwale. Iluminowanie ksiąg było bowiem poszukiwaniem wizji ziemskiego królestwa Allaha, a to można osiągnąć jedynie poprzez pamięć, gdy miniaturzysta traci wzrok po latach ciężkiej pracy, i tylko wówczas, gdy oczy artysty i jego siły się wyczerpią. Tak więc wizja świata Allaha ujawnia się jedynie w pamięci oślepłych miniaturzystów. Kiedy pojawi się w wyobraźni doświadczonego wiekowego miniaturzysty, to znaczy, gdy ujrzy on świat takim, jakim widzi go Allah, będzie w stanie przelać ją na papier, zwłaszcza jeśli ćwiczył rękę przez długie lata. Według relacji historyka Mirzy Muhammada Hajdara Dughlata, zajmującego się wspomnieniami o miniaturzystach z Heratu, mistrz Sajjid Mirak w celu wyjaśnienia problemu ślepoty i malowania posłużył się przykładem iluminatora pragnącego namalować konia. Dowodził, że nawet najgorszy artysta — którego głowa jest pusta jak głowy współczesnych weneckich twórców — malując konia z natury, umie go odtworzyć z pamięci. Nie można bowiem jednocześnie patrzeć na konia i na kartkę papieru, na której powstaje jego wizerunek. Najpierw iluminator patrzy na rumaka, a potem szybko przelewa na papier to, co pojawia się w jego głowie. Więc to, co pozostaje na papierze, nie jest odzwierciedleniem tego, co artysta widzi, lecz jedynie wspomnieniem tego, co ujrzał. To zaś dowodzi, że nawet najgorszy miniaturzysta może namalować konia z pamięci. Logiczne rozwinięcie tej idei, która traktuje wieloletnią pracę iluminatora jako przygotowanie do osiągnięcia błogosławionej ślepoty i ślepej pamięci, jest takie, że mistrzowie z Heratu traktowali rysunki wykonywane dla szachów i książąt jako ćwiczenia ręki. Ciągłą pracę i ślęczenie nad miniaturami przy świetle świecy bez chwili przerwy uważali za przyjemne zajęcie prowadzące do ślepoty. Przez całe życie mistrz Mirak poszukiwał okazji do osiągnięcia tego błogosławionego stanu

— aby przyspieszyć moment utraty wzroku, malował drzewa i liście na paznokciach, ziarnach ryżu, a nawet pasemkach włosów lub w zupełnych ciemnościach tworzył piękne, słoneczne ogrody. Kiedy miał siedemdziesiąt lat, sułtan Husajn Bajkara, by go wynagrodzić, pozwolił mu wejść do skarbca, w którym trzymano pod kluczem tysiące stron ksiąg, zebranych przez władcę. Znajdowały się tam również broń, złoto i mnóstwo beli jedwabiu oraz aksamitu. Przy świetle świec, umieszczonych w złotym kandelabrze, mistrz Mirak oglądał wspaniałe księgi owiane legendą, zilustrowane przez dawnych mistrzów z Heratu. W końcu po trzech dniach i nocach ciągłego wpatrywania się w te wspaniałe księgi stracił wzrok. Przyjął to z godnością i akceptacją jak ktoś, kto wita anioły Allaha — nigdy już nie wypowiedział ani jednego słowa i niczego nie namalował. Mirza Muhammad Hajdar Dughlat, autor *Historii Raszida*, tak opisuje to zdarzenie: „Miniaturzysta, któremu dane było ujrzeć nieśmiertelne królestwo Allaha, nigdy nie wróci do malowania stron przeznaczonych dla śmiertelników". Po czym dodaje: „Tam, gdzie umysł ślepego miniaturzysty łączy się z Allahem, panują absolutna cisza, błogosławiona ciemność i nieskończoność czystej stronicy".

Na pewno Czarnemu nie chodziło o wysłuchanie mej odpowiedzi na pytanie mistrza Osmana o ślepotę i pamięć. Chciał raczej swobodnie przyjrzeć się moim zgromadzonym w pokoju rzeczom i iluminacjom. Mimo to przyjemnie było przekonać się, że opowieści zrobiły na nim wrażenie.

— Ślepota to stan błogosławieństwa, do którego szatan i wyrzuty sumienia nie mają przystępu — stwierdziłem.

— W Tabrizie — zauważył Czarny — niektórzy miniaturzyści, malujący w starym stylu pod wpływem mistrza Miraka, uważają ślepotę za łaskę zesłaną przez Allaha i wstydzą się, gdy po osiągnięciu starości nie tracą wzroku. Nawet i dziś w obawie, że inni uznają zachowanie wzroku za brak talentu i umiejętności, udają, że nie widzą. Z powodu tego przekonania, rozpowszechnianego przez Dżemaleddina z Kazwinu, całymi tygodniami przesiadują w ciemnościach wśród luster, przy nikłym świetle lampki oliwnej, bez jedzenia i picia, wpatrując się w ryciny namalowane przez starych mistrzów z Heratu, by nauczyć się patrzeć na świat jak niewidomi, choć nie utracili wzroku.

Ktoś zapukał do drzwi. Kiedy otworzyłem, ujrzałem przystojnego ucznia spoglądającego na mnie szeroko otwartymi pięknymi, migdałowymi oczami. Powiedział, że w starej studni znaleziono ciało naszego brata, pozłotnika Eleganta, i że pogrzeb odbędzie się w meczecie Mihrimah po popołudniowej modlitwie. Potem pobiegł zawiadomić innych.

Boże, miej nas wszystkich w opiece.

15.
Nazywam się Ester

Czy to miłość robi z ludzi głupców, czy też tylko głupcy potrafią się zakochać? Latami sprzedawałam ubrania po domach i byłam swatką, a na to pytanie nie umiem odpowiedzieć. Chciałabym poznać mężczyznę lub kobietę, którzy po zakochaniu się w sobie stali się bardziej inteligentni, sprytni czy nieuczciwi. Z tego, co wiem, jeśli mężczyzna ucieka się do podstępu, drobnych oszustw i kłamstw, na pewno nie jest zakochany. Spójrzmy na naszego Czarnego — gołym okiem widać, że stracił całą pewność siebie, a rozmawiając o Şeküre, nie panował nad sobą.

Na targu przekazałam mu znane mi już na pamięć i powtarzane wszystkim wieści: że Şeküre myśli o nim, że pytała mnie o odpowiedź na jej list, że nigdy nie widziałam jej w takim stanie i tak dalej. Spojrzał na mnie w taki sposób, że zrobiło mi się go serdecznie żal. Podał mi list, prosząc, by natychmiast doręczyć go Şeküre. Wszyscy głupcy uważają, że miłość wymaga specjalnego pośpiechu. Ujawniając moc swego uczucia, wkładają broń w ręce ukochanych — a one, jeśli są mądre, odpowiedź odkładają na później. Podsumowując: pośpiech odsuwa w czasie zaznanie owoców miłości.

Gdyby więc Czarny wiedział, że jego list najpierw zaniosłam w inne miejsce, byłby mi głęboko wdzięczny. Prawie zamarzłam na śmierć, czekając na niego na targu. Aby się ogrzać, postanowiłam wpaść po drodze do jednej z mych córek. Córkami nazywam dziewczęta, którym osobiście pomogłam wyjść za mąż, przekazując ich listy. Ta wychudzona dziewczyna była tak wdzięczna, że za każdym razem, gdy ją odwiedzałam, nie wiedziała, gdzie mnie posadzić, i zawsze wciskała mi do ręki kilka srebrnych monet. Spodziewała się dziecka, była szczęśliwa. Z przyjemnością wypiłam świeżo zaparzony przez nią kwiat lipy. Gdy na chwilę zostałam sama, zabrałam się do liczenia pieniędzy wręczonych mi przez Czarnego. Dwadzieścia akcze.

Ponownie wyruszyłam w drogę. Z trudem przedzierałam się przez przejścia i wąskie uliczki, bo zamarznięte błoto sprawiało, że stawały się wręcz nie do pokonania. Gdy stanęłam wreszcie przed drzwiami domu, którego szukałam, zebrało mi się na żarty, więc zapukałam i krzyknęłam:

— Przybyła wędrowna handlarka, wędrowna handlarka! Mam do sprzedania najlepsze muśliny godne samego sułtana, nieporównywalne szale z Kaszmiru, aksamit z Bursy na pasy, materiał na koszule z Egiptu, wykańczany jedwabiem, gęsto haftowane batystowe narzuty, prześcieradła i kolorowe chusteczki!

Drzwi otwarto, weszłam do środka. Tak jak zwykle czuć było nie posłanym łóżkiem, rozgrzanym tłuszczem i wilgocią. Rozchodził się nieprzyjemny starokawalerski zapach.

— Czego wrzeszczysz, stara wiedźmo? — odezwał się opryskliwie.

W milczeniu podałam mu list. Jak cień zbliżając się do mnie w półmroku, niespodziewanie wyrwał mi go z ręki. Przeszedł do bocznego pokoju, gdzie zawsze paliło się światło. Stanęłam w drzwiach.

— Twego ojca nie ma? — spytałam.

Nie odpowiedział. Czytając list, zapomniał o świecie. Dałam mu spokój. Niech sobie czyta. Ponieważ lampa znajdowała się za jego plecami, nie mogłam dostrzec jego wyrazu twarzy. Skończył i natychmiast ponownie zagłębił się w treść listu.

— No cóż on tam nawypisywał? — spytałam.

Hasan czytał na głos:

Kochana Şeküre,
ja też przez wiele lat marzyłem o pewnej osobie i dlatego rozumiem i cenię to, że czekasz na męża i nie myślisz o nikim prócz niego. Czegóż innego można się spodziewać po takiej uczciwej i cnotliwej kobiecie jak Ty? (Hasan się zaśmiał!) *Przyszedłem do Twego ojca w sprawie miniatur, a nie dlatego, by Cię niepokoić. W ogóle o tym nie myślałem. Nie śmiałem nawet marzyć o jakichkolwiek znakach od Ciebie. Kiedy niczym światło pojawiłaś się w oknie, wziąłem to za łaskę Allaha. Ponieważ do szczęścia wystarczy mi widok Twej twarzy.* („To zapożyczył z Nizamiego", wtrącił ze złością Hasan.) *Ale piszesz, bym nie zbliżał się do Ciebie. Powiedz, czyś jest aniołem, że strach się zbliżyć do Ciebie? Posłuchaj mnie, posłuchaj uważnie: pewnej nocy, czekając na sen, przysłuchując się wyciu wilków, przyglądając księżycowi oświetlającemu nagie szczyty gór i zaglądającemu w okno opuszczonego karawanseraju, w którym poza mną nie było nikogo z wyjątkiem właściciela i zbiegłego bandyty skazanego na śmierć, myślałem o tym, że kiedyś ujrzę Twoje okno, a w nim Ciebie. A teraz słuchaj: kiedy zacząłem przychodzić do Twego ojca z powodu manuskryptu, zwróciłaś mi rysunek, który zrobiłem dla Ciebie jeszcze w dzieciństwie. Zrozumiałem, że to nie znak Twej śmierci, lecz wiadomość dla mnie — zrozumiałem, że Cię odnalazłem. Widziałem jednego z twoich synów, Orhana. Biedny sierota. Postanowiłem zostać jego ojcem.*

— Ładnie napisał — przyznałam. — Jak prawdziwy poeta.

— „Czyś jest aniołem, że strach się zbliżyć?" — powtórzył Hasan. — Skradł te słowa Ibn Zerhaniemu. Ja wyraziłbym to zgrabniej — uznał. Teraz wyjął swój list z kieszeni. — Weź, zanieś go Şeküre — polecił.

Po raz pierwszy poczułam się nieprzyjemnie z powodu pieniędzy, które dał mi wraz z listami. Ogarnął mnie wstręt do obłędnego, nie odwzajemnionego miłosnego przywiązania tego człowieka. Jakby słysząc moje myśli, ów zawsze układny Hasan tym razem odezwał się szorstko:

— Powiedz jej, że jeśli zechcemy, to decyzją kadiego sprowadzimy ją siłą do domu.

— Naprawdę mam tak powiedzieć?

Nastąpiło milczenie.

— Nie, nie mów — zdecydował po chwili.

Światło lampy rozjaśniło mu twarz. Wyglądał jak dziecko, które coś przeskrobało. Dobrze znałam te jego stany zadurzenia, a ponieważ szanuję cudzą miłość, nosiłam jego listy. Wcale nie dla pieniędzy, jak powszechnie sądzono. Wychodziłam już z domu, gdy Hasan zatrzymał mnie w drzwiach.

— Czy przekazujesz Şeküre, jak bardzo ją kocham? — spytał podnieconym głosem.

— Czy nie piszesz jej tego w listach? — odpowiedziałam pytaniem.

— Poradź mi, jak mógłbym przekonać do siebie ją i jej ojca?

— Będąc dobrym człowiekiem — odpowiedziałam bez zastanowienia.

— W tym wieku to nie takie proste — zauważył z goryczą.

— Zacząłeś zarabiać dużo pieniędzy, Hasanie Czawuszu, dobrobyt czyni człowieka dobrym — stwierdziłam i wyszłam.

Z radością opuściłam ten ponury i smutny dom. Wydało mi się, że na ulicy było teraz cieplej. Promienie słońca biły w oczy. Pomyślałam, że chciałabym widzieć Şeküre szczęśliwą. Choć było mi też żal tego biednego Hasana. Nagle wpadłam na pomysł, aby przejść przez Bazar Korzenny na Laleli, by dzięki upajającemu zapachowi cynamonu, szafranu i pieprzu choć trochę dojść do siebie. Ale to był błąd.

Gdy dotarłam na miejsce, Şeküre wzięła listy i spytała o Czarnego. Powiedziałam, że ogień miłości pali jego serce, co bardzo jej się spodobało. Zmieniłam temat:

— Wszyscy, nawet kobiety siedzące stale w domach i robiące na drutach, rozmawiają o zabójstwie nieszczęśnika Eleganta.

— Hayriye, zrób chałwę i zanieś ją Kalbiye, żonie biednego Eleganta — poleciła Şeküre.

— Na pogrzeb — ciągnęłam — przyjadą wszyscy z Erzurumu. A przelana krew, jak mówią, zostanie pomszczona.

Ale młoda kobieta już zajęła się czytaniem listu od Czarnego. Uważnie przyglądałam się jej twarzy. Wiele w życiu doświadczyła i dlatego potrafiła być tak opanowana. Spodobało się jej, że zamilkłam i nie przeszkadzam w lekturze, która tak dużo dla niej znaczyła. Odniosłam wrażenie, że moje zachowanie traktuje jako zrozumienie dla jej korespondencji z Czarnym. Gdy skończyła, uśmiechnęła się do mnie, a ja, by zrobić jej przyjemność, spytałam:

— O czym pisze?

— Jak w dzieciństwie... jest we mnie zakochany.

— A ty?

— Jestem mężatką. Czekam na męża.

Przyznam, że nie rozzłościło mnie to kłamstwo. Wręcz uspokoiło. Gdyby dziewczyny i kobiety, którym nosiłam listy i doradzałam w tylu życiowych sprawach, były tak uważne i bystre jak Şeküre, ich życie potoczyłoby się o wiele lepiej, a niektóre znalazłyby odpowiedniejszych mężów. No i mnie byłoby łatwiej.

— A drugi co pisze? — spytałam.

— Nie chce mi się teraz czytać listu Hasana — odpowiedziała. — Czy Hasan wie, że Czarny wrócił do Stambułu?

— Nawet nie podejrzewa.

— A ty rozmawiasz z Hasanem? — spytała moja ślicznotka, otwierając szeroko czarne oczy.

— Dla twojego dobra.

— Tak?

— Cierpi. Też bardzo cię kocha. Nawet jeśli twoje serce należy do innego, ciężko ci będzie pozbyć się Hasana. Przyjmujesz listy od niego, a to obudziło w nim wielkie nadzieje. Strzeż się. Jego celem jest nie tylko sprowadzenie cię na powrót do domu, ale ożenek z tobą po udowodnieniu śmierci starszego brata. — Uśmiechnęłam się, aby moje słowa nie zabrzmiały zbyt złowróżbnie i by nie pomyślała, że trzymam stronę Hasana.

— A tamten co mówi? — spytała, chyba nie do końca wiedząc, o kogo pyta.

— Malarz?

— Wszystko mi się pomieszało — stwierdziła nagle, a może przestraszyła się własnych myśli. — Wydaje mi się, że sytuacja skomplikuje się jeszcze bardziej. Ojciec się starzeje. Co będzie ze mną, mymi dziećmi sierotami? Mam przeczucie, że zbliża się ku nam zło, że szatan przygotował przeciwko nam coś strasznego. Ester, powiedz mi coś, co sprawi, że poczuję się szczęśliwsza.

— Nie martw się, kochana Şeküre — pospieszyłam z pociechą, choć sama zadrżałam. — Naprawdę jesteś mądra i bardzo ładna. Przyjdzie dzień, że legniesz w jednym łóżku ze swym przystojnym mężem, obejmiesz go, zapomnisz o kłopotach i będziesz szczęśliwa. Czytam to z twych oczu. — Ogarnęła mnie czułość dla niej i łzy napłynęły mi do oczu.

— Dobrze, ale który z nich będzie moim mężem?

— Czyżby twoje mądre serce nie podpowiadało ci tego?

— Jestem nieszczęśliwa, ponieważ nie rozumiem mego serca.

Zapadła cisza. W pewnym momencie pomyślałam, że Şeküre w ogóle mi nie ufa i stara się to ukryć przede mną. Kiedy zrozumiałam, że w tej chwili nie jest w stanie odpowiedzieć na listy, chwyciłam torbę i wyślizgnęłam się na zewnątrz, powtarzając słowa, które mówiłam wszystkim dziewczynom:

— Jeśli szeroko otworzysz swoje śliczne oczy, nic ci się złego nie przytrafi, moja droga. O nic się nie martw.

16.
Ja, Şeküre

Do tej pory za każdym razem, kiedy przychodziła handlarka Ester, oczekiwałam, że zakochany we mnie mężczyzna zdecyduje się i prześle list, dzięki któremu serce kobiety takiej jak ja, cieszącej się szacunkiem, jednocześnie ładnej, mądrej i wykształconej wdowy, zabije mocniej. I wprawdzie takie listy dostawałam od adoratorów, ale czerpałam z nich jedynie siłę i cierpliwość, by niezmiennie czekać na męża. Teraz natomiast po każdej wizycie Ester mam chaos w głowie i czuję się nieszczęśliwa.

Wsłuchiwałam się w dobiegające z zewnątrz odgłosy: w kuchni słychać bulgotanie i kipienie, nozdrza drażni zapach cytryny i cebuli — Hayriye przygotowuje kabaczki. Na podwórzu pod drzewem granatu Şevket i Orhan walczą na szable, słyszę ich pokrzykiwania. U ojca w bocznym pokoju jest cicho.

Otworzyłam list od Hasana i przeczytawszy po raz kolejny zrozumiałam, że nic ciekawego się od niego nie dowiem. Poczułam jedynie strach, ale cieszę się, że dałam sobie z nim radę, gdy ładował się do mego łóżka w czasach, kiedy mieszkaliśmy pod jednym dachem. Potem wzięłam delikatnie do ręki, niczym kruchy przedmiot, list Czarnego. Ponownie uważnie go przeczytałam i zgłupiałam. Już więcej do listów nie wróciłam; wyszło słońce, a ja sobie pomyślałam: jeśli którejś nocy wsunęłabym się do łóżka Hasana, nikt prócz Allaha by tego nie zauważył. Przecież przypomina mego zaginionego męża. Czasami nachodzą mnie takie niemądre i dziwne myśli. Wzeszło słońce, ogrzałam się w jego promieniach i poczułam, że moje ciało zaczyna żyć, skóra staje się wrażliwa, sutki nabrzmiewają. Kiedy wdzierające się przez uchylone drzwi promienie łagodnie mnie muskały, nagle zjawił się Orhan i spytał:

— Mamo, co czytasz?

Przyznaję, minęłam się z prawdą, twierdząc, że ponownie nie czytałam listów przyniesionych przez Ester. Oczywiście wróciłam do nich. Ale teraz je złożyłam, wcisnęłam za pazuchę i przyciągnęłam do siebie Orhana, mówiąc:

— Chodź, usiądź mi na kolanach.

Podszedł. Sadzając go, stwierdziłam:

— Ależ ciężki jesteś i podrosłeś.

Po czym serdecznie go ucałowałam.

— Jesteś zimny jak lód.

— A ty jesteś taka ciepła, mamo — powiedział, przytulając się do mnie.

Siedzieliśmy tak objęci i to nam się podobało. Czułam zapach jego ciała, ponownie go pocałowałam, jeszcze mocniej przytuliłam. Milczeliśmy przez jakiś czas. Po dłuższej chwili odezwał się:

— Łaskocze mnie.

— Powiedz mi — zwróciłam się do niego poważnie — gdyby przyszedł potężny dżin i mógł spełnić twoje życzenie, o co byś go poprosił?

— Żeby z nami nie było Şevketa.

— A o co jeszcze? Chciałbyś mieć tatę?

— Nie. Jak dorosnę, to sam się z tobą ożenię.

Przykre nie jest to, że się zestarzeję i zgłupieję, i nie to, że będę żyć bez męża i w biedzie, ale to, że nikt, absolutnie nikt nie jest o mnie zazdrosny. Odsunęłam od siebie Orhana. Uznałam, że taka okropna kobieta jak ja musi wyjść za mąż za dobrego człowieka. Udałam się do pokoju ojca.

— Kiedy Jego Wysokość Sułtan zobaczy skończoną księgę, przyzna ci nagrodę — oświadczyłam. — Znów pojedziesz do Wenecji.

— Czy ja wiem... — powiedział cicho. — Ta zbrodnia mnie przeraziła. Mamy potężnych wrogów.

— Zauważyłam, że moja dwuznaczna sytuacja też dodaje im odwagi, powoduje nieporozumienia i fałszywe nadzieje.

— Nie rozumiem...

— Powinnam jak najszybciej wyjść za mąż.

— Co...? Za kogo?! — krzyknął ojciec. — Przecież masz męża — przypomniał. — Co ci przyszło do głowy? Któż znów się stara o ciebie? Nawet jeśli znalazłby się ktoś odpowiedni, to niełatwo byłoby mu uzyskać nasze przyzwolenie. Poza tym sama dobrze wiesz, że zanim będziesz mogła wyjść za mąż, trzeba rozwiązać poważne problemy. A może... chcesz odejść i zostawić mnie samego, moja droga? — dodał po dość długim milczeniu.

— Wczoraj śniło mi się, że mój mąż umarł — powiedziałam. — Ale nie płakałam jak typowa kobieta doświadczająca czegoś takiego w rzeczywistości.

— Sny, tak jak obrazy, trzeba umieć czytać.

— Mogę go opowiedzieć? — spytałam.

W tym momencie zapadła cisza. Uśmiechnęliśmy się do siebie porozumiewawczo. Jak to u ludzi inteligentnych bywa, myśli szybko przegalopowały przez nasze umysły i błyskawicznie wyciągnęliśmy wnioski z tej krótkiej wymiany zdań.

— Mogę wziąć pod uwagę twój sen i uwierzyć, że mąż umarł, ale twój teść, szwagier, kadi, który ich przesłucha, będą żądali innych dowodów.

— Minęły już dwa lata od mojego powrotu wraz z dziećmi do twego domu i żaden z nich, ani teść, ani brat męża, mi w tym nie przeszkodził.

— Oni zdają sobie sprawę z tego, że są winni — rzekł ojciec. — Niestety, to nie jest powód, by zgodzili się na twój rozwód — dodał.

— Gdybyśmy byli malikitami* lub hanbalitami**, po upływie czterech lat kadi bez zmrużenia oka dałby mi rozwód, a ponadto zasądziłby alimenty. Ale my, z woli Allaha, jesteśmy hanafitami i podlegamy sędziemu hanafickiemu.

— Tylko nie przypominaj mi o szafiickim*** kadim z Üsküdaru. Śmierdząca sprawa.

— Wszystkie stambulskie kobiety, których mężowie zaginęli na wojnie, przychodzą do niego ze świadkami i formalnie załatwiają rozwód. A on po prostu pyta, w jaki sposób przepadł ich małżonek, ile czasu minęło, czy trudno im się żyje, kim są ci świadkowie... Od razu daje rozwód.

— Kto nagadał ci tych bzdur, moja droga córko? — spytał. — Kto ci odebrał rozum?

— Jeśli po rozwodzie znajdzie się człowiek, dla którego mogłabym stracić głowę, powiesz mi, kto to mógłby być, a ja nie będę się sprzeciwiać twojej woli.

Mój przebiegły ojciec, widząc, że nie ustępuję mu sprytem, zaczął nerwowo mrugać oczami. Zazwyczaj robi to z trzech powodów: 1. kiedy znajduje się w trudnej sytuacji i chce jak

---

*   malikici — zwolennicy szkoły prawnej Malika ibn Anasa; za źródła prawa uznaje ona Koran i tradycję Proroka — sunnę

**   hanbalici — zwolennicy szkoły prawnej Ahmada Ibn Hanbala. Bardzo rygorystyczni, opierają się wyłącznie na przepisach Koranu i hadisach

*** szafiici — zwolennicy szkoły prawnej Muhammada asz-Szafiego, jako źródło prawa uznają przede wszystkim tradycję Proroka

najszybciej z niej się wydobyć; 2. kiedy chce mu się płakać; 3. kiedy chce dać znak, że zaraz się rozpłacze.

— Weźmiesz dzieci i odejdziesz, zostawiając starego ojca na pastwę losu? Czy ty wiesz, że z powodu naszej księgi — tak, naszej księgi — bałem się, że nas zamordują...? Ale teraz, kiedy myślisz o opuszczeniu mnie, to ja już wolę umrzeć.

— Mój drogi ojczulku, czyż nie mówiłeś mi swego czasu, że aby uwolnić się od tego nic niewartego Hasana, powinnam się rozwieść?

— Nie chcę, byś mnie opuściła. Pewnego dnia może powrócić twój mąż. A jeśli nawet nie wróci, to fakt, że jesteś zamężna, w niczym nie przeszkadza. Możesz po prostu mieszkać ze mną tutaj.

— Niczego więcej nie pragnę, niż przebywać z tobą w tym domu.

— Moja droga, czy przed chwilą nie zwierzyłaś się, że chcesz wyjść za mąż?

I tak to jest sprzeczać się z ojcem — doprowadza do tego, że po chwili jestem przekonana, że nie mam racji.

— Tak — przyznałam, spuszczając wzrok. Następnie, aby powstrzymać się od płaczu, spytałam odważnie: — To ja już nigdy nie wyjdę za mąż?

— W moim sercu jest specjalne miejsce dla zięcia, który nie wywiezie cię daleko ode mnie. Ale czy znajdzie się chętny do zamieszkania z nami w tym domu?

Zamilkłam. Oboje dobrze wiedzieliśmy, że ojciec nie szanowałby takiego zięcia. Zadręczałby go powoli i konsekwentnie. Upokarzałby do tego stopnia, że w końcu nie zgodziłabym się na taki układ.

— Chyba zdajesz sobie sprawę, że w obecnej sytuacji bez zgody ojca nie wyjdziesz za mąż? A ja nie chcę, byś kogoś poślubiła, nie zgadzam się.

— Ale ja nie chcę wyjść za mąż, tylko się rozwieść.

— Łatwo mógłby cię zranić jakiś bezmyślny drań, chcący cię jedynie wykorzystać. Przecież wiesz, moja córko, jak mocno cię kocham. Musimy też skończyć tę księgę.

Milczałam. Gdybym zaczęła mówić, szatan, widząc moje wzburzenie, podjudziłby mnie do wyznania ojcu, iż wiem o jego wieczornych schadzkach z Hayriye. Ale czy takiej kobiecie jak ja wypada przyznać się staremu ojcu, że wie o jego związku z niewolnicą?

— Kto chce się z tobą ożenić?

Patrzyłam w ziemię i nadal milczałam, ale nie ze wstydu, tylko z gniewu. Jeszcze gorsze było to, że chociaż zdawałam sobie sprawę ze swego wzburzenia, nie mogłam udzielić ojcu odpowiedzi i wpadałam w jeszcze większy gniew. Wyobraziłam sobie ojca w łóżku z Hayriye w jakiejś kłopotliwej i odrażającej sytuacji. Już miałam się rozpłakać, ale w ostatniej chwili wykrzyknęłam:

— Na piecu mam kabaczki, spalą mi się!

Poszłam do pokoju przy schodach, tego ze stale zamkniętym oknem wychodzącym na studnię. Po omacku rozesłałam materac i położyłam się. Och, gdzie te czasy, gdy z powodu doznanej niesprawiedliwości chowałam się w łóżku i płakałam aż do zaśnięcia. Jaką udręką jest myśl, że nikt mnie nie kocha, kiedy płaczę w samotności nad swym gorzkim losem. Kto usłyszy moje łkania i pośpieszy mi z pomocą?

Po chwili zauważyłam, że leży przy mnie Orhan. Położył głowę na mych piersiach i zaczął pochlipywać, a ja mocno go przytuliłam.

— Mamo, nie płacz — odezwał się po chwili. — Ojciec wróci z wojny.

— Skąd wiesz?

Nie odpowiedział. Zrobiło mi się błogo i przycisnąwszy go mocniej do siebie, właściwie zapomniałam o wszystkich kłopotach. Zanim jednak obejmę drobne ciało Orhana i zasnę, pozwólcie, że wyjawię wam swój problem: żałuję teraz, że w gniewie zwierzyłam się wam i opowiedziałam o ojcu i Hayriye. Nie dlatego, bym skłamała, to wszystko prawda, ale teraz się tego wstydzę. Zapomnijcie o tym, uznajmy, że ja nic nie powiedziałam, a między ojcem i Hayriye nic nie zaszło, zgoda?

17.
Jestem waszym ukochanym Wujem

Ciężko być ojcem córki. Słyszałem jej płacz dochodzący z głębi mieszkania, ale byłem w stanie jedynie kartkować trzymaną w ręku księgę. Na jednej ze stron *Księgi Apokalipsy*, którą usiłowałem czytać, było napisane, że trzy dni po śmierci pewnego człowieka dusza jego, uzyskawszy pozwolenie Allaha, ponownie odwiedziła ciało, w którym wcześniej przebywała. Widząc je w grobie, zakrwawione, leżące w błocie, rozpłakała się i rozżaliła: „Moje biedactwo, moje kochane ciało, w którym mieszkałam!". Wówczas pomyślałem o smutnym końcu Eleganta — być może jego dusza też zasmuciła się, zobaczywszy jego ciało nie na cmentarzu, ale w studni. Gdy ucichł płacz Şeküre, odłożyłem księgę o śmierci. Włożyłem jeszcze jedną wełnianą koszulę, podszyte króliczym futrem spodnie, ciasno obwiązałem się pasem z koziej sierści i wyszedłem z domu. Przy furtce zobaczyłem Şevketa.

— Dokąd to, dziadku?

— Na pogrzeb. A ty wracaj do mieszkania.

Wędrowałem przez zaśnieżone ulice, mijając biedne, pokrzywione domy i pogorzeliska. Szedłem bardzo powoli, drobnym starczym krokiem, starając się nie poślizgnąć. Kierowałem się ku murom warownym, zostawiając za sobą przedmieścia, ogrody, pola, sklepiki kołodziei, blacharzy, rymarzy, sprzedawców uprzęży dla koni, kuźnie.

Nie wiem, dlaczego uroczystości żałobne urządzono w rejonie Edirnekapı, w meczecie Mihrimah. Gdy dotarłem na miejsce, uścisnąłem braci zmarłego, którzy wyglądali na trochę zagubionych, gniewnych i nieprzystępnych. Obejmując się z miniaturzystami i kaligrafami, popłakiwaliśmy. Nagle opadła mgła i zaczęła szybko pochłaniać wszystko dookoła: popatrzyłem na stojącą na kamiennej płycie trumnę z ciałem zmarłego i nagle ogarnął mnie taki gniew na łajdaka, który popełnił to morderstwo, że nawet pomyliłem się w modlitwie za spokój zmarłego.

Po nabożeństwie, kiedy niesiono trumnę na ramionach, stanąłem z miniaturzystami i kaligrafami. Ze łzami w oczach objąłem się z Bocianem, nie pamiętając już o tym, jak przez wiele nocy do rana pracowaliśmy przy słabym świetle lampy nad mą księgą, a on przekonywał mnie, że Elegant nie ma gustu, bo dodawał wszędzie niebieskiej farby, aby rysunek wyglądał bardziej ozdobnie. Wiedziałem, że Bocian ma rację, ale mówiłem: „Nie mamy nikogo innego". Oliwka spojrzał na mnie przyjaźnie i z szacunkiem, po czym mnie uścisnął — człowiek, który umie obejmować, jest dobrym człowiekiem — i już któryś raz z rzędu utwierdziłem się w przekonaniu, że spośród wszystkich miniaturzystów i kaligrafów on najmocniej wierzy w moją księgę.

Na schodach przy drzwiach wyjściowych natknąłem się na naczelnego iluminatora, mistrza Osmana. Obaj się zmieszaliśmy. Była to niezręczna, pełna napięcia chwila; któryś z braci zmarłego zaczął głośno szlochać, ktoś znów zaintonował modlitwę.

— Który cmentarz? — zapytał mistrz Osman, żeby przerwać milczenie.

Zaniepokoiłem się, że odpowiedź: „Nie wiem" — zabrzmi nieprzyjaźnie, i nie namyślając się, zapytałem stojącego obok na schodach człowieka:

— Który cmentarz? Edirnekapı?

— Eyüp — bąknął jakiś młody, brodaty jegomość.

— Eyüp — poinformowałem mistrza, ale przecież już usłyszał odpowiedź. Spojrzał na mnie wymownie, więc nie zwlekając, postanowiłem się szybko oddalić, zdając sobie sprawę, że obu nam zależy na zakończeniu tego kłopotliwego spotkania.

Mistrz Osman był oczywiście obrażony o to, że sułtan mnie, a nie jemu powierzył przygotowanie księgi, którą nazywam tajemną. To dzięki mnie sułtan zainteresował się europejskim stylem w malarstwie. Mało tego, nawet zmusił mistrza Osmana do skopiowania jego portretu, wykonanego przez włoskiego malarza. Naczelny iluminator z obrzydzeniem wykonał wolę sułtana, a naśladowanie włoskiego malarza nazwał torturą. Uważał, że jestem temu winny — i miał rację.

Zatrzymałem się pośrodku schodów i popatrzyłem na niebo. Potem zszedłem po oblodzonych stopniach. Zdążyłem pokonać kilka z nich, kiedy ktoś nagle wziął mnie pod rękę. Spojrzałem: Czarny.

— Bardzo zimno — powiedział. — Nie zmarzliście?

Nie miałem wątpliwości, że to on zmącił spokój Şeküre. Pewność, z jaką wziął mnie pod rękę, tylko to potwierdzała. Jakby mówił swoim zachowaniem: „Pracowałem dwanaście lat, stałem się mężczyzną".

Schody się skończyły.

— Idź do przodu, synku. Idź, dogoń resztę, potem opowiesz, czego się dowiedziałeś w pracowni.

Zdziwił się, ale nie dał nic po sobie poznać. Nawet mi się spodobało, jak uwolnił swoją rękę i swobodnie ruszył do przodu. Ciekawe, czy jeśli oddam mu Şeküre, to zamieszka w naszym domu?

Gdy tylko opuściliśmy Edirnekapı, za granicami miasta, daleko w dole zobaczyłem prawie niknący we mgle pochód miniaturzystów, kaligrafów, terminatorów. Ludzie schodzili ze wzgórza do zatoki Złotego Rogu, na ramionach niosąc trumnę z ciałem. Szli tak szybko przez pokrytą śniegiem dolinę, że pokonali już prawie połowę drogi do cmentarza. Ja szedłem powoli. Po mojej lewej stronie wesoło buchał dym z komina zakładu produkującego świece, należącego do meczetu. Niżej, pod murami miasta, pełną parą pracowali handlarze skórami i rzeźnie, dostarczające mięso greckim masarzom. To stąd odrażający zapach rozprzestrzeniał się po dolinie, przez którą biegła droga prowadząca do ledwie zauważalnych we mgle kopuł meczetu Eyüp i cyprysów otaczających cmentarz. Po zrobieniu kolejnych kilku kroków i wyjściu z nowej żydowskiej dzielnicy Balat usłyszałem krzyki bawiących się dzieci.

Kiedy stanąłem u stóp wzgórza, podszedł do mnie Motyl. Jak zawsze mówił bezładnie, ale z wielkim zapałem:

— Zrobili to Oliwka i Bocian. Oni wiedzą, że nie żyłem w zgodzie ze zmarłym. Wszyscy to wiedzą. Każdy z nas marzy o zajęciu stanowiska naczelnego iluminatora po mistrzu Osmanie, dręczy nas zazdrość, niszczy otwarta wzajemna wrogość. Oni myślą, że wina padnie na mnie lub na podskarbiego, a więc sułtan pozbawi mnie — nie, nas — swojej łaski.

— Kogo masz na myśli, mówiąc „my"?

— Tych, którzy uważają, że należy zachować w pracowni dawne zasady moralne, podążać drogą perskich mistrzów i nie zawsze przyjmować za swe usługi pieniądze. Chcemy, aby na równi z bronią, armiami, jeńcami i zdobywcami w naszych księgach były obecne legendy, opowiadania i gawędy. Nie trzeba rezygnować z tradycyjnych form, nie warto robić tanich rysunków bez tekstu, aby wręczyć je za kilka monet przypadkowemu przechodniowi.

— Niepotrzebnie tak się przejmujesz — przerwałem mu.

— Wszyscy jesteśmy braćmi. Nie ma w tym nic złego, że zaczęły powstawać rysunki, jakich wcześniej nie było.

I nagle mnie olśniło: mordercą Eleganta jest jeden z miniaturzystów zatrudnionych w pracowni sułtana, który teraz razem ze wszystkimi wspina się na wzgórze, na cmentarz. Byłem pewien, że morderca będzie kontynuował swoje diabelskie dzieło, bo jest wrogiem mojej księgi, chociaż daję mu pracę. Ciekawe, czy Motyl jest zakochany w mojej córce, tak jak większość miniaturzystów przychodzących do mojego domu z powodu księgi? Mówił z takim zapałem... Czyżby zapomniał, jak robił dla mnie rysunki absolutnie sprzeczne z jego poglądami?

Nie, pomyślałem. To mało prawdopodobne, żeby udawał. Motyl, podobnie jak inni, szanuje mnie. Wojna i brak zainteresowania ze strony sułtana sprawiły, że przestano rysownikom wydawać pieniądze ze skarbca i wręczać upominki — jedynym dla nich poważnym zarobkiem była praca nad moją księgą. Wiedziałem, że mi zazdrościli. Dlatego też zapraszałem ich do siebie osobno (choć zazdrość nie była tutaj jedynym powodem). Nie sądzę, by żywili wobec mnie wrogie uczucia. Wszyscy są wystarczająco dorośli, by wiedzieć, że niektórych trzeba po prostu kochać dla własnych korzyści.

Aby zmienić temat, powiedziałem:

— Nieprawdopodobne, jak szybko zeszli i jak szybko wspinają się na wzgórze z ciałem zmarłego.

— To z zimna — uśmiechnął się szeroko Motyl, pokazując garnitur zębów.

Czy ten człowiek rzeczywiście mógłby zabić? — rozmyślałem. Na przykład z zawiści? Czy mógłby targnąć się na moje życie? Miał powód: był przekonany, że obrażam jego religię. Lecz jest przecież wielkim mistrzem, ma prawdziwy talent, po co miałby uciekać się do morderstwa? Starość nie tylko oznacza koniec górskich wędrówek, ale i brak strachu przed śmiercią. Przynosi ze sobą również zanik pożądania — jeśli wchodzi się do sypialni nałożnicy, to bardziej z przyzwyczajenia niż w wyniku pragnienia. Nagle mnie olśniło. Patrząc Motylowi prosto w oczy, zdecydowałem:

— Przerywam pracę nad księgą.

— Jak to? — zdziwił się.

— Przynosi pecha, a do tego sułtan przestał płacić. Powiedz to Oliwce i Bocianowi.

Pewnie jeszcze o coś by spytał, ale wspięliśmy się na wzgórze i stanęliśmy wśród bujnych cyprysów, wysokich paproci i kamieni nagrobnych. Po tym, jak ustawił się tłum, po dobiegających do mnie modlitwach i narastającym płaczu domyśliłem się, że właśnie opuszczają ciało do grobu.

— Twarz, odsłońcie twarz — powiedział ktoś.

Teraz najwyraźniej zawijali go w całun, ale stałem w tyle i nic nie widziałem. Patrzyłem w oczy śmierci, tylko nie na cmentarzu — byłem w zupełnie innym miejscu.

Wspomnienie: trzydzieści lat temu nieżyjący już dziad naszego sułtana wbił sobie do głowy, że odbierze Wenecjanom Cypr. Szejch ül-islam* Ebussuud od razu przypomniał, że kiedyś egipscy władcy nakazali tej wyspie zaopatrywać w żywność Mekkę i Medynę, i ogłosił fatwę, mówiącą, że nie przystoi wyspie zaopatrującej świątynie religijne znajdować się w rękach niewiernych chrześcijan. W ten sposób mnie, jako posłowi, przypadło trudne zadanie: powiadomić Wenecjan, że powinni oddać nam wyspę. Przystąpiłem do swoich obowiązków: zwiedzałem weneckie świątynie, zachwycałem się pałacami, mostami, a w największy podziw wprawiały mnie rysunki w bogatych domach. Wenecjanie okazali mi gościnność, a ja wręczyłem im list i wyniośle zakomunikowałem, że pady-

---

*   szejch ül-islam — zwany też wielkim muftim, tytuł najwyższego dostojnika religijnego w imperium osmańskim

szach* żąda Cypru. Bardzo się rozzłościli, natychmiast zebrali radę i zadecydowali, że takie pismo nie jest godne odpowiedzi. Jakby tego było mało, rozgniewany tłum otoczył pałac doży, w którym się znajdowałem, a gromada opryszków po sforsowaniu kordonu straży i odźwiernych próbowała mnie udusić. Dwaj zaufani strażnicy doży wyprowadzili mnie pałacowymi lochami do kanału. A tam, we mgle podobnej do dzisiejszej wziął mnie za rękę wysoki blady przewoźnik, wyglądający jak śmierć. W jego oczach zobaczyłem swoje odbicie.

Marzyłem, by po ukończeniu tajemnej księgi jeszcze raz odwiedzić Wenecję. Podszedłem do zasypanego dokładnie grobu. Teraz aniołowie wypytują zmarłego: jakiej jest płci, jakiego wyznania, kto jest jego prorokiem? Pomyślałem o swojej śmierci.

Obok mnie siadła wrona. Patrzyłem z czułością w oczy Czarnego i poprosiłem go, aby wziął mnie pod rękę i towarzyszył mi w drodze powrotnej. Powiedziałem mu, że czekam na niego w domu następnego ranka, aby kontynuować prace nad księgą. Ja rzeczywiście wyobraziłem sobie własną śmierć i ponownie zdałem sobie sprawę, że księga musi być ukończona bez względu na koszty.

---

*   padyszach — tytuł władcy muzułmańskiego, odpowiednik sułtana

18.
Nazwą mnie mordercą

Kiedy zeszpecone ciało nieszczęsnego Eleganta zasypano ziemią, płakałem najgłośniej.

— Chcę umrzeć razem z nim, puśćcie mnie! — krzyczałem.

Trzymali mnie, żebym nie wpadł do grobu. Ze spojrzeń bliskich zmarłego wyczytałem, że płaczę i krzyczę zbyt głośno, wziąłem się więc w garść. Plotkarze z pracowni mogliby pomyśleć, że między mną i Elegantem był jakiś miłosny związek, skoro tak rozpaczam.

Aby więcej nie zwracać na siebie uwagi, schowałem się za pniem platana i stamtąd obserwowałem, co się dzieje. Jeden z krewnych, jeszcze głupszy od tego głupca, którego wyprawiłem na tamten świat, dostrzegł mnie jednak za drzewem, podszedł i wymownie spojrzał mi prosto w oczy. Następnie mocno mnie uścisnął i zadał idiotyczne pytanie:

— Jesteś Sobota czy Środa?

Odpowiedziałem:

— W swoim czasie zmarłego nazywano Środą.

Zdziwił się.

Historia tych przewisk, która nas złączyła niczym wspólna tajemnica, jest całkiem banalna. W latach nauki wszyscy bardzo kochaliśmy mistrza Osmana, zachwycaliśmy się nim i szanowaliśmy go. Niedawno awansował na głównego iluminatora i wszystkiego nas uczył; Allah obdarował go niezwykłym talentem i bystrym umysłem. Każdego ranka któryś z nas szedł do jego domu i odprowadzał go do pracowni, niosąc pudełko z piórami, torbę, futerał z papierem. Każdy starał się wypełniać ten obowiązek, żeby być bliżej mistrza — niemalże biliśmy się o prawo do dźwigania jego przyborów do rysowania.

Osman miał pupila, ale gdyby do jego domu chodził tylko on, pojawiłyby się nieprzyzwoite żarty i plotki, których i tak nie brakowało, dlatego mistrz postanowił, że każdy z nas będzie go odwiedzał konkretnego dnia tygodnia. Mistrz Osman w piątek rysował, a w sobotę nie przychodził do pracowni. Jego ukochany syn był jak i my jego uczniem (w końcu jednak zdradził nas, porzuciwszy sztukę) i towarzyszył mu w poniedziałki; nazywał się więc Poniedziałek. Najbardziej utalentowany z nas, wysoki i wytworny Czwartek zmarł w młodym wieku na skutek nieznanej choroby, która wywołała wysoką gorączkę. Nieżyjący Elegant towarzyszył mistrzowi w środy i dlatego nazywaliśmy go Środą. Po pewnym czasie mistrz Osman zmienił nam przydomki: Wtorek został Oliwką, Piątek — Bocianem, Niedziela — Motylem. Te symboliczne imiona nadał nam z miłości. Zmarłego, czyniąc aluzję do jego wspaniałego sposobu kolorowania, nazwał Elegantem. Ale w tym wczesnym okresie witał go, podobnie jak nas wszystkich, słowami: „Witaj, Środa, jak się masz?".

Mało się nie rozpłakałem, wspominając, jak mnie przywoływał. Pomimo batów, których w czasie nauki nam nie szczędził, mistrz Osman nas kochał. Kiedy wykonaliśmy dobre rysunki, jego oczy wilgotniały, całował nasze ręce, a nasze umiejętności rozkwitały od tych przejawów miłości. Czuliśmy się wówczas jak w raju. Wtedy nawet zawiść, która oczywiście rzucała cień na te szczęśliwe lata, miała inny wymiar.

Jakby to powiedzieć... Przeżywam rozdwojenie — niczym miniaturzysta, który narysował głowę i ręce jednego człowieka, a ciało i ubranie drugiego. Nie mogę się przyzwyczaić do myśli, że taki człowiek jak ja, daleki od myśli o zabójstwie, bojący się Allaha, nagle stał się mordercą. Aby móc żyć tak, jakby nic się nadzwyczajnego nie zdarzyło, postanowiłem mówić różnymi głosami. Jeden należy do mnie, tego prawdziwego, z życia sprzed zbrodni, a drugi — do podłego mordercy. Mówię nim obecnie i nie przyznaję się przed sobą, że jestem zabójcą. Niech czasem nikt tych głosów nie łączy. Podkreślam też, że nie mam indywidualnego stylu ani nie robię błędów, które zdradzałyby moje autorstwo. Rzeczywiście wierzę, że styl lub, w tym przypadku, cokolwiek, co odróżnia pracę jednego miniaturzysty od drugiego, jest błędem, a nie indywidualnym charakterem stylu, jak twierdzą niektórzy. Muszę przyznać, że w obecnej sytuacji przekonanie to stwarza problem, dlatego kryję się pod pseudonimem troskliwie nadanym mi przez mistrza Osmana i używanym przez Wuja, któremu także się spodobał. I nie chciałbym, żebyście odkryli, czy jestem Motylem, Oliwką, czy Bocianem. Gdybyście się zorientowali, kim jestem, nie zawahalibyście się posłać mnie na tortury sułtańskiej gwardii. Dlatego muszę uważać na to, co mówię i myślę. Bo nawet gdy jedynie rozmyślam, czuję, że mnie bacznie obserwujecie. Nie mogę sobie pozwolić na kontemplację moich frasunków czy obciążających mnie szczegółów. Nawet kiedy zastanawiałem się nad trzema opowiadaniami: „Alif", „Ba", „Dżim", zawsze pamiętałem, że mi się przyglądacie.

Jedna strona wojowników, kochanków, książąt i legendarnych bohaterów, których malowałem dziesiątki tysięcy razy, patrzy na wszystko, co jest przedstawione w tamtym mitycznym czasie — wrogów, z którymi walczą, albo smoki, które zabijają, lub piękne dziewoje, nad których losem płaczą. Ale druga strona tych postaci skierowana jest ku miłośnikowi książek, który patrzy na wspaniałą miniaturę. Jeśli jednak mam styl i charakter, to można go uchwycić nie tylko w mych dziełach, ale także w mej zbrodni i moich słowach! Spróbujcie z koloru moich słów odgadnąć, kim jestem!

Myślę, że w chwili, gdy mnie złapią, dusza nieszczęśnika Eleganta zazna spokoju. Teraz, kiedy patrzę na złote wody zatoki, kopuły Stambułu i myślę o tym, jak piękne jest życie, grudy ziemi spadają na jego trumnę. Po tym, jak Elegant zbliżył się do ludzi erzurumskiego kaznodziei o ściągniętych brwiach, zaczął mnie gorzej traktować, ale w ciągu tych dwudziestu pięciu lat wspólnego ozdabiania ksiąg dla sułtana byliśmy sobie bliscy. Dwadzieścia lat temu przez pewien czas byliśmy nawet przyjaciółmi — gdy pracowaliśmy nad *Księgą królewską* dla zmarłego ojca naszego sułtana. Ale tak naprawdę zbliżyliśmy się podczas pracy nad ośmioma stronami miniatur do poematu Fuzulego.

Pewnego letniego wieczoru, spełniając jego zrozumiałe, ale nielogiczne pragnienie — jasne jest, że miniaturzysta powinien czuć w swojej duszy tekst, który ilustruje — cierpliwie słuchałem jego pretensjonalnej recytacji wersów z utworów Fuzulego, gdy stadko jaskółek głośno fruwało nad nami. Z tamtego wieczoru na zawsze w pamięci pozostał mi werset: „Ja nie jestem sobą, ale wiecznie tobą". Ciągle zastanawiałem się nad tym, jak można by go zilustrować.

Kiedy usłyszałem, że ciało zostało odnalezione, pobiegłem do domu Eleganta i spostrzegłem, że niewielki ogród, w którym czytaliśmy wiersze, jest zasypany śniegiem. I jak to bywa ze wszystkimi ogrodami oglądanymi po latach, odniosłem wrażenie, że był znacznie mniejszy. Podobnie dom. Ze środka dochodziły zagłuszające się nawzajem kobiece krzyki i płacz. Uważnie słuchałem starszego brata opowiadającego o zabitym. Mówił, że twarz biednego Eleganta jest zmasakrowana, czaszka zmiażdżona. Bracia, którzy wyciągnęli zwłoki ze studni, gdzie przeleżały cztery dni, nie byli w stanie ich rozpoznać. Przyprowadzili żonę Eleganta, Kalbiye, i ona w ciemnościach poznała go po porwanym ubraniu. Przed moimi oczami zaś stanęła scena wyciągania ze studni Józefa, wrzuconego do niej przez zazdrosnych braci. Bardzo lubiłem rysować tę scenę z Józefem i Zulejką, bo przypominała o tym, jak wielką rolę w życiu odgrywa zazdrość.

Na cmentarzu zapanowała cisza — zdawało mi się, że wszyscy patrzą na mnie. Mam zapłakać czy co? Ale mój wzrok zatrzymał się na Czarnym. Drań bacznie obserwował wszystkich, demonstrując, że to on jest tym człowiekiem, któremu Wuj powierzył przeprowadzenie śledztwa wśród miniaturzystów.

— Kto mógł popełnić taką zbrodnię?! — wykrzyknął starszy brat zmarłego. — Kto śmiał podnieść rękę na naszego brata, który przez całe życie nawet muchy nie skrzywdził?

Odpowiedział sobie na to pytanie łzami, a ja dołączyłem się do tego, udając żal, a w duszy szukałem własnej odpowiedzi. Czy Elegant miał wrogów? Gdybym to nie ja go zabił, kto mógłby to zrobić? Kiedyś pewni malarze zarzucali mu, iż nie przestrzega zasad i źle koloruje, przez co psuje rysunki, nad którymi tyle pracowaliśmy. Chodziły słuchy, że jest zakochany w ładnym uczniu introligatorze z niższego piętra, co mogło wzbudzić czyjąś zazdrość. Chyba gniewano się też na niego za wytworność, wystudiowane maniery i nieco kobiecą układność. Elegant był niewolniczo przywiązany do starych metod, pilnie przestrzegał przyjętych zasad harmonii koloru. Lubił uprzejmie, ale z ironią zwracać uwagę — w obecności mistrza Osmana — na rzekomo istniejące u innych, zwłaszcza u mnie, niedociągnięcia. Do ostatniego skandalu z jego udziałem doszło w pracowni przez zamówienia, które malarze wykonywali na boku. To był bardzo nieprzyjemny temat dla mistrza Osmana. W ostatnich latach zainteresowanie padyszacha działalnością pracowni znacznie osłabło, zmniejszyła się suma wypłacana przez podskarbiego i miniaturzyści zaczęli dorabiać, gdzie mogli — głównie rysowali dla prymitywnych bogatych paszów, a najbardziej utalentowani nocami chodzili do Wuja.

Nie zmartwiło mnie, że Wuj postanowił przerwać prace nad naszą księgą pod pretekstem, że przynosi ona pecha. Oczywiście przypuszczał, że Eleganta sprzątnął któryś z nas, jego pomocników. Gdybyście byli na jego miejscu, zaprosilibyście nocą do współpracy mordercę czy najpierw postaralibyście się go wykryć? Nie mam wątpliwości, że wkrótce zorientowałby się, który z miniaturzystów jest najbardziej utalentowany i najsprawniejszy w doborze kolorów, złoceniach, rysowaniu, ilustrowaniu, malowaniu twarzy i komponowaniu strony. Wybrałby pracę tylko ze mną. Nie sądzę, żeby był tak małostkowy, by pomyśleć o mnie jako o zwykłym mordercy, a nie prawdziwie utalentowanym artyście.

Kątem oka obserwowałem Czarnego. Razem z Wujem opuścił cmentarz i skierował się ku przystani Eyüp. Poszedłem za nimi. Na brzegu wsiedli do czterowiosłowej łódki, a ja zmieściłem się w sześciowiosłowej razem z młodymi czeladnikami, którzy od razu zapomnieli o zmarłym, o pogrzebie i zaczęli się przekomarzać. Gdy na pełnym morzu nasze łódki zbliżyły się na tyle, że prawie zderzały się wiosłami, zauważyłem, że Czarny tłumaczy coś szeptem Wujowi, i nieoczekiwanie pomyślałem o tym, jak łatwo jest zabić człowieka. O, Allahu! Wszystkim dałeś do tego siłę, ale wpoiłeś strach, abyśmy z niej nie korzystali.

Jeśli człowiek pokona tę bojaźń, staje się kimś zupełnie innym. Wcześniej bałem się nie tylko szatana, ale nawet najmniejszych oznak zła w mej duszy. Teraz czuję, że wewnętrzne zło można znieść i że może ono być pożyteczne dla malarza. Po morderstwie przez kilka dni drżały mi ręce, ale zacząłem lepiej rysować: używam bardziej jaskrawych i odważnych barw. Poza tym — co najważniejsze — widzę teraz, że siła mojej wyobraźni może zdziałać cuda. Ale ilu znajdzie się w Stambule ludzi zdolnych docenić tworzone przeze mnie arcydzieła?

Siedząc w łódce, z niechęcią patrzyłem na Stambuł. Nieoczekiwanie zza chmur wyjrzało słońce i zaiskrzyły się pokryte śniegiem kopuły meczetów. Im większe i im bardziej różnorodne jest miasto, rozmyślałem, tym więcej w nim zakamarków, w których można ukryć przestępstwo, grzech. Im więcej jest w mieście ludzi, tym łatwiej ukryć się wśród nich przestępcy. Wartość miast powinno się oceniać nie według liczby bibliotek i medres, nie według liczby mieszkających w nich uczonych, malarzy i kaligrafów, ale według popełnianych w nich przestępstw. Kierując się tą logiką, można powiedzieć, że Stambuł jest najwspanialszym miastem świata.

Wysiadłem, tak jak Czarny i Wuj, na przystani Unkapı. Szedłem za nimi, dopóki nie wspięli się na wzgórze. Zatrzymali się na pogorzelisku na tyłach meczetu sułtana Mehmeda, rozmawiali przez chwilę i rozstali się. Wuj został sam — wydał mi się bezradnym starcem. Przemknął mi przez głowę pomysł, aby podbiec do niego i powiedzieć, że zmarły, z którego pogrzebu właśnie wracamy, rzucał na nas oszczerstwa, więc zabiłem go, żeby nas wszystkich ochronić. Zapytałbym Wuja: „Czy Elegant miał rację, mówiąc, że malując nasze miniatury, nadużywamy zaufania padyszacha? Że zdradzamy starych mistrzów i znieważamy naszą religię?". A w końcu: „Czy ukończono ostatni duży rysunek?".

Stałem pośrodku pokrytej śniegiem ulicy. W tę ciemną godzinę należała do dżinów, wróżek, bandytów, złodziei i smutnych, ogołoconych drzew. Na końcu ulicy, w ładnym dwupiętrowym domu Wuja żyje najpiękniejsza kobieta na świecie, którą widziałem tylko jeden raz, przelotnie. Ale nie chcę tracić dla niej głowy.

19.
Jestem monetą

Jestem dwudziestodwukaratową złotą monetą osmańskiego sułtana, noszę podpis Jego Ekscelencji Zbawcy Świata. To właśnie tu, w tej przytulnej kawiarni, gdzie po pogrzebie zapanowała atmosfera melancholii, narysował mnie Bocian. Ale było już po północy, więc nie dał rady pokryć mnie pozłotą — musicie ją sobie wyobrazić. Rysunek z moim wizerunkiem wisi na ścianie, a ja leżę w sakiewce wielkiego mistrza, malarza Bociana. On wstaje, wyjmuje mnie z sakiewki i pokazuje każdemu z was. Witajcie, witajcie, wszystkich pozdrawiam. Od mojego blasku okrąglejecie wam oczy, zachwycają was odblaski świecy na mojej powierzchni, rodzi się w was zazdrość o mistrza Bociana. Macie rację, bo to ja jestem jedynym kryterium oceny talentu malarza.

W ciągu ostatnich trzech miesięcy mistrz Bocian zarobił całe czterdzieści siedem sztuk złota, takich samych jak ja. Wszystkie jesteśmy w jego woreczku. Bocian nie ukrywa nas przed nikim, wie, że nikt z malarzy w Stambule tyle nie zarobił. Jestem dumna z tego, że malarze przyjęli mnie za miarę talentu i kiedy tylko się pojawiam, cichną wszystkie niepotrzebne spory. Dawniej głupi artyści kłócili się o to, kto jest bardziej utalentowany, kto lepiej czuje kolory, a dyskusje te co wieczór przeradzały się w awantury. Teraz, gdy moja opinia liczy się najbardziej, w warsztacie zapanowała słodka harmonia, a nawet więcej: atmosfera, która odpowiadałaby starym mistrzom z Heratu.

Za jedną złotą monetę można dostać: jedną pięćdziesiątą część młodej i przepięknej nałożnicy, czyli jej jedną nogę, balwierskie lustro z rączką orzechowego drewna w ramie z kości, ładnie zaprojektowany kufer ze srebrną inkrustacją, wysuwanymi szufladami i wizerunkiem słońca, ziemię na cmentarzu pod trzy groby i całun, srebrny amulet, dziesiątą część konia, cielaka, dwa ładne chińskie talerze, sokoła do polowań z klatką, dziesięć dzbanów wina Panajot, godzinę niebiańskiej rozkoszy ze ślicznym Mahmudem... i jeszcze wiele innych rzeczy, które trudno zliczyć. Jedna złota moneta to miesięczny zarobek przeciętnego malarza.

Zanim się tutaj znalazłam, spędziłam dziesięć dni w brudnej pończosze szewskiego czeladnika. Biedak co wieczór zasypiał, wyliczając, co będzie mógł za mnie kupić. Słuchając go, zrozumiałam, że za pieniądze można otrzymać wszystko.

Gdybym opowiedziała o wszystkich swoich przygodach, które przeżyłam, zanim znalazłam się tutaj, zapełniłabym wiele tomów. Ale ponieważ jesteśmy wśród swoich, to — jeśli nikomu nie powiecie i jeśli nie obrazi się mistrz Bocian — zdradzę wam pewną tajemnicę. Przyrzeknijcie, że będziecie milczeć.

Dobrze. Nie jestem prawdziwą dwudziestodwukaratową monetą osmańskiego sułtana, wybitą w mennicy Çemberlitaş. Jestem fałszywką. Odlano mnie ze złota niskiej próby w Wenecji, a potem przywieziono tutaj i zapłacono mną jak najprawdziwszym osmańskim pieniądzem.

W mennicy dowiedziałam się, że takie rzeczy robi się już od lat. Złote monety niskiej próby, które niewierni rozpowszechniali na Wschodzie, wybijano w tej samej mennicy co weneckie dukaty. Lecz my, Osmanie, respektujący słowo pisane, nie zwracaliśmy uwagi na zawartość złota w każdym dukacie dopóty, dopóki inskrypcje na nich pozostawały niezmienne. I tak fałszywe weneckie złote monety zalały Stambuł. Z czasem Osmanowie zauważyli, że monety z mniejszą ilością złota, a większą miedzi są trwalsze, więc zaczęli je rozróżniać zębami. Na przykład: płoniesz z miłości, biegniesz, pędzisz do Mahmuda, młodziana niezwykłej urody, kochanego przez wszystkich, a on najpierw bierze do ust monetę — a nie co innego — nagryza ją, po czym oświadcza, że jest podrobiona. W rezultacie bierze cię do siebie tylko na pół godziny zamiast na całą. Niewierni Wenecjanie, zdając sobie sprawę, że ich fałszowane monety stwarzają takie kłopoty, postanowili podrabiać także osmańskie, myśląc, że uda im się oszukać Osmanów. Pozwólcie, że zwrócę wam uwagę na dość niezwykłą sprawę: kiedy ci niewierni Wenecjanie malują, to jest tak, jakby kreowali przedmiot, a nie stwarzali jedynie jego obraz. Kiedy jednak chodzi o pieniądze, to zamiast tworzyć prawdziwą rzecz, produkują podróbki.

W Wenecji włożono nas do żelaznych kufrów i załadowano na statki. Kołysząc się na falach, przybyłyśmy do Stambułu. Ja trafiłam do właściciela kantoru, do ust pachnących czosnkiem. Prawie natychmiast zjawił się u niego naiwny wieśniak, który chciał rozmienić swój złoty. Mój cwaniak wziął jego monetę w zęby, mówiąc przy tym: „Sprawdzimy, czy ten twój złoty nie jest fałszywy".

Kiedy spotkałyśmy się w jego ustach, zauważyłam, że moneta przyniesiona przez wieśniaka była prawdziwa, osmańska. A ona, patrząc na mnie, stwierdziła: „Jesteś fałszywa". Miała rację, ale powiedziała to tak wyniośle, że się obraziłam: „Sama jesteś fałszywa!".

Naiwny wieśniak też zaczął się przechwalać: „Mój złoty nie może być fałszywy! Zakopałem go w ziemi dwadzieścia lat temu! Czy wtedy psuto pieniądze?!". Byłam ciekawa, jak to wszystko się skończy. Właściciel kantoru wyjął z ust monetę — ale nie tę, którą dał mu wieśniak, lecz mnie. „Zabieraj swoje pieniądze, nie potrzebuję podróbek weneckich niewiernych! Nie wstyd ci?" — rugał nierozgarniętego chłopa. Ten coś odburknął w odpowiedzi, wziął mnie i odszedł. Kiedy usłyszał to samo od innych ludzi wymieniających pieniądze, zmartwił się i oddał mnie za ledwie dziewięćdziesiąt srebrnych kawałków. Tak to zaczęła się moja siedmioletnia wędrówka z ręki do ręki.

Z dumą jednak przyznaję, że większość czasu spędziłam w Stambule, przeskakując z sakiewki do sakiewki, z pasa do kieszeni — jak przystoi inteligentnej monecie. Miewałam tylko koszmary, że trafiam w końcu do dzbana i zostaję zakopana w ogrodzie pod kamieniem. I choć rzeczywiście czasem mi się coś takiego przytrafiało, to na szczęście nudne okresy w zamknięciu trwały krótko. Wszyscy, którzy brali mnie do rąk, zwłaszcza ci, którzy zauważali, że jestem fałszywa, starali się jak najszybciej mnie pozbyć. Ani razu jednak nie trafiłam na człowieka, który ostrzegłby kupca, że jestem podróbką. Wielokrotnie widziałam natomiast, jak ludzie, którzy kupili mnie za sto dwadzieścia akcze, zorientowawszy się, że jestem fałszywa, złościli się, oburzali i nie spoczęli, aż nie wykiwali następnej osoby. Starali się mnie pozbyć błyskawicznie, ale przez złość i pośpiech często im się to nie udawało. Wtedy to znowu przeklinali człowieka, który ich oszukał, i oskarżali go o niemoralność.

W ciągu siedmiu lat miałam pięciuset sześćdziesięciu właścicieli. Nie ma w mieście domu, sklepiku, bazaru, meczetu, cerkwi czy synagogi, których bym nie odwiedziła. Póki wędrowałam, póty plotkowano o mnie, opowiadano legendy, wymyślano kłamstwa. Rzucano mi w twarz jak oskarżenie, że

w świecie nie ma poza mną innych wartości, że nie znam litości, że jestem ślepa, że niestety wszystko opiera się na mnie,
że wszystko można za mnie kupić, że jestem brudna, wulgar-
na i godna pogardy. A ci, którzy zauważali, że jestem fałszywa, mówili jeszcze gorsze rzeczy. W miarę jak spadała moja
prawdziwa wartość, rosła ta urojona. Mimo wszystko większość ludzi kochała mnie i kocha nadal — szczerze, a nawet
przesadnie.

Ulica za ulicą, dzielnica za dzielnicą obeszłam wszystkie
zakątki Stambułu. Znajome mi są ręce Żydów, Abchazów, Arabów, Mingrelów. Raz opuściłam miasto w portmonetce nauczyciela z Edirne i wyruszyłam z nim do Manisy, ale kiedy
drogę zagrodzili nam bandyci z okrzykiem: „Pieniądze albo
życie!", biedny nauczyciel pośpiesznie wepchnął mnie sobie
w... tylny otwór. Tam pachniało jeszcze gorzej niż w ustach
wielbiciela czosnku i było bardzo nieprzyjemnie. Ale potem
stało się coś jeszcze gorszego: „Skoro nie ma pieniędzy, przynajmniej się zabawimy!" — zakrzyknęli rozbójnicy i ustawili
się w kolejkę. Oj, ciężko było. Dlatego właśnie nie lubię opuszczać Stambułu.

Tutaj zawsze mnie ceniono. Dziewczęta całowały jak wyma-
rzonego kochanka, nosiły w pluszowych woreczkach, kładły
pod poduszki, chowały na piersi, w bieliźnie i nawet przez sen
sprawdzały, czy jestem na miejscu. Trzymano mnie w saunie
na piecu i w butach, w cudownie pachnącym sklepiku z piż-
mem, na dnie malutkiej buteleczki, a u kucharza — w tajnej
kieszonce woreczka na soczewicę. Podróżowałam po Stambule
w pasach z wielbłądziej skóry, za podszewką egipskiej tkaniny,
w pantoflach wyściełanych suknem, w ukrytych kieszeniach
kolorowych spodni. Zegarmistrz Petro położył mnie w kąciku
bijącego zegara, grecki sklepikarz schował w okrągłym kawale
sera; zawijali mnie w materiał razem z pieczęciami, ozdobami,

kluczami i chowali w kominie; wsuwali do prostego słomianego siennika, na dno kufra albo szafy. Widziałam, jak ojcowie rodzin raz po raz wstawali od stołu jadalnego, żeby sprawdzić, czy jestem na miejscu, kobiety bez żadnej potrzeby brały mnie do ust, jakbym była cukierkiem, a starcy stojący jedną nogą w grobie sto razy dziennie wyjmowali z woreczka i patrzyli na mnie. Pewna schludna Czerkieska po sprzątnięciu domu dobywała mnie z sakiewki i masowała drewnianą szczotką. Jednooki właściciel kantoru układał nas w stosiki; tragarz i jego rodzina przyglądali się nam jak ciekawemu obrazowi, a malarz, którego nie ma już na tym świecie, wieczorami grupował nas na różne sposoby. Podróżowałam w łodziach z czerwonego drewna, bywałam w pałacach, chowano mnie w księgach wykonanych przez mistrzów z Heratu, w obcasach pantofelków i czaprakach. Widziałam setki rąk — brudnych, włochatych, sękatych, tłustych, drżących i starych. Chłonęłam zapach palarni opium, zakładów produkujących świece, targowisk rybnych i potu całego Stambułu. Po tych niezliczonych przygodach wrzucił mnie do swojego woreczka bandyta, który w nocy zarżnął i złupił mego poprzedniego właściciela. W domu splunął na mnie: „A niech cię, wszystko przez ciebie!". Zrobiło mi się tak przykro, że chciałabym zniknąć.

Ale gdyby mnie nie było, w jakiż sposób można by odróżnić dobrego artystę od złego? Wśród miniaturzystów zapanowałby chaos, rzuciliby się sobie do gardeł. Dlatego nie zniknęłam, ale przybyłam tutaj w sakiewce najbardziej utalentowanego z nich.

Jeżeli myślicie, że jesteście lepsi od Bociana, to spróbujcie mnie zdobyć.

20.
Nazywam się Czarny

Zastanawiałem się nad tym, czy ojciec Şeküre wie, że do siebie pisaliśmy. Gdybym miał wnioskować z tonu jej listu, powiedziałbym, że dziewczyna boi się ojca i ani słowem o mnie nie wspomniała. Miałem jednak wrażenie, że chodzi o coś innego. Chytre spojrzenia Ester, czarująca Şeküre w oknie, stanowczość, z jaką wuj wysłał mnie do miniaturzystów, i rozpacz obecna w jego głosie, gdy nakazał mi przyjść rano do siebie — wszystko to bardzo mnie zaniepokoiło.

Kiedy przybyłem i usiadłem naprzeciw niego, zaczął opowiadać o portretach, które widział w Wenecji. Jako ambasador naszego Sułtana, Opiekuna Świata, zwiedził wiele tamtejszych pałaców, kościołów i domów arystokratów. W ciągu kilku dni obejrzał tysiące obrazów oprawionych w ramy, namalowanych na płótnie, drewnie lub bezpośrednio na ścianach.

— Każdy z nich był inny, każdy przedstawiał niepowtarzalną ludzką twarz — powiedział.

Poruszyła go ich różnorodność, barwa, łagodne, miękkie światło, nadające portretom ostrość, które zdawało się spływać na malowane twarze i pełne wyrazu oczy.

— Tam każdy ma swój portret — opowiadał. — Wszyscy bogaci i wpływowi ludzie chcą je mieć. To dla nich symbol, pamiątka i świadectwo bogactwa, władzy i wpływów, dowód istnienia — nie: raczej wyjątkowości i oryginalności.

Mówił o tym lekceważącym tonem, jakby przemawiały przez niego zazdrość, ambicja lub chciwość. Chwilami jednak twarz mu się ożywiała i rozjaśniała jak u dziecka. Posiadanie portretu stało się wśród możnych, książąt i członków wielkich rodów — jednocześnie mecenasów sztuki — tak powszechnym zjawiskiem, że nawet gdy fundowali w kościołach freski o tematyce biblijnej, pragnęli się na nich znaleźć. Na przykład w scenie przedstawiającej pogrzeb świętego Stefana wśród żałobników dostrzegłbyś księcia, który oprowadzał cię po swojej galerii. Jego twarz przedstawiona przez artystę wyrażała zachwyt, uniesienie i pychę. W rogu fresku, w scenie wyobrażającej świętego Piotra uzdrawiającego chorego, w cierpiącym nieszczęśniku rozpoznałbyś ku swemu zaskoczeniu tryskającego zdrowiem brata księcia. Następnego dnia, tym razem na obrazie przedstawiającym scenę Zmartwychwstania, spostrzegłbyś gościa księcia, który siedział obok ciebie podczas obiadu i opychał się w najlepsze.

— Niektórzy posuwają się nawet do tego, że każą się uwieczniać jako służący napełniający puchary, ludzie kamienujący cudzołożnika lub mordercy z rękami splamionymi krwią — wyjaśniał wuj ze strachem w głosie, jakby mówił o knowaniach szatana.

— Podobnie przedstawiony jest szach Ismail wstępujący na tron w tych ilustrowanych księgach z perskimi legendami '— powiedziałem, udając, że go nie zrozumiałem. — Albo Timur, który panował przez długie lata, na ilustracjach z opowieści o Chosrowie i Szirin.

Czyżbym usłyszał jakiś hałas wewnątrz domu?

— Te weneckie obrazy sprawiają wrażenie, jakby namalowano je po to, by przerażały — powiedział jakiś czas później mój wuj. — Nie wystarczy, że strach wzbudzają w nas władza i pieniądze tych ludzi, którzy zamawiają portrety. Usiłują nas jeszcze przekonać, że samo istnienie ich na tym świecie jest czymś wyjątkowym i tajemniczym. Chcą nas przestraszyć niezwykłymi twarzami, oczami, postawą i strojami, w których każda fałdka jest wycieniowana. Chcą uchodzić za istoty tajemnicze.

Opowiedział, jak to raz zgubił się we wspaniałej galerii portretów pewnego szalonego kolekcjonera, właściciela rozległych dóbr nad jeziorem Como. Ów bogacz zgromadził podobizny wielkich postaci z historii Zachodu, począwszy od królów i kardynałów, na żołnierzach i poetach kończąc.

— Kiedy mój gospodarz zostawił mnie samego, bym przeszedł się po pałacu, po którym wcześniej z dumą mnie oprowadzał, zauważyłem, że ci rzekomo wielcy niewierni (większość sprawiała wrażenie żywych, a część zdawała się patrzeć mi prosto w oczy) stali się wielcy jedynie dzięki tym portretom. Ich podobizny przydały im takiej magii, tak ich wyróżniły, że już po chwili obcowania z nimi poczułem się słaby i nic niewarty. Wydało mi się, że gdyby mnie tak namalowano, może lepiej bym rozumiał, po co w ogóle żyję na świecie.

Przeraziło go to, bo nagle sobie uświadomił — chyba nie bez radości — że sztuka islamu, stworzona i doskonalona przez starych mistrzów z Heratu, może zostać wyparta przez portreciarstwo.

— Ja także zapragnąłem poczuć się kimś nadzwyczajnym, szczególnym i wyjątkowym — dodał. I w tej chwili zrozumiał, że jest pod wrażeniem tej napawającej go strachem nowej sztuki. — Jak to ująć? To tak, jakbym popełnił grzech pożądania, jakbym się wywyższał przed Bogiem, jakbym uważał się za kogoś najważniejszego, w samym centrum świata.

Później przyszło mu do głowy, że metody stosowane przez zachodnich, pełnych pychy malarzy mogą być dla naszego wielkiego sułtana czymś więcej niż tylko magią. Mogą stać się siłą w służbie naszej religii, biorącą we władanie każdego, kto znajdzie się w ich zasięgu.

Wtedy właśnie zrodził się pomysł przygotowania ilustrowanego rękopisu. Po powrocie z Wenecji wuj zasugerował, że wspaniale byłoby namalować portret naszego sułtana na modłę zachodnią. Kiedy jednak władca nie wyraził na to zgody, powstał pomysł stworzenia księgi zawierającej wizerunki sułtana i przedmiotów z nim związanych.

— „Rzeczą najważniejszą jest opowieść — powiedział nasz Najmądrzejszy i Najwspanialszy Pan. — A ilustracja to jej eleganckie dopełnienie. Ilustracja bez opowieści jest jak fałszywy bożek. Skoro nie możemy dać wiary słowu pisanemu, zaczniemy wierzyć w obraz. A to byłoby równoznaczne z oddawaniem czci bożkom, jak to było w Kaabie, zanim nasz Prorok, niech imię Jego będzie błogosławione, ich nie zniszczył. Jak na przykład namalujesz czerwony goździk lub zuchwałego karła bez tekstu?" „Wydobywając piękno i niepowtarzalność goździka". „I umieściłbyś kwiat pośrodku strony?" Przestraszyłem się — powiedział wuj — i wpadłem w panikę, gdy tylko uświadomiłem sobie, dokąd nasz sułtan zmierza.

Przeraziła go myśl o umieszczeniu pośrodku strony — a tym samym w środku świata — czegoś, co nie jest wolą Boga.

— „A potem — ciągnął nasz sułtan — pewnie zechcesz namalować obraz z karłem w środku". Takich właśnie słów się spodziewałem. „Lecz takiego obrazu nie można byłoby pokazać. Wkrótce zaczęlibyśmy oddawać cześć obrazkom wiszącym na ścianie. Gdybym uwierzył, niech mnie Bóg strzeże, w to, w co wierzą niewierni, że prorok Jezus też jest Bogiem, musiałbym również uznać, że Boga można zobaczyć, a nawet że potrafi się on objawić w ludzkiej postaci. Tylko wówczas zgodziłbym się na namalowanie człowieka ze wszystkimi szczegółami i pokazanie takiego wizerunku. Chyba pojmujesz, że w końcu zaczęlibyśmy bezmyślnie wielbić każdy obraz wiszący na ścianie?" Doskonale to rozumiałem — wyznał wuj — i dlatego obawiałem się tego, o czym obaj myśleliśmy. —„Nigdy nie pozwoliłbym na wystawienie mojego portretu na widok publiczny", oznajmił nasz sułtan, chociaż tego właśnie pragnął — dodał wuj z szatańskim chichotem.

Teraz to mnie ogarnął strach.

— „Życzę sobie jednak — podjął nasz sułtan — aby namalowano mnie na modłę tych zachodnich mistrzów. Oczywiście taki konterfekt trzeba będzie ukryć na kartach księgi. Powiesz mi, o czym ona będzie". Jego oświadczenie zaskoczyło mnie i przeraziło — wyznał wuj, po czym uśmiechnął się jeszcze złośliwiej i nagle wydał mi się kimś zupełnie obcym. — Jego Ekscelencja Nasz Sułtan polecił mi natychmiast rozpocząć pracę nad księgą. Zakręciło mi się w głowie z radości. Potem dodał, że będzie to prezent dla weneckiego doży, któremu miałem złożyć ponowną wizytę. Gotowa księga miała symbolizować zwycięską potęgę muzułmańskiego kalifa, naszego wielkiego sułtana, w tysięcznym roku hidżry. Władca prosił mnie, abym przygotował ją w najgłębszej tajemnicy ze względu na jej cel: miała być gałązką oliwną ofiarowaną Wenecjanom. Sułtan pragnął także uniknąć niepotrzebnych kłótni między miniaturzystami. Przysiągłem dochować tajemnicy i tak oto wplątałem się w to przedsięwzięcie.

21.
Jestem waszym ukochanym Wujem

Tak więc w piątkowy poranek zacząłem opowiadać o księdze, w której miał się znaleźć wizerunek naszego sułtana namalowany w stylu weneckim. Wyjaśniłem Czarnemu, jak namówiłem władcę do tego pomysłu i jak go przekonałem, by sfinansował prace nad nim. Miałem cichą nadzieję, że to Czarny napisze tekst pasujący do ilustracji, bo sam jeszcze się do tego nie zabrałem. Powiedziałem mu, że mam prawie wszystkie ilustracje i że ostatnia jest już niemal ukończona.

— Jedna z nich przedstawia śmierć — wyjaśniłem. — A najlepszy z miniaturzystów, Bocian, namalował drzewo symbolizujące pokój panujący w rozległym królestwie naszego władcy. Jest też rysunek szatana i konia, który ma nam dodawać otuchy, a także psa, jak zawsze chytrego i przebiegłego, oraz złotej monety... Wykonanie tych ilustracji zleciłem najlepszym iluminatorom. Są tak piękne, że wystarczy, iż raz na nie spojrzysz, a będziesz wiedział, co napisać — zapewniłem Czarnego. — Poezja i malarstwo, słowa i barwy są braćmi, o czym zapewne doskonale wiesz.

Przez chwilę zastanawiałem się, czy nie powiedzieć, że oddam mu córkę za żonę. Czy wówczas zamieszkałby z nami? Napominałem jednak siebie w duchu, by nie dać się zwieść uwadze, z jaką mnie słuchał, i niewinnemu wyrazowi twarzy.

Domyślałem się, że Czarny chce uciec z moją Şeküre. Mimo to tylko jemu mogłem powierzyć ukończenie księgi.

Kiedy wracaliśmy razem z piątkowych modłów, dyskutowaliśmy o światłocieniu, najnowszej technice wykorzystywanej przez weneckich mistrzów.

— Jeżeli chcemy namalować obraz z perspektywy przechodnia wymieniającego z kimś grzeczności i patrzącego na świat — powiedziałem — to znaczy jeśli chcemy malować z ulicy, powinniśmy się nauczyć, jak sobie radzić z tym, co powszechnie stosują malarze z Zachodu, to znaczy z cieniem.

— Jak można namalować cień? — spytał Czarny.

Od czasu do czasu dostrzegałem u niego oznaki zniecierpliwienia. Zaczął się bawić kałamarzem mogolskim, który ofiarował mi w prezencie, a potem złapał za żelazny pogrzebacz i poruszył nim bierwiona w piecu. Odniosłem wrażenie, że ma ochotę zdzielić mnie nim po głowie, bo ośmieliłem się spojrzeć na sztukę ilustracji nie z perspektywy Boga, bo sprzeniewierzyłem się marzeniom mistrzów z Heratu i ich tradycji malarskiej, bo podstępnie wciągnąłem w to naszego sułtana. Chwilami Czarny nieruchomiał i wpatrywał się we mnie z uwagą. Mogłem sobie wyobrazić, o czym wtedy myśli: „Będę twoim niewolnikiem, jeżeli oddasz mi swoją córkę". Raz wyprowadziłem go na podwórze, jak wówczas, gdy był jeszcze dzieckiem, i opowiadałem jak ojciec synowi o drzewach, o promieniach słońca padających na liście, o topniejącym śniegu i o tym, dlaczego domy zdają się kurczyć, kiedy się od nich oddalamy. Ale popełniłem błąd, bo okazało się, że po naszej przyjaźni nie pozostał nawet ślad. Dziecięca ciekawość i pragnienie wiedzy ustąpiły miejsca cierpliwej wyrozumiałości dla tyrad obłąkanego starca. Byłem dla niego jedynie starym człowiekiem, ojcem kobiety, którą darzył miłością. Jego dusza zmieniła się pod wpływem doświadczeń i obserwacji, zebranych podczas dwunastu lat podróży po różnych krajach i miastach. Miał mnie dość i szczerze mu współczułem. Był na mnie zły nie tylko dlatego, że dwanaście lat temu nie pozwoliłem mu się ożenić z Şeküre — nie miałem wówczas innego wyboru — lecz również dlatego, że marzyłem o obrazach łamiących zasady ustanowione przez mistrzów z Heratu. Co więcej, one mnie fascynowały. Wyobraziłem sobie, jak mnie morduje.

Nie obawiałem się go jednak, wprost przeciwnie, nawet próbowałem go przestraszyć. Wierzyłem bowiem, że strach pomoże mu przy pisaniu tekstu do księgi.

— Trzeba umieć, jak na tych portretach, ustawić się w środku świata. Jeden z iluminatorów wspaniale namalował śmierć. Popatrz.

Zacząłem pokazywać mu obrazki, które w sekrecie zamawiałem przez cały rok u mistrzów miniaturystyki. Początkowo był trochę onieśmielony, a nawet przestraszony, ale gdy się przekonał, że przy malowaniu śmierci artysta wzorował się na scenach z *Księgi królewskiej*, takich jak ścięcie głowy Sijawuszowi przez Afrasijaba lub zamordowanie Suhraba przez Rustama, nieświadomego, że zabija własnego syna, jego zainteresowanie wzrosło. Ilustrację przedstawiającą pogrzeb sułtana Sulejmana namalowałem w mocnych, lecz smutnych kolorach, łącząc kompozycyjną wrażliwość zachodnich malarzy z własnymi próbami zastosowania techniki światłocienia. Wyeksponowałem szatańską głębię poprzez stworzenie kontrastu między chmurami a linią horyzontu. Zwróciłem mu uwagę, że śmierć jest równie wyjątkowa, jak wiszące w weneckich pałacach portrety niewiernych.

— Tak bardzo chcieli stać się kimś innym — powiedziałem. — Spójrz śmierci w oczy. Przekonaj się, że ludzie nie czują strachu przed nią, lecz przed siłą tkwiącą w pragnieniu stania się jedynymi w swoim rodzaju, niepowtarzalnymi i wyjątkowymi. Przyjrzyj się tej ilustracji i napisz coś na ten temat. Pozwól śmierci przemówić. Oto papier i pióro. Natychmiast przekażę kaligrafowi to, co uda ci się stworzyć.

Popatrzył w milczeniu na obrazek.

— Kto go namalował? — zapytał po chwili.

— Motyl. Jest najbardziej utalentowany ze wszystkich. Mistrz Osman od lat kocha go i podziwia.

— W kawiarni, w której bywa meddah, widziałem szkice tego psa — powiedział Czarny.

— Moi ilustratorzy, z których większość jest duchowo związana z mistrzem Osmanem i jego szkołą, mają nikłe pojęcie o pracach nad księgą. Kiedy wieczorem stąd wychodzą, czynią pewnie te ilustracje przedmiotem wulgarnych żartów, bo dostają za nie pieniądze, i wyśmiewają się ze mnie w kawiarni. Żaden z nich nie może zapomnieć, że kiedyś sułtan na moją prośbę zaprosił młodego weneckiego artystę z ambasady, by ten namalował jego portret. Potem polecił Osmanowi zrobić kopię tego olejnego obrazu. Osman, zmuszony do naśladowania weneckiego malarza, winił potem mnie o powstanie tego gorszącego i haniebnego wizerunku. I słusznie.

Przez cały dzień pokazywałem Czarnemu ilustracje, z wyjątkiem ostatniej, której z jakichś powodów nie mogłem skończyć, i namawiałem do pisania. Scharakteryzowałem pokrótce wszystkich miniaturzystów i podałem sumy, jakie im wypłaciłem. Dyskutowaliśmy o perspektywie i o tym, czy małe przedmioty w tle weneckich obrazów są świętokradztwem. Zastanawialiśmy się również nad tym, czy mordercą Eleganta kierowały niepohamowane ambicje i zazdrość o to, że tak dobrze mu się wiodło.

Kiedy Czarny szedł tego wieczoru do domu, byłem pewny, że pojawi się znowu zgodnie z obietnicą jutro rano i jeszcze raz wysłucha opowieści, które znajdą się w mojej księdze. Jego kroki już cichły na ulicy. Nocny chłód miał w sobie coś, co dodawało siły trapionemu bezsennością i niepokojem mordercy i co czyniło go bardziej diabelskim ode mnie i mojej księgi.

Zamknąłem furtkę i jak co wieczór postawiłem przy niej starą ceramiczną miednicę, służącą kiedyś do flancowania bazylii. Miałem właśnie zmniejszyć ogień w piecu i położyć się spać, gdy nagle ujrzałem Şeküre w białej szacie niczym ducha w ciemności.

— Czy jesteś pewna, że chcesz go poślubić? — spytałem.

— Nie, drogi ojcze. Dawno zapomniałam o małżeństwie. Poza tym jestem mężatką.

— Jeżeli nadal chcesz go poślubić, jestem gotów dać ci błogosławieństwo.

— Nie chcę go poślubić.

— Dlaczego?

— Bo to byłoby wbrew twojej woli. Nie chcę wychodzić za kogoś, kogo ty nie akceptujesz.

Blask tlących się węgli odbijał się w jej oczach. Miała zmęczone spojrzenie, lecz nie dlatego, że była nieszczęśliwa, ale z powodu płonącego w niej gniewu, którego jednak w jej głosie nie było słychać.

— Czarny cię kocha — powiedziałem, jakbym wyjawiał sekret.

— Wiem.

— Wysłuchał dziś tego, co miałem do powiedzenia, nie z miłości do malarstwa, ale z miłości do ciebie.

— Najważniejsze, by wypełnił księgę tekstem.

— Twój mąż może kiedyś wrócić — stwierdziłem.

— Nie wiem, skąd się to wzięło, może stąd, że nie mam o nim żadnych wieści, lecz dziś wieczorem uświadomiłam sobie, że mój mąż już nigdy nie wróci. To, o czym śniłam, wydaje się prawdą. Musieli go zabić. Już dawno obrócił się w proch. — Ostatnie zdanie wypowiedziała gniewnym szeptem, by dzieci nie usłyszały.

— Gdyby mnie zamordowano — wyznałem — musisz dokończyć tę księgę. Wszystko jej poświęciłem. Przysięgnij, że to zrobisz.

— Daję ci na to moje słowo. A kto napisze do niej tekst?

— Czarny! Postarasz się, by się zgodził.

— Drogi ojcze, ty już robisz w tej sprawie wszystko — odparła — nie potrzebujesz mnie.

— To prawda, ale uległ przez wzgląd na ciebie. Gdyby mnie zabito, mógłby się przestraszyć i przerwać pracę.

— W takim razie nie będzie mógł się ze mną ożenić — stwierdziła z uśmiechem moja sprytna córka.

Skąd przyszedł mi do głowy ten uśmiech? Widziałem przecież tylko błysk w jej oczach. Staliśmy na środku pokoju, patrząc na siebie w napięciu.

— Czy kontaktujecie się z sobą? — spytałem, nie mogąc się powstrzymać.

— Jak mogłeś nawet pomyśleć o czymś takim?

Zapadła długa dręcząca cisza. Gdzieś w oddali zaszczekał pies. Zrobiło mi się zimno i zadrżałem. W pokoju było teraz tak ciemno, że przestaliśmy się widzieć i tylko wyczuwaliśmy swoją obecność. Nagle przytuliliśmy się do siebie z całej siły. Şeküre zaczęła płakać, przyznała, że brakuje jej matki. Pocałowałem ją i pogładziłem po głowie. Jej włosy pachniały jak włosy mojej żony. Odprowadziłem ją do sypialni i położyłem obok śpiących dzieci. Kiedy przebiegłem w myślach wydarzenia ostatnich dwóch dni, doszedłem do wniosku, że musiała do niego pisać.

22.
Nazywam się Czarny

Kiedy tego wieczoru wróciłem do domu, sprytnie unikając gospodyni — która ostatnio zaczęła się zachowywać jak moja matka — położyłem się w swoim pokoju na materacu i oddałem marzeniom o Şeküre.

Pozwólcie, że zabawię was opisem dźwięków zasłyszanych w domu wuja. W czasie mojej drugiej wizyty po dwunastoletniej przerwie Şeküre się nie pokazała, ale za sprawą jakiejś magii stale czułem jej obecność. Miałem wrażenie, że mnie obserwuje i ocenia jako przyszłego męża, świetnie się przy tym bawiąc. Świadom tego również wyobraziłem sobie, że ją widzę. Teraz lepiej zrozumiałem myśl Ibn Arabiego, który pisał, że miłość to zdolność czynienia widzialnym niewidzialnego, to pragnienie wyczuwania niewidzialnego.

Dźwięki dochodzące z głębi domu i skrzypienie podłogi pozwoliły mi się domyślić, że Şeküre mi się przygląda. Byłem pewien, że jest z dziećmi w sąsiednim pokoju, wychodzącym na szeroki przedpokój z poczekalnią, gdyż usłyszałem odgłosy chłopięcej szamotaniny, przepychania się i mocowania. Matka zapewne starała się uciszyć synów, dając znaki rękoma, rzucając groźne spojrzenia i marszcząc brwi. Wychwyciłem również nienaturalne szepty, jakby ktoś bardzo się starał, by nie parsknąć śmiechem.

Jakiś czas później, gdy dziadek chłopców opowiadał mi o zaletach techniki światłocienia, do pokoju weszli Şevket i Orhan z tacą i podali nam kawę. Ich ruchy były wolne i staranne, jakby wcześniej je ćwiczyli, zapewne pod troskliwym okiem Hayriye. Wszystko to zaaranżowała Şeküre po to, by obejrzeli sobie mężczyznę, który mógł zostać ich ojcem.

— Masz bardzo ładne oczy — powiedziałem do Şevketa, po czym odwróciłem się do młodszego Orhana i dodałem, by nie poczuł zazdrości: — Twoje też są ładne.

Następnie wyjąłem z kieszeni wyblakły czerwony płatek goździka, położyłem go na tacy i ucałowałem chłopców w policzki. Później, gdy wyszli, dobiegły mnie śmiech i chichoty.

Ciekaw byłem, z którego miejsca Şeküre mnie obserwuje: przez dziurę w ścianie, w drzwiach, a może w suficie? Wypatrywałem szczeliny, wybrzuszenia lub czegoś, co wyglądałoby na otwór, wyobrażając sobie, że ona przy nim właśnie stoi. W pewnej chwili dostrzegłem jakąś czarną plamkę i wstałem, by sprawdzić, czy moje podejrzenia są uzasadnione. Ryzykowałem, że wuj, który kontynuował trwającą wieczność perorę, uzna to za zuchwałość. Przybrałem postawę pilnego ucznia, oczarowanego i przejętego jego słowami, i udając, że słucham z uwagą, zacząłem chodzić po pokoju, aż w końcu zbliżyłem się do podejrzanej plamki. Kiedy nie dostrzegłem oka Şeküre, poczułem zawód, dziwne osamotnienie i zniecierpliwienie, jak ktoś, kto nie wie, w którą stronę się zwrócić.

Co pewien czas doznawałem tak gwałtownego i intensywnego wrażenia, że Şeküre mnie obserwuje, iż zacząłem się zachowywać jak ktoś, kto chce się pokazać z lepszej strony, byle tylko zaimponować ukochanej kobiecie. Później wyobraziłem sobie, że Şeküre i jej synowie porównują mnie z jej mężem — zaginionym ojcem chłopców — aż w końcu ponownie skupiłem uwagę na sławnym weneckim ilustratorze i jego technikach malarskich, nad jakimi rozwodził się właśnie mój wuj. Zapragnąłem być jednym z tych słynnych malarzy, o których ojciec Şeküre tyle jej opowiadał, miniaturzystą, który zdobył sławę, nie umartwiając się w celi jak święty i nie ścinając głów wrogom za pomocą bułata, jak to czynił mąż Şeküre, lecz tłumacząc rękopisy albo ilustrując księgi. Usiłowałem wyobrazić sobie wszystkie te piękne obrazy, stworzone przez owych słynnych artystów, czerpiących inspirację, jak wyjaśniał wuj, z tajemnej mocy otaczającego nas świata i jej widzialnej postaci, jaką jest czerń. Tak bardzo pragnąłem zobaczyć te arcydzieła, które kiedyś oglądał wuj, a teraz próbował je opisać, że kiedy wyobraźnia mnie zawiodła, poczułem rozczarowanie i upokorzenie.

Uniosłem wzrok i ponownie ujrzałem Şevketa. Podszedł do mnie zdecydowanym krokiem, jak przystało na najstarszego syna w rodzinie. Sądziłem, że zgodnie ze zwyczajem — kultywowanym również wśród plemion arabskich w Transoksanii i Czerkesów na Kaukazie — na pożegnanie pocałuje mnie w rękę, jak zrobił to na początku wizyty. Na próżno jednak wyciągnąłem dłoń. Usłyszałem za to wyraźny śmiech Şeküre. Czyżby ze mnie kpiła? Straciłem głowę. Chcąc ratować sytuację, objąłem chłopca, po czym ucałowałem go w oba policzki, jakby tego właśnie oczekiwał. Potem uśmiechnąłem się przepraszająco do wuja, pragnąc zapewnić go o moim szacunku. Jednocześnie przytuliłem Şevketa, by sprawdzić, czy pachnie jak matka. Kiedy zorientowałem się, że trzymam w dłoni zmięty kawałek papieru, chłopiec szedł już w stronę drzwi.

Ściskałem ten papier niczym klejnot. Domyślając się, że jest to wiadomość od Şeküre, z trudem powstrzymywałem się, by zachować powagę i nie uśmiechać się głupio do wuja. Czy to nie był dostateczny dowód na to, że Şeküre mnie pożąda? Nagle wyobraziłem sobie, że kochamy się jak szaleni. Byłem taki pewny, że to się wkrótce spełni, że członek zaczął mi nabrzmiewać. Czy Şeküre to dostrzegła? Skupiłem się na słowach wuja, by skierować myśli w inną stronę.

Jakiś czas później, gdy wuj miał pokazać mi kolejną ilustrację, dyskretnie rozwinąłem kartkę pachnącą kapryfolium jedynie po to, by się przekonać, że jest czysta. Nie mogłem uwierzyć własnym oczom i bezmyślnie obracałem ją w rękach.

— Okno — powiedział wuj. — Stosowanie perspektywy jest jak patrzenie na świat przez okno... Co tam trzymasz w ręku?

— Nic takiego, efendi — odparłem.

Kiedy odwrócił wzrok, przytknąłem zmiętą kartkę do nosa i głęboko wciągnąłem w płuca jej zapach.

Po popołudniowym posiłku, nie chcąc korzystać z nocnika gospodarza, przeprosiłem go i wyszedłem na wewnętrzne podwórze. Szybko załatwiłem swoją potrzebę, starając się nie odmrozić sobie pośladków. Nagle jak spod ziemi wyrósł przede mną Şevket, niczym rozbójnik blokując mi drogę. W rękach trzymał parujący nocnik dziadka. Opróżnił naczynie, po czym spojrzał na mnie pięknymi oczami, nadymając pulchne policzki.

— Widziałeś kiedyś zdechłego kota? — spytał.

Nos miał taki sam jak matka. Czy Şeküre nas obserwowała? Rozejrzałem się dokoła. Okiennice w oknie na drugim piętrze, w którym po tylu latach ją ujrzałem, były zamknięte.

— Nie.

— Chcesz zobaczyć zdechłego kota w domu Żyda Wisielca?

Nie czekając na odpowiedź, wyszedł na ulicę. Ruszyłem za nim. Po czterdziestu czy pięćdziesięciu krokach błotnista, zmarznięta ulica zmieniła się w zapuszczony ogród. Pachniało w nim wilgocią, zgniłymi liśćmi i ziemią. Şevket musiał świetnie znać drogę, bo bez chwili wahania wszedł do wnętrza żółtego domu ukrytego wśród figowców i migdałowców.

Dom stał pusty, lecz było w nim sucho i ciepło, jakby ktoś tu mieszkał.

— Czyj to dom? — spytałem.

— Takiego Żyda. Kiedy umarł, jego żona i dzieci przeprowadzili się do żydowskiej dzielnicy przy nabrzeżu sprzedawców owoców. Kazali go sprzedać Ester, tej kobiecie, która handluje tkaninami. — Przeszedł w róg pokoju, po czym wrócił. — Nie ma kota, zniknął — powiedział.

— A dokąd zdechły kot mógłby pójść?

— Dziadek mówi, że zmarli wędrują.

— Nie sami zmarli, lecz ich dusze — wyjaśniłem.

— Skąd wiesz? — zapytał z powagą na twarzy, przyciskając do brzucha pusty nocnik.

— Po prostu wiem. Często tu przychodzisz?

— Mama przychodzi tu z Ester. A w nocy przychodzą tu zmarli, co wstają z grobów, ale ja się nie boję. Zabiłeś kiedyś człowieka?

— Tak.

— Ilu?

— Tylko dwóch.

— Szablą?

— Szablą.

— Czy ich dusze też wędrują?

— Nie wiem. Zgodnie z tym, co jest napisane w książkach, muszą wędrować.

— Wujek Hasan ma czerwoną szablę. Jest taka ostra, że wystarczy jej dotknąć, a już rozcina. Ma też kindżał z rubinowym trzonkiem. Czy to ty zabiłeś mojego ojca?

Nie potwierdziłem ani nie zaprzeczyłem.

— Skąd wiesz, że twój ojciec nie żyje?

— Mama tak wczoraj powiedziała. On nie wróci. Widziała go we śnie.

W odpowiednich okolicznościach człowiek jest gotów zrobić najohydniejszą nawet rzecz w imię własnych egoistycznych celów: na przykład z żądzy lub z zawiedzionej miłości. Dlatego ponownie zdecydowałem, że zastąpię ojca tym opuszczonym dzieciom. Kiedy wróciliśmy do domu, z większą uwagą zacząłem słuchać dziadka Şevketa i tego, co mówił o księdze, do której miałem napisać tekst.

Zacznijmy od ilustracji, które pokazał mi wuj. Na przykład ta przedstawiająca konia. Nie ma na niej żadnej ludzkiej postaci i przestrzeń wokół rumaka jest pusta. Mimo to nie można powiedzieć, że jest to wyłącznie portret konia. Tak, widzimy konia, lecz mamy wrażenie, że jeździec odszedł gdzieś na bok i może za chwilę wyłoni się z lasu namalowanego w stylu kazwin. Sugeruje to pięknie zdobione siodło. A może za chwilę do rumaka podejdzie rycerz z szablą?

Było jasne, że wuj zamówił tego konia u doskonałego ilustratora, którego wezwał do siebie w sekrecie. Ponieważ miniaturzysta, przyjechawszy nocą, mógł namalować konia — utrwalonego w jego umyśle niczym szablon — wtedy tylko, jeśli wizerunek powiązany był z jakąś opowieścią, zaczął pracę, sięgając do pamięci. Kiedy rysował zwierzę, które miał okazję widzieć setki razy w scenach miłosnych i batalistycznych, wuj, zainspirowany stylem weneckich mistrzów, udzielał mu wskazówek. Mógł na przykład powiedzieć: „Zapomnij o jeźdźcu, namaluj tu drzewo, ale w tle, w mniejszej skali".

Ilustrator przychodził do mojego wuja wieczorem, siadał z nim przy stole i z zapałem pracował nad dziwnym, niekonwencjonalnym obrazkiem, niczym nie przypominającym tych dobrze znanych i utrwalonych w pamięci. Oczywiście wuj sowicie wynagradzał go za każdy rysunek, ale ten niezwykły sposób malowania miał też w sobie pewien urok. Chociaż, podobnie jak jego zleceniodawca, ilustrator nie był w stanie określić, jaką opowieść wzbogaci i uzupełni jego dzieło. Wuj oczekiwał ode mnie, bym przyjrzał się tym obrazkom w stylu pół weneckim i pół perskim, po czym stworzył do nich tekst na sąsiadujące strony. Jeżeli chciałem zdobyć Şeküre, musiałem wymyślić jakieś historie, lecz przychodziły mi do głowy tylko te opowiadane przez meddaha w kawiarni.

23.
Nazwą mnie mordercą

Tykający zegar pokazywał, że zbliża się wieczór. Wkrótce miała
nadejść pora wieczornej modlitwy. Na moim składanym stole od dawna paliła się świeca. Właśnie kończyłem malować
palacza opium, maczając trzcinkę w czarnym inkauście Hasan Pasza i sunąc nią po gładkim i pięknie zagruntowanym
papierze, gdy rozległ się głos wzywający mnie jak co wieczór
do wyjścia na ulicę. Oparłem się wezwaniu. Postanowiłem zostać w domu i pracować. Chciałem nawet zabić na jakiś czas
drzwi gwoździami.

Księgę, którą z takim pośpiechem kończyłem, zamówił
u mnie pewien Ormianin, przybyły aż z dzielnicy Galata wczesnym świtem, kiedy wszyscy jeszcze spali. Ów tłumacz i prze-
wodnik (mimo że się jąkał) zjawiał się u mnie, ilekroć jakiś
włoski podróżnik zapragnął księgi z ilustracjami strojów, i za-
żarcie się ze mną targował. Tego ranka zgodziłem się wykonać
gorszej jakości księgę za cenę dwudziestu sztuk srebra. Miałem namalować dwunastu mieszkańców Stambułu w porze
wieczornej modlitwy, zwracając szczególną uwagę na detale
ich ubiorów. Namalowałem więc szejch ül-islama, odźwier-
nego pałacowego, imama, janczara, derwisza, kawalerzystę,
sędziego, sprzedawcę podrobów, kata — kaci przedstawiani
w trakcie zadawania tortur całkiem dobrze się sprzedawali —
żebraka, kobietę w drodze do hamamu i palacza opium. Tyle

razy rysowałem te postaci jedynie dla kilku dodatkowych sztuk srebra, że z nudów zacząłem wymyślać różne utrudnienia. Na przykład rysując sędziego, nie odrywałem trzcinki od papieru, a przy żebraku zamykałem oczy.

Wszyscy rozbójnicy, poeci i pogrążeni w smutku wiedzą, że kiedy nadchodzi czas wieczornej modlitwy, siedzące w nich dżiny i demony ożywiają się i krzyczą: „Wyjdź, wyjdź!". Ten wewnętrzny niespokojny głos szepcze im do ucha: „Poszukaj sobie towarzystwa, ciemności, rozpaczy i hańby!". Robiłem, co mogłem, by je uciszyć: malowałem ilustracje uważane przez innych za cuda, dla których te złe duchy były inspiracją. Lecz od siedmiu dni, jakie upłynęły od zamordowania tej zakały ludzkiego rodu, nie byłem w stanie kontrolować swoich dżinów i demonów. Złe duchy naprzykrzały mi się tak bardzo, że w końcu postanowiłem wyjść z domu, licząc na to, że może się uspokoją.

Po chwili, nie bardzo wiedząc jak, znalazłem się w ciemnych zaułkach miasta. Szedłem szybkim krokiem po zaśnieżonych ulicach, błotnistych drogach, oblodzonych wzniesieniach i opustoszałych chodnikach, jakbym nigdy nie miał się zatrzymać. Zagłębiając się w mrok, w najciemniejsze i najbardziej odludne zakamarki, stopniowo zostawiałem za sobą swoją duszę. Wędrując wąskimi uliczkami, wsłuchiwałem się w odgłos własnych kroków, odbijających się echem od kamiennych ścian zajazdów, szkół i meczetów, i wreszcie poczułem, że strach mnie opuszcza.

Stopy same przywiodły mnie w pewne miejsce na peryferiach miasta, gdzie przychodziłem każdego wieczoru i gdzie nawet upiory i dżiny bały się zapuszczać. Słyszałem, że połowa mieszkańców tej dzielnicy zginęła na wojnie z Persją, a reszta uciekła, uważając tę okolicę za pechową. Lecz ja nie wierzę w takie przesądy. Jedyną tragedią, jaka spotkała żyjących tu ludzi w wyniku wojen Safawidów, było zamknięcie przed czterdziestu laty klasztoru derwiszów z bractwa kalenderytów. Podobno służył za schronienie wrogom.

Minąłem krzewy morwowe i drzewa laurowe, nawet zimą roztaczające miły zapach, rozsunąłem deski między zniszczonym kominem i oknem z rozpadającymi się okiennicami, po czym wszedłem do środka i wciągnąłem w płuca zapach kadzidła, utrzymujący się tu od stu lat. Ogarnęła mnie taka błogość, że omal się nie rozpłakałem.

Być może już o tym wspominałem, ale chciałbym to jeszcze raz powiedzieć: boję się tylko Allaha i kara wymierzona przez ludzi nie ma dla mnie żadnego znaczenia. Lęk budzą we mnie jedynie męki, jakie mordercy mojego pokroju będą musieli znosić w dniu Sądu Ostatecznego zgodnie z tym, co napisano w Koranie, na przykład w surze *Rozróżnienie*. Kiedy tylko widzę ilustracje ze starych ksiąg — które rzadko trafiają w moje ręce — przedstawiające z niezwykłym okrucieństwem to, co czeka grzeszników, kiedy wspominam te proste, naiwne, ale przerażające sceny z piekła, namalowane na skórze cielęcej przez arabskich miniaturzystów, czy męki demonów, autorstwa chińskich i mongolskich mistrzów, natychmiast przychodzi mi na myśl tekst Koranu. Co sura *Podróż nocna* mówi w wersecie trzydziestym trzecim? Że nie wolno nikomu odbierać życia bez powodu, bo Bóg uczynił je świętym. No dobrze, ale przecież ten niegodziwiec, którego posłałem do piekła, nie był wierzący, a tylko swoich wyznawców Bóg nie pozwalał zabijać. Poza tym miałem słuszny powód, by roztrzaskać mu czaszkę kamieniem.

Ten człowiek rzucał oszczerstwa na miniaturzystów pracujących nad księgą, której przygotowanie zlecił w sekrecie nasz sułtan. Gdybym go nie uciszył, ogłosiłby, że Wuj, wszyscy iluminatorzy, a nawet mistrz Osman są niewiernymi, i doprowadziłby do tego, że dobraliby się do nich żądni krwi zwolennicy hodży z Erzurumu. Gdyby udało się dowieść, że rysownicy dopuścili się świętokradztwa, wyznawcy kaznodziei z Erzurumu, szukający najmniejszej okazji, by zademonstrować swoją siłę, nie tylko pozbawiliby życia mistrzów malarstwa miniaturowego, lecz roznieśli w proch całą szkołę, a nasz sułtan mógłby się temu jedynie przyglądać.

Wziąłem miotłę i kilka szmat schowanych w kącie i zabrałem się za sprzątanie. Podnosiło mnie to na duchu i znowu czułem się wiernym sługą Allaha. Długo się modliłem, by nie odebrał mi tego błogosławionego doznania. Chłód, zdolny nawet lisa przyprawić o sraczkę, przenikał kości. Poczułem niepokojący ból w gardle i wyszedłem na zewnątrz.

Później, w tym samym dziwnym stanie umysłu, trafiłem do zupełnie innej dzielnicy miasta. Nie miałem pojęcia, co się działo i o czym myślałem, gdy wędrowałem z klasztoru derwiszów do obecnego miejsca. Nie wiedziałem, jak się znalazłem na tych ulicach wysadzanych cyprysami.

Choćbym nie wiem jak długo szedł i tak nie zdołam zagłuszyć dręczącej myśli. Chociaż może gdybym ją wam wyjawił, byłoby mi lżej. Nazywajcie go nikczemnym oszczercą lub biednym Elegantem — na jedno wychodzi — ale wiedzcie, iż zanim ten drogi zmarły pozłotnik opuścił ziemski padół, rzucał ciężkie oskarżenia na naszego Wuja. Gdy jednak zorientował się, że nie zrobiły one na mnie żadnego wrażenia, powiedział coś jeszcze — że Wuj posługuje się techniką niewiernych, perspektywą, po czym dodał: „Jest jeszcze sprawa ostatniej ilustracji. Na tym obrazku Wuj profanuje wszystko, w co wierzymy. On już nie tylko obraża naszą religię, on bluźni przeciw Bogu". Mało tego. Trzy tygodnie po tym, jak wysłuchałem oskarżeń tego kundla, Wuj rzeczywiście zwrócił się do mnie z prośbą, bym namalował kilka nie mających z sobą żadnego związku obrazków, przedstawiających konia, monetę i śmierć, w różnych miejscach na stronie i w zaskakującej skali. To właśnie mógłby ktoś nazwać cechą zachodniego malarstwa. Wuj zawsze zasłaniał duże części zaliniowanej strony, którą miałem zilustrować, a także miejsca złocone przez tego pechowca Eleganta, jakby chciał coś ukryć przede mną i innymi miniaturzystami.

Chciałbym zapytać Wuja, co namaluje na tym dużym końcowym obrazku, lecz coś mnie przed tym powstrzymuje. Gdybym to zrobił, na pewno zacząłby podejrzewać, że to ja zabiłem Eleganta, i podzieliłby się tymi domysłami z kimś jeszcze. Lecz niepokoi mnie coś ponadto. Odpowiadając na moje pytanie, Wuj mógłby oświadczyć, że Elegant miał rację. Czasami zastanawiam się, czy go jednak nie zapytać, udając, że to nie Elegant zwierzył mi się ze swoich wątpliwości, lecz mnie samemu przyszły one do głowy. Ale żadne wyjście nie jest wystarczająco dobre.

Nogi, które zawsze szybciej działały niż głowa, przywiodły mnie na ulicę Wuja. Przykucnąłem w ustronnym miejscu i przez dłuższy czas obserwowałem tonący w ciemności i otoczony drzewami wielki i zamożny dom. Nie wiedziałem, z której strony znajduje się pokój Şeküre. Wyobraziłem więc sobie ten dom w przekroju, jak na obrazkach z Tabrizu z czasu panowania szacha Tahmaspa i spróbowałem stworzyć w myślach miejsce dla mojej Şeküre.

Drzwi się otworzyły. Zobaczyłem wychodzącego na zewnątrz Czarnego. Wuj patrzył za nim przez chwilę, po czym zamknął furtkę.

Mój umysł, oddający się do tej pory głupim fantazjom, natychmiast sformułował trzy wnioski na podstawie tego, co zobaczyły oczy. Pierwszy: Czarny jest tańszy od nas i mniej niebezpieczny, dlatego Wuj zleci mu dokończenie naszej księgi.

Drugi: piękna Şeküre poślubi Czarnego. Trzeci: Słowa tego pechowca Eleganta były prawdą i niepotrzebnie go zabiłem. W sytuacji takiej jak ta, gdy bezlitosny umysł dochodzi do bolesnych wniosków, których nie chce zaakceptować serce, całe ciało zaczyna się przeciw niemu buntować. Z początku część mego umysłu gwałtownie zaprotestowała przeciw trzeciej konkluzji, która oznaczała, że jestem najnikczemniejszym z morderców. Moje nogi zaś, działając szybciej i sensowniej niż głowa, ruszyły za Czarnym.

Kiedy minęliśmy kilka bocznych uliczek, przyszło mi na myśl, że z łatwością mógłbym zabić idącego z takim spokojem i pewnością siebie Czarnego. Wówczas nie musiałbym stawiać czoła dwóm pierwszym dręczącym mnie wnioskom. Co więcej, rozwalenie głowy Elegantowi nie poszłoby na marne. Gdybym teraz podbiegł kilka kroków, dopadł Czarnego i z całej siły uderzył go w głowę, wszystko wróciłoby na swoje miejsce. Wuj poprosiłby mnie, abym dokończył księgę. Jednocześnie moja uczciwsza (czy uczciwość nie jest po prostu przejawem strachu?) i rozsądniejsza część umysłu nie przestawała przekonywać, że drań, którego zamordowałem i wrzuciłem do studni, był oszczercą. Jeżeli tak się sprawa przedstawiała, nie zabiłem go na próżno, a Wuj, nie mający już niczego do ukrycia w sprawie księgi, mógłby zaprosić mnie do siebie.

Ale obserwując idącego przede mną Czarnego, nabrałem całkowitej pewności, że nici z tego. To była jedynie iluzja. Czarny był prawdziwszy niż ja. Wszyscy tego doświadczamy: rezygnując z logiki, całymi tygodniami i latami karmimy się fantazjami, aż pewnego dnia widzimy coś — twarz, przedmiot, szczęśliwego człowieka — i nagle uświadamiamy sobie, że nasze marzenia nigdy się nie spełnią. Nie uda się nam ożenić z ukochaną dziewczyną i nigdy nie osiągniemy wymarzonej pozycji w życiu.

Z głęboką nienawiścią, która przyjemnie grzała serce, obserwowałem, jak unoszą się i opadają ramiona, głowa i szyja Czarnego. Miał irytujący sposób chodzenia: jakby każdy krok był darem dla świata. Tacy ludzie jak on, pozbawieni wyrzutów sumienia, z perspektywą na przyszłość, uważają, że cały świat jest ich domem. Otwierają każde drzwi jak sułtan wrota swojej prywatnej stajni i lekceważąco traktują osoby znajdujące się w środku. Z trudem zapanowałem nad pokusą, by chwycić kamień i rzucić się na niego.

Obaj kochaliśmy tę samą kobietę. Czarny szedł przede mną, zupełnie nieświadomy mojej obecności. Wędrowaliśmy krętymi uliczkami niczym bracia, raz w górę, raz w dół, przez wyludnione miasto, po którym wałęsały się sfory bezpańskich psów, mijaliśmy po drodze zgliszcza domów opanowanych przez dżiny, dziedzińce meczetów z kopułami, na których anioły układały się do snu, rzędy cyprysów rozmawiających szeptem z duszami zmarłych, mury przykrytych śniegiem cmentarzy opanowanych przez duchy, kryjąc się przed rozbójnikami duszącymi swoje ofiary i zostawiając za sobą niezliczone sklepy, stajnie, klasztory derwiszów, wytwórnie świec, garbarnie i kamienne mury. I kiedy tak szliśmy, poczułem, że wcale za nim nie idę, że raczej go naśladuję.

24.
Jestem śmierć

Jestem śmierć, jak zapewne zdążyliście się zorientować, lecz nie musicie się mnie obawiać — to tylko ilustracja. Widzę jednak przerażenie w waszych oczach. Podobnie jak bawiące się dzieci, doskonale wiecie, że nie jestem prawdziwa, tymczasem strach ściska wam gardło. To mnie cieszy. Patrząc na mnie, czujecie, że będziecie się pocić ze strachu, kiedy nadejdzie wasza ostatnia godzina. Wcale nie żartuję. Gdy ludzie stają twarzą w twarz ze śmiercią, tracą kontrolę nad ciałem, zwłaszcza ci uchodzący za odważnych. Dlatego też usłane trupami pole walki, które malowaliście tysiące razy, tonie nie we krwi, prochu i rozgrzanych zbrojach, lecz w gównie i rozkładających się ciałach.

Wiem, że pierwszy raz widzicie namalowaną śmierć.

Rok temu wysoki, szczupły i tajemniczy starzec zaprosił do domu młodego miniaturzystę, który miał mnie narysować. W mrocznym gabinecie piętrowego domu starzec podał młodemu mistrzowi filiżankę wybornej, aromatycznej kawy, by rozjaśniła mu umysł. Potem w tym ciemnym pokoju z niebieskimi drzwiami położył przed nim arkusz najlepszego indyjskiego papieru, pędzelki z włosia wiewiórki, złotą folię, wszelkiego rodzaju trzcinki i scyzoryki z koralowymi trzonkami, dając do zrozumienia, że sowicie wynagrodzi go za pracę.

— A teraz namaluj mi śmierć — powiedział.

— Nie mogę namalować śmierci, bo nigdy nie widziałem jej wizerunku — odparł utalentowany miniaturzysta, który w końcu jednak mnie namalował.

— Nie trzeba oglądać czyjegoś wizerunku, żeby go namalować — zauważył starzec.

— Może i nie — zgodził się młody człowiek — lecz żeby rycina była doskonała, taka jak u starych mistrzów, trzeba najpierw wykonać tysiące prób. Bez względu na to, jak utalentowany byłby miniaturzysta, kiedy rysuje coś po raz pierwszy, nie zrobi tego lepiej niż praktykant, a ja nie mogę sobie na to pozwolić, bo mam tytuł mistrza iluminacji. To jest równoznaczne z wydaniem na siebie wyroku śmierci.

— Dzięki temu byłbyś bliżej tematu ilustracji — zażartował starzec.

— To nie znajomość tematu czyni z nas mistrzów, lecz jej brak.

— W takim razie mistrz powinien się zmierzyć z wizerunkiem śmierci.

Oddali się wyrafinowanej dyskusji pełnej dwuznacznych aluzji, napomknień i insynuacji — jak przystało na miniaturzystów szanujących zarówno starych mistrzów, jak i własny talent. Rozmowa dotyczyła mojej osoby, toteż słuchałam jej uważnie. Wiem, że przytoczenie jej w całości znudziłoby wybitnych iluminatorów obecnych w tej wspaniałej kawiarni, przejdę więc do momentu, w którym dyskusja przybrała taki oto obrót:

— Czy miarą talentu miniaturzysty jest umiejętność malowania wszystkiego z jednakową doskonałością, godną wielkich mistrzów, czy też przenoszenia na papier czegoś, czego nikt jeszcze nie rysował? — spytał błyskotliwy iluminator o wprawnych palcach i zachwycających oczach. Mimo że znał odpowiedź, w jego głosie brzmiała niepewność.

— Wenecjanie mierzą sprawność artysty zdolnością do odkrywania nowych tematów i technik — odpowiedział starzec pewnym siebie tonem.

— Wenecjanie umierają po wenecku — odparł młody człowiek, który wkrótce miał mnie namalować.

— Każda śmierć jest taka sama — stwierdził starzec.

— Legendy i ilustracje pokazują, czym ludzie się od siebie różnią, a nie co ich łączy — odrzekł mądry iluminator. — Miniaturzyści zyskują tytuły mistrzów, tworząc przedstawienia do opowieści, których przedtem nie znali.

W tym miejscu rozmowa zeszła na różnice między tym, jak śmierć widzą Wenecjanie, a jak muzułmanie, a także na anioła śmierci i innych aniołów Allaha, które wcale nie są podobne do tych wyobrażanych sobie przez giaurów. Młody mistrz — patrzący teraz na mnie pięknymi oczyma w tej naszej przytulnej kawiarni — poczuł się zakłopotany rozmową. Ogarnęło go zniecierpliwienie, bo chciałby zacząć mnie malować, nie miał jednak pojęcia, jaka właściwie jestem.

Przebiegły i wyrachowany starzec, który pragnął omamić młodego człowieka, wyczuł to niecierpliwe pragnienie. W mrocznym pokoju, rozświetlonym jedynie nikłym blaskiem lampki oliwnej, podniósł oczy na zdolnego miniaturzystę.

— Śmierć, którą Wenecjanie przedstawiają w ludzkiej postaci, u nas jest aniołem o imieniu Azrael — wyjaśnił. — Tak, to mężczyzna. Podobnie jak Gabriel w chwili, gdy przekazał Koran Prorokowi. Rozumiesz?

Młody miniaturzysta, obdarzony przez Allaha niezwykłym talentem, niecierpliwił się, ponieważ podstępnemu starcowi udało się zaszczepić w nim taką oto diabelską myśl: najbardziej pragniemy malować coś, czego nie znamy, co kryje się w cieniu, a nie to, co znamy i widzimy w pełnym świetle.

— Nigdy nie obcowałem ze śmiercią — wyznał miniaturzysta.

— Wszyscy wiemy, kim ona jest — zapewnił starzec.

— Czujemy przed nią bojaźń, lecz jej nie znamy.

— W takim razie namaluj bojaźń — powiedział starzec.

Młody mistrz nie mógł już dłużej czekać. Czuł mrowienie w karku, napięcie mięśni ręki i tęsknotę palców za dotykiem trzcinki. Wstrzymywał się jednak, wiedząc, że rosnące w nim pragnienie pogłębi jego miłość do malarstwa.

Przebiegły starzec widział, co się dzieje z młodzieńcem, więc żeby go zainspirować do stworzenia mojego wizerunku, o którym był przekonany, że wkrótce powstanie, zaczął czytać, co napisano o mnie w różnych księgach, na przykład w *Księdze duszy* Al-Dżawzijjego, *Księdze Apokalipsy* Ghazalego, czy urywkach z Sujutiego.

I tak młody, zdolny mistrz miniaturystyki o cudownym wyczuciu pędzla, malując portret, na który teraz z takim strachem spoglądacie, słuchał, że anioł śmierci ma tysiące skrzydeł, łączących niebo z ziemią, najdalszy punkt na wschodzie z najdalszym punktem na zachodzie. Skrzydła te miały nieść ulgę wiernym, lecz dla grzeszników i buntowników były równie bolesne jak kolec tkwiący w ciele. Ponieważ wielu z was, iluminatorów, i tak trafi do piekła, młody mistrz namalował mnie z kolcami. Potem słuchał o tym, jak anioł wysłany przez Allaha, by odebrać wam życie, pojawia się z księgą, w której zapisane są wasze imiona — czasem obwiedzione na czarno. Tylko Bóg zna dokładną datę śmierci. Kiedy ten moment nadchodzi, z drzewa stojącego pod boskim tronem spada liść i ten, kto go złapie, może odczytać, do kogo przyjdzie śmierć. Dlatego miniaturzysta namalował mnie jako przerażającą, zamyśloną istotę, umiejącą czytać z księgi rozrachunków. Szalony starzec czytał dalej: kiedy anioł śmierci w ludzkiej postaci zabiera duszę komuś, komu skończył się czas na ziemi, staje się jasność równa jasności słońca. Dlatego mądry iluminator przedstawił mnie jako istotę opromienioną światłem, rozumiejąc, że owej jasności nie zobaczą osoby zgromadzone przy zmarłym. Starzec przeczytał w *Księdze duszy* o złodziejach okradających groby, którzy zamiast ciał naszpikowanych kolcami widzieli płomienie i czaszki wypełnione roztopionym ołowiem. Z tego powodu cudowny miniaturzysta narysował mnie tak, bym przerażała każdego, kto na mnie spojrzy.

Później żałował tego, co zrobił. Nie z powodu grozy, którą nasycił obraz, lecz że w ogóle ośmielił się go stworzyć. Jeśli chodzi o mnie, to czuję się jak dziecko, na które ojciec patrzy z rozczarowaniem i smutkiem. Dlaczego ten utalentowany miniaturzysta nie jest zadowolony ze swego dzieła?

1. Ponieważ wizerunkowi śmierci zabrakło maestrii. Jak sami widzicie, nie dorównuje on doskonałością obrazom wielkich weneckich mistrzów ani też starych mistrzów z Heratu. Mnie również wprawia w zakłopotanie moja lichota, nie licuje ona bowiem z dostojeństwem śmierci.

2. Starzec tak sprytnie podszedł młodego artystę, że ten zbyt późno zauważył, iż tworząc mój wizerunek, wzorował się na stylu zachodnim. Ogarnął go więc niepokój, że okazał brak szacunku i sprzeniewierzył się starym mistrzom.

3. Zdał sobie sprawę, podobnie jak kilku głupków, którzy mają mnie dość i tego nie kryją, że śmierć to nic śmiesznego.

Od tej pory miniaturzysta co noc włóczy się po ulicach, żałując tego, co zrobił. Sądzi, jak niektórzy chińscy mistrzowie, że stał się tym, co sam namalował.

25.
Nazywam się Ester

Klientki mieszkające w dzielnicach Kızılminareli i Karakedi zamówiły fioletową i czerwoną pikę z Bileciku, więc wczesnym rankiem przygotowałam węzełek z towarem. Wyjęłam z niego zielony chiński jedwab, przywieziony niedawno przez portugalski statek, bo się nie sprzedawał, i zastąpiłam błękitnym. Ze względu na śnieg, wyjątkowo obfity tej zimy, do środka włożyłam kolorowe pończochy, grube szale i kaftany — wszystko z wełny. Kiedy rozkładałam towar przed klientkami, rozkwitał taką gamą kolorów, że na ich widok nawet najbardziej obojętnej kobiecie serce zaczynało bić szybciej. Zapakowałam też cienkie, lecz drogie jedwabne chusteczki, sakiewki i haftowane myjki głównie dla kobiet posyłających po mnie jedynie po to, bym opowiedziała najnowsze plotki. Uniosłam tobołek. Był dla mnie zbyt ciężki, mogłabym nadwyrężyć kręgosłup. Postawiłam go na podłodze i rozwiązałam. Kiedy zastanawiałam się, co z niego wyjąć, usłyszałam pukanie do drzwi. Otworzył Nesim.

To była niewolnica Hayriye, cała w rumieńcach, z listem w ręku.

— Od Şeküre — szepnęła. Była tak podekscytowana, jakby to ona się zakochała i chciała wyjść za mąż.

Wzięłam list z poważną miną i ostrzegłam idiotkę, by uważała, gdy będzie wracać do domu, aby czasem nikt jej nie zobaczył. Po jej wyjściu Nesim rzucił mi pytające spojrzenie. Przygotowałam większy, ale za to lżejszy tobołek, który wykorzystywałam do zmylenia ciekawskich, gdy miałam do zaniesienia listy.

— Şeküre, córka mistrza Wuja, płonie z miłości — wyjaśniłam. — Biedaczka całkiem postradała zmysły.

Zachichotałam i wyszłam z domu. Wtedy ogarnął mnie wstyd. Prawdę mówiąc, wolałabym się użalać nad biedną Şeküre, zamiast z niej żartować. Jaka piękna była ta smutna dziewczyna o czarnych oczach!

Szybko minęłam popadające w ruinę domy w naszej żydowskiej dzielnicy, które w ten chłodny poranek sprawiały szczególnie przygnębiające wrażenie. Kiedy dotarłam na ulicę, przy której mieszkał Hasan, na rogu spotkałam ślepego żebraka, przebywającego tutaj, od kiedy sięgam pamięcią.

— Wędrowna handlarka! — wrzasnęłam.

— Tłusta wiedźma — rzucił w odpowiedzi żebrak. — I bez tych wrzasków poznałbym, że to ty. Po ciężkich krokach.

— Ślepy nicpoń — odcięłam się. — Żałosny Tatar! Tacy jak ty to dopust Boży! Niech Allah ześle na ciebie zasłużoną karę!

Kiedyś takie słowne utarczki nie robiły na mnie wrażenia. Nie traktowałam ich poważnie. Drzwi otworzył mi ojciec Hasana. Był Abchazem, człowiekiem szlachetnym i uprzejmym.

— Co tym razem przyniosłaś? — zapytał.

— Czy twój gnuśny syn jeszcze śpi?

— Jakże mógłby spać? Czeka na wieści od ciebie.

W domu panowały takie ciemności, że za każdym razem, gdy tu przychodziłam, miałam wrażenie, że jestem w grobowcu. Şeküre nigdy nie pytała, co u nich słychać, lecz ja przy każdej okazji wtrącałam jakąś złośliwość na ich temat, żeby nie przyszło jej do głowy wrócić do tej krypty. Trudno uwierzyć, że śliczna Şeküre była kiedyś panią tego domu i mieszkała w nim z synami. Pachniał śmiercią i wiecznym snem. Weszłam głębiej w mrok.

Hasan wyłonił się nagle z ciemności i wyrwał mi list z dłoni, zanim zdążyłam mu go podać. Jak zwykle czekałam cierpliwie, aż zaspokoi ciekawość. Po chwili podniósł wzrok znad kartki.

— To wszystko? — spytał, chociaż wiedział, że nie ma niczego więcej. — Krótki ten liścik — stwierdził, po czym mi go przeczytał:

Drogi Czarny,
przychodzisz do naszego domu i spędzasz tu całe dnie. Mimo to, jak słyszałam, nie napisałeś nawet jednej linijki do księgi mojego ojca. Nie spodziewaj się niczego, dopóki nie ukończysz manuskryptu.

Hasan popatrzył na mnie oskarżycielsko, jakby to była moja wina. Nie lubię ciszy panującej w tym domu.

— Ani słowa o tym, że jest mężatką i że mąż wraca z wojny — powiedział. — Dlaczego?

— A skąd mam wiedzieć? — odparłam. — To nie ja piszę listy.

— Czasami mam co do tego wątpliwości — odrzekł, po czym zwrócił mi list wraz z piętnastoma srebrnikami.

— Niektórzy im więcej zarabiają, tym bardziej skąpią. Ty do nich nie należysz — powiedziałam.

Hasanowi, choć miał wady i swoje złe strony, nie można było odmówić pewnego uroku i inteligencji, nic więc dziwnego, że Şeküre nadal przyjmowała od niego listy.

— O co chodzi z tą księgą ojca Şeküre?

— Mówią, że nasz sułtan ją finansuje.

— Miniaturzyści mordują się przez nią nawzajem. Czy powodem są pieniądze, czy też może to dzieło profanuje naszą religię? Podobno wystarczy spojrzeć na ilustracje, a człowiek traci wzrok.

Uśmiechnął się, a ja od razu wiedziałam, że nie powinnam traktować jego słów poważnie. Zresztą, nawet gdyby chodziło o coś naprawdę ważnego, i tak nie przejąłby się moimi uczuciami. Podobnie jak wielu mężczyzn, korzystających z moich usług, Hasan wyżywał się na mnie, gdy tylko ucierpiała jego duma. Ja zaś udawałam oburzenie, by go udobruchać — to także należało do moich obowiązków. Młode kobiety natomiast obejmowały mnie i płakały, gdy ktoś zranił ich uczucia.

— Bystra z ciebie kobieta — powiedział pojednawczo. Sądził, że mnie urazi. — Przekaż ten list jak najszybciej. Ciekaw jestem odpowiedzi tego głupca.

Miałam ochotę zauważyć, że Czarny nie jest głupcem. Bałam się jednak, że Hasan wpadnie w złość.

— Znasz tego tatarskiego żebraka siedzącego u wylotu ulicy? — spytałam. — Straszny z niego prostak.

Skręciłam w drugą stronę, by uniknąć spotkania ze ślepcem, i tym sposobem znalazłam się na placu handlarzy drobiem. Dlaczego muzułmanie nie jedzą kurzych łapek i głów? Bo są dziwni. Moja świętej pamięci babka opowiadała mi, że kiedy przyjechała tu z Portugalii, przyrządzała rodzinie dania z kurzych łapek, bo były najtańsze.

Na Kemeraralık spotkałam kobietę jadącą na koniu w asyście niewolników. Siedziała dumnie wyprostowana niczym mężczyzna. Może była żoną albo córką paszy. Gdyby ojciec Şeküre nie był tak ślepo oddany księgom, a jej mąż wrócił z wojny z bogatymi łupami, dziewczyna mogłaby żyć jak ta wyniosła kobieta. Zasługiwała na to.

Kiedy dotarłam na ulicę, przy której mieszkał Czarny, serce zaczęło mi bić szybciej. Czy chciałam, żeby Şeküre poślubiła tego człowieka? Udawało mi się utrzymać jej znajomość z Hasanem i jednocześnie nie dopuścić do ich spotkania. Ale co z Czarnym? Sprawiał wrażenie człowieka twardo stąpającego po ziemi i to pod każdym względem, jeśli przymknąć oko na miłość do Şeküre.

— Jedwabie, sakiewki, pończochy!

Nie ma nic przyjemniejszego niż przekazywanie listów kochankom udręczonym samotnością lub pozbawionym żony czy męża. Nawet jeżeli spodziewają się najgorszych wieści, przez ich ciało przebiega dreszcz podniecenia, gdy otwierają list.

Nie wspominając słowem o powrocie męża i ograniczając się do ostrzeżenia, by nie robił sobie nadziei, Şeküre w istocie dawała Czarnemu znacznie więcej. Z przyjemnością patrzyłam, jak mężczyzna czyta list. Był taki szczęśliwy, a jednocześnie roztargniony i niepewny. Kiedy odszedł, by napisać odpowiedź, rozwiązałam tobołek i wyjęłam z niego czarną sakiewkę z zamiarem sprzedania jej jego hałaśliwej gospodyni.

— To najlepszy perski aksamit — zapewniłam.

— Mój syn zginął na wojnie z Persją — odparła. — Od kogo Czarny dostaje te listy?

Domyślałam się, że planuje ożenić go ze swoją kościstą córką albo kto wie, z kim jeszcze.

— Od nikogo ważnego — odpowiedziałam. — To tylko biedny krewny, który umiera w szpitalu w dzielnicy Bajrampasza i potrzebuje pieniędzy.

— Ach tak — mruknęła bez przekonania. — A kim jest ten biedak?

— Jak twój syn zginął na wojnie? — spytałam, unikając odpowiedzi.

Popatrzyłyśmy na siebie z wrogością. Ona była wdową i musiała sobie radzić sama. Nie miała łatwego życia. Gdybyście tak jak ja handlowali tkaninami i doręczali listy, wiedzielibyście, że tylko bogactwo, władza i słynne romanse przyciągają ludzką ciekawość. Reszta to troski, rozłąka, zazdrość, samotność, wrogość, łzy, plotki i nie kończąca się bieda. Takie rzeczy nigdy się nie zmieniają, podobnie jak przedmioty w domu: wyblakły kilim, chochla i miedziany rondelek na pustej płycie kuchennej, szczypce i pojemnik na popiół, dwa zniszczone kufry — mały i duży — stojak na turbany, mający ukryć fakt, że kobieta żyje samotnie, i stara szabla do straszenia złodziei.

Czarny wrócił z sakiewką w ręku.

— Weź to — powiedział na tyle głośno, by usłyszała wścibska gospodyni — i zanieś cierpiącemu pacjentowi. Będę czekał na wiadomość, gdyby chciał mi coś przekazać. Znajdziesz mnie w domu wuja przez cały dzień.

Nie musiał uciekać się do takich sztuczek. Nie było powodu, by taki dzielny młody człowiek ukrywał swoje miłosne zabiegi oraz to, że otrzymuje listy od ukochanej i odpowiada na nie, posyłając dziewczynie drobne prezenty. A może naprawdę interesował się córką gospodyni? Chwilami mu nie ufałam i bałam się, że oszukuje Şeküre. Jak to możliwe, by cały dzień spędzał w jej domu i nie mógł się z nią porozumieć?

Po wyjściu na ulicę natychmiast otworzyłam sakiewkę. Było w niej dwanaście srebrnych monet i list. Nie mogłam się już doczekać, by Hasan mi go przeczytał, więc prawie biegiem przebyłam drogę do jego domu. Sprzedawcy warzyw wystawili przed sklepy kapustę, marchew i inne jarzyny, lecz ja nawet nie dotknęłam tłuściutkich porów, które aż się prosiły, by je popieścić.

Ślepy Tatar już czekał, by mi dokuczyć.

— Tfu! — plunęłam w jego stronę. Czemu ci włóczędzy nie pozamarzają na śmierć?

Niecierpliwie czekałam, aż Hasan przeczyta list. W końcu, nie mogąc już wytrzymać, spytałam:

— No i co?

Wtedy zaczął czytać na głos:

Moja najdroższa Şeküre,
prosisz o to, bym napisał tekst do księgi Twojego ojca. Zapew-
niam Cię, że to mój jedyny cel. Dlatego do Was przychodzę; nie
po to, by Cię nękać, jak wcześniej wspomniałaś. Doskonale zda-
ję sobie sprawę z tego, że moja miłość do Ciebie to wyłącznie
moja sprawa. Lecz z powodu tego uczucia nie jestem w stanie
wziąć pióra do ręki i napisać tego, o co Twój ojciec, a mój drogi
wuj, mnie prosi. Kiedy tylko wyczuwam Twoją obecność, zaci-
nam się i nie ma ze mnie żadnego pożytku. Długo się nad tym
zastanawiałem i doszedłem do wniosku, że powód mojej nie-
mocy może być tylko jeden: po dwunastu latach zobaczyłem Cię
tylko raz, kiedy pokazałaś się w oknie. Teraz boję się, że nigdy
więcej Cię nie ujrzę. Gdybym mógł spojrzeć na Ciebie z bliska,
przestałbym się obawiać, że Cię stracę, i spokojnie zająłbym
się książką Twojego ojca. Wczoraj Şevket zaprowadził mnie do
opuszczonego domu Żyda Wisielca. Pójdę tam dziś i będę na
Ciebie czekał. Przyjdź, kiedy będziesz mogła. Şevket wspomniał
też o tym, jakoby śniło Ci się, że Twój mąż nie żyje.

Hasan czytał list drwiącym tonem, przy niektórych fragmentach podnosząc już i tak wysoki głos, a przy innych naśladując błagalny głos kochanka, który stracił rozum. Zlekceważył fakt, że Czarny prośbę o spotkanie z Şeküre napisał po persku.

— Gdy tylko Şeküre dała mu nadzieję, natychmiast zaczął się targować — zauważył. — Nie do takich sposobów ucieka się szczerze kochający.

— On ją kocha szczerze — wyrwało mi się nieopatrznie.

— Widzę, że trzymasz jego stronę — stwierdził. — Jeżeli Şeküre napisała, że śniło jej się, iż mój brat nie żyje, to najwyraźniej pogodziła się ze śmiercią męża.

— To był tylko sen — zaprotestowałam zupełnie niepotrzebnie.

— Wiem, jaki z Şevketa sprytny chłopak. Tyle lat mieszkaliśmy razem. Bez zgody matki nigdy nie zaprowadziłby Czarnego do tego opuszczonego domu. Jeżeli ona myśli, że zerwała ostatecznie z moim bratem i z nami, to jest w wielkim błędzie. Mój brat żyje i wróci z wojny.

Mówiąc to, przeszedł do drugiego pokoju, gdzie chciał zapalić świecę, lecz poparzył sobie palce. Zawył z bólu i włożył je do ust. W końcu udało mu się i postawił świecę na składanym biurku. Wziął pióro, umoczył je w kałamarzu i zaczął gorączkowo pisać. Czuł, że mu się przyglądam, uśmiechnęłam się więc szeroko, by pokazać, że się nie boję.

— Wiesz, kim był ten Żyd Wisielec? — spytał.

— Tuż za tymi domami stoi jeden żółty. Podobno Mosze Hamon, ulubiony lekarz poprzedniego sułtana i najbogatszy z ludzi, ukrywał tam żydowską kochankę z Amasyi i jej brata. Przed laty, w wigilię święta Paschy, kiedy w żydowskiej dzielnicy zaginął młody Grek, rozeszła się plotka, że został uduszony, a jego krew dodano do macy. Znaleźli się fałszywi świadkowie i zaczęła się rzeź żydów. Ale ulubiony lekarz sułtana pomógł uciec pięknej kobiecie i jej bratu, ukrył ich za zgodą władcy. Kiedy sułtan umarł, jego przeciwnikom nie udało się znaleźć kobiety, lecz powiesili brata, który mieszkał tam samotnie.

— Jeśli Şeküre nie będzie czekać na mojego brata, ukarzą ją — powiedział Hasan, wręczając mi listy.

Na jego twarzy nie było widać gniewu czy złości, tylko zawód i smutek zakochanego mężczyzny. Nagle zauważyłam, jak bardzo się postarzał. Pieniądze, które zarabiał jako celnik, nie odmładzały go. Pomyślałam, że mógłby zostawić te wszystkie pogardliwe grymasy i pogróżki i zapytać mnie, jak odzyskać Şeküre. Lecz zło wzięło go już we władanie i nie umiał prosić. Kiedy ktoś przejdzie na jego stronę — a odtrącona miłość to najlepszy powód — staje się okrutny. Zaniepokoiła mnie ta myśl. Przypomniałam sobie też o ostrej czerwonej szabli, o której tyle opowiadali mi chłopcy Şeküre. Tak się zdenerwowałam, że skręciłam w nieodpowiednią stronę i padłam ofiarą przekleństw ślepego żebraka. Zaraz jednak zebrałam się w sobie, podniosłam z ziemi mały kamień i rzuciłam mu jako jałmużnę.

— Masz, parszywy Tatarze.

Patrzyłam bez uśmiechu, jak sięga po kamień, który wziął za monetę. Nie zwracając uwagi na jego przekleństwa, poszłam do jednej z moich córek.

Poczęstowała mnie plackiem ze szpinakiem. Była to, co prawda, resztka, lecz wciąż krucha. Na obiad przygotowała gulasz jagnięcy w ciężkim sosie z jajek, przyprawionym kwaśnymi śliwkami, tak jak lubiłam. Żeby jej nie rozczarować, zjadłam aż dwie porcje, zagryzając świeżym chlebem. Dostałam też kompot z winogron. Włożyłam sobie do niego łyżeczkę dżemu z płatków róż. Później poszłam oddać listy mojej smutnej Şeküre.

26.
Ja, Şeküre

Właśnie składałam pranie, które wczoraj zostało rozwieszone do wyschnięcia, kiedy Hayriye oznajmiła, że przyszła Ester... A przynajmniej taką wersję zdarzeń chcę wam przedstawić. Dlaczego jednak miałabym kłamać? Tak naprawdę, kiedy przyszła Ester, podglądałam ojca i Czarnego przez otwór w szafie, czekając niecierpliwie na listy od niego i Hasana. Czułam instynktownie, że obawy ojca o własne życie są uzasadnione, wiedziałam też, że Czarny nie będzie wiecznie mnie adorował. Był zakochany, bo chciał się ożenić, a ponieważ chciał się ożenić, zakochał się. Jeżeli nie we mnie, to zakochałby się w innej. Jeżeli nie ze mną, to ożeniłby się z inną, wcześniej się w swojej wybrance zakochując.

Hayriye posadziła Ester w rogu kuchni i dała jej szklankę sorbetu z róży, po czym spojrzała na mnie z wyrzutem. Podejrzewałam, że odkąd została kochanką ojca, opowiadała mu o wszystkim, co dzieje się w domu.

— Moja czarnooka dziewczyno, moja nieszczęśliwa piękności, moja piękności nad pięknościami, spóźniłam się, bo Nesim, mój wieprzowaty mąż, zawracał mi głowę najróżniejszymi bzdurami — powiedziała Ester. — Mam nadzieję, że doceniasz to, iż nie masz męża prawiącego bezsensowne kazania.

Wyjęła listy. Chwyciłam je pospiesznie. Hayriye usunęła się w kąt, by nie przeszkadzać, lecz i tak słyszała wszystko, o czym mówiłyśmy. Odwróciłam się do Ester plecami, by nie widziała wyrazu mojej twarzy, i najpierw przeczytałam list od Czarnego. Z drżeniem pomyślałam o domu Żyda Wisielca. Nie bój się, powiedziałam do siebie w duchu, dasz sobie radę, po czym otworzyłam list od Hasana. Ten człowiek był najwyraźniej na granicy szaleństwa.

Şeküre,
płonę z pożądania, chociaż wiem, że nic Cię to nie obchodzi. W marzeniach uganiam się za Tobą po bezludnych wzgórzach. Kiedy nie odpowiadasz na moje listy — chociaż wiem, że je czytasz — to wbijasz mi strzałę prosto w serce. Piszę w nadziei, że tym razem odpowiesz. Wiadomość się rozeszła, wszyscy o tym mówią, nawet Twoje dzieci. Podobno śniło Ci się, że Twój mąż nie żyje, i teraz uważasz się za wolną. Nie wiem, czy to prawda, za to wiem, że nadal jesteś żoną mojego starszego brata i należysz do jego rodziny. Teraz kiedy ojciec przyznał mi rację, zamierzamy udać się do sędziego, by ten nakazał Ci do nas wrócić. Przyjdziemy z grupą ludzi, uprzedź więc ojca. Zbierz swoje rzeczy i bądź gotowa do powrotu. Prześlij jak najszybciej odpowiedź przez Ester.

Przeczytałam list jeszcze raz, żeby się uspokoić, i rzuciłam Ester pytające spojrzenie, lecz ona nie powiedziała mi niczego nowego o Hasanie lub Czarnym.

Wyjęłam trzcinkę, którą trzymałam schowaną w spiżarni, położyłam kartkę papieru na desce do krojenia chleba i już miałam zacząć list do Czarnego, gdy nagle przyszło mi coś do głowy. Odwróciłam się do Ester. Popijała sorbet z rozkoszą spragnionego dziecka. To śmieszne przypuszczać, że domyśla się, co zamierzam zrobić.

— Jak słodko się uśmiechasz, droga moja — powiedziała.

— Nie martw się, wszystko będzie dobrze. W Stambule aż roi

się od bogatych mężczyzn, którzy oddaliby duszę, by poślubić tak piękną i inteligentną dziewczynę jak ty.

Rozumiecie, o co mi chodzi? Czasami człowiek powie coś zgodnie ze swoim przekonaniem, zaraz jednak zadaje sobie pytanie, dlaczego zabrzmiało to tak niezdecydowanie, chociaż głęboko w to wierzy? Podobnie było ze mną.

— Ester, kto zechce ożenić się z wdową z dwojgiem dzieci? — spytałam.

— Z taką jak ty? Mnóstwo mężczyzn — odpowiedziała, zataczając ręką szeroki łuk.

Popatrzyłam jej w oczy i pomyślałam, że jej nie lubię. Milczałam przez dłuższą chwilę, domyśliła się więc, że nie dam jej żadnego listu i lepiej będzie, jeśli sobie pójdzie. Gdy wyszła, schroniłam się w mojej części domu, by zajrzeć w głąb własnej duszy i odnaleźć spokój.

Oparłam się o ścianę i stałam tak w ciemności. Zastanawiałam się, co powinnam zrobić i dlaczego się boję. Z góry dochodziły głosy bawiących się synów.

— Jesteś bojaźliwy jak dziewczyna — mówił Şevket. — Atakujesz tylko od tyłu.

— Ząb mi się rusza — powiedział Orhan.

Jakaś część mojego umysłu starała się skupić na tym, co robią ojciec i Czarny. Niebieskie drzwi do pracowni były otwarte, słyszałam więc ich rozmowę:

— Patrząc na portrety weneckich mistrzów — perorował ojciec — uświadamiamy sobie z przerażeniem, że oczy są nie tylko otworami w twarzy, lecz sprawiają wrażenie prawdziwych oczu, które odbijają światło jak lustro i wchłaniają je jak studnia. Usta nie są jedynie szczeliną pośrodku twarzy, płaską jak papier, lecz dwiema wypukłościami — o różnych odcieniach czerwieni — oddającymi nasze radości, smutki i myśli poprzez odpowiednie ułożenie. Nasze nosy nie są czymś w rodzaju przegrody dzielącej twarz, lecz żywymi i ciekawymi instrumentami o niepowtarzalnych kształtach.

Czy Czarny był równie jak ja zdumiony tym, że ojciec utożsamia się z tymi niewiernymi dżentelmenami z portretów? Zauważyłam, że jest blady, co bardzo mnie zaniepokoiło. Mój ukochany, mój zatroskany bohaterze, czyżby myśli o mnie spędzały ci sen z powiek? Czy dlatego rumieńce znikły z twojej twarzy?

Może nie wiecie, ale Czarny jest wysokim, szczupłym, przystojnym mężczyzną. Ma szerokie czoło, migdałowe oczy i piękny prosty nos. Jego dłonie są długie i szczupłe, a palce ruchliwe i zwinne. Trzyma się prosto, ma umięśnioną sylwetkę i szerokie ramiona, lecz nie tak szerokie jak nosiwoda. Kiedy był młodszy, jego ciało i twarz nie były jeszcze do końca ukształtowane. Po dwunastu latach ten mój czarny uciekinier zbliżył się do ideału mężczyzny.

Przyglądając mu się przez otwór w ściance szafy, dostrzegłam troskę na jego twarzy. Poczułam jednocześnie dumę i wyrzuty sumienia, że tak cierpi z mojego powodu. Słuchał ojca, oglądając ilustracje z wyrazem dziecięcej niewinności na twarzy. W chwili gdy otworzył usta, wyobraziłam sobie, że chwyta nimi moją pierś, a ja obejmuję go za kark i wsuwam mu palce we włosy. On kryje twarz między moimi piersiami, jak robią to moi synowie, i ssie mój sutek. Kiedy zrozumiał, że tylko dzięki mnie osiągnie spokój, oddał swój los w moje ręce.

Spociłam się lekko, wyobrażając sobie, jak Czarny patrzy z zachwytem i zdumieniem na moje pełne piersi zamiast na wizerunek szatana, który ojciec mu właśnie podsuwał. I nie tylko na piersi — fantazjowałam, że w upojeniu przesuwa wzrokiem po moich włosach, szyi i całej reszcie. Tak był mną zauroczony, że pozwalał sobie na nic nie znaczące słodkie dowody uczucia, których nie mógł okazać jako młodzieniec. Jego spojrzenie mówiło mi, jak bardzo podziwia moją dumę, maniery, wychowanie, cierpliwość i odwagę, z jaką czekam na męża, a także piękno moich listów, które do niego piszę.

Gniewało mnie, że ojciec robi wszystko, bym nie mogła ponownie wyjść za mąż. Miałam również dość tych ilustracji, które kazał namalować miniaturzystom w stylu zachodnich mistrzów, i niedobrze robiło mi się od jego opowieści o Wenecji.

Kiedy znowu zamknęłam oczy — to działo się wbrew mojej woli — wyobraziłam sobie, że Czarny podszedł do mnie w ciemności. Poczułam jego usta na karku i końcach uszu. Był taki męski i silny, że mogłam się na nim wesprzeć. Czułam się przy nim bezpieczna. Dreszcz przebiegł mi po karku, a sutki stwardniały. Niemal czułam na plecach jego nabrzmiały członek. Zakręciło mi się w głowie. Ciekawe, jak on jest zbudowany?

Czasami śniło mi się, że mąż mi go pokazuje. Szedł ku mnie, cały zakrwawiony i naszpikowany perskimi strzałami. Niestety staliśmy na przeciwległych brzegach rzeki. Kiedy wołał coś do mnie, brocząc krwią, zauważyłam, że jego członek nabrzmiał. Jeżeli to prawda, co mówiła młoda Gruzinka w łaźni i co mówią stare wiedźmy — „Tak, robi się duży" — to członek mojego męża wcale nie był taki wielki. Jeżeli Czarny ma większy, jeżeli to pokaźne wybrzuszenie poniżej pasa, które wczoraj widziałam, gdy rozwinął pustą karteczkę przyniesioną przez Şevketa, to jest właśnie jego członek — a wszystko na to wskazywało — będę bardzo cierpieć. Jeżeli w ogóle zdoła we mnie wejść.

— Mamo, Şevket się ze mnie śmieje.

Opuściłam ciemne wnętrze szafy i cicho przeszłam do pokoju po drugiej stronie korytarza. Wyjęłam z kufra czerwoną kamizelkę z grubego sukna. Chłopcy krzyczeli i dokazywali na moim materacu.

— Czy nie prosiłam was, byście zachowywali się cicho, gdy przychodzi Czarny?

— Mamo, dlaczego włożyłaś czerwoną kamizelkę? — spytał Şevket.

— Mamo, Şevket się ze mnie śmieje — poskarżył się znowu Orhan.

— Prosiłam, żebyś się z niego nie śmiał. I co to za obrzydlistwo?

Na podłodze leżał kawałek zwierzęcej skóry.

— To padlina — wyjaśnił Orhan. — Şevket znalazł ją na ulicy.

— Natychmiast to stąd zabierzcie i wyrzućcie tam, skąd wzięliście.

— Niech Şevket to zrobi.

— W tej chwili!

Zagryzłam gniewnie wargę i dałam im po klapsie. Widząc, że nie żartuję, uciekli przestraszeni. Miałam nadzieję, że zaraz wrócą, bo na dworze był mróz.

Ze wszystkich miniaturzystów zawsze najbardziej lubiłam Czarnego. On też darzył mnie większą sympatią niż inni, a ja dobrze go rozumiałam. Wyjęłam pióro, papier i bez chwili namysłu napisałam taki oto liścik:

Dobrze. Spotkajmy się w domu Żyda Wisielca przed wieczorną modlitwą. Skończ księgę ojca jak możesz najszybciej.

Hasanowi nie odpisałam. Nawet jeżeli poszedł dziś do sędziego, to i tak nie zjawi się w naszym domu. Gdyby rzeczywiście coś takiego planował, nie napisałby o tym i nie czekał na odpowiedź. Kiedy jej nie otrzyma, wpadnie we wściekłość i dopiero wtedy zacznie zbierać ludzi i szykować się do porwania mnie. Nie myślcie, że w ogóle się go nie bałam. Liczyłam jednak na to, że Czarny mnie obroni. A teraz przyznam się wam do czegoś: nie boję się Hasana, bo go kocham.

Nie zdziwiłabym się, gdybyście nie dali temu wiary i zastanawiali się, o co chodzi z tą miłością. Nie mogłam nie zauważyć przez te wszystkie lata oczekiwania pod jednym dachem na powrót mego męża, jaki Hasan jest żałosny, słaby i samolubny. Teraz jednak, gdy — jak powiedziała Ester — dużo zarabia (a ja zawsze poznaję po uniesionych brwiach, czy ona mówi prawdę), stał się pewny siebie, a zamiast dawnej wyniosłości pojawiła się jakaś mroczna, diabelska cecha, która mnie pociąga. Odkryłam ją w listach, z takim uporem mi przysyłanych.

Zarówno Czarny, jak i Hasan cierpieli z miłości do mnie. Czarny zniknął i przez dwanaście lat podróżował po świecie. Hasan każdego dnia przysyłał mi listy z rysunkami ptaków i gazel na marginesach. Z początku się go bałam, a potem uległam czarowi tej korespondencji.

Zawsze bardzo interesowało go wszystko, co ma związek ze mną, nic więc dziwnego, że dowiedział się, co mi się śniło. Podejrzewam też, że Ester daje mu do przeczytania listy, które piszę do Czarnego, dlatego tym razem nie wręczyłam jej mojej odpowiedzi. Wiecie lepiej ode mnie, że moje przypuszczenia są uzasadnione.

— Gdzie byliście? — zapytałam synów, gdy wrócili.

W lot pojęli, że się na nich nie gniewam. Dyskretnie odciągnęłam Şevketa na bok, posadziłam go sobie na kolanach, pocałowałam w głowę i kark.

— Zmarzłeś, kochanie — powiedziałam. — Daj te śliczne łapięta, mamusia je rozgrzeje.

Pachniały padliną, lecz nie zwracałam na to uwagi. Przytuliłam jego głowę do piersi i mocno objęłam. Po chwili zrobiło mu się cieplej i zaczął mruczeć jak zadowolony kociak.

— Kochasz mamusię?

— Mhm.

— Czy to znaczy „tak"?

— Tak.

— Najbardziej ze wszystkich?

— Tak.

— W takim razie coś ci powiem — oznajmiłam, jakbym miała wyjawić sekret. — Ale nie mów nikomu, dobrze? Ja też cię bardzo kocham — szepnęłam mu do ucha.

— Bardziej niż Orhana?

— Bardziej niż Orhana. Orhan jest jak mały ptaszek, niczego nie pojmuje. Ty jesteś mądrzejszy i wszystko rozumiesz.

— Ucałowałam go we włosy, chłonąc ich zapach. — Dlatego chcę cię o coś prosić. Pamiętasz, jak podałeś wczoraj Czarnemu pustą kartkę papieru? Zrobisz dzisiaj to samo?

— To on zabił ojca.

— Co?

— Zabił mojego ojca. Sam mi to wczoraj powiedział w domu Żyda Wisielca.

— Co takiego ci powiedział?

— „Zabiłem twojego ojca", powiedział. „Zabiłem mnóstwo ludzi", powiedział.

Şevket zsunął się z moich kolan i rozpłakał. Dlaczego właśnie teraz? Dobrze, przyznaję, zdenerwowałam się i uderzyłam go. Nie chciałabym, żebyście uznali mnie za kobietę bez serca. Lecz jak mógł powiedzieć coś tak bezsensownego o człowieku, którego zamierzałam poślubić, mając na względzie ich dobro?

Mój biedny, osierocony synek wciąż płakał, co bardzo mnie zmartwiło. Ja również byłam na granicy łez. Przytuliłam go do piersi. Jeszcze przez chwilę spazmatycznie oddychał. Czy to klaps wywołał taki potok łez? Wzburzyłam mu włosy na głowie.

Oto co było tego przyczyną. Wczoraj, jak już wiecie, powiedziałam ojcu, że śniło mi się, iż mój mąż nie żyje. W ciągu tych czterech lat mąż śnił mi się często, lecz przeważnie krótko. W marzeniach pojawiał się także trup, ale czy to on był tym trupem? Pozostawało to dla mnie zagadką.

Sny służą różnym celom. Na przykład w Portugalii, skąd pochodzi babka Ester, wykorzystywano je jako dowód, że ktoś jest heretykiem i obcuje z diabłem. Chociaż przodkowie Ester zapewniali, że są katolikami, a nie żydami, nie przekonało to jezuickich katów z portugalskiego Kościoła. Poddali ich torturom, zmuszając, by opisali dżiny i demony ze snów, a także wmawiali im sny, których nigdy nie mieli. A potem spalili ich na stosie. Tak oto można manipulować snami, by dowieść, że ktoś ma konszachty z diabłem, a potem go oskarżyć i skazać na śmierć.

Sny przydają się w trzech sprawach:

ALIF. Gdy czegoś pragniesz, a nie możesz o to poprosić. Wówczas mówisz, że ci się to śniło. Dzięki temu możesz prosić, o co chcesz, bez konieczności proszenia.

BA. Gdy chcesz wyrządzić komuś krzywdę. Na przykład zniesławić kobietę. Wówczas mówisz, że taka to a taka dopuściła się zdrady. Albo taki to a taki pasza kradnie wino. Śniło mi się to, mówisz. Nawet jeżeli ci nie uwierzą, to będą o tym pamiętać.

DŻIM. Gdy czegoś pragniesz, lecz nie wiesz czego. Opowiadasz więc niezrozumiały sen. Przyjaciele lub rodzina natychmiast ci go wyjaśniają i mówią, czego potrzebujesz lub jak ci mogą pomóc. Stwierdzają na przykład: „Potrzebujesz męża, dziecka, domu"...

Sny, które opowiadamy, nigdy nie są dokładnie tymi, które nam się śniły. Ludzie opisują jedynie to, o czym „śnili" w ciągu dnia, i zawsze mają w tym jakiś ukryty cel. Tylko głupiec zdradza, co mu się śni w nocy. Czyniąc to, narazilibyście się na śmieszność lub uznano by wasz sen za zły omen. Nikt nie bierze na poważnie prawdziwych snów, łącznie z tymi, co je śnili, prawda?

Opowiadając swój sen, wspomniałam, że mój mąż prawdopodobnie jest martwy. Ojciec początkowo nie chciał uznać tego za fakt, lecz po powrocie z pogrzebu nagle zmienił zdanie i oświadczył, że mój mąż rzeczywiście nie żyje. Takim to sposobem wszyscy uwierzyli, że mój mąż — który do tej pory uchodził wręcz za nieśmiertelnego — zginął we śnie. Przekonało ich to, bardziej nawet, niż gdyby jego śmierć została publicznie ogłoszona. Wtedy to chłopcy uświadomili sobie, że zostali bez ojca i zaczęli go opłakiwać.

— Czy tobie coś się śni? — spytałam Şevketa.

— Tak — odparł z uśmiechem. — Ojciec nie wraca, a ja biorę sobie ciebie za żonę.

Z wąskim nosem, ciemnymi oczami i szerokimi ramionami był bardziej podobny do mnie niż do ojca. Czasami czułam się winna, że nie zdołałam przekazać dzieciom szerokiego czoła męża.

— Pobaw się z bratem w rycerzy.

— Czy możemy wziąć starą szablę ojca?

— Tak.

Przez jakiś czas wsłuchiwałam się w brzęk metalu, starając się stłumić narastający we mnie lęk i niepokój. Potem zeszłam do kuchni.

— Ojciec już od jakiegoś czasu prosi o ugotowanie zupy rybnej — powiedziałam do Hayriye. — Chyba poślę cię do portu Kadırga. Wyciągnij kilka kawałków suszonej masy z owoców, którą Şevket tak lubi, i daj dzieciom.

Gdy Şevket jadł, zabrałam Orhana na górę. Posadziłam go sobie na kolanach i pocałowałam w kark.

— Jesteś cały spocony — powiedziałam. — Co się stało?

— Şevket uderzył mnie czerwoną szablą wuja.

— Masz siniaka — zauważyłam, po czym dotknęłam zaczerwienionego miejsca. — Boli cię? Jaki ten nasz Şevket nierozważny. Posłuchaj, co ci powiem. Jesteś bardzo mądry i wrażliwy. Dlatego chciałabym cię o coś prosić. Jeżeli to zrobisz, zdradzę ci sekret, o którym nie będzie wiedział ani Şevket, ani nikt inny.

— O co chodzi?

— Widzisz tę kartkę? Pójdziesz do dziadka i wsuniesz ją Czarnemu do ręki tak, by dziadek tego nie zauważył. Rozumiesz?

— Rozumiem.

— Zrobisz to?

— A co to za sekret?

— Najpierw zanieś kartkę. — Ponownie pocałowałam go w kark, który wydzielał zbyt silny zapach. Chociaż „zapach" to łagodne określenie. Skoro o tym mowa: Hayriye dawno nie była z chłopcami w łaźni. Nie odwiedzili jej od czasu, gdy Şevketowi zaczął się podnosić w obecności kobiet. — Później zdradzę ci sekret. — Ucałowałam Orhana. — Jesteś bardzo bystry i bardzo ładny. Twój brat to utrapienie. Ośmieliłby się nawet podnieść rękę na własną matkę.

— Nie zaniosę — odpowiedział. — Boję się Czarnego. To on zabił ojca.

— Şevket ci to powiedział, tak? Biegnij na dół i każ mu tu przyjść.

Orhan dostrzegł gniew na mojej twarzy. Przestraszony zsunął się z kolan i wybiegł z pokoju. Może nawet ucieszył się, że brat wpadł w tarapaty. Chwilę później zjawili się obaj, cali czerwoni na twarzy. Şevket trzymał w jednej ręce suszony owoc, w drugiej — szablę.

— Powiedziałeś bratu, że Czarny zabił ojca — odezwałam
się. — Nie życzę sobie, byś mówił takie rzeczy. Powinniście
okazywać Czarnemu szacunek, rozumiecie? Nie pozwolę, byście byli sierotami.

— Ja go nie chcę. Już wolę wrócić do wuja Hasana i czekać
na ojca — rzucił hardo Şevket.

Tak mnie to zirytowało, że go uderzyłam. Szabla wypadła
mu z ręki.

— Chcę do ojca — powtarzał przez łzy.

Ja również zaczęłam płakać.

— Nie macie ojca, już nie wróci — łkałam. — Zostaliście
sierotami, nie rozumiecie, wstrętne łobuzy?

Płakałam tak głośno, że mogli mnie usłyszeć w sąsiednim
pokoju.

— Nie jesteśmy łobuzami — zaprotestował Şevket.

Wszyscy troje płakaliśmy długo i rzewnie. Łzy zmiękczyły
mi serce. Czułam, że płaczę dlatego, by stać się lepsza. Objęc-
liśmy się i położyliśmy na zwiniętym materacu. Şevket wtulił
mi twarz między piersi, jakby szykował się do snu. Czasami
leżał tak, jakbyśmy byli zrośnięci, lecz wiedziałam, że nie śpi.
Mogłabym się zdrzemnąć, gdyby nie to, że przez cały czas
myślałam o tym, co się dzieje na dole. Czułam zapach gotują-
cych się pomarańczy. Siadłam gwałtownie na łóżku, co zbu-
dziło chłopców.

— Idźcie na dół. Niech Hayriye da wam coś do zjedzenia.

Zostałam sama. Za oknem padał śnieg. Zaczęłam błagać
Allaha o pomoc. Potem otworzyłam Koran i przeczytałam surę *Rodzina Imrana*, mówiącą o tym, że ci, którzy zginęli na
wojnie, krocząc ścieżką Allaha, do Allaha zostaną zabrani.
Przestałam się niepokoić o zmarłego męża. Czy ojciec pokazał
Czarnemu nie dokończony portret naszego sułtana? Mówił,
że wygląda na nim jak żywy — kto na niego spojrzy, z lękiem

odwróci wzrok, tak jak ci, który próbowali patrzeć naszemu władcy prosto w oczy.

Wezwałam do siebie Orhana, posadziłam go sobie na kolanach, pocałowałam w czoło, czubek głowy i policzki.

— A teraz już bez obaw, pamiętając o tym, by dziadek niczego nie zauważył, daj tę kartkę Czarnemu.

— Ząb mi się rusza.

— Jak wrócisz, mogę ci go wyrwać, jeśli tylko zechcesz — odpowiedziałam. — Podejdziesz do Czarnego. Nie będzie wiedział, co zrobić, więc cię przytuli. Wtedy wsuniesz mu kartkę do ręki. Zrozumiałeś?

— Boję się.

— Nie ma się czego bać. Wiesz, kto chciałby zostać waszym ojcem, jeśli nie będzie to Czarny? Wuj Hasan. Chcesz, żeby wuj Hasan był twoim ojcem?

— Nie.

— W takim razie idź, mój śliczny i mądry Orhanie — przekonywałam. — Jeżeli nie pójdziesz, bardzo się rozgniewam. A jeżeli zaczniesz płakać, rozgniewam się jeszcze bardziej.

Złożyłam list i wcisnęłam mu w dłoń, którą wyciągnął w geście bezradności i rezygnacji. Allahu, pomóż mi, by te pozbawione ojca dzieci nie musiały same sobie dawać rady. W progu mój synek obejrzał się i rzucił mi zalęknione spojrzenie.

Stojąc w szafie, obserwowałam jak Orhan zrobił kilka niepewnych kroków w stronę kanapy, na której siedzieli ojciec z Czarnym, po czym zawahał się, nie wiedząc, co dalej robić. Zerknął na otwór w ścianie, jakby szukał mojej pomocy, i wybuchnął płaczem. Przemógł się jednak i ostatnim wysiłkiem woli wspiął się Czarnemu na kolana. On zaś wykazał się sprytem godnym miana ojca moich dzieci, bo nie wpadł w panikę na widok płaczącego dziecka i sprawdził, czy chłopiec nie ma czegoś w ręku.

Orhan wyszedł z pokoju, odprowadzany zaskoczonym spojrzeniem dziadka, a ja wybiegłam mu na spotkanie i serdecznie
ucałowałam. Potem zaprowadziłam do kuchni i napchałam mu
do buzi jego ulubionych rodzynków.

— Hayriye, idź z chłopcami do Kadırgi i kup u Kosty ryb
na zupę dla ojca. Weź te srebrne monety, a wracając, kup za
resztę Orhanowi suszonych żółtych fig i wiśni, Şevketowi zaś
prażony groch i cukierek z orzechami. Pospaceruj z nimi, gdzie
tylko zechcą, aż do wieczornych modłów, pilnuj jednak, by się
nie przeziębili.

Kiedy ubrali się i wyszli, w domu zapadła przyjemna cisza.
Udałam się na górę i wyjęłam spomiędzy pachnącej lawendą
pościeli lusterko, które zrobił mój teść, a mąż ofiarował mi
w prezencie. Powiesiłam je. Odsunęłam się na odpowiednią
odległość, by móc się przejrzeć. Dobrze mi było w kamizelce
z czerwonego sukna, lecz chciałam jeszcze włożyć fioletową
bluzkę matki z jej ślubnej wyprawy. Wyjęłam długą szatę w kolorze pistacjowym, z kwiatami wyhaftowanymi przez moją
babkę, lecz nie spodobała mi się. Kiedy wkładałam fioletową
bluzkę, poczułam chłód i zadrżałam, a wraz ze mną płomień
świecy. Zamierzałam też na wierzch włożyć obszyty futrem
z lisa kaftan, jednak w ostatniej chwili zmieniłam zdanie. Wyszłam po cichu na korytarz i wyjęłam ze skrzyni długi, luźny
wełniany niebieski płaszcz, który kiedyś dostałam od matki.
W tym momencie usłyszałam hałas przy drzwiach i wpadłam
w panikę. Czarny właśnie wychodził. Pospiesznie zmieniłam
niebieski płaszcz na czerwoną, podbitą futrem feradże. Ciasno
opinała mi biust, ale ją lubiłam. Na koniec zakryłam głowę,
a na twarz opuściłam miękką zasłonę.

Oczywiście Czarny jeszcze nie wyszedł, ale byłam tak zdenerwowana, że nic do mnie nie docierało. Jeśli wyjdę z domu
teraz, będę mogła natychmiast oznajmić ojcu, że idę z dziećmi

po ryby. Zbiegłam po schodach cicho jak kot. Delikatnie, niczym duch, zamknęłam drzwi. Przeszłam cichutko przez podwórko, a kiedy znalazłam się na ulicy, zatrzymałam się i obejrzałam na dom, który zza zasłony wydawał się jakiś inny, obcy.

Na ulicy nie było nikogo, nawet kotów. W powietrzu tańczyły płatki śniegu. Z drżeniem weszłam do opuszczonego ogrodu, gdzie nigdy nie dochodziło słońce. Pachniało tu zbutwiałymi liśćmi, wilgocią i śmiercią. Mimo to w domu Żyda Wisielca poczułam się jak u siebie. Podobno nocami spotykają się tu dżiny — rozpalają ogień w piecu i weselą się. Zaskoczył mnie dźwięk własnych kroków rozlegający się w pustych pomieszczeniach. Czekałam, stojąc bez ruchu. Usłyszałam jakiś szelest w ogrodzie, zaraz jednak zapadła cisza. Gdzieś w pobliżu zaszczekał pies. Potrafiłam rozpoznać wszystkie psy w sąsiedztwie, lecz tego nie znałam.

Kiedy znowu zrobiło się cicho, poczułam czyjąś obecność. Nie ruszyłam się z miejsca, by ten ktoś nie usłyszał moich kroków. Jacyś ludzie przeszli ulicą, rozmawiając. Pomyślałam o Hayriye i dzieciach. Jeśli Allah zechce, nie przeziębią się. Powoli do serca zaczęło się zakradać rozczarowanie. Czarny nie przyjdzie. Popełniłam błąd i powinnam wrócić do domu, póki pozostały mi jeszcze resztki dumy. Wyobraziłam sobie, że Hasan mnie obserwuje. W tym momencie usłyszałam czyjeś kroki w ogrodzie. Drzwi się otworzyły.

Gwałtownie zmieniłam pozycję. Nie wiedziałam, dlaczego to zrobiłam, kiedy jednak stanęłam przy oknie, przez które wpadało nikłe światło, pomyślałam, że Czarny zobaczy mnie — używając określenia ojca — „spowitą w mroczne cienie". Zakryłam twarz i czekałam, wsłuchując się w rozlegające się dźwięki.

Wszedł, zobaczył mnie, postąpił kilka kroków do przodu i znieruchomiał. Staliśmy naprzeciw siebie, mierząc się spojrzeniami. Wyglądał na silniejszego i zdrowszego, niż gdy podglądałam go przez otwór w szafie.

— Zdejmij zasłonę — wyszeptał. — Proszę.

— Jestem mężatką. Czekam na powrót męża.

— Zdejmij zasłonę — powtórzył tym samym tonem. — Twój mąż nigdy nie wróci.

— Chciałeś się ze mną spotkać, by mi o tym powiedzieć?

— Nie, chciałem cię zobaczyć. Myślałem o tobie przez dwanaście lat. Zdejmij zasłonę, najdroższa, pozwól mi na siebie popatrzeć.

Zrobiłam, o co prosił. W milczeniu studiował moją twarz i patrzył głęboko w oczy.

— Małżeństwo i macierzyństwo uczyniły cię jeszcze piękniejszą. A twarz masz zupełnie inną od tej, którą zapamiętałem.

— A jaką mnie zapamiętałeś?

— Dręczyła mnie myśl, że obraz, który noszę w sercu, to nie ty, lecz tylko twoje wyobrażenie. Pamiętasz, jak w dzieciństwie rozmawialiśmy o historii Chosrowa i Szirin, którzy zakochali się w swoich podobiznach? Dlaczego Szirin nie zakochała się w nadobnym Chosrowie w chwili, gdy po raz pierwszy ujrzała jego portret wiszący na gałęzi, lecz dopiero za trzecim razem? Powiedziałaś wówczas, że w bajkach wszystko dzieje się trzy razy. Ja zaś twierdziłem, że miłość powinna rozkwitnąć w jej sercu od razu. Czy jednak ktoś mógłby namalować tego młodzieńca na tyle realistycznie, by dziewczyna mogła się w nim zakochać, i na tyle dokładnie, by go rozpoznała? Gdybym przez te dwanaście lat miał taką właśnie twoją podobiznę, pewnie bym aż tak nie cierpiał.

Opowiadał o tych wszystkich miłych sprawach, jak zakochiwanie się w portretach i jego cierpienie, powoli się do mnie zbliżając. Każde jego słowo zapadało w mój umysł i płonęło gdzieś w czeluściach pamięci. Później zastanawiałam się nad nimi, ale w tej chwili ich magię odbierałam instynktownie i to instynkt pchnął mnie ku niemu. Czułam wyrzuty sumienia z powodu bólu, jaki musiał znosić przez te wszystkie lata. Jaki z niego złotousty mówca, jaki dobry człowiek! Niewinny jak dziecko. Wszystko mogłam wyczytać z jego oczu. Darzył mnie tak wielką miłością, że mu zaufałam.

Padliśmy sobie w ramiona. Sprawiło mi to taką radość, że wyrzuty sumienia zniknęły i oddałam się słodkim doznaniom. Przywarłam do niego mocniej, pozwoliłam się pocałować i oddałam mu pocałunek. Cały świat nagle zatonął w półmroku. Pragnęłam, by wszyscy mogli się obejmować tak jak my. Zapomniałam już, jak wygląda miłość. A on wsunął mi język w usta. Ogarnęła mnie taka błogość, że myślałam tylko o dobrych rzeczach, złymi natomiast nie zaprzątałam sobie umysłu.

Opiszę wam, jak tę scenę przedstawiliby mistrzowie miniatury z Heratu, gdyby pewnego dnia ktoś chciał przenieść moją tragiczną historię na papier. Ojciec pokazał mi kiedyś zachwycające ilustracje, na których linijki tekstu drżały niczym liście na wietrze, złocenia na brzegach stron przypominały ścienną ornamentykę, a radość emanująca z przepięknych skrzydeł jaskółki przywodziła na myśl uniesienie kochanków. Zakochani, patrzący na siebie z daleka i dręczący się zawoalowanymi uwagami, byli tacy mali, jakby to nie oni byli bohaterami opowieści, lecz gwiaździsta noc, ciemne drzewa, wspaniały pałac, w którym się spotkali, dziedziniec i piękny ogród, gdzie każdy liść odmalowano z najdrobniejszymi szczegółami. Gdyby jednak przyjrzeć się bliżej sekretnej harmonii kolorów, którą miniaturzysta osiąga poprzez całkowite oddanie się sztuce, i tajemniczemu światłu zalewającemu rysunek, uważny obserwator dostrzegłby, że stworzyła ją sama miłość. Miałam wrażenie, że to światło emanuje z kochanków i z wnętrza ilustracji.

Kiedy Czarny i ja trzymaliśmy się w ramionach, czułam, że cały świat tonie w szczęśliwości.

Sporo jednak w życiu doświadczyłam i wiedziałam, że takie doznania są krótkotrwałe. Czarny delikatnie ujął w dłonie moje pełne piersi. To było przyjemne. Nagle zapragnęłam, by wziął w usta moje sutki. Nie mógł tego zrobić, bo nie bardzo zdawał sobie sprawę z tego, co się z nim dzieje, lecz to go nie powstrzymywało przed dążeniem do czegoś więcej. Stopniowo wkradły się między nas lęk i wstyd. Kiedy Czarny przyciągnął mnie do siebie, poczułam na brzuchu jego twardniejącą męskość. Nie zawstydziło mnie to jednak, raczej wzbudziło ciekawość. Przekonywałam siebie w duchu, że tylko się obejmujemy i tak już pozostanie. Odwracałam głowę, ale nie mogłam oderwać zdumionego wzroku od jego rozmiarów.

Później wszelako, gdy chciał mnie zmusić do wulgarnego czynu, do którego nawet kipczackie kobiety i konkubiny, opowiadające w łaźniach różne zbereźeństwa, nie byłyby zdolne, zamarłam z zaskoczenia i niepewności.

— Nie marszcz brwi, najdroższa — powiedział błagalnym tonem.

Odepchnęłam go i zaczęłam mu wymyślać, nie zwracając uwagi na jego rozczarowanie.

27.
Nazywam się Czarny

W mrocznym wnętrzu domu Żyda Wisielca Şeküre gniewnie zmarszczyła brwi i krzyknęła, że to swoje monstrum, które trzymam w rękach, mogę wsadzać w usta czerkieskim dziewczętom z Tiflisu, kipczackim nierządnicom, biednym pannom sprzedającym się w karczmach, turkmeńskim i perskim wdowom, zwykłym prostytutkom, coraz liczniejszym w Stambule, rozpustnym Gruzinkom, zalotnym Abchazkom, kłótliwym Ormiankom, genueńskim i syryjskim jędzom, komediantom przebranym za kobiety i nienasyconym chłopcom, lecz na pewno nie jej. Zarzuciła mi, że straciłem poczucie przyzwoitości i umiaru, sypiając z tanimi prostaczkami od Persji aż po Bagdad, od bocznych zaułków gorących arabskich miasteczek po brzegi Morza Kaspijskiego, zapominając, że istnieją jeszcze kobiety, które dbają o swoją reputację. Na zakończenie oznajmiła, że wszystkie moje słowa o miłości do niej były nieszczere.

Słuchałem jej cierpliwie, przez co tkwiący w mojej dłoni winowajca zwiądł. Niezręczna sytuacja i odmowa Şeküre głęboko mnie zawstydziły, lecz miało to i swoje dobre strony: zdołałem zapanować nad gniewem i nie odpowiedziałem jej z równą gwałtownością, co często mi się zdarzało w odniesieniu do innych kobiet. Jej wybuch przekonał mnie również o tym, że myślała o mnie częściej, niż mogłem sądzić, i interesowała się moimi podróżami. Zaraz też złagodniała, widząc, jak bardzo jestem rozczarowany.

— Gdybyś naprawdę mnie kochał, namiętnie i obsesyjnie, panowałbyś nad sobą — odezwała się tonem usprawiedliwienia. — Nie obrażałbyś honoru kobiety, w stosunku do której masz poważne zamiary. Nie ty jeden pragniesz mnie poślubić. Czy ktoś widział, jak tu wchodziłeś?

— Nie.

Nagle, jakby usłyszawszy czyjeś kroki w ciemnym ośnieżonym ogrodzie, odwróciła w stronę drzwi swoją cudną twarzyczkę, której przez dwanaście lat nie mogłem sobie przypomnieć, pozwalając, bym nacieszył oczy jej profilem. Po chwili usłyszeliśmy jakiś stukot. Znieruchomieliśmy, lecz nikt się nie pojawił. Przypomniałem sobie, że gdy miała zaledwie dwanaście lat, budziła we mnie dziwne doznanie: zawsze zdawała się wiedzieć więcej niż ja.

— To miejsce nawiedza duch Żyda Wisielca — odezwała się.

— Przychodzisz tu czasem?

— Dżiny, upiory, żywe trupy przybywają tu z wiatrem, wchodzą w przedmioty i hałasują. Wszystko wokół nas przemawia własnym głosem. Nie muszę tu przychodzić, by to słyszeć.

— Şevket przyprowadził mnie tu, żeby pokazać zdechłego kota, lecz go nie znalazł.

— Podobno powiedziałeś mu, że zabiłeś jego ojca.

— Niezupełnie. Przekręcił moje słowa. Powiedziałem, że chciałbym zostać jego ojcem, a nie, że go zabiłem.

— Dlaczego powiedziałeś, że zabiłeś jego ojca?

— Zapytał mnie, czy zabiłem kiedyś człowieka. Odpowiedziałem zgodnie z prawdą, że zabiłem dwóch ludzi.

— Żeby się pochwalić?

— Żeby się pochwalić i zaimponować dziecku, którego matkę kocham, ponieważ zrozumiałem, że pociesza ona swych dwóch małych zbójów, wyolbrzymiając bohaterskie czyny ojca i prezentując resztki jego wojennych łupów.

— Proszę bardzo, przechwalaj się. Oni i tak cię nie lubią.

— Şevket może, ale Orhan mnie lubi — odparłem, ciesząc się w duchu, że przyłapałem ukochaną na pomyłce. — Mimo to będę ojcem dla nich obu.

Zadrżeliśmy w półmroku, jakby jakiś cień przeszedł między nami. Opanowałem się i zobaczyłem, że Şeküre płacze.

— Mój biedny mąż ma brata o imieniu Hasan. Przez dwa lata mieszkałam z nim i teściem, czekając na powrót męża. Nieszczęśnik zakochał się we mnie. Ostatnio zaś stał się bardzo podejrzliwy. Sądzi, że zamierzam ponownie wyjść za mąż, być może za ciebie. Przysłał mi list, w którym napisał, że siłą sprowadzi mnie do domu. Uważa, że skoro w oczach sędziego nie jestem wdową, to muszę wrócić do domu męża. W każdej chwili może się zjawić. Mój ojciec również nie chce, by sędzia ogłosił mnie wdową. Sądzi, że jeżeli dostanę rozwód, znajdę sobie nowego męża i go zostawię. Kiedy wróciłam do niego z dziećmi, bardzo się ucieszył, bo czuł się samotny po śmierci matki. Czy zgodziłbyś się zamieszkać z nami?

— Nie rozumiem.

— Gdybyśmy się pobrali, zamieszkałbyś z ojcem i z nami?

— Nie wiem.

— Rozważ to jak najszybciej. Nie mamy wiele czasu. Ojciec przeczuwa coś złego i chyba ma rację. Gdyby Hasan najechał nasz dom z gromadą janczarów i postawił mojego ojca przed sądem, czy zeznałbyś, że widziałeś ciało mojego męża? Niedawno wróciłeś z Persji, daliby wiarę twoim słowom.

— Zeznałbym, lecz to nie ja go zabiłem.

— W takim razie, czy zgodzisz się zeznać przed obliczem
sędziego, razem z drugim niezbędnym świadkiem, że widziałeś skrwawione ciało mojego męża na polu bitwy w Persji, by
uznano mnie za wdowę?

— Właściwie to go nie widziałem, lecz potwierdzę to przez
wzgląd na ciebie.

— Kochasz moje dzieci?

— Kocham.

— Powiedz mi, za co je kochasz.

— Şevketa kocham za siłę, zdecydowanie, uczciwość, inteligencję i upór — odpowiedziałem. — A Orhana za wrażliwość, delikatność i bystrość. Kocham ich za to, że są twoimi
dziećmi.

Moja czarnooka ukochana uśmiechnęła się lekko i uroniła
parę łez. Potem, jak przystało na kobietę, która chce dużo uzyskać w krótkim czasie, zmieniła temat.

— Trzeba skończyć księgę ojca i przedstawić ją sułtanowi.
Ściąga na nas nieszczęścia.

— Jakie nieszczęścia ściągnęła poza tym, że zamordowano
Eleganta?

To pytanie ją zirytowało. Chociaż bardzo się starała odpowiedzieć przekonująco, jej słowa zabrzmiały nieszczerze:

— Zwolennicy hodży Nusreta rozpuszczają plotki, że księga ojca jest bluźniercza i naśladuje styl niewiernych. Czy miniaturzyści bywający w naszym domu stali się o siebie zazdrośni do tego stopnia, że zaczęli knuć intrygi? Jesteś jednym
z nich, powinieneś wiedzieć.

— Czy brat twojego męża ma coś wspólnego z tymi miniaturzystami, książką lub zwolennikami hodży Nusreta, czy też
trzyma się od tego z dala? — spytałem.

— Nie ma z tym nic wspólnego, lecz wcale nie trzyma się
z dala — odpowiedziała.

Zapadło między nami milczenie.

— Kiedy mieszkałaś razem z Hasanem, czy unikałaś kontaktów z nim?

— Na tyle, na ile było to możliwe w dwupokojowym domu.

Gdzieś na ulicy psy zaczęły wściekle ujadać. Nie mogłem się zdobyć na to, by zapytać Şeküre, dlaczego jej zmarły mąż, który wychodził zwycięsko z tylu bitew i posiadał lenno, uważał za właściwe, by jego żona mieszkała razem z jego bratem w dwupokojowym domu.

— Dlaczego zdecydowałaś się go poślubić? — zapytałem nieśmiało moją ukochaną z dzieciństwa.

— Wiadomo było, że zostanę wydana za mąż — odpowiedziała. Wyjaśniła to w sposób niezwykle sprytny i zwięzły, dzięki czemu nie wychwalała męża, a mnie nie uraziła. — Ty wyjechałeś prawdopodobnie na zawsze. Odszedłeś z urazą w sercu, co mogło być oznaką miłości, lecz urażony kochanek jest kłopotliwy i nie można wiązać z nim przyszłości.

Miała rację, ale nie był to jeszcze wystarczający powód, by poślubić tego drania. Rezerwa malująca się na jej twarzy pozwoliła mi się domyślić, że wkrótce po moim wyjeździe ze Stambułu Şeküre, podobnie jak inni, zapomniała o mnie. Kłamstwo, którym mnie uraczyła, miało pocieszyć moje zranione serce. To niewiele, lecz dobre intencje się liczą, więc powinienem być jej za to wdzięczny. Zacząłem opowiadać, jak podczas podróży nie mogłem o niej zapomnieć, jak nawiedzała mnie w snach niczym duch. To było moje najskrytsze, najgłębsze cierpienie, które, jak sądziłem, nie da się porównać z żadnym innym. Było ono prawdziwe, lecz — co sobie nagle uświadomiłem — nie było wcale szczere.

Moje uczucia i pragnienia są zrozumiałe, lecz powinienem wyjaśnić, skąd wziął się ten rozdźwięk między prawdą i szczerością. Dlaczego ktoś, kto stara się jak najdokładniej przedstawić rzeczywistość, wydaje się nieszczery? Najlepszym przykładem możemy być my, miniaturzyści, ostatnio podenerwowani z powodu zabójstwa jednego z nas. Weźmy idealny wizerunek konia. Bez względu na to, jak wiernie oddaje on prawdziwe zwierzę, stworzone przez Allaha, lub też przypomina konie namalowane przez wielkich mistrzów, nie może oddać szczerości utalentowanego autora, jego stanu ducha. Ta szczerość bowiem nie pojawia się w chwilach rozkwitu weny twórczej, lecz gdy przesuwamy językiem po wargach, popełniamy błędy, czujemy zmęczenie i irytację. Mówię to, mając na względzie młode damy, które doznały zawodu, uświadomiwszy sobie, że nie ma różnicy między pożądaniem, jakie wzbudziła we mnie Şeküre, a szaloną żądzą, jakiej doświadczałem na widok kruchych, śniadych piękności z Kazania o karminowych ustach, spotykanych przeze mnie w czasie podróży. Taka jest prawda. Dzięki niezwykłej, danej przez Boga intuicji Şeküre potrafiła zrozumieć, że byłem w stanie znieść dwanaście lat tortury w imię miłości, jak i to, że przy pierwszej okazji zachowałem się niczym bezwstydny lubieżnik, myślący jedynie o zaspokojeniu własnych pragnień. Nizami porównał usta Szirin, piękności nad pięknościami, do kałamarza wypełnionego perłami.

— Muszę już iść — stwierdziła Şeküre, gdy psy znowu zaczęły ujadać.

W tym momencie oboje zdaliśmy sobie sprawę, że zrobiło się ciemno, chociaż wieczór jeszcze nie zapadł. Moje ciało ponownie obudziło się do życia. Chciałem objąć Şeküre, lecz odskoczyła gwałtownie niczym zraniony ptak.

— Powiedz mi, czy wciąż jestem piękna?

Potwierdziłem to. Słuchała moich słów z wdziękiem i zachłannością.

— A moje szaty?

Potwierdziłem.

— Czy ładnie pachnę?

Wiedziała, że to, co Nizami nazywał miłosną rozgrywką szachową, nie miało nic wspólnego z szachami, lecz dotyczyło miłosnych manewrów kochanków.

— Z czego zamierzasz żyć? — spytała. — Czy będziesz w stanie utrzymać moje dzieci?

Opowiedziałem jej o ponad dwunastu latach doświadczeń podczas pracy w służbie rządowej i urzędniczej, o rozległej wiedzy, jaką zdobyłem na polach bitewnych, obcując ze śmiercią, oraz o czekających mnie świetlanych perspektywach, a potem wziąłem ją w ramiona.

— Jak to pięknie brzmi — oznajmiła. — Mimo to nie czuję już tej aury tajemniczości.

Chcąc udowodnić, że mam szczere zamiary, przytuliłem ją mocniej i spytałem, czemu zwróciła mi przez Ester obrazek, który dla niej namalowałem, chociaż przechowywała go przez dwanaście lat. W jej oczach dostrzegłem zaskoczenie i miłość. Pocałowaliśmy się. Tym razem nie czułem obezwładniającego pożądania. Z zaskoczeniem wsłuchiwaliśmy się w trzepot skrzydeł miłości, który wnikał w nasze serca, piersi i żołądki. Czy kochanie się nie jest najlepszym lekarstwem na miłość?

Kiedy wziąłem w dłonie jej piersi, Şeküre odepchnęła mnie zdecydowanie, lecz z wdziękiem. Oświadczyła, że nie jestem dość odpowiedzialny, by zawrzeć oparty na zaufaniu związek małżeński z kobietą, którą zhańbiłem. Jestem zbyt lekkomyślny, by pamiętać o tym, że za każdym nierozsądnym czynem kryje się szatan, i zbyt niedoświadczony, by wiedzieć, ile cierpliwości i wyrzeczeń wymaga szczęśliwe małżeństwo. Potem skierowała się do drzwi z zasłoną wokół szyi. Kątem oka dostrzegłem padający za oknem śnieg, który wkrótce miała pochłonąć ciemność.

— Co teraz zrobimy?! — krzyknąłem, zapominając, że do tej pory rozmawialiśmy szeptem, by nie zakłócać spokoju duchowi Żyda Wisielca.

— Nie wiem — odpowiedziała zgodnie z zasadami miłosnej rozgrywki szachowej.

Idąc przez stary ogród, zostawiała na śniegu delikatne ślady stóp, pewna, że wkrótce zasypie je biały puch. Zniknęła bezszelestnie.

28.
Nazwą mnie mordercą

Zapewne wy również doświadczyliście tego, o czym chcę opowiedzieć. Czasami, gdy przemierzam kręte uliczki Stambułu, wstępując po drodze do jadłodajni na gulasz warzywny, lub studiuję z uwagą misterny wzór iluminowanej strony, mam wrażenie, jakby teraźniejszość, w której żyję, była przeszłością. To znaczy, gdy idę zasypaną białym puchem ulicą, mam ochotę powiedzieć, że już nią szedłem.

Niezwykłe zdarzenia, o których wam opowiem, rozegrały się jednocześnie w teraźniejszości i przeszłości. Był wieczór, zmierzch powoli zmieniał się w noc, prószył śnieg, a ja dotarłem na ulicę, przy której mieszkał Wuj.

Tego wieczoru dokładnie wiedziałem, czego chcę. Poprzednio, gdy tu przychodziłem, myślałem o różnych sprawach: o tym, że powiedziałem matce, jak zarobiłem siedemset sztuk srebra za jedną księgę, o okładkach zdobionych rozetami przez mistrzów z Heratu, pamiętających czasy Timura, o ciągłym zaskoczeniu, że inni podszywają się pode mnie, lub o popełnionych błędach i grzechach. Tym razem jednak przyszedłem tu w ściśle określonym celu.

Wielka brama prowadząca na podwórze otworzyła się sama w chwili, gdy miałem zamiar zapukać, dzięki czemu nie musiałem się już martwić, jak wejdę do środka. To mnie upewniło, że Allah nade mną czuwa. Wyłożona błyszczącym kamieniem część podwórza, którą tyle razy przemierzałem, gdy przychodziłem tu malować ilustracje do księgi Wuja, była pusta. Z prawej strony przy studni stało wiadro, a na nim siedział wróbel, najwyraźniej nie przejmując się chłodem. Trochę dalej znajdowało się kamienne palenisko, wygasłe pomimo późnej pory. Z lewej strony mieściła się stajnia dla wierzchowców gości, będąca jednocześnie częścią parteru. Wszystko wyglądało tak, jak się tego spodziewałem. Drzwi przy stajni nie stawiały oporu, wszedłem więc do środka i wspinając się po drewnianych schodach do części mieszkalnej, zacząłem tupać i kaszleć, by poinformować o swojej obecności, jak nieproszony gość, który nie chce zaskoczyć domowników.

Mój kaszel nie wywołał żadnego oddźwięku, podobnie jak tupanie ubłoconymi butami, które zdjąłem i postawiłem obok innych u wylotu szerokiego korytarza, pełniącego również funkcję przedpokoju. Jak to miałem w zwyczaju, gdy tu bywałem, rozejrzałem się za eleganckimi zielonymi trzewikami Şeküre, lecz ich nie znalazłem — czyżby nikogo nie było w domu?

Skręciłem w prawo do pokoju — jednego z czterech mieszczących się w rogach korytarza — gdzie, jak sądziłem, Şeküre sypiała z dziećmi. Zacząłem macać rękoma w poszukiwaniu łóżek i materaców, otworzyłem stojącą w kącie skrzynię i ozdobną szafę z bardzo lekkimi drzwiami. W pokoju unosił się delikatny migdałowy zapach. Kiedy zacząłem sobie wyobrażać, że tak pachnie Şeküre, na moją otumanioną głowę spadła poduszka, po czym uderzyła w miedziany dzban i kubki. Słyszycie hałas i nagle uświadamiacie sobie, że jest ciemno — ja natomiast poczułem chłód.

— Hayriye?! — zawołał z drugiego pokoju Wuj. — Şeküre?! Która z was tam jest?!

Wymknąłem się z sypialni i przeszedłem szerokim korytarzem do pokoju z niebieskimi drzwiami, w którym tej zimy pracowałem z Wujem nad księgą.

— To ja, Wuju — powiedziałem.

— To znaczy kto?

Zrozumiałem, że robocze imiona, które wybrał dla nas Wuj, niewiele miały wspólnego z konspiracją, lecz były raczej formą subtelnego żartu. Niczym dumny skryba, uwieczniający siebie w kolofonie na ostatniej stronie pięknie ilustrowanego rękopisu, wolno wyrecytowałem swoje imię, imię ojca, miejsce urodzenia, dodając na zakończenie: „Wasz grzeszny sługa, panie".

— Ha! — odpowiedział Wuj. — Ha!

Potem umilkł jak stary człowiek z asyryjskiej bajki, który spotyka śmierć. Jeśli sądzicie, że skoro wspomniałem o śmierci, to moje przyjście tutaj ma coś z nią wspólnego, to niczego nie zrozumieliście z tej książki. Czy ktoś z takim zamiarem pukałby do bramy, zdejmował buty i nie wziął ze sobą kindżału?

— A więc przyszedłeś — powiedział tak samo jak ten stary człowiek z bajki. Zaraz jednak zmienił ton: — Witaj, mój chłopcze. Powiedz mi, co cię tu przywiodło?

Na dworze zrobiło się już ciemno. Przez wąski otwór okienny — zakryty nasączaną woskiem, a wiosną zdejmowaną tkaniną, za którą rosły granaty i platany — wpadało jednak dość światła, by można było rozróżnić kontury przedmiotów znajdujących się w pokoju i zadowolić pokornego chińskiego iluminatora. Nie widziałem dokładnie twarzy Wuja siedzącego na zwykłym miejscu przy niskim biurku, tak by mieć światło z lewej strony. Bardzo pragnąłem odzyskać zaufanie, jakie mi towarzyszyło, gdy wspólnie pracowaliśmy nad rycinami, dyskutując o nich przez całą noc przy świecy, wśród połyskliwych kamieni, trzcinek, kałamarzy i pędzelków. Nie jestem pewien, czy to dlatego, że czułem się obco, czy może z nieśmiałości, lecz nie znalazłem w sobie dość odwagi, by otwarcie wyjawić dręczące mnie obawy. Postanowiłem więc wyrazić je poprzez pewną opowieść.

Może słyszeliście o artyście Szajchu Mohammadzie z Isfahanu. Żaden malarz nie był w stanie dorównać mu w kolorystyce, wyczuciu symetrii, przedstawianiu ludzi, zwierząt i twarzy, kwiecistej poetyce i wykorzystaniu tajemnic logiki zastrzeżonych dla geometrii. Po uzyskaniu w młodym wieku tytułu mistrzowskiego ten wirtuoz o boskim dotyku poświęcił trzydzieści lat życia na poszukiwanie najbardziej śmiałych innowacji w zakresie tematyki, kompozycji i stylu. To on, posługując się chińską techniką malowania tuszem, sprowadzoną do nas przez Mongołów, z talentem i wyczuciem symetrii wprowadził do subtelnego i precyzyjnego stylu malarstwa z Heratu przerażające demony, dżiny z rogami, konie z olbrzymimi genitaliami, półludzkie potwory i olbrzymy. Pierwszy zainteresował się malarstwem portretowym, które dotarło do nas na statkach z Portugalii i Flandrii. Odświeżył zapomniane techniki z czasów Dżyngis-chana, zachowane w niszczejących starych księgach. Pierwszy też ośmielił się namalować wzwiedziony męski członek, na przykład w scenie przedstawiającej Aleksandra podglądającego pływające nagie piękności na wyspie kobiet i Szirin kąpiącą się przy księżycu. Przedstawił też naszego wielkiego Proroka na grzbiecie uskrzydlonego Al-buraka*, drapiących się władców, kopulujące psy i pijanych szejków, czym zyskał sławę wśród miłośników ksiąg. Robił to — czasami w tajemnicy, czasami jawnie, pijąc ogromne ilości wina i paląc opium — z jednakowym zapałem przez trzydzieści lat. Później, kiedy się zestarzał, stał się zwolennikiem pobożnego szejcha i zupełnie się zmienił. Doszedł do wniosku, że wszystko, co namalował w poprzednich latach, jest bluźniercze i grzeszne, dlatego przez kolejne trzydzieści lat chodził od

---

* Al-burak — legendarny skrzydlaty wierzchowiec, zwykle przedstawiany jako koń lub muł z kobiecą głową. Mahomet odbył na nim podróż z Mekki do Jerozolimy.

pałacu do pałacu, od miasta do miasta, poszukując w bibliotekach i skarbcach sułtanów i królów iluminowanych przez siebie rękopisów, by je zniszczyć. Kiedy już znalazł u jakiegoś szacha, księcia czy szlachcica swój rysunek, nie cofał się przed niczym, by dopiąć celu. Zdobywał do niej dostęp pochlebstwem lub fortelem i gdy nikt nie patrzył, wyrywał stronę albo wylewał na nią wodę.

Opowiedziałem tę historię, by pokazać, jakie męki musi znosić iluminator, jeżeli nieświadomie odrzuci wiarę i poświęci się sztuce. Dlatego też nie mogłem nie wspomnieć o tym, jak Szajch Mohammad spalił ogromną bibliotekę księcia Ismaila Mirzy, zawierającą setki ksiąg z jego iluminacjami. Było ich zbyt wiele, by mógł je pojedynczo eliminować. Z wielką przesadą, jakbym sam w tym uczestniczył, opisałem, jak ów artysta, trawiony żalem i rozpaczą, spłonął w tym strasznym pożarze.

— Boisz się rysunków, które stworzyliśmy, moje dziecko? — spytał Wuj ze współczuciem.

W pokoju było ciemno, mogłem więc jedynie wyczuć, że towarzyszył temu uśmiech.

— Nasza księga przestała być tajemnicą — odpowiedziałem. — Może to nie ma znaczenia, ale szerzą się plotki. Mówią, że popełniliśmy bluźnierstwo, że stworzyliśmy księgę nie taką, jaką zamówił i jakiej oczekiwał od nas sułtan, lecz zgodną z naszymi fantazjami, ośmieszającą nawet naszego Proroka i naśladującą mistrzów niewiernych. Niektórzy zaś twierdzą, że nawet szatan wydaje się w niej życzliwy. Mówią, że niewybaczalnym grzechem jest przedstawianie nędznego ulicznego kundla, końskiego gza i meczetu, jakby były tej samej wielkości, i tłumaczenie, że meczet jest w tle, bo wyśmiewa się w ten sposób również wiernych uczestniczących w modlitwach. Wszystkie te sprawy spędzają mi sen z powiek.

— Wspólnie tworzyliśmy te ilustracje — powiedział Wuj.
— Czy według ciebie to właśnie mieliśmy na myśli? Czy chodziło nam o podobne bluźnierstwa?

— Nie — odparłem zdecydowanie. — Ale skądś się o tym dowiedzieli. Mówią, że ostatnia iluminacja to jawny bunt przeciw religii i naszym świętościom.

— Przecież widziałeś ostatnią ilustrację.

— Nie. Wykonałem jedynie kilka rysunków w różnych miejscach na dużym arkuszu papieru, który miał stanowić podwójną ilustrację — odparłem zgodnie z prawdą i z nadzieją, że zadowolę tym Wuja. — Ale nigdy nie widziałem jej w całości. Gdybym mógł ją zobaczyć, wtedy z czystym sumieniem zaprzeczyłbym tym wstrętnym oszczerstwom.

— Dlaczego czujesz się winny? — spytał Wuj. — Co cię dręczy? Kto zasiał w tobie takie wątpliwości?

— Niepokoi mnie, że po kilku szczęśliwych miesiącach spędzonych na malowaniu ilustracji mogłem naruszyć jakieś świętości. Cierpię męki piekielne... Gdybym tylko mógł zobaczyć tę ostatnią ilustrację w pełnym kształcie...

— Czy to właśnie nie daje ci spokoju? — dopytywał się. — Czy dlatego przyszedłeś?

Nagle wpadłem w panikę. Czyżby przyszło mu do głowy coś podobnie potwornego, jak to, że zamordowałem tego nieszczęśnika Eleganta?

— Ci, którzy chcą zdetronizować naszego sułtana i zastąpić go księciem, utrzymują, że sam władca po cichu wspiera prace nad tą księgą — wyznałem.

— Ilu jest takich, którzy naprawdę w to wierzą? — spytał Wuj ze znużeniem w głosie. — Każdy ambitny imam, który zdobył jakieś uznanie i puchnie z dumy, będzie krzyczał, że pogwałcono zasady religii. To najlepszy sposób na zapewnienie sobie dochodów.

Czy on sądzi, że przyszedłem tu jedynie po to, by przekazać plotki?

— Biedny Elegant — stwierdziłem drżącym głosem. — Niech Bóg da mu wieczne odpoczywanie. Podobno zabiliśmy go, bo zobaczył ostatnią ilustrację i uznał, że urąga naszej wierze. Powiedział mi to majster z pracowni pałacowej. Wiadomo, jacy są czeladnicy, wszyscy plotkują.

Mówiąc to, zapalałem się coraz bardziej. Nie wiem, ile z tego rzeczywiście usłyszałem, ile zmyśliłem ze strachu po pozbyciu się tego nikczemnego oszczercy, a ile było w tym improwizacji. Robiłem, co mogłem, by przypochlebić się Wujowi, licząc na to, że pokaże mi tę dwustronicową ilustrację i rozwieje moje obawy. Czy rozumiał, że tylko tak pokonam trawiący mnie lęk dotyczący pogrążania się w grzechu?

— Czy można malować bluźniercze obrazy, nie zdając sobie z tego sprawy? — spytałem śmiało, zamierzając go przestraszyć.

W odpowiedzi uniósł rękę, jakby mnie ostrzegał, że w pokoju śpi dziecko.

— Zrobiło się bardzo ciemno — zniżył głos niemal do szeptu.

Kiedy od żarzących się węgli z piecyka zapalił świece w lichtarzu, dostrzegłem na jego twarzy dumę, której nigdy wcześniej nie zauważyłem, co bardzo mi się nie spodobało. A może to była litość? Czyżby domyślał się wszystkiego? Czy uznał mnie za nikczemnego mordercę, czy też ogarnął go strach? Nagle straciłem kontrolę nad własnymi myślami i przysłuchiwałem się im, jakby należały do innej osoby. Na przykład w jednym z rogów dywanu zauważyłem wzór przypominający kształtem wilka. Czemu wcześniej nie zwróciłem na niego uwagi?

— Upodobanie chanów, szachów i sułtanów do malarstwa, ilustracji i pięknych ksiąg można podzielić na trzy etapy — powiedział Wuj. — Z początku władcy są odważni, chętni i ciekawi. Potrzebują rysunków, by zyskać szacunek, by przekonać się, jak inni ich postrzegają. W pierwszym okresie zdobywają wiedzę, w drugim zamawiają księgi, by zaspokoić własne pragnienia. Nauczyli się już czerpać przyjemność z posiadania miniatur, zaczynają więc umacniać swoją pozycję, gromadząc jednocześnie księgi, które po ich śmierci zapewnią im sławę. Kiedy jednak nadchodzi jesień życia, przestają się troszczyć o własną nieśmiertelność. Mam tu na myśli marzenie o tym, by nie zapomniały ich przyszłe pokolenia, nasze wnuki. Władcy lubujący się w miniaturach i rękopisach zapewniają ją sobie, bo na wykonanych przez nas rękopisach uwieczniamy ich imiona, a czasami nawet dzieje ich życia. Później jednak każdy z nich dochodzi do wniosku, że ilustracje stanowią przeszkodę w zdobyciu sobie miejsca na tamtym świecie. To właśnie najbardziej mnie martwi i przeraża. Szach Tahmasp, który sam był miniaturzystą i miał nawet własną pracownię, zamknął ją, kiedy poczuł, że zbliża się śmierć. Ogarnięty wyrzutami sumienia zaczął ścigać swoich utalentowanych malarzy z Tabrizu i zniszczył księgi, które stworzył. Dlaczego oni uważają, że miniatura przeszkodzi im w dostaniu się do nieba?

— Doskonale wiecie dlaczego. Ponieważ pamiętają ostrzeżenie Proroka, że w dniu Sądu Ostatecznego Allah okrutnie ukarze malarzy.

— Nie malarzy — sprostował Wuj — lecz twórców. Tak mówi jeden z hadisów Al-Buchariego.

— W dniu końca świata zostaną oni poproszeni o ożywienie stworzonych przez siebie form — zacząłem ostrożnie. — Nie będą mogli tego uczynić, zostaną więc skazani na męki piekielne. Nie wolno zapominać, że w Koranie „Stworzyciel” to jedno z określeń Allaha. To Allah pozwala istnieć nie istniejącemu, ożywia to, co było pozbawione życia. Nikomu nie wolno z nim konkurować. Największy grzech popełniają ci malarze, którzy ośmielają się robić to, co On, którzy uważają, że są równie twórczy jak On. — Powiedziałem to zdecydowanym tonem, jakbym oskarżał Wuja. Spojrzał mi prosto w oczy.

— Czy to właśnie według ciebie robiliśmy?

— Nie — odparłem z uśmiechem. — Ale tak pomyślał Elegant, niech spoczywa w spokoju, gdy zobaczył ostatnią ilustrację. Uznał, że korzystanie z zasad perspektywy i metod weneckich mistrzów to nic innego jak kuszenie szatana. Miniatura ta zawiera podobno twarz śmiertelnika, namalowaną zachodnimi technikami. Oglądającemu wydaje się, że to nie ilustracja, lecz żywy obraz — do tego stopnia żywy, że ma ochotę pokłonić się przed nim jak przed ikonami w kościołach. Według Eleganta to dzieło szatana nie tylko dlatego, że perspektywa zmieniła punkt widzenia z centralnego, czyli boskiego, na niższy — poziom ulicznego kundla — lecz także z powodu zaufania, jakie pokładacie w metodach Wenecjan. Fakt, że mieszacie nasze ustalone tradycją zasady z technikami niewiernych, odziera nas z czystości i czyni niewolnikami Zachodu.

— Nic nie jest czyste — odrzekł Wuj. — Gdy w królestwie rysunku powstaje arcydzieło, gdy doskonała iluminacja sprawia, że oczy wilgotnieją z radości, a po plecach przebiega dreszcz, można być pewnym jednego: dwa style, które do tej pory rozwijały się niezależnie od siebie, spotkały się, by stworzyć coś nowego i zachwycającego. Dzieła Behzada i perskie malarstwo zawdzięczamy spotkaniu się arabskiej wrażliwości i mongolsko-chińskiej tradycji malarstwa. Najlepsze miniatury szacha Tahmaspa łączą styl perski z turkmeńskim wyrafinowaniem. Jeżeli dzisiaj ludzie nie potrafią docenić piękna ksiąg powstających w pracowniach sułtana Akbara w Indiach, to dlatego, że każe on swoim iluminatorom naśladować techniki zachodnich mistrzów. Do Boga należy zarówno Wschód, jak i Zachód. Niech on nas chroni przed koniecznością zachowania czystości stylu.

Jego twarz w świetle świec sprawiała wrażenie łagodnej i czystej, lecz cień rzucany na ścianę był czarny i przerażający. Chociaż to, co mówił, brzmiało nadzwyczaj rozsądnie i logicznie, nie dałem się omamić. Przypuszczałem, że mnie podejrzewa, dlatego i ja stałem się podejrzliwy. Domyśliłem się też, że nasłuchuje, czy ktoś nie nadchodzi, by uwolnić go od mojej osoby.

— Opowiedziałeś mi, jak Szajch Mohammad, mistrz z Isfahanu, spalił wielką bibliotekę z ilustracjami, których się wyrzekł, i jak zginął, dręczony poczuciem winy — podjął Wuj.

— A teraz pozwól, że dodam do tej historii coś, czego nie wiesz. To prawda, że ostatnie trzydzieści lat życia spędził na polowaniu na własne prace. Ale w księgach, które przeglądał, odkrył rysunki naśladujące jego miniatury. Po wielu latach zorientował się, że dla dwóch pokoleń artystów jego obrazki stały się wzorem do naśladowania, że utrwalili je sobie w pamięci, czy raczej uczynili je częścią swojej duszy. Szukając swoich miniatur, odkrył, że młodzi iluminatorzy powielali je z należnym szacunkiem w niezliczonych księgach, opierali się na nich przy ilustrowaniu innych opowieści i sprawili, że rozeszły się one po całym świecie. Po latach spędzonych na oglądaniu ksiąg i rysunków dochodzimy do następującego wniosku: wielkiemu artyście nie wystarcza, by jego dzieła wzruszały, on chce zmieniać nasze umysły. Chce, byśmy oceniali piękno świata na podstawie jego twórczości. Kiedy mistrz z Isfahanu palił swoje rysunki, wiedział już, że nie tylko się one rozmnożyły, ale że wszyscy zaczęli postrzegać świat jego oczami. Prace, które nie przypominały jego rysunków z młodości, uznano za brzydkie.

Nie mogąc powstrzymać czającego się we mnie lęku i pragnąc przypodobać się Wujowi, upadłem przed nim na kolana.

Kiedy z oczami pełnymi łez całowałem jego rękę, uświadomiłem sobie, że w mojej duszy zajął miejsce zarezerwowane do tej pory dla mistrza Osmana.

— Miniaturzysta — powiedział Wuj tonem człowieka zadowolonego z siebie — tworzy sztukę, pozostając w zgodzie z własnym sumieniem i zasadami, w które wierzy. Niczego się nie obawia. Nie zwraca też uwagi na to, co mówią jego wrogowie, nadgorliwcy i zazdrośnicy.

Kiedy całowałem pomarszczoną, upstrzoną plamami dłoń, przyszło mi do głowy, że przecież Wuj nie jest nawet miniaturzystą. Ogarnął mnie wstyd. Miałem wrażenie, że to ktoś inny podsunął mi tę szatańską i bezwstydną myśl. Chyba wiecie, ile prawdy kryje się w tym stwierdzeniu.

— Nie boję się ich — powiedział Wuj — bo nie boję się śmierci.

Kim byli ci „oni"? Kiwnąłem głową, jakbym rozumiał, ale zaczęło narastać we mnie zniecierpliwienie. Zauważyłem na biurku *Księgę duszy* Al-Dżawzijjego. Wszyscy starzy ludzie przygotowujący się na śmierć ją kochają. Opisuje ona przygody, jakie czekają duszę po opuszczeniu ciała. Od mojej ostatniej wizyty w tym pokoju wśród porozkładanych na tacach piórników, scyzoryków, deseczek z tnącymi ostrzami, kałamarzy i pędzelków pojawił się nowy przedmiot: kałamarz z brązu.

— Ustalmy raz na zawsze, że się ich nie boimy — powiedziałem odważnie. — Wyjmij ostatnią ilustrację, mistrzu, i pokaż mi ją.

— Ale czy w ten sposób nie dowiedlibyśmy, że przejmujemy się ich oszczerstwami, że traktujemy je poważnie? Nie zrobiliśmy nic, czego powinniśmy się bać. Skąd więc twoje obawy?

Pogładził mnie po włosach jak ojciec. Bałem się, że wybuchnę płaczem, więc objąłem go za kolana.

— Wiem, dlaczego zabito tego nieszczęśnika Eleganta — powiedziałem wzburzony. — Zniesławiając ciebie, księgę i nas, rysowników, zamierzał nasłać na nas ludzi hodży Nusreta. Uważał, że służymy szatanowi. Zaczął rozsiewać plotki, by podburzyć przeciw tobie innych miniaturzystów pracujących nad księgą. Nie wiem, dlaczego zaczął to czynić. Może z zazdrości, może szatan w niego wstąpił. Inni iluminatorzy również słyszeli, że Elegant chce nas wszystkich zniszczyć. Możesz sobie wyobrazić, jak się przestraszyli. I tak jak ja zaczęli mieć wątpliwości. Elegant przyparł jednego do muru, zaczął podburzać przeciwko tobie, innym miniaturzystom, naszej księdze, a także przeciw iluminowaniu, malowaniu i wszystkiemu, w co wierzymy. Dlatego wpadł w panikę, zabił łotra i wrzucił ciało do studni.

— Łotra?

— Elegant był nikczemnym zdrajcą. Łajdaku! — zawołałem, jakby stał przede mną.

Zapadła cisza. Czyżby się mnie przestraszył? Ja sam się przestraszyłem. Jakbym uległ czyjejś woli. Lecz nie było to wcale takie nieprzyjemne.

— Kim był ów miniaturzysta, który wpadł w panikę jak ty i ten miniaturzysta z Isfahanu? Kto zabił Eleganta?

— Nie wiem — odpowiedziałem, chociaż chciałem, by wyczytał z mojej twarzy, że kłamię.

Zrozumiałem, że popełniłem poważny błąd, przychodząc tutaj, lecz nie zamierzałem ulegać wyrzutom sumienia czy żalowi. Zauważyłem, że Wuj robi się coraz bardziej podejrzliwy, co mnie ucieszyło i dodało mi sił. Skoro zyskał pewność, że to ja jestem mordercą, skoro poczuł strach, nie ośmieli się odmówić pokazania ostatniej ilustracji. Bardzo chciałem ją zobaczyć i to wcale nie dlatego, że mnie demaskowała, lecz z czystej ciekawości.

— Czy to ważne, kto zabił tego łotra? — spytałem. — Czy nie można byłoby uznać, że ten, kto uwolnił nas od niego, zrobił dobry uczynek?

Nabrałem śmiałości, gdy zauważyłem, że nie patrzy mi prosto w oczy. Ludzie wielkoduszni, uważający się za lepszych i wyższych moralnie, nie są w stanie spojrzeć wam w oczy, bo czują się zażenowani waszym zachowaniem, a być może zastanawiają się nad wydaniem was, skazaniem na tortury i karę śmierci.

Na zewnątrz, gdzieś niedaleko bramy, psy zaczęły wyć jak oszalałe.

— Znowu pada śnieg — powiedziałem. — Gdzie się wszyscy podziewają o tak późnej porze? Dlaczego zostawili cię samego, mistrzu? Nawet nie zapalili świecy.

— Rzeczywiście to dziwne — przyznał. — Sam tego nie pojmuję.

W jego głosie brzmiała taka szczerość, że natychmiast mu uwierzyłem, i chociaż żartowałem z niego jak inni miniaturzyści, po raz kolejny uświadomiłem sobie, że darzę go głęboką miłością. Lecz jak mu się udało wyczuć we mnie ten wielki przypływ szacunku i miłości do niego? Przecież dlatego pogładził mnie po głowie z ojcowską troską... Nagle uświadomiłem sobie, że styl mistrza Osmana i dziedzictwo starych mistrzów z Heratu nie mają przyszłości. Ta przykra myśl wywołała we mnie strach. Kiedy zdarza się jakaś tragedia, wszyscy doznajemy podobnych uczuć: rozpaczliwie chwytamy się nadziei, nie dbając o to, że możemy wyjść na głupców, i modlimy się, żeby wszystko było po staremu.

— Ilustrujmy dalej naszą księgę — powiedziałem. — Niech wszystko będzie jak dawniej.

— Wśród miniaturzystów jest morderca. Teraz będę pracował z Czarnym.

Czyżby prowokował mnie do morderstwa?

— A gdzie jest Czarny? — spytałem. — Gdzie twoja córka i jej dzieci?

Jakaś siła zmuszała mnie do wypowiedzenia tych słów, nie mogłem się powstrzymać. Nie było już dla mnie nadziei na szczęście. Pozostały mi jedynie spryt i ironia. Lecz za inteligencją i ironią — przewrotnymi dżinami — wyczułem obecność szatana, trzymającego nad nimi władzę. W tym momencie psy przy bramie znowu zaczęły wyć, jakby wyczuły zapach krwi.

Czy nie przeżyłem już podobnego momentu? Daleko stąd, w odległym czasie, tak odległym jak padający śnieg niewidoczny w świetle świecy, usiłowałem wyjaśnić ze łzami w oczach, że jestem niewinny, gdy kapryśny zdziecinniały starzec oskarżył mnie o kradzież tuszu. Wtedy też słyszałem wycie psów. Patrząc na wydatny podbródek Wuja, przypominającego teraz złego starucha, i bezlitosny wyraz utkwionych we mnie oczu, zrozumiałem, że zamierza mnie zniszczyć. To wspomnienie z czasów, gdy byłem dziesięcioletnim uczniem, miało wyraźne kontury, lecz zamazane kolory. Przeżywałem więc teraźniejszość, jakby była odległym, wyblakłym wspomnieniem.

Kiedy wstałem i zaszedłem Wuja od tyłu, biorąc do ręki ten nowy, duży i ciężki kałamarz z brązu, stojący wśród znajomych szklanych, porcelanowych i kryształowych pojemniczków, tkwiący we mnie iluminator zaczął — zgodnie z zasadami wpojonymi nam przez mistrza Osmana — ilustrować to, co robiłem i co widziałem, w wyblakłych kolorach: nie jak coś, co przeżywałem w chwili obecnej, lecz jakby to było wspomnienie z odległej przeszłości. Gdy widzicie siebie we śnie, przechodzi was dreszcz. Ja również doświadczyłem czegoś podobnego, ściskając w dłoni kałamarz.

— Kiedy byłem dziesięcioletnim terminatorem, widziałem taki sam kałamarz — powiedziałem.

— To trzystuletnie mogolskie naczynie — wyjaśnił Wuj.
— Czarny przywiózł go aż z Tabrizu. Przeznaczony jest na czerwony tusz.

W tym momencie szatan chciał, bym z całej siły uderzył tym kałamarzem tego przemądrzałego, błądzącego starca w głowę. Nie uległem jednak całkowicie podszeptom diabła.

— To ja zamordowałem Eleganta — powiedziałem, kierując się fałszywą nadzieją.

Domyślacie się chyba, dlaczego to powiedziałem. Miałem nadzieję, że Wuj mnie zrozumie i wybaczy, że przestraszy się i mi pomoże.

29.
Jestem waszym ukochanym Wujem

Gdy wyznał, że zamordował Eleganta, w pokoju zapadła cisza. Przypuszczałem, że i mnie zabije. Serce zaczęło mi szybciej bić. Czy przyszedł tu, by odebrać mi życie, czy może po to, by przyznać się i wprawić mnie w przerażenie? Czy on w ogóle wiedział, czego chce? Uświadomiłem sobie nagle, że nie mam pojęcia, co dzieje się w duszy tego utalentowanego artysty, którego styl i niebywałe wyczucie koloru podziwiałem od lat. Wiedziałem, że stoi za mną z tym dużym kałamarzem do czerwonego tuszu, lecz nie odwróciłem się. Miałem nadzieję, że moje milczenie go zaniepokoi.

— Psy wciąż szczekają — odezwałem się wreszcie.

Znowu zapadła cisza. Zdałem sobie sprawę, że tym razem moja śmierć lub ocalenie będą zależały od tego, co powiem. Znałem go z jego prac, ale wiedziałem ponadto, że jest inteligentny — jeśli przyjąć, że ilustrator nigdy nie może w pracy ujawniać swojej duszy, inteligencja, oczywiście, jest atutem. Jak udało mu się tak mnie zaskoczyć w chwili, gdy nikogo nie było w domu? Mój stary umysł usiłował znaleźć odpowiedź na to pytanie, lecz miałem zbyt wielki mętlik w głowie. Dokąd poszła Şeküre?

— Wiedziałeś, że to ja go zamordowałem, prawda? — zapytał.

Nie miałem o tym pojęcia, dopóki się nie przyznał. Zastanawiałem się nawet nad tym, czy nie postąpił słusznie, zabijając Eleganta, bo ten, dręczony wątpliwościami, mógł narobić nam wszystkim kłopotów. Poczułem wobec mordercy nawet coś w rodzaju wdzięczności.

— Nie jestem zaskoczony, że go zabiłeś — powiedziałem.

— My, którzy żyjemy wśród książek i wiecznie o nich śnimy, obawiamy się tylko jednego. Co więcej, zmagamy się z czymś, co jest zakazane i niebezpieczne: usiłujemy malować ilustracje w muzułmańskim mieście. Podobnie jak Szajch Mohammad z Isfahanu, my, miniaturzyści, czujemy się winni, pierwsi siebie krytykujemy, jest nam wstyd i błagamy Boga oraz społeczeństwo o wybaczenie. Tworzymy nasze księgi w tajemnicy, niczym zawstydzeni grzesznicy. Zbyt dobrze wiem, jak nieustanne ataki hodżów, kaznodziejów, sędziów i mistyków, oskarżających nas o bluźnierstwo, a także ciągłe poczucie winy przytępiają wyobraźnię artysty i jednocześnie są dla niej natchnieniem.

— A więc nie winisz mnie za to, że zamordowałem tego głupca?

— To, co nas pociąga w pisaniu, ilustrowaniu i malowaniu, jest ściśle związane z bojaźnią przed karą. Nie tylko dla pieniędzy i sławy trudzimy się od rana do zmierzchu, a często przez całą noc przy świetle świecy, na kolanach, póki oczy nie odmówią nam posłuszeństwa. Ale i po to, by uciec przed ludźmi. Jednocześnie pragniemy, by ci, od których się odwróciliśmy, ujrzeli i docenili nasz wysiłek. A jeśli obwołają nas grzesznikami? Jakież to cierpienie wywołuje u utalentowanego iluminatora! Ale prawdziwe malarstwo wiąże się z wielkim bólem, którego nikt nie dostrzega ani go nie zadaje. Ból ten obecny jest w obrazie, na pierwszy rzut oka, jak powiadają, złym, niepełnym, bluźnierczym albo heretyckim. Prawdziwy miniaturzysta wie, że prędzej czy później musi do tego dojść, lecz jednocześnie obawia się czekającej go samotności. Kto bowiem jest w stanie zaakceptować tak wyczerpującą, szarpiącą nerwy egzystencję? Obwiniając w pierwszym rzędzie siebie, artysta wierzy, że zostanie mu oszczędzone to, czego obawiał się przez całe lata. Ludzie wysłuchają go i uwierzą mu tylko wówczas, gdy przyzna się do winy, za co potem spłonie. Miniaturzysta z Isfahanu sam rozpalił ten ogień piekielny.

— Lecz ty nie jesteś miniaturzystą — zauważył — a ja nie zabiłem Eleganta ze strachu.

— Zamordowałeś go, bo chciałeś malować zgodnie z własną wolą, bez żadnych skrupułów.

Po raz pierwszy od dłuższego czasu ten, który miał być moim zabójcą, powiedział coś całkiem rozumnego:

— Mówisz to wszystko, by wprawić mnie w zakłopotanie i tym sposobem znaleźć jakieś wyjście z sytuacji. Ale to, co powiedziałeś, jest prawdą — dodał. — Chcę, żebyś mnie zrozumiał.

Spojrzałem mu prosto w oczy. Rozmawiając ze mną, zupełnie zapomniał o dzielącym nas skrępowaniu. Pozwolił się nieść własnym myślom. Lecz dokąd go one prowadziły?

— Nie obawiaj się, nie popsuję ci opinii. — Zaśmiał się z goryczą i znowu stanął przede mną. — Jest, jak jest — mruknął. — Podejmuję się czegoś, ale czuję się, jakbym to nie ja był wykonawcą. Jakby coś szarpało mi wnętrzności, zmuszając do spełniania czyichś niecnych rozkazów. Potrzebuję jednak tego. Podobnie jest z malarstwem.

— To są opowiastki starych bab o szatanie.

— Sądzisz więc, że kłamię?

Nie miał dość odwagi, aby mnie zabić, i chciał, bym wywołał w nim wściekłość.

— Nie, nie kłamiesz, lecz nie wiesz, co czujesz.

— Doskonale wiem, co czuję. Jakby mnie żywcem pogrzebano. Przez ciebie pogrążyliśmy się po szyję w grzechu, a ty jeszcze domagasz się od nas większej odwagi. To ty zrobiłeś ze mnie mordercę. Ci nawiedzeni zwolennicy hodży Nusreta pozabijają nas wszystkich.

Im mniej był pewny tego, co mówi, tym bardziej podnosił głos i tym mocniej ściskał kałamarz. Może ktoś będzie akurat przechodził zasypaną śniegiem ulicą, usłyszy jego krzyki i wejdzie do domu?

— Jak go zabiłeś? — spytałem nie tyle z ciekawości, ile po to, by zyskać na czasie. — Jakim sposobem znaleźliście się przy tej studni?

— Tego wieczoru, gdy wyszedł od ciebie, zjawił się u mnie — zaczął, czując nagłą potrzebę zwierzenia się komuś. — Powiedział mi, że widział ostatnią podwójną miniaturę. Starałem się go przekonać, by nie robił z tego problemu, i namówiłem do pójścia ze mną do dzielnicy zniszczonej przez pożar. Powiedziałem mu, że przy jednej ze studni zakopałem pieniądze. Uwierzył. Czy to nie najlepszy dowód na to, że miniaturzystą kieruje jedynie chciwość? Dlatego wcale nie żałuję mojego czynu. Był utalentowanym, lecz miernym artystą. Ten chciwy prostak gotów był kopać zmarzniętą ziemię gołymi rękoma. Gdybym naprawdę ukrył tam złote monety, nie musiałbym się go pozbywać. Wynająłeś do zdobienia księgi wyjątkowo nędznego łotra. Nasz drogi zmarły był bystry, lecz w doborze kolorów nie odznaczał się niczym szczególnym, a jego prace były banalne. Nie zostawiłem żadnych śladów... Powiedz mi, w czym tkwi istota stylu? Dziś artyści z Zachodu oraz chińscy iluminatorzy stylem nazywają sposób wyrażania się danego malarza. Czy dobrego artystę poznaje się po stylu?

— Obawiam się, że nie — odparłem. — Nowy styl nie rodzi się z osobistych pragnień malarza. Umiera książę, szach przegrywa bitwę, dobiega końca wieczna na pozór epoka, pracownia zostaje zamknięta, a jej członkowie rozpraszają się w poszukiwaniu innych domów, inni bibliofile stają się ich patronami. Pewnego dnia litościwy sułtan zbiera w swoim namiocie lub w pałacu tych wygnańców, bezdomnych, ale utalentowanych miniaturzystów i kaligrafów, i zakłada własną pracownię. Nawet jeżeli ci artyści nie pasują do siebie i początkowo tworzą we własnych stylach, po pewnym czasie, tak jak dzieci, które po okresie wzajemnej wrogości stają się przyjaciółmi, zaczną się kłócić, zawiązywać przyjaźnie, walczyć i układać. Narodziny nowego stylu to rezultat wieloletnich sprzeczek, zazdrości, rywalizacji i studiów nad kolorem i malarstwem. Ogólnie mówiąc, początek nowemu stylowi daje najbardziej utalentowany członek pracowni. Można go również nazwać najszczęśliwszym. Na pozostałych zaś spoczywa obowiązek doskonalenia i cyzelowania jego stylu poprzez ciągłe naśladownictwo.

— A czy ja mam własny styl? — zapytał nieoczekiwanie łagodnym tonem, nie patrząc mi w oczy, jakby prosił o współczucie i szczerość, drżąc przy tym jak młoda panna.

O mało się nie rozpłakałem. Z największą delikatnością i życzliwością, na jaką było mnie stać, odpowiedziałem zgodnie z prawdą:

— Jesteś najbardziej niezwykłym, bosko natchnionym artystą o zachwycającej technice i znakomitym wyczuciu szczegółu, jakiego spotkałem w ciągu sześćdziesięciu lat mego życia. Gdybyś położył przede mną ilustrację, nad którą pracowało tysiąc miniaturzystów, to i tak zdołałbym rozpoznać twój styl.

— Zgoda, lecz nie byłbyś w stanie powiedzieć, w czym tkwi sekret mojego talentu — odpowiedział. — Kłamiesz, bo się mnie boisz. Spróbuj jeszcze raz opisać cechy mojego stylu.

— Twój pędzel obiera właściwy kierunek, jakby miał własną wolę. To, co kreśli, nie jest ani prawdziwe, ani błahe. Kiedy malujesz dużą grupę ludzi, napięcie emanujące z ich oczu, ich rozmieszczenie na stronie i odpowiadający rysunkowi tekst zlewają się w wykwintny szept. Stale wracam do twoich ilustracji, by posłuchać tego szeptu, i za każdym razem uświadamiam sobie, że sens się zmienił i zaczynam go na nowo odczytywać. Gdy zbierze się te wszystkie wątki, powstaje głębia, która przewyższa nawet sztukę perspektywy europejskich mistrzów.

— Ładnie powiedziane. Lecz zapomnij o europejskich mistrzach i zacznij od początku.

— Masz tak wyrazisty i zdecydowany styl, że oglądający ilustrację wierzy bardziej w to, co namalowałeś, niż w rzeczywistość. Dzięki swojemu talentowi mógłbyś stworzyć obraz, pod wpływem którego najbardziej nawet pobożny człowiek wyrzekłby się swojej wiary, a najtwardszy grzesznik wszedłby na ścieżkę Allaha.

— To prawda, nie jestem jednak pewien, czy to powód do chwały. Próbuj dalej.

— Żaden miniaturzysta nie wie tyle o sekretach farby, co ty. Twoje kolory są wyjątkowo wyraziste, żywe i naturalne.

— I co jeszcze?

— Chyba wiesz, że jesteś największym iluminatorem po Behzadzie i Mir Sajjidzie Alim?

— Tak, wiem o tym. Skoro ty też to wiesz, dlaczego nie przygotowujesz ksiąg ze mną, tylko z kimś tak miernym jak Czarny?

— Po pierwsze, jego praca nie wymaga zdolności malarskich — odpowiedziałem. — A po drugie, w przeciwieństwie do ciebie, nie jest mordercą.

Uśmiechnął się w odpowiedzi na mój dowcip. Pomyślałem, że może uda mi się wyjść z tego koszmaru dzięki rozważaniom o czymś, co nazywa się stylem. Zaczęliśmy rozmawiać o mogolskim kałamarzu z brązu, który ściskał w ręku. Dyskutowaliśmy nie jak ojciec z synem, lecz jak dwaj ciekawi świata i doświadczeni mężczyźni. Mówiliśmy o ciężarze brązu, wyważeniu kałamarza, długości szyjki, o długości trzcin używanych przez dawnych kaligrafów i tajemnicach czerwonego tuszu, którego gęstość mógł sprawdzić, delikatnie kołysząc pojemnikiem przed moim nosem. Doszliśmy do wniosku, że gdyby nie Mongołowie, którzy nauczyli się wszystkiego o czerwonej farbie od chińskich mistrzów i przekazali tę wiedzę artystom z Chorasanu, Buchary i Heratu, my, w Stambule, nie moglibyśmy namalować swoich prac. W trakcie dyskusji czas zmieniał się jak farba i płynął coraz szybciej. Jakaś cząstka mojego umysłu zastanawiała się nad tym, dlaczego wciąż jestem sam w domu. Gdyby tylko ten ciężki przedmiot wrócił na swoje miejsce...

— Gdy skończysz pracę nad manuskryptem, czy oglądające go osoby docenią moje umiejętności? — spytał jakby nigdy nic.

— Jeżeli, o ile Bóg da, skończymy tę księgę bez przeszkód, obejrzy ją naturalnie nasz sułtan i sprawdzi przede wszystkim, czy użyliśmy dość złotych płatków we właściwych miejscach. Potem, jak każdy sułtan, przeczyta swoją charakterystykę i przyjrzy się swemu portretowi. Bardziej poruszy go własna podobizna niż twoje wspaniałe ilustracje. Jeżeli będzie miał czas na obejrzenie tego, co z takim poświęceniem stworzyliśmy, tym lepiej dla nas. Wiesz równie dobrze jak ja, że najpewniej schowa księgę do skarbca, nawet nie pytając, kto zrobił obramowanie czy złote iluminacje, kto namalował tę postać czy tego konia, a my wrócimy do naszej pracy z nadzieją, że pewnego dnia zdarzy się cud i ktoś okaże nam dowody uznania.

Milczeliśmy przez chwilę, jakby na coś czekając.

— Kiedy ten cud się zdarzy? — zapytał. — Kiedy te wszystkie ilustracje, nad którymi ślęczeliśmy z takim poświęceniem, aż wzrok zaczął odmawiać nam posłuszeństwa, zostaną docenione? Kiedy okażą mi — nam — szacunek, na jaki zasługujemy?

— Nigdy.

— Jak to?

— Nigdy nie dostaniesz tego, czego pragniesz — odpowiedziałem. — A w miarę upływu czasu jeszcze mniej będą cię cenić.

— Księgi mają długi żywot — stwierdził z dumą, choć bez przekonania.

— Wierz mi, że żaden z weneckich mistrzów nie ma twojej wrażliwości, zdecydowania, nie używa równie czystych i żywych barw, jednak te ich obrazy są znacznie bardziej fascynujące, bo są bliżej życia. Oni nie przedstawiają świata, jakby spoglądali na niego z minaretu, nie zwracając uwagi na perspektywę. Malują z poziomu ulicy lub to, co znajduje się we wnętrzu książęcej komnaty — łoże, narzutę, biurko, lustro, książęcego sługę, książęcą córkę i monety. Niczego nie pomijają. Nie mogę powiedzieć, by podobało mi się wszystko, co robią. Kopiowanie świata to coś niegodnego, oburzającego. Lecz w tych obrazach jest jakiś urok. Malują to, co widzi oko, i tak, jak ono postrzega świat. W istocie malują to, co widzą, podczas gdy my malujemy to, na co patrzymy. Po obejrzeniu ich prac można dojść do przekonania, że jedyną metodą na uwiecznienie czyjegoś oblicza jest styl zachodni. Uważają tak nie tylko mieszkańcy Wenecji, lecz wszyscy krawcy, rzeźnicy, żołnierze, księża i sklepikarze w krajach Zachodu. Oni wszyscy mają stworzone w tym stylu portrety. Wystarczy, że raz na nie spojrzysz, a sam zapragniesz być tak przedstawiony i zaczniesz wierzyć, że jesteś kimś wyjątkowym, szczególnym i niepowtarzalnym. Pozwala na to malowanie ludzi nie tak, jak postrzega ich umysł, lecz jak widzi oko. Pewnego dnia wszyscy będą tak malować. Mówiąc o dziełach malarskich, świat pomyśli o takich właśnie obrazach. Nawet biedny głupi krawiec, który nie ma pojęcia o iluminacji, zechce mieć swój portret, bo patrząc na przykład na kształt swojego nosa, dojdzie do przekonania, że wcale nie jest takim sobie prostakiem, lecz znaczącą osobistością.

— No i co z tego? My też możemy namalować taki portret — zażartował dowcipny zbrodniarz.

— Nie możemy — odpowiedziałem. — Niczego nie nauczyłeś się od swojej ofiary, świętej pamięci Eleganta? Zapomniałeś, jak bardzo się boimy, by nie obwołano nas naśladowcami Zachodu? Nawet gdybyśmy się ośmielili malować jak oni, to i tak wyjdzie na jedno. Nasze metody nie przetrwają, a kolory zblakną. Nikt nie spojrzy na nasze miniatury, a ci, którzy okażą zainteresowanie, spytają drwiąco, dlaczego nie ma na nich perspektywy. Albo obojętność, czas i klęski po prostu zniszczą naszą sztukę. Arabski klej do oprawiania manuskryptów robi się z ryb, miodu i kości, a kartki skleja i wygładza apreturą z białka i skrobi. Łakome, niewybredne myszy pogryzą kartki. Termity, robaki i tysiące najróżniejszych owadów rzucą się na nasze rękopisy. Okładki się rozpadną, a kartki rozsypią. Kobiety będą paliły nimi w piecach, złodzieje, służący i dzieci bezmyślnie porwą strony i ilustracje. Książęce dzieci będą mazać po nich piórami. Zamalują oczy postaciom, będą wycierać w kartki zasmarkane nosy i rysować po marginesach czarnym atramentem. A religijni cenzorzy zauważą to, co jeszcze pozostało. Podrą i potną ilustracje, by wykorzystać je w innych księgach lub przy grach i zabawach. Matki zniszczą miniatury, które uznają za nieprzyzwoite, a ojcowie i starsi bracia będą się spuszczać na ilustracje z kobietami i strony się posklejają. Zlepi je także błoto, woda, zły klej, ślina, resztki jedzenia i wszelkie nieczystości. Wówczas plamy z pleśni i brudu rozkwitną niczym kwiaty. Deszcz, przeciekające dachy, powodzie i piasek zniszczą nasze księgi. Razem z postrzępionymi, wyblakłymi i niemożliwymi do odczytania stronicami, które woda, wilgoć, robactwo i zaniedbanie zmienią w breję, ostatni tom, cudem ocalały na dnie suchej skrzyni, również pewnego dnia zniknie w płomieniach bezlitosnego ognia. Czy jest w Stambule dzielnica, która nie spłonęłaby doszczętnie przynajmniej kilka razy w ciągu stu lat? Jak więc wierzyć w to, że jakaś księga ocaleje? W mieście, gdzie co trzy lata znika więcej manuskryptów i bibliotek, niż Mongołowie spalili i splądrowali w Bagdadzie, jaki malarz może się spodziewać, że jego dzieło przetrwa wiek lub że pewnego dnia ktoś zobaczy jego iluminacje i będzie go czcił jak Behzada? Nie tylko nasza sztuka, ale każde dzieło zniknie w końcu w płomieniach, zniszczy go robactwo lub brak zainteresowania. Szirin stojąca w oknie i patrząca dumnie na Chosrowa, Chosrow podglądający Szirin kąpiącą się przy księżycu, wpatrzeni w siebie kochankowie, Rustam walczący z białym demonem na dnie studni, usychający z miłości Madżnun, który zaprzyjaźnia się z białym tygrysem i kozicą na pustyni, podstępny pies pasterski, przyprowadzający wilczycy, z którą się parzył, co noc jedną owcę ze stada, za co zostaje powieszony, zdobiące marginesy kwiaty, anioły, zielone gałązki, ptaki i łzy, muzycy grający na lutni, będący ozdobą enigmatycznych wierszy Hafiza, ścienna ornamentyka, która zrujnowała wzrok tysięcy czy wręcz dziesiątków tysięcy terminatorów, tabliczki wiszące nad drzwiami i na ścianach, dwuwiersze wpisywane w tajemnicy między lamówkami iluminacji, skromne podpisy ukryte u podstawy ścian, w rogach, w ozdobach na frontach, pod podeszwami, krzakami i między skałami, haftowane kwieciste kołdry okrywające kochanków, zacięte twarze niewiernych, czekających cierpliwie na świętej pamięci dziada naszego sułtana, maszerującego w zwycięskim pochodzie na fortecę wroga, armata, strzelby i namioty, które jako młody chłopiec pomagałeś malować, widoczne w tle, w chwili gdy ambasador niewiernych całuje stopy pradziada naszego sułtana, diabły z rogami i bez, z ogonami i bez ogonów, z wyszczerzonymi zębami i ostrymi pazurami, tysiące najróżniejszych ptaków, w tym mądry jak Salomon dudek*, podskakujący wróbelek, dodo i śpiewający słowik, leniwe koty i czujne psy, szybko płynące chmury, małe, śliczne łąki, powielane na tysiącach ilustracji, skały cieniowane w stylu perskim i setki cyprysów, platanów i granatów z listkami malowanymi z iście anielską cierpliwością, pałace zbudowane z cegieł, wzorowane na budowlach z czasów Timura lub szacha Tahmaspa, ilustrujące opowieści z o wiele wcześniejszych epok, dziesiątki tysięcy pogrążonych w smutku książąt, słuchających muzyki w wykonaniu pięknych kobiet i chłopców, siedzących na wspaniałych kobiercach, ukwieconych łąkach i pod kwitnącymi drzewami, przepiękne wyroby ceramiczne i dywany, zawdzięczające swoją doskonałość rękom tysięcy czeladników od Samarkandy po Stambuł, zbierających bolesne razy od stu pięćdziesięciu lat, przepyszne ogrody i szybujące w powietrzu czarne kanie, które wciąż malujesz z niesłabnącym entuzjazmem, twoje zachwycające sceny śmierci, sceny bitewne, ilustracje przedstawiające polujących sułtanów i uciekające gazele o niezrównanych kształtach, władców na łożu śmierci, jeńców wojennych, galeony niewiernych, rywalizujące ze sobą miasta, księżycowe noce, które sprawiają wrażenie, jakby spływały ci z pędzla, gwiazdy, widmowe cyprysy, tonące

---

* dudek — ptak występujący w literaturze i na miniaturach jako posłaniec, przekazujący listy między Salomonem a królową Saby — Beliks

w czerwieni sceny miłosne i sceny śmierci, twoje i innych miniaturzystów, wszystko to zginie...

Uniósł kałamarz i z całej siły uderzył mnie w głowę.

Pochyliłem się w przód i poczułem potworny, trudny do opisania ból. Cały świat się w nim skupił i przybrał żółty odcień. Byłem niemal pewny, że to zamierzony atak, lecz, może pod wpływem ciosu, jakaś część mojego umysłu, okazująca dobrą wolę, pragnęła powiedzieć temu szaleńcowi, który mienił się moim zabójcą: „Miej litość, twój atak na mnie jest pomyłką". On jednak uniósł kałamarz i ponownie uderzył mnie w głowę.

Tym razem nawet ta niedowierzająca część umysłu zrozumiała, że to nie była pomyłka, lecz szaleństwo i wściekłość, które mogą mnie doprowadzić do śmierci. Tak się przeraziłem, że zacząłem krzyczeć ile sił w płucach. Kolor tego krzyku miałby barwę patyny — na pustych ulicach, tonących w nocnej czerni, nikt nie usłyszałby tego koloru. Wiedziałem, że jestem sam.

Zaskoczyło go moje donośne zawodzenie. Zawahał się. Nasze spojrzenia się spotkały. Z jego źrenic wyczytałem, że był całkowicie zdeterminowany. Nie był już mistrzem miniatury, którego znałem, lecz obcym, złym człowiekiem, mówiącym nie znanym mi językiem. To sprawiło, że poczułem się straszliwie samotny. Zapragnąłem wziąć go za rękę i w ten sposób objąć cały świat. Na próżno.

— Moje dziecko, moje drogie dziecko — zacząłem błagać lub tak mi się zdawało — proszę, nie pozbawiaj mnie życia.

Po raz kolejny zadał mi cios kałamarzem w głowę.

Moje myśli, wspomnienia, obrazy — wszystko to zlało się w jeden wielki strach. Przestałem rozróżniać kolory, bo całość pochłonęła czerwień. To, co brałem za krew, było czerwonym tuszem, a to, co wziąłem za tusz na rękach, było moją krwią.

To niesprawiedliwe, okrutne i bezlitosne, że muszę umrzeć — przemknęło mi przez myśl, jednak moja stara okrwawiona głowa powoli się z tym oswajała. I wtedy ujrzałem śmierć. Moje wspomnienia stały się białe jak padający za oknem śnieg. Serce boleśnie tłukło się w piersi, jego uderzenia czułem nawet w ustach.

Spróbuję opisać moją śmierć. Zapewne wiecie, że śmierć według słów zawartych w księgach jest czymś tak bolesnym, że przechodzi wszelkie wyobrażenie. Zdawało mi się, że nie tylko moja rozbita czaszka i mózg, lecz każda cząstka ciała stała się płonącą pochodnią. Niezwykle trudno jest znieść równie bezgraniczne cierpienie, więc część mojego umysłu zareagowała w jeden możliwy sposób — odsunęła od siebie ból i starała się znaleźć ukojenie we śnie.

Przed śmiercią przypomniałem sobie słyszaną w młodości asyryjską legendę. Stary samotny człowiek wstaje z łóżka w środku nocy, by napić się wody. Odstawia naczynie na stolik i spostrzega, że zniknęła stojąca na nim świeca. Gdzie mogła się podziać? Starzec zauważa smugę światła dochodzącą z wnętrza pokoju. Podąża za nią do sypialni i widzi, że ktoś leży w jego łóżku, trzymając w ręku świecę. „Kim jesteś?" — pyta. „Jestem śmierć" — odpowiada przybysz. Starca ogarnia tajemnicza cisza. „A więc przyszłaś" — stwierdza. „Tak" — odpowiada oschle śmierć. „Nie — mówi starzec zdecydowanie. — Ty jesteś jedynie częścią mojego snu". Potem zdmuchuje świecę i pokój pogrąża się w ciemności. Stary człowiek kładzie się do łóżka, zasypia i żyje następne dwadzieścia lat.

Wiedziałem, że mój los będzie inny, bowiem napastnik jeszcze raz uderzył mnie w głowę. Cierpiałem tak potworne męki, że ledwie odczułem siłę tego ciosu. Morderca, kałamarz i pokój, wydobyte z mroku przez nikłe światło świecy, zaczęły powoli blednąć.

Wciąż jednak żyłem, bo bardzo pragnąłem pozostać na tym świecie i uwolnić się od zabójcy. Machałem rękami, próbując osłonić twarz i zakrwawioną głowę, a nawet ugryzłem prześladowcę w nadgarstek i kałamarz znowu trafił mnie w czaszkę.

Walczyliśmy, jeśli można to tak określić. Był bardzo silny i bardzo wzburzony. Pchnął mnie na plecy, unieruchomił kolanami ręce i zaczął wrzeszczeć i obrzucać niewybrednymi obelgami mnie, umierającego starego człowieka. Może dlatego, że nie byłem w stanie go słuchać ani zrozumieć i nie miałem też ochoty patrzeć w jego przekrwione oczy, ponownie uderzył mnie w głowę. Jego twarz i sylwetka stały się jasnoczerwone od tuszu i tryskającej krwi.

Zamknąłem oczy, zasmucony tym, że ostatnią rzeczą, jaką zobaczę na tym świecie, będzie ten zły człowiek. Wówczas ujrzałem miękkie światło. Było takie łagodne i delikatne jak sen, który w jednej chwili uśmierzyłby mój ból. W tym świetle pojawiła się postać.

— Kim jesteś? — spytałem jak dziecko.

— Jestem Azrael, anioł śmierci — odpowiedział. — To ja kończę ludzką wędrówkę na tym świecie. To ja oddzielam dzieci od matek, żony od mężów, kochanków od siebie i ojców od córek. Żaden śmiertelnik nie uniknie spotkania ze mną.

Kiedy uświadomiłem sobie, że chwila śmierci jest nieunikniona, zapłakałem.

Łzy wywołały we mnie wielkie pragnienie. Miałem do wyboru: odrętwiające konanie i przekrwione oczy lub miejsce, do którego szaleństwo i okrucieństwo nie miały dostępu — mimo to ogarnęło mnie przerażenie. Wiedziałem, że czeka mnie pełna blasku kraina umarłych, dokąd zapraszał Azrael, ale wciąż się bałem. Nie mogłem jednak dłużej pozostać na tym świecie, który kazał mi się wić i jęczeć w agonii. Na tej ziemi przerażającego bólu nie znalazłbym już ukojenia. Gdybym został, musiałbym poddać się cierpieniu, co w moim wieku było niemożliwe.

Zapragnąłem umrzeć, lecz zanim to się stało, znalazłem odpowiedź na dręczące mnie przez całe życie pytanie. Jak to się dzieje, że wszystkim bez wyjątku udaje się umrzeć? To właśnie dzięki pragnieniu odejścia z tego świata. Zrozumiałem też, że śmierć uczyni mnie mądrzejszym.

Dręczył mnie jednak niepokój, jak przed długą podróżą, i nie mogłem się powstrzymać, by po raz ostatni nie spojrzeć na pokój, na pozostawione rzeczy, na dom. Nagle tak bardzo zatęskniłem za widokiem córki, że gotów byłem zacisnąć zęby i znosić ból oraz pragnienie dopóty, dopóki Şeküre nie wróci do domu.

W tym momencie widmowe, łagodne światło znikło, a mój umysł otworzył się na dźwięki i hałasy świata, w którym umierałem. Usłyszałem, jak morderca buszuje po pokoju, otwiera szafkę i grzebie w papierach w poszukiwaniu ostatniej ilustracji. Kiedy jej nie znalazł, otworzył przybornik do malowania, kopał skrzynki, pudełka, kałamarze i składany stolik. Zacząłem jęczeć, zaciskać nerwowo dłonie i dziwnie wierzgać nogami. Wciąż czekałem.

Ból wcale nie zelżał. Przestałem jęczeć i nie mogłem już zaciskać zębów, lecz nadal czekałem.

Nagle uświadomiłem sobie, że gdyby Şeküre teraz wróciła, mogłaby się natknąć na mordercę. Nawet nie chciałem o tym myśleć. Wyczułem, że zabójca wyszedł z pokoju — zapewne znalazł tę ostatnią miniaturę.

Czułem coraz większe pragnienie, lecz wciąż czekałem. Wróć, córeczko, myślałem. Pokaż się, moja piękna Şeküre. Nie pojawiła się.

Nie miałem już siły, by dalej znosić ból. Wiedziałem, że odejdę, nie zobaczywszy córki. Było to tak okropne, że chciałem umrzeć z rozpaczy. Po chwili z lewej strony pojawiła się twarz, której nigdy przedtem nie widziałem, i z uśmiechem podała mi szklankę wody. Zapominając o wszystkim, sięgnąłem po nią chciwie, lecz postać cofnęła rękę.

— Powiedz, że Prorok Mahomet jest kłamcą — odezwała się. — Zaprzyj się wszystkiego, co mówił.

To był szatan. Milczałem, nawet nie czułem przed nim strachu. Czekałem z ufnością, ponieważ nigdy nie wierzyłem w to, że malarstwo to wytwór diabła, stworzony, by mamić ludzi. Myślałem o nie kończącej się podróży i o przyszłości.

Kiedy zjawił się promieniejący światłem anioł, szatan zniknął. Domyśliłem się, że to znowu Azrael, lecz jakiś wewnętrzny głos przypomniał mi o fragmencie z *Księgi Apokalipsy*, gdzie napisano, iż Azrael to anioł z tysiącem skrzydeł łączących Wschód z Zachodem, trzymający w dłoniach świat.

Miałem coraz większy chaos w głowie, gdy ten skąpany w blasku anioł przyszedł mi z pomocą.

— Otwórz usta, by twoja dusza mogła opuścić ciało — powiedział łagodnie, tak jak opisał to Ghazali w *Perłach majestatu*.

— Nic prócz besmele* nie wyjdzie z moich ust — odparłem.

Była to jednak moja ostatnia wymówka. Wiedziałem, że nie mogę się dłużej opierać — mój czas się dokonał. Przez chwilę miałem wyrzuty sumienia, że zostawiam to zakrwawione, odrażające ciało córce, której nigdy więcej nie zobaczę. Gotów jednak byłem opuścić ten świat, zrzucając go jak przyciasne, niewygodne ubranie.

Otworzyłem usta i nagle wszystko stało się kolorowe jak na ilustracjach przedstawiających miradż — podróż Proroka,

---

* besmele (arab. basmala) — zwrot modlitewny, skrót formuły: *bi-smi Llahi r-rahmani r-rahim*, czyli „w imię Boga miłosiernego i litościwego"

w czasie której odwiedził niebo. Wszystko tonęło w cudownym blasku, jakby skąpane w złotej farbie. Oczy wypełniły mi
się łzami. Z wnętrza płuc wydobyło się coś na kształt oddechu
i wydostało na zewnątrz. Zaległa cudowna cisza.

Zobaczyłem, że moja dusza opuściła ciało i spoczywa w dłoni Azraela. Była wielkości pszczoły, lśniła i drżała mu w dłoni
niczym rtęć. Ja jednak myślałem już o nieznanym nowym
świecie, dla którego się właśnie narodziłem.

Przestałem cierpieć i znalazłem ukojenie. Śmierć nie sprawiła mi bólu, jak się obawiałem, przeciwnie, uspokoiłem się,
szybko uświadomiwszy sobie, że mój obecny stan już się nie
zmieni, a odczuwane przez całe życie ograniczenia odeszły
w niebyt. I tak już pozostanie aż do końca świata. Nie zdenerwowało mnie to ani nie ucieszyło. Wydarzenia, w których kiedyś uczestniczyłem, rozciągnęły się w nieskończoność i działy
się równocześnie jak na dwustronicowej miniaturze z wyma-
lowanymi przez dowcipnego miniaturzystę w każdym z rogów
najróżniejszymi, nie związanymi z sobą scenami.

30.

Ja, Şeküre

Padał tak gęsty śnieg, że płatki zasypywały mi oczy. Przeszłam przez ogród po gnijącej trawie, błocie i połamanych gałęziach, a po wyjściu na ulicę przyspieszyłam kroku. Pewnie zastanawiacie się, co o tym wszystkim sądzę. W jakim stopniu mogę zaufać Czarnemu. Będę z wami szczera: nie wiem, co mam myśleć. Chyba już rozumiecie, prawda? Mam mętlik w głowie. Wiem natomiast jedno: gdy pochłoną mnie codzienne zajęcia, przygotowywanie posiłków, sprawunki, opieka nad dziećmi i ojcem, moje serce bez pytania, spontanicznie szepnie mi do ucha prawdę. Jutro przed południem będę wiedziała, kogo mam poślubić.

Chciałabym się z wami czymś podzielić, zanim wrócę do domu. Mniejsza o to monstrum, które pokazał mi Czarny. Jeśli chcecie, to później możemy o tym porozmawiać. Teraz natomiast pomówmy o jego pożądaniu. Nie chodzi o to, że sprawiał wrażenie, jakby myślał tylko o zaspokojeniu żądzy. Zresztą nawet gdyby, i tak nie robi to różnicy. Zaskoczyła mnie jego naiwność i prostota. Pewnie mu do głowy nie przyszło, że mógł mnie przestraszyć i porwać, zakpić sobie ze mnie i zostawić czy też zdecydować się na coś bardziej niebezpiecznego. Z jego niewinnego wyrazu twarzy wyczytałam, jak bardzo mnie kocha i pożąda. Lecz dlaczego po dwunastu latach czekania nie postąpił zgodnie z zasadami i nie zaczekał kolejnych dwunastu dni?

Coś mi się zdaje, że zakochałam się w tej jego nieporadności i melancholijnym, cielęcym spojrzeniu. Powinnam się rozgniewać, tymczasem zrobiło mi się go żal. Mój ty biedaku, pomyślałam. Cierpisz takie męki, a nie potrafisz się właściwie zachować. Poczułam tak wielką potrzebę zaopiekowania się nim, że gotowa byłam popełnić błąd i oddać się temu rozkapryszonemu chłopcu.

Pomyślałam o moich biednych dzieciach i przyspieszyłam kroku. Nagle w zapadającym zmierzchu i oślepiającym blasku śniegu wydało mi się, że jakaś zjawa idzie prosto na mnie. Spuściłam głowę i ominęłam ją.

Kiedy przekroczyłam bramę, domyśliłam się, że Hayriye z dziećmi jeszcze nie ma. A więc wróciłam przed wezwaniem na wieczorne modły. Weszłam po schodach na górę. W powietrzu unosił się zapach konfitur z pomarańczy. Ojciec siedział w ciemnej pracowni za niebieskimi drzwiami. Stopy mi zmarzły. Z lampą w ręku udałam się do swojego pokoju, z prawej strony korytarza przy schodach. Zastałam otwartą szafę, poduszki rozrzucone po podłodze i ogólny bałagan. Uznałam, że to zapewne sprawka Şevketa i Orhana. W domu panowała cisza. Nie było w niej nic nadzwyczajnego, lecz nie przypominała zwykłej ciszy. Przebrałam się w domowy strój i usiadłam w ciemnościach. Kiedy oddałam się marzeniom, mój umysł zarejestrował jakiś hałas na dole, nie w kuchni, lecz w pomieszczeniu przy stajni, służącym latem za pracownię malarską. Czyżby ojciec siedział tam w taki mróz? Nie zauważyłam światła lampy oliwnej. W tym momencie skrzypnęły drzwi frontowe, a potem gdzieś za bramą rozległo się złowieszcze ujadanie psów. Krótko mówiąc, ogarnął mnie niepokój.

— Hayriye! — zawołałam. — Şevket, Orhan...

Poczułam chłodny powiew. Pewnie u ojca pali się w piecyku. Powinnam przy nim posiedzieć i ogrzać się. Gdy szłam z lampą do jego pokoju, nie myślałam już o Czarnym, lecz o dzieciach. Idąc przez szeroki korytarz, zastanawiałam się, czy nie wstawić wody na zupę rybną. Pokój z niebieskimi drzwiami wyglądał jak po pożarze i w pierwszym odruchu chciałam zapytać: „Co tu się stało?".

Zobaczyłam go leżącego na podłodze. Krzyknęłam przerażona. Raz i drugi. I zaraz zamilkłam, wpatrując się w ciało ojca.

Z waszych zaciśniętych ust i chłodnej reakcji domyślam się, że już wiecie, co zdarzyło się w tym pokoju. Jeżeli nie wszystko, to w każdym razie sporo. Teraz zastanawiacie się, jak zareaguję na to, co zobaczyłam. Podobnie jak niektórzy czytelnicy patrzący na ilustrację usiłujecie dostrzec ból bohatera i wracacie myślami do wydarzeń poprzedzających tę straszną chwilę. Potem, kiedy już poznacie moją reakcję, zaczniecie sobie wyobrażać nie mój ból, lecz to, co wy czulibyście na moim miejscu, gdyby to wasz ojciec został zamordowany. Wiem, że się nad tym zastanawiacie.

Tak, kiedy wróciłam wieczorem do domu, odkryłam, że ktoś zabił mojego ojca. Tak, darłam sobie włosy z głowy. Tak, objęłam go mocno i chłonęłam jego zapach, jak czyniłam to w dzieciństwie. Tak, trzęsłam się i nie mogłam oddychać. Tak, błagałam Allaha, by sprawił, aby ojciec wstał i usiadł na swoim zwykłym miejscu wśród książek. Wstań, ojcze, nie umieraj. Miał zakrwawioną i rozbitą głowę. Bardziej niż podartych papierów i ksiąg, niż porozbijanych i poprzewracanych stolików, pudełek do farb i kałamarzy, bardziej niż poniszczonych poduszek, biurek i tabliczek, bardziej niż splądrowanego wnętrza, bardziej nawet niż czyjegoś gniewu, który zabił ojca, bałam się nienawiści, która zniszczyła pokój i wszystko, co się w nim znajdowało. Przestałam płakać. Jacyś ludzie przeszli ulicą, śmiejąc się i rozmawiając w ciemności. Tymczasem w uszach brzmiała mi bezmierna cisza otaczającego świata.

Wytarłam mokre od łez policzki i cieknący nos. Bardzo długo myślałam o dzieciach i o naszym życiu.

Słuchałam ciszy. W końcu podbiegłam, chwyciłam ojca za kostki u nóg i wywlokłam na korytarz. Z jakiegoś powodu wydawał się cięższy. Nie przywiązując do tego większej wagi, zaczęłam ciągnąć go w dół po schodach. W połowie drogi siły mnie opuściły i musiałam przysiąść na stopniu. Zebrało mi się na płacz, gdy usłyszałam hałas. Sądząc, że Hayriye wróciła z dziećmi, złapałam ojca za nogi, wcisnęłam je sobie pod pachy i prędko ściągnęłam go na dół. Głowa mojego drogiego ojca była do tego stopnia zmiażdżona i okrwawiona, że przy zetknięciu ze schodami wydawała odgłos mokrej ścierki spadającej na podłogę. Na dole obróciłam ciało, które teraz było lżejsze, i wytężając wszystkie siły, przeciągnęłam je po kamiennej podłodze do letniej pracowni. Żeby coś widzieć w czarnym jak smoła pokoju, pobiegłam do kuchni po świecę. Okazało się, że pomieszczenie zostało dokładnie splądrowane. Znieruchomiałam. Kto, na Boga, to zrobił? Który z nich?

Myśli wirowały mi w głowie jak szalone. Zostawiłam ojca w zdemolowanym pokoju, starannie zamykając za sobą drzwi. Pobiegłam do kuchni po wiadro i napełniłam je wodą ze studni. Weszłam na górę i przy świetle lampki oliwnej zmyłam krew z podłogi w korytarzu, ze schodów i skąd tylko mogłam. Wróciłam do swego pokoju, zdjęłam zakrwawione ubranie i włożyłam czyste. Właśnie miałam wejść z wiadrem i szmatą do pracowni z niebieskimi drzwiami, gdy usłyszałam skrzypienie bramy. Jednocześnie rozległ się głos wzywający do wieczornej modlitwy. Zebrałam się w sobie i z lampką oliwną w ręku stanęłam u szczytu schodów.

— Mamo, wróciliśmy — oznajmił Orhan.

— Hayriye! Gdzieście byli? — spytałam ostro, lecz nie podnosząc głosu.

— Ależ mamo, przecież wróciliśmy przed wezwaniem na modlitwę... — zaczął Şevket.

— Cicho! Dziadek jest chory i śpi.

— Chory? — powtórzyła Hayriye, stojąc na dole. Domyśliła się z mojej milczącej reakcji, że jestem zła. — Czekaliśmy na Kostę. Kiedy przywieźli ryby, wzięliśmy liście laurowe, a potem kupiłam dzieciom suszone figi i wiśnie.

Miałam ochotę zejść i zbesztać Hayriye, bałam się jednak, że lampa oświetli mokre stopnie i ślady krwi, które w pośpiechu ominęłam. Dzieci wbiegły na górę i zdjęły buty.

— Hej, hej — ostrzegłam, prowadząc ich do naszej sypialni.

— Nie tam, bo tam śpi dziadek.

— Chcę iść do pokoju z niebieskimi drzwiami i usiąść przy piecyku, a nie do pokoju dziadka — sprzeciwił się Şevket.

— Tam właśnie śpi dziadek — wyjaśniłam szeptem.

Zawahali się.

— Musimy uważać, by złe dżiny, które opanowały dziadka i wywołały chorobę, nie przeszły na was — dodałam. — Idźcie do siebie. — Chwyciłam ich za ręce i zaprowadziłam do sypialni. — A teraz powiedzcie, coście tak długo robili?

— Widzieliśmy czarnych żebraków — odpowiedział Şevket.

— Gdzie? — spytałam. — Nieśli sztandary?

— Gdy wchodziliśmy na wzgórze. Dali Hayriye cytrynę, a ona im kilka monet. Byli cali w śniegu.

— Co jeszcze widzieliście?

— Wprawiali się w strzelaniu z łuku na rynku.

— W tym padającym śniegu? — zdziwiłam się.

— Mamo, zimno mi — skarżył się Şevket. — Idę do pokoju z niebieskimi drzwiami.

— Nie wyjdziecie stąd — zapowiedziałam. — W przeciwnym razie możecie umrzeć. Przyniosę wam tu piecyk.

— Dlaczego mielibyśmy umrzeć? — spytał Şevket.

— Coś wam powiem, lecz nie wolno nikomu o tym mówić, zrozumiano? — Przysięgli, że będą milczeć. — Kiedy was nie było, przybył tu z odległej krainy człowiek tak blady jak śmierć i rozmawiał z dziadkiem. Okazało się, że był dżinem.

Spytali, skąd przybył ten dżin.

— Z drugiego brzegu rzeki — wyjaśniłam.

— Stamtąd, gdzie jest nasz ojciec? — dopytywał się Şevket.

— Tak. Ten dżin przybył obejrzeć ilustracje dziadka. Mówią, że kiedy jakiś grzesznik na nie spojrzy, natychmiast umiera.

Zapadła cisza.

— Teraz zejdę do Hayriye — oznajmiłam. — Przyniosę wam piecyk i tacę z jedzeniem. Nawet nie myślcie o wyjściu z pokoju, bo umrzecie. Ten dżin nadal jest w domu.

— Mamo, nie zostawiaj nas — poprosił Orhan.

Pochyliłam się nad Şevketem.

— Odpowiadasz za brata. Jeżeli wyjdziecie z pokoju i dżin was nie złapie, to ja was zabiję. — Zrobiłam groźną minę jak wówczas, gdy zamierzałam ich uderzyć. — A teraz módlcie się, by dziadek nie umarł. Jeśli będziecie grzeczni, Bóg wysłucha waszych modlitw i nikt was nie skrzywdzi.

Zaczęli się modlić bez większego przekonania. Zeszłam na dół.

— Ktoś zrzucił garnek z konfiturą z pomarańczy — powiedziała Hayriye. — Kot nie mógł tego zrobić, bo nie dałby rady, a pies nie wszedłby do domu. — Urwała na widok przerażenia malującego się na mojej twarzy. — Co się stało? — spytała. — Czy coś z twoim ojcem?

— On nie żyje.

Hayriye krzyknęła. Nóż i cebula wypadły jej z rąk i uderzyły w deskę do krojenia z taką siłą, że podskoczyła przygotowywana przez nią ryba. Dziewczyna znowu krzyknęła. Okazało się, że widoczna na jej ręku krew nie jest krwią ryby, lecz płynęła z palca wskazującego, który sobie rozcięła. Pobiegłam na górę po kawałek gazy. Z pokoju chłopców dochodziły hałasy i pokrzykiwania. Weszłam tam i zobaczyłam, że Şevket siedzi na młodszym bracie i przyciskając mu kolanami ramiona, dusi go.

— Co wy robicie?! — spytałam groźnie.

— Orhan chciał wyjść z pokoju — odpowiedział Şevket.

— Kłamca — rzekł Orhan. — To on otworzył drzwi, a ja mu powiedziałem, żeby tego nie robił. — I uderzył w płacz.

— Zamorduję was, jeżeli nie będziecie cicho.

— Mamo, nie idź — prosił Orhan.

Na dole owinęłam palec Hayriye i zatamowałam krwawienie. Kiedy powiedziałam jej, że ojciec nie umarł śmiercią naturalną, przestraszyła się i odmówiła kilka modlitw, prosząc Allaha o opiekę. Spojrzała na skaleczony palec i rozpłakała się. Czy powodem tych łez była miłość do ojca? Chciała pójść na górę i go zobaczyć.

— Nie ma go na górze, jest w pokoju obok.

Przyjrzała mi się podejrzliwie. Kiedy się domyśliła, że nie zniosłabym jego widoku, ogarnęła ją ciekawość. Zrobiła kilka kroków w stronę drzwi do kuchni i zabrawszy lampę, z szacunkiem i lękiem otworzyła sąsiedni pokój. Zajrzała do środka. Było ciemno, więc uniosła lampę, by oświetlić duże prostokątne pomieszczenie.

— Ach! — krzyknęła, dostrzegając leżące tuż przy drzwiach ciało. Przez chwilę wpatrywała się w nie oniemiała. Rzucany przez nią cień ani drgnął. Mogłam sobie wyobrazić, co zobaczyła. Nie płakała, kiedy wróciła do kuchni. Odetchnęłam z ulgą, że nie straciła głowy i zdoła wysłuchać tego, co mam do powiedzenia.

— A teraz posłuchaj mnie, Hayriye — odezwałam się, machając nożem do ryby, który bezwiednie schwyciłam. — Pracownia na górze też została splądrowana. Ten przeklęty demon wszystko zniszczył. Zostawił po sobie istne pobojowisko. To tam zmiażdżył ojcu twarz i głowę, to tam go zabił. Przeniosłam ojca na dół, żeby dzieci niczego nie zauważyły i żebym zdążyła cię uprzedzić. Po waszym wyjściu ja też wyszłam. Ojciec został sam w domu.

— Nic o tym nie wiedziałam — rzuciła hardo. — Gdzie byłaś?

Nie odpowiedziałam od razu.

— Byłam z Czarnym — wyjaśniłam po chwili wymownego milczenia. — Spotkałam się z nim w domu Żyda Wisielca. Lecz nikomu o tym ani słowa. Zachowaj też w tajemnicy to, że ojciec został zamordowany.

— Kto go zabił?

Czyżby była taką idiotką, czy też chce mnie przyprzeć do muru?

— Gdybym wiedziała, nie ukrywałabym tego, że nie żyje — odparłam. — Nie wiem. A ty wiesz?

— Skąd mogłabym wiedzieć? Co teraz zrobisz?

— Będziesz się zachowywać tak, jakby nic się nie stało — rozkazałam. Miałam ochotę wyć i płakać, lecz się powstrzymałam. — Zostaw tę rybę — poleciłam po chwili — i przygotuj jedzenie dla dzieci.

Wtedy się rozpłakała, a ja ją objęłam. Przytuliłyśmy się mocno do siebie. W tym momencie była mi bardzo bliska. Zrobiło mi się żal nie tylko siebie i dzieci, lecz nas wszystkich. Jednocześnie ogarnęły mnie wątpliwości. Wiecie, gdzie byłam, gdy ojciec zginął. Żeby zrealizować swój plan, wyciągnęłam Hayriye i dzieci z domu. Zdajecie sobie sprawę, że pozostawienie ojca samego było jedynie przypadkowym następstwem tej decyzji. Lecz czy niewolnica o tym wiedziała? Czy dotarło do niej, co powiedziałam? Czy mnie zrozumie? Na pewno szybko wszystko pojmie i stanie się podejrzliwa. Objęłam ją jeszcze mocniej. Miałam jednak świadomość, że w tym niewolniczym rozumku rodzi się przypuszczenie, iż robię to, by zatuszować własne czyny. Poczułam się, jakbym ją oszukiwała. Kiedy mordowano ojca, ja kochałam się z Czarnym. Gdyby tylko Hayriye tak myślała, nie czułabym się winna, podejrzewam jednak, że wam też to przyszło do głowy. Przyznajcie się, sądzicie, że coś ukrywam. O, ja nieszczęśliwa! Chyba nie może być już gorzej. Zaczęłam płakać, Hayriye mi zawtórowała.

Udawałam, że zaspokajam głód przy nakrytym stole na górze. Od czasu do czasu, pod pretekstem zajrzenia do dziadka, wychodziłam do drugiego pokoju i zalewałam się łzami. Ponieważ dzieci były przestraszone i zdenerwowane, tuliły się do mnie w łóżku. Długo nie mogły zasnąć ze strachu przed dżinami, wierciły się i pytały: „Co to za hałas, słyszałaś?". Chcąc je uśpić, obiecałam, że opowiem im historię miłosną. Wiecie, że słowa nabierają skrzydeł w ciemności.

— Mamo, chyba nie masz zamiaru wyjść za mąż? — spytał Şevket.

— Posłuchajcie — zaczęłam. — Był sobie książę, który zakochał się w niezwykle pięknej dziewczynie, choć był od niej bardzo daleko. Jak to się stało? Zanim ujrzał ją na własne oczy, zobaczył jej portret.

Zazwyczaj gdy się czymś denerwowałam lub martwiłam, opowiadałam zmyślone przez siebie bajki. Teraz też ubarwiłam znaną historię, wykorzystując paletę własnych wspomnień i trosk. Wyszła z tego smutna ilustracja, obrazująca wszystko, co było moim udziałem.

Kiedy dzieci usnęły, opuściłam ciepłe łóżko i wspólnie z Hayriye uprzątnęłyśmy to, co nikczemny demon zniszczył: połamane szufladki, podarte księgi, ubrania, porozbijane ceramiczne kubki, gliniane garnki, talerze i kałamarze. Usunęłyśmy roztrzaskany składany stół, pudełka na farby i papiery noszące ślady dzikiej nienawiści. Co pewien czas któraś z nas zatrzymywała się i wybuchała płaczem. Wyglądało to tak, jakby bardziej martwiły nas zniszczone rzeczy i meble oraz barbarzyńskie pogwałcenie czyjejś prywatności niż śmierć ojca. Wiem, że ci, którzy stracili kogoś bliskiego, znajdują pocieszenie w starym układzie zostawionych przez niego rzeczy. Ból koją zasłony, koce i światło dnia, pozwalające na chwilę zapomnieć o tym, że Azrael zabrał ukochaną osobę lub krewnego. Dom, z taką miłością i cierpliwością pielęgnowany przez ojca i pieczołowicie ozdabiany, został bezlitośnie zniszczony. Nie tylko pozbawiono nas wzruszających wspomnień, lecz — z powodu bezwzględności zabójcy — zasiano w nas strach.

Kiedy na przykład za moją namową zeszłyśmy na dół nabrać świeżej wody ze studni, by dokonać ablucji i przeczytać fragment ulubionej sury ojca *Rodzina Imrana* — która mówi o nadziei i śmierci — z jego ukochanego egzemplarza Koranu, oprawionego przez artystów z Heratu, nagle skrzypnęła brama. Zmarłyśmy ze strachu. Nic się jednak nie działo. Upewniwszy się, że jest zamknięta, postawiłyśmy przy niej żardynierę z bazylią, którą ojciec podlewał wiosną świeżą wodą ze studni, po czym wróciłyśmy do domu. Nagle wydało się nam, że długie cienie, padające w świetle lampki oliwnej, nie są nasze, lecz obcych osób. Największy jednak strach, bo była to bojaźń boża, owładnął nami, gdy uroczyście obmyłyśmy ojcu zakrwawioną twarz i przebrałyśmy go w czyste szaty — wszystko po to, bym mogła sobie wmówić, że zmarł w naturalny sposób.

— Podaj mi jego rękaw spod spodu — poprosiła szeptem Hayriye.

Kiedy zdjęłyśmy zakrwawione ubranie i bieliznę, zdumiał nas i przeraził jasny, oświetlony blaskiem świecy odcień skóry ojca. Wyglądał niemal jak żywy. Ponieważ przerażało nas wiele innych rzeczy, nie wstydziłyśmy się patrzeć na jego nagie ciało pokryte plamami krwi i ranami. Kiedy Hayriye poszła na górę po czystą bieliznę i zieloną jedwabną koszulę, nie mogłam się powstrzymać i spojrzałam na przyrodzenie ojca, zaraz jednak poczułam wstyd. Kiedy go już przebrałam oraz zmyłam krew z szyi, twarzy i włosów, przytuliłam się do niego, kryjąc twarz w brodzie, by poczuć jego zapach. Długo płakałam.

Tym z was, którzy chcieliby oskarżyć mnie o brak uczuć czy wyrzutów sumienia, spieszę opowiedzieć o dwóch kolejnych sytuacjach, które wycisnęły mi łzy z oczu.

1. Kiedy sprzątałam pokój na górze, by dzieci nie dowiedziały się, co zaszło, przytknęłam do ucha muszlę służącą ojcu za gładzidło do polerowania papieru. Zwykłam tak robić w dzieciństwie. Zauważyłam teraz, że szum morza przycichł.

2. Zobaczyłam, że czerwona aksamitna poduszka, na której ojciec siedział przez dwadzieścia lat i która stała się niemal częścią jego ciała, jest porwana.

Gdy wszystko, z wyjątkiem szkód niemożliwych do naprawienia, zostało uporządkowane, bezlitośnie potraktowałam Hayriye, nie zgadzając się, by rozścieliła swoje łóżko w naszym pokoju.

— Nie chcę, by chłopcy zaczęli rano coś podejrzewać — wyjaśniłam.

Szczerze mówiąc, tak naprawdę pragnęłam zostać sama z dziećmi, a przy okazji ją ukarać.

Położyłam się spać, lecz długo nie mogłam zasnąć — nie dlatego, że to straszne zdarzenie zaprzątało mi myśli, ale dlatego, iż wciąż zastanawiałam się, co mnie jeszcze czeka.

31.
Nazywam się Czerwień

Pojawiłam się w Gazne na kaftanie poety Firdausiego, autora *Księgi królewskiej*, gdy recytował czterowiersz o najbardziej misternych rymach. Okazał się lepszy od dworskich poetów szacha Mahmuda, którzy się z niego wyśmiewali, twierdząc, że jest tylko chłopem. Kiedy Rustam, legendarny bohater *Księgi królewskiej*, udał się w dalekie strony w poszukiwaniu zaginionego rumaka, byłam na jego kołczanie, a potem we krwi, która trysnęła z legendarnego potwora, gdy Rustam przeciął go na pół swoją cudowną szablą. Byłam wreszcie na fałdach narzuty, na której Rustam kochał się namiętnie z piękną córką pewnego króla, udzielającego mu gościny. Tak naprawdę byłam wszędzie i jestem wszędzie. Pojawiłam się, gdy Tur ściął głowę swemu bratu Iradżowi, gdy bajkowa armia, niczym najbarwniejszy sen, walczyła na stepach i gdy urodziwy Aleksander dostał udaru słonecznego, a pod nosem wykwitła mu jasna krew. O tak, sasanidzki szach Bahram Gur* pod różnobarwnymi kopułami spędzał każdą noc z pięknymi kobietami z odległych krain, wysłuchując opowieści owych ślicznotek, a ja znalazłam się na szacie panny wielkiej urody, którą odwiedził we wtorek i zachwycił się jej konterfektem. Byłam na

---

* Bahram Gur — bohater występujący w *Szahname*; scena jego polowania na gazelę jest częstym motywem miniatur perskich.

koronie, kaftanie i innych ubraniach Chosrowa, gdy ten zakochał się w wizerunku Szirin. Widać mnie było na sztandarach armii oblegających twierdze, na obrusach przykrywających stoły w czasie uczt, na aksamitnych kaftanach ambasadorów całujących stopy sułtanów i na szablach w ulubionych opowieściach. Urodziwi praktykanci o migdałowych oczach nakładali mnie eleganckimi pędzelkami na gruby papier z Indii i Buchary, zdobiłam dywany z Uszaku, ornamenty ścienne, grzebienie walczących kogutów, drzewa granatów, owoce z baśniowych krain, usta szatana, delikatne linie z ilustracji na marginesach książek, wijące się hafty na namiotach, kwiaty ledwie widoczne gołym okiem, stworzone dla przyjemności malarza, bluzki pięknych kobiet, które wyciągały szyje, by spojrzeć na ulicę przez rozsunięte żaluzje, oczy cukrowych ptaków zrobione z kwaśnych wiśni, onuce pasterzy, świty opisywane w bajkach, oraz tysiące, nie, setki tysięcy, ciał i ran kochanków, wojowników i szachów. Uwielbiam występować w scenach bitewnych, w których krew rozkwita jak maki, uwielbiam pojawiać się na kaftanie najbardziej utalentowanego z bardów, słuchającego muzyki podczas wycieczki na wieś, gdy piękni chłopcy i poeci raczą się winem, uwielbiam barwić skrzydła aniołów, usta panien, śmiertelne rany i broczące krwią ścięte głowy.

Słyszę pytanie cisnące się wam na usta: Jak to jest być barwą?

Kolor to dotyk oka, muzyka głuchego, słowa płynące z ciemności. Ponieważ słuchałam szeptu dusz — przypominającego szum wiatru — z księgi do księgi, z przedmiotu do przedmiotu przed dziesiątki tysięcy lat, mogę chyba powiedzieć, że mój dotyk jest jak muśnięcie aniołów. Część mnie, ta poważna, odwołuje się do waszej wyobraźni, natomiast druga, wesoła, szybuje w górę wraz z waszymi spojrzeniami.

Mam wielkie szczęście, że jestem czerwienią. Jestem ogni-
sta. Jestem silna. Mężczyźni zwracają na mnie uwagę. Nie można mi się oprzeć.

Nie ukrywam się. Według mnie delikatność nie objawia
się w słabości i subtelności, lecz w zdecydowaniu i sile woli.
Dlatego ściągam na siebie uwagę. Nie boję się innych kolorów,
cieni, tłumów czy nawet samotności. To wspaniałe, gdy na jakiejś powierzchni odbiję swoje zwycięskie *ego*. Gdziekolwiek
się pokażę, oczy błyszczą, rośnie namiętność, unoszą się brwi
i serca szybciej biją. Jak wspaniale jest żyć! Jak wspaniale jest
widzieć! Życie widać wszędzie. I ja jestem wszędzie. Życie zaczyna się ode mnie i wraca do mnie. Wiem, co mówię.

A teraz uciszcie się i posłuchajcie, jak udało mi się stworzyć taki wspaniały odcień. Mistrz miniatury, specjalista od
farb, tłuczkiem starannie roztarł w moździerzu na proszek najlepszy gatunek czerwonych żuków z najgorętszych obszarów
Indii. Przygotował pięć dirhemów czerwonego proszku, jeden
dirhem mydlnicy lekarskiej i pół dirhemu lotoru. Zagotował
mydlnicę z trzema miarkami wody. Potem dodał lotor, starannie go rozmieszał i gotował przez czas wystarczający na wy-
picie filiżanki wybornej kawy. Kiedy delektował się jej aroma-
tem, zrobiłam się równie niecierpliwa jak dziecko, które ma
się narodzić. Kawa rozjaśniła umysł mistrza i dała mu wzrok
dżina. Miniaturzysta wsypał do rondla czerwony proszek i starannie wszystko wymieszał specjalnie do tego przeznaczonym
cienkim patyczkiem. Byłam gotowa stać się czerwonym kolorem, lecz pozostawała jeszcze niezwykle ważna sprawa gęsto-
ści. Nie można było dopuścić, by płyn się wygotował. Mistrz
przejechał czubkiem patyczka po paznokciu kciuka (żaden inny palec się do tego nie nadawał). Ach, cóż za wspaniałe uczucie stać się czerwienią! Pięknie pokryłam powierzchnię pa-
znokcia, nie spływając na boki jak woda. Wkrótce osiągnęłam

właściwą konsystencję, lecz nadal zawierałam osad. Mistrz zdjął rondel z ognia i przecedził mnie przez czysty kawałek gazy, klarując. Potem znowu postawił garnek na ogniu i dwa razy mnie zagotował. Po dodaniu szczypty sproszkowanego ałunu odstawił mieszaninę, by wystygła.

Minęło kilka dni, a ja wciąż tkwiłam w rondlu. Nie mogłam się już doczekać, by nałożono mnie na papier, by gdziekolwiek i po czymkolwiek rozsmarowano. Takie nieruchome trwanie łamało mi serce i ducha. Właśnie w tym okresie bezczynności zaczęłam się zastanawiać, co znaczy być czerwienią.

Kiedyś w pewnym perskim mieście, gdy praktykant nakładał mnie pędzelkiem na haft, zdobiący czaprak konia namalowanego przez ślepego miniaturzystę, podsłuchałam rozmowę dwóch ociemniałych mistrzów.

— Przez całe życie pracowaliśmy gorliwie i z oddaniem jako malarze, a dopiero potem oślepliśmy, dlatego znamy czerwoną barwę, wiemy, jaki to rodzaj koloru i jakie wywołuje uczucie — powiedział ten, który namalował z pamięci konia.

— Ale co by było, gdybyśmy urodzili się niewidomi? Jak zdołalibyśmy zrozumieć czerwień, którą nakłada teraz nasz urodziwy uczeń?

— Interesujący problem — odparł drugi miniaturzysta. — Nie zapominaj jednak, że kolorów się nie poznaje, lecz się je czuje.

— Mój drogi mistrzu, opisz czerwień komuś, kto nigdy jej nie widział.

— Jeżeli dotkniemy jej czubkiem palca, poczujemy coś pomiędzy żelazem a miedzią. Jeśli weźmiemy ją do ręki, będzie paliła. Jeżeli ją posmakujemy, wyczujemy smak solonego mięsa. Jeżeli włożymy ją między wargi, wypełni nam usta. Jeżeli ją powąchamy, będzie pachniała koniem. Gdyby była kwiatem, pachniałaby jak stokrotka, nie jak czerwona róża.

Sto dziesięć lat temu sztuka wenecka nie stanowiła jeszcze takiego zagrożenia, by nasi władcy musieli się nią martwić, a legendarni mistrzowie wierzyli w swoje metody równie żarliwie jak w Allaha. Dlatego uważali stosowanie przez Wenecjan różnych odcieni czerwieni, by oddać zwykłą ranę zadaną szablą czy coś równie banalnego jak worek, za niegodne i wulgarne, niewarte nawet pogardliwego uśmiechu. Twierdzili, że tylko słaby i niepewny swoich umiejętności miniaturzysta używałby jakiegoś odcienia czerwieni do namalowania czerwonego kaftana. Cieniowanie nie było żadną wymówką. Według nich istniał tylko jeden kolor czerwony.

— Jakie jest znaczenie czerwieni? — spytał ociemniały miniaturzysta, który namalował z pamięci konia.

— Znaczenie barwy polega na tym, iż mamy ją przed sobą i ją widzimy — odparł ten drugi. — Nie można opisać czerwieni komuś, kto nie może jej zobaczyć.

— Żeby zaprzeczyć istnieniu Boga, ofiary szatana utrzymują, że Boga nie można zobaczyć — powiedział miniaturzysta, który stworzył konia.

— Mimo to Bóg ukazuje się tym, którzy widzą — odrzekł drugi mistrz. — Z tego powodu w Koranie jest napisane, że ślepcy i widzący nie są sobie równi.

Urodziwy praktykant z niezwykłą delikatnością nakładał mnie na czaprak. Co za wspaniałe uczucie połączyć moją głębię, siłę i żywość z czernią i bielą na dobrze wykonanej miniaturze. Kiedy miękki pędzelek rozprowadza mnie po karcie papieru, czuję rozkoszne łaskotki. Gdy pojawiam się na stronie, jest tak, jakbym wydawała światu rozkaz: „Stań się!". Owszem, ci, którzy nie widzą, zaprzeczą temu, lecz prawda jest taka, że znaleźć mnie można wszędzie.

32.
Ja, Şeküre

Zanim dzieci się obudziły, wstałam z łóżka i napisałam do Czarnego krótki list z prośbą, by jak najszybciej przyszedł do domu Żyda Wisielca, po czym wcisnęłam go Hayriye do ręki i wysłałam ją do Ester. Wzięła list i popatrzyła mi w oczy z większą niż zwykle śmiałością pomimo dręczącego ją niepokoju o naszą przyszłość. Teraz, kiedy nie musiałam się już obawiać ojca, odpowiedziałam na jej spojrzenie z pewnością siebie. Ta próba sił zadecydowała o naszych dalszych stosunkach. Przez ostatnie dwa lata obawiałam się, że Hayriye może zajść w ciążę z ojcem i zapominając o pozycji niewolnicy, stać się panią tego domu. Poszłam do mojego nieszczęsnego ojca i z szacunkiem ucałowałam sztywną dłoń, która, o dziwo, nadal była miękka w dotyku. Schowałam jego buty, turban i purpurową pelerynę, a gdy dzieci się obudziły, powiedziałam im, że dziadek poczuł się lepiej i z samego rana udał się do dzielnicy Mustafapaşa.

Hayriye wróciła do domu. Kiedy nakrywała do śniadania, a ja stawiałam na stole konfitury z pomarańczy, wyobraziłam sobie, jak Ester puka do drzwi Czarnego.

Śnieg przestał padać i zaświeciło słońce. Gdy weszłam do ogrodu Żyda Wisielca, zauważyłam, że zrobiło się przyjemniej. Zwisające z okapu i okna sople szybko topniały, a ciepło promieni słonecznych wchłonęło nieprzyjemny zapach błota i gnijących liści. Czarny czekał na mnie w tym samym miejscu co wczoraj. Miałam wrażenie, jakby od tego czasu upłynęło wiele tygodni. Podniosłam zasłonę.

— Możesz być zadowolony. Wątpliwości i obiekcje ojca nie staną nam już na przeszkodzie. Gdy ty wczoraj starałeś się mnie zdobyć, diabeł w skórze człowieka wtargnął do naszego domu i zamordował go.

Pewnie zamiast myśleć o reakcji Czarnego, zastanawiacie się, dlaczego w moich słowach było tyle chłodu i obłudy. Nie potrafię na to odpowiedzieć. Może obawiałam się, że się rozpłaczę, a wówczas Czarny obejmie mnie i staniemy się sobie bliscy szybciej, niż tego chciałam?

— Doszczętnie zniszczył nasz dom, jakby kierowały nim gniew i nienawiść. Nie przypuszczam, by na tym się skończyło, ten diabeł nie usunie się tak szybko w cień. Ukradł ostatnią ilustrację. Proszę, abyś mnie... abyś nas chronił i trzymał księgę ojca z dala od mordercy. A teraz powiedz, jak i pod jakimi warunkami weźmiesz nas pod opiekę. Nad tym musimy się zastanowić.

Chciał odpowiedzieć, lecz uciszyłam go spojrzeniem, jakbym robiła to wiele razy.

— Zgodnie z prawem to mój mąż i jego rodzina przejmują nade mną opiekę po śmierci ojca. Spieraliśmy się zresztą o to wcześniej, bo według prawa mój mąż wciąż żyje. Mogłam przenieść się do domu ojca tylko dlatego, że Hasan próbował mnie wykorzystać pod nieobecność starszego brata, a to wywołało wzburzenie mojego teścia. Wciąż nie byłam jednak oficjalnie wdową. Teraz, gdy mój ojciec nie żyje, a ja nie mam nawet brata, nie ulega wątpliwości, że moimi jedynymi prawnymi opiekunami są brat męża i teść. Już próbowali zmusić mnie do powrotu, grożąc mi i wywierając nacisk na ojca. Kiedy dowiedzą się, że ojciec nie żyje, nie zawahają się przed podjęciem zdecydowanych kroków. Jedynym sposobem, żeby temu zapobiec, byłoby udawanie, że ojciec wciąż żyje. Ale to i tak pewnie nie ma większego sensu, bo przecież to oni mogą się kryć za tą zbrodnią.

W tej chwili wąska smuga światła wniknęła do środka przez połamane żaluzje i padła między mnie i Czarnego, wydobywając z cienia wieloletnią warstwę kurzu.

— Nie tylko z tego powodu trzymam w tajemnicy śmierć ojca — powiedziałam, patrząc Czarnemu w oczy, w których, ku mojemu zadowoleniu, dostrzegłam skupienie, a nie uczucie. — Obawiam się, że nie będę mogła zdradzić, gdzie byłam w czasie popełnienia morderstwa. Poza tym Hayriye, chociaż to niewolnica i jej słowo nic nie znaczy, może być zamieszana w tę intrygę, jeśli nawet skierowaną nie przeciwko mnie, to przeciwko księdze ojca. Dopóki nie będę miała opiekuna, dopóty ogłoszenie śmierci ojca — które zapewne uprościłoby sprawy w domu — może przynieść spore kłopoty. Bo co na przykład, jeżeli Hayriye wie, że ojciec nie chciał, bym cię poślubiła?

— Nie chciał, byś mnie poślubiła? — powtórzył Czarny.

— Nie chciał. Bał się, że zabierzesz mnie z jego domu. Ale skoro takie niebezpieczeństwo już nie istnieje, przyjmijmy, że mój nieszczęsny ojciec nie będzie już zgłaszał obiekcji. A ty masz coś przeciwko?

— Nie mam, najdroższa.

— Doskonale. Mój ojciec nie domagał się od ciebie żadnych pieniędzy czy złota. Wybacz, że sama omawiam sprawy dotyczące małżeństwa, ale muszę, niestety, przedstawić ci pewne warunki.

Zamilkłam na chwilę, a Czarny wyszeptał:

— Tak — jakby prosił o wybaczenie, że się zawahał.

— Po pierwsze — zaczęłam — musisz przysiąc w obecności dwóch świadków, że jeżeli będziesz mnie źle traktował, a ja uznam to za nie do zniesienia, lub jeżeli weźmiesz sobie drugą żonę, natychmiast dasz mi rozwód i alimenty. Po drugie, musisz przysiąc przy dwóch świadkach, że jeżeli z jakiegoś powodu nie będzie cię w domu dłużej niż sześć miesięcy, również otrzymam rozwód i alimenty. Po trzecie, po ślubie przeprowadzisz się do mojego domu, jednak dopóki łotr, który zamordował ojca, nie zostanie schwytany albo dopóki ty go nie znajdziesz — bardzo bym chciała osobiście poddać go torturom — i dopóki księga sułtana nie zostanie ukończona, dzięki twoim talentom i wysiłkom, a następnie przedstawiona naszemu władcy, dopóty nie będziesz dzielił ze mną łoża. Po czwarte, będziesz kochał moich synów, którzy będą dzielić ze mną pokój, jak własnych.

— Zgadzam się.

— Dobrze. Jeżeli wszystkie czekające nas jeszcze przeszkody znikną, wkrótce weźmiemy ślub.

— Tak, lecz nie będziemy dzielić łoża.

— Pierwszym krokiem jest ślub — powiedziałam. — Zatrzymajmy się przy tym chwilę. Miłość jest na drugim miejscu. Pamiętaj, że małżeństwo gasi płomień miłości i przynosi jedynie pustkę, smutek i ciemność. Oczywiście po ślubie miłość i tak w końcu zniknie, lecz pustkę wypełni szczęście. Są jednak głupcy, którzy zakochują się przed ślubem i płonąc z emocji, trwonią uczucia, wierząc, że miłość jest najwyższym celem w życiu.

— Gdzie w takim razie leży prawda?

— W zadowoleniu. Miłość i małżeństwo są zaledwie środkami do jego osiągnięcia. Mąż, dom, dzieci, księga. Nie widzisz, że nawet w mojej sytuacji — zaginiony mąż, nieżyjący ojciec — jest mi lepiej niż tobie samotnemu? Umarłabym bez synów, z którymi spędzam dni, śmiejąc się, przekomarzając i kochając ich. Skoro więc mnie pragniesz, pomimo mojego kłopotliwego położenia, skoro marzysz w sekrecie, by spędzić ze mną noc, choćby nawet nie we wspólnym łożu, ale pod jednym dachem z ciałem mojego ojca i niesfornymi dziećmi, będziesz musiał uważnie wysłuchać, co mam do powiedzenia.

— Słucham cię.

— Są różne sposoby na uzyskanie rozwodu. Jak choćby fałszywi świadkowie, którzy zaświadczą, że zanim mój mąż wyruszył na wojnę, przyznał mi rozwód warunkowy. Na przykład zobowiązał się, że jeżeli nie wróci w ciągu dwóch lat, będę wolna. Mogą też po prostu wyznać, że widzieli ciało mojego męża na polu walki, przytaczając przekonujące i obrazowe szczegóły. Ale wobec śmierci ojca i sprzeciwu rodziny męża przedstawianie fałszywych świadków byłoby nierozsądne, bo żaden w miarę inteligentny i podejrzliwy sędzia im nie uwierzy. Zważywszy na to, że mąż zostawił mnie bez alimentów i od czterech lat nie daje znaku życia, nawet sędziowie reprezentujący hanaficką szkołę prawa koranicznego nie daliby mi rozwodu. Za to kadi z Üsküdaru, który wie, że każdego dnia rośnie liczba kobiet w mojej sytuacji, będzie bardziej wyrozumiały. Za zgodą sułtana i szejch ül-islama kadi zezwala czasami przedstawicielowi szafiickiej szkoły prawa orzekać w jego imieniu, a tym samym dawać rozwody kobietom takim jak ja, i określać warunki alimentacyjne. Jeżeli zdołasz do południa znaleźć dwóch świadków, którzy zgodzą się zeznawać w mojej sprawie, zapłacić im, przepłynąć z nimi Bosfor, odszukać w Üsküdarze sędziego, w którego imieniu orzeka pełnomocnik i który da mi rozwód na podstawie zeznań świadków, a następnie zarejestrować rozwód, uzyskać świadectwo potwierdzające go i pozwolenie na piśmie na mój powtórny ślub — jeżeli to wszystko załatwisz i wrócisz przed południem na tę stronę Bosforu, wówczas — zakładając, że nie będzie trudności ze znalezieniem imama, który wieczorem da nam ślub — jako mój mąż spędzisz tę noc ze mną i moimi dziećmi. Dzięki temu będę mogła spać spokojnie, bez obawy, że każde trzeszczenie schodów oznacza zbliżającego się mordercę. Nie będę również czuła się bezbronna i przerażona, kiedy rano ogłosimy, że ojciec nie żyje.

— Tak — potwierdził Czarny pogodnie i beztrosko. — Tak, zgadzam się uczynić cię moją żoną.

Pamiętacie, jak niedawno powiedziałam, że nie wiem, dlaczego moje słowa brzmiały chłodno i nieszczerze? Teraz już wiem. Uświadomiłam sobie, że tylko w ten sposób zdołam przekonać kogoś tak dziecinnie naiwnego, że wszystko da się załatwić, chociaż sama do końca w to nie wierzyłam.

— Mamy wiele do zrobienia, by przechytrzyć wrogów, którzy będą się starali nie dopuścić do ukończenia księgi ojca, będą chcieli zakwestionować mój rozwód i naszą ślubną ceremonię. Nie powinnam jednak dalej gmatwać sprawy, bo i tak pewnie masz większy chaos w głowie niż ja.

— Ty w ogóle nie sprawiasz takiego wrażenia — zauważył Czarny.

— Być może, lecz nie moja to zasługa. Ojciec mnie tego nauczył — powiedziałam, bo nie chciałam, by mnie zlekceważył z tego powodu, że te trzeźwe pomysły zrodziły się w kobiecej główce.

A potem usłyszałam coś, co mówił każdy mężczyzna mający odwagę przyznać, że uważa mnie za bardzo inteligentną:

— Jesteś bardzo piękna.

— Tak — odparłam. — Miło, gdy ktoś chwali cię za inteligencję. Ojciec często to robił, gdy byłam mała.

Już miałam dodać, że gdy dorosłam, zaprzestał pochwał, lecz się rozpłakałam. Poczułam się tak, jakbym porzuciła swoje ciało i stała się zupełnie inną kobietą. Niczym czytelnik zatroskany smutną ilustracją w księdze spojrzałam z boku na swoje

życie i zrobiło mi się żal siebie. Jest coś niewinnego w opłaki-
waniu kłopotów, jakby nie były nasze, toteż gdy Czarny mnie
objął, poczułam, że otacza nas zaufanie. Tym razem jednak ten
spokój pozostał między nami i nie miał wpływu na poczyna-
nia naszych wrogów.

33.
Nazywam się Czarny

Osierocona przez męża, porzucona i zasmucona, moja ukochana Şeküre uciekła lekko niczym zdmuchnięte piórko, a ja zostałem oniemiały w ciszy domu Żyda Wisielca, wśród zapachu migdałów i marzeń o małżeństwie. Byłem zdumiony, lecz myśli wirowały mi w głowie tak szybko, że aż bolało. Nie mogąc opłakiwać wuja, udałem się prosto do domu. Z jednej strony zaczęły mnie dręczyć wątpliwości, czy aby Şeküre nie używa mnie jako pionka w swojej grze, czy mnie nie oszukuje. Z drugiej zaś strony przesuwały mi się przed oczyma rozkoszne wizje małżeńskiego pożycia.

Po rozmowie z gospodynią, która w drzwiach domu spytała mnie, gdzie byłem i skąd wracam o tak wczesnej porze, poszedłem do swojego pokoju i wyjąłem dwadzieścia dwie złote monety weneckie, zaszyte pod podszewką szarfy i ukryte w materacu, po czym drżącymi palcami włożyłem je do sakiewki. Kiedy ponownie znalazłem się na ulicy, uświadomiłem sobie, że przez resztę dnia będę widział ciemne, mokre od łez, zatroskane oczy Şeküre.

Rozmieniłem pięć weneckich lwów u rozpływającego się w uśmiechach żydowskiego właściciela kantoru. Potem, pogrążony w myślach, udałem się do dzielnicy, której nazwy do tej pory nie wspomniałem, ponieważ za nią nie przepadam. Brzmi ona Yakutlar i tam właśnie czekali na mnie mój nieżyjący wuj oraz Şeküre z dziećmi. Kiedy szybkim krokiem, prawie biegnąc, podążałem ulicami, wysoki platan zdawał się czynić mi wyrzuty, że oddaję się radosnym marzeniom o małżeństwie w dniu, w którym odszedł wuj. Potem, ponieważ lód topniał, uliczna fontanna syknęła mi do ucha: „Nie bierz spraw zbyt poważnie, pilnuj własnego interesu i własnego szczęścia". „Tak, to bardzo pięknie — wtrącił złowróżbny czarny kot, myjący się na rogu ulicy — lecz wszyscy, łącznie z tobą, podejrzewają, że maczałeś palce w morderstwie wuja". Przerwał toaletę i utkwił we mnie czarujące ślepia. Nie muszę wam mówić, jakie bezczelne są te rozpuszczone przez ludzi stambulskie koty.

Szanownego imama, o ciężkich powiekach i ogromnych czarnych oczach, nadających mu senny wygląd, zastałem nie w domu, lecz na dziedzińcu meczetu. Zadałem mu proste pytanie:

— Kiedy ktoś ma obowiązek zeznawać w sądzie?

Uniosłem brwi, słuchając jego wyniosłej odpowiedzi, jakbym po raz pierwszy się o tym dowiadywał.

— Nie trzeba zeznawać wtedy, gdy są inni świadkowie — wyjaśnił imam. — Lecz w sytuacji, gdy jest tylko jeden świadek, zgodnie z wolą Boga należy stawić się w sądzie.

— Właśnie w takiej sytuacji się znalazłem — powiedziałem. — W pewnej sprawie świadkowie uchylili się od odpowiedzialności i nie przyszli do sądu, tłumacząc, że na pewno znajdą się inni; tym sposobem zlekceważono ważne sprawy osób, którym próbuję pomóc.

— W takim razie może poluzowałbyś nieco sznurek sakiewki — odparł imam.

Wyjąłem mieszek i pokazałem ukryte w nim weneckie monety. Obszerny dziedziniec meczetu, twarz imama i wszystko wokół zajaśniało złotym blaskiem. Zapytał, jaki mam problem. Wyjaśniłem mu, kim jestem.

— Wuj jest chory — wyznałem. — Przed śmiercią chciałby, by stwierdzono wdowieństwo jego córki i wyznaczono
alimenty.

Nie musiałem nawet wspominać o pełnomocniku sędziego
z Üsküdaru. Imam efendi natychmiast zrozumiał, o co chodzi,
i powiedział, że cała dzielnica boleje nad losem nieszczęsnej
Şeküre, po czym dodał, że ta sprawa już zbyt długo się ciągnie.
Zamiast szukać drugiego świadka, koniecznego do orzeczenia
rozwodu przez sędziego w Üsküdarze, imam zaproponował
swojego brata. Gdybym ofiarował jeszcze jedną złotą sztukę
bratu, który mieszka w sąsiedztwie oraz zna Şeküre i jej synów, spełniłbym dobry uczynek. W ten sposób za dwie złote
monety dostałem drugiego świadka. Dobiliśmy targu i imam
poszedł po brata.

Reszta dnia przypominała bajki o kocie i myszy, odgrywa-
ne przez gawędziarzy w kawiarniach w Aleppo, które miałem
okazję oglądać. Historii tych, przeznaczonych do głośnego opowiadania i ukazujących się w formie pisanej, nigdy nie traktowano poważnie, chociaż pięknie je kaligrafowano. Natomiast
nigdy nie ilustrowano. Ja zaś z przyjemnością podzieliłem naszą całodzienną przygodę na cztery sceny, wyobrażając je sobie jako obrazki.

W pierwszej scenie miniaturzysta powinien namalować nas
w barkasie, do którego wsiedliśmy w Unkapanı, płynących po
błękitnych wodach cieśniny Bosfor do Üsküdaru w otoczeniu czterech wąsatych i umięśnionych wioślarzy. Imam i jego kościsty brat o śniadej cerze, zadowoleni z nieoczekiwanej
podróży, wdali się w przyjacielską pogawędkę z wioślarzami.
W tym czasie ja, mając przed oczami rozkoszne sceny mał-
żeńskie, wpatrywałem się w toń Bosforu, bardziej przejrzystą
tego słonecznego zimowego poranka, pilnując, czy nie pojawi
się jakiś złowieszczy znak. Bałem się na przykład, że ujrzę na

dnie wrak statku pirackiego. Bez względu na to, w jak wesołych barwach miniaturzysta namalowałby morze i chmury, powinien wprowadzić odpowiednik moich obaw równie intensywny, jak moje wizje szczęśliwości, choćby rybę o strasznym wyglądzie — po to, by czytelnikowi wszystko nie wydawało się zbyt różowe.

Druga ilustracja powinna przedstawiać pałac sułtanów, posiedzenie Rady Sułtańskiej, przyjęcie europejskich ambasadorów i niezwykle starannie, na miarę Behzada, zobrazowane subtelności ludzkich dusz. To znaczy powinna zawierać żartobliwe elementy i zarazem wyrażać ironię. Dlatego kiedy kadi jedną ręką czyni gest oznaczający „stop", czyli odmawiający wzięcia łapówki, drugą powinien grzecznie chować do kieszeni moje weneckie złote monety. Na tym samym rysunku powinien być widoczny efekt przyjęcia łapówki: rozprawie zamiast sędziego z Üsküdaru przewodniczy szanowny Sahap, reprezentujący szafiicką szkołę prawa koranicznego. Ciągłość zdarzeń inteligentny miniaturzysta uzyska dzięki umiejętnemu zakomponowaniu strony. Czytelnik, który najpierw widzi, jak daję łapówkę, a potem człowieka siedzącego ze skrzyżowanymi nogami na poduszce kadiego, domyśli się, nawet jeżeli nie zna tekstu, że czcigodny sędzia udostępnił na pewien czas swoje stanowisko pełnomocnikowi, by ten mógł dać rozwód Şeküre.

Trzecia ilustracja mogłaby przedstawiać tę samą scenę, lecz tym razem naścienna ornamentyka powinna być ciemniejsza i w stylu chińskim — wijące się gałązki bardziej misterne i gęste, a nad pełnomocnikiem kadiego winny pojawić się kolorowe obłoki sygnalizujące matactwo. Co prawda imam i jego brat zeznawali pojedynczo, lecz na ilustracji występują razem, opowiadając, jak mąż biednej Şeküre od czterech lat nie wraca z wojny, przez co ona znalazła się w nędzy bez opiekuna; jak jej pozbawieni ojca synowie ciągle płaczą i chodzą głodni; jak Şeküre nie może powtórnie wyjść za mąż, bo wciąż jest mężatką, i w tej sytuacji nie może nawet dostać pożyczki, bo konieczna jest zgoda męża. Byli tak przekonujący, że nawet ktoś wyjątkowo bezwzględny ze łzami w oczach dałby jej rozwód. Tymczasem bezduszny pełnomocnik zapytał najpierw, kto jest prawnym opiekunem Şeküre. Po chwili wahania odpowiedziałem, że jej szanowny ojciec, wysłannik i ambasador sułtana.

— Jeśli nie złoży zeznań przed sądem, nigdy nie dam jej rozwodu — oświadczył.

Głęboko wzburzony wyjaśniłem, że mój wuj jest złożony chorobą i walczy o życie, a jego ostatnim życzeniem jest rozwieść córkę, ja zaś jestem jego przedstawicielem.

— Po co jej rozwód? — spytał pełnomocnik. — Dlaczego umierający człowiek chce, by córka rozwiodła się z mężem, który dawno temu zaginął na wojnie? Zrozumiałbym, gdyby miał godnego zaufania kandydata na zięcia, wówczas jego życzeniu stałoby się zadość.

— Jest taki kandydat, panie — odpowiedziałem.

— Któż to taki?

— Ja.

— Przecież ty jesteś przedstawicielem opiekuna — odparł pełnomocnik kadiego. — Czym się trudnisz?

— We wschodnich prowincjach pełniłem funkcję sekretarza, głównego sekretarza i zastępcy skarbnika na dworach różnych paszów. Napisałem historię wojen perskich, którą zamierzam przedstawić naszemu sułtanowi. Jestem znawcą miniatur i zdobnictwa. Płonę z miłości do tej kobiety od dwunastu lat.

— Jesteś jej krewnym?

Byłem tak zmieszany swoim wybuchem szczerości przed pełnomocnikiem kadiego, obnażeniem mojego życia i odarciem go z intymności, że kompletnie zaniemówiłem.

— Zamiast się czerwienić, młody człowieku, odpowiedz, w przeciwnym razie nie dam jej rozwodu.

— Jest córką mojej ciotki ze strony matki.

— Hmm, rozumiem. Czy jesteś w stanie ją uszczęśliwić?

Zadając to pytanie, uczynił trywialny gest. Miniaturzysta powinien pominąć tę niedelikatność. Wystarczy, że pokaże, jak mocno się zaczerwieniłem.

— Zapewnię jej przyzwoite życie.

— Jako członek szafiickiej szkoły prawa nie znajduję w Świętej Księdze ani w moim sumieniu żadnych przeciwwskazań do udzielenia rozwodu tej biednej Şeküre, której mąż zaginął na wojnie przed czterema laty — oznajmił pełnomocnik.

— Udzielam rozwodu i orzekam, że jej mąż, gdyby powrócił, nie ma już do niej żadnych praw.

Następny, to znaczy czwarty rysunek powinien przedstawiać pełnomocnika wpisującego rozwód do rejestru, kiedy rzuca do boju posłuszne mu armie czarnych atramentowych liter, po czym wręcza mi dokument stwierdzający, że moja Şeküre jest teraz wdową i nie ma żadnych przeszkód do zawarcia ponownego związku. Ani pomalowanie ścian sali sądowej na czerwono, ani umieszczenie ryciny w krwistoczerwonych ramkach nie zdołałoby oddać błogiego ciepła, jakie w tym momencie poczułem. Przecisnąłem się przez tłum fałszywych świadków i innych mężczyzn zebranych pod drzwiami sali sądowej, pragnących uzyskać rozwód dla sióstr, córek, a nawet ciotek, i wyruszyłem w drogę powrotną.

Po przepłynięciu Bosforu skierowałem się ponownie do Yakutlar, gdzie pożegnałem się z imamem (który zaproponował, że udzieli nam ślubu) i jego bratem. Podejrzewając każdego napotkanego na ulicy człowieka o spiskowanie przeciwko mnie z zazdrości, że już wkrótce dostąpię niebywałego szczęścia, udałem się prosto do domu Şeküre. Jakim cudem złowiesz-

cze kruki odkryły w nim obecność nieboszczyka? Skakały pod-
ekscytowane po drewnianym goncie. Na ten widok ogarnęły
mnie wyrzuty sumienia, bo nie opłakiwałem mojego wuja, nie
uroniłem po nim ani jednej łzy. Okna były szczelnie zasłonięte,
wokół panowała cisza, nawet drzewo granatu jakby dawało do
zrozumienia, że wszystko układa się po mojej myśli.

Wiedziony instynktem cisnąłem kamykiem w bramę, lecz
nie trafiłem. Rzuciłem drugi. Wylądował na dachu. Zdenerwowany zacząłem rzucać kolejne kamyki. Wreszcie któreś z okien
się otworzyło. To w nim właśnie przed czterema dniami, w środę, ujrzałem Şeküre wśród gałęzi granatu. Tym razem pojawił
się w nim Orhan. Usłyszałem, jak Şeküre go beszta. Po chwili
ją też zobaczyłem. Popatrzyliśmy na siebie z nadzieją — moja
pani i ja. Była taka piękna i wytworna. Dała znak, który zrozumiałem jako „zaczekaj", i zamknęła okno.

Do wieczoru pozostało jeszcze wiele godzin. Czekałem z nadzieją w pustym ogrodzie, urzeczony pięknem świata, drzew
i błotnistej ulicy. Niebawem pojawiła się Hayriye, ubrana nie
jak służąca, lecz raczej jak pani domu. Nie zbliżając się do siebie, przeszliśmy pod osłonę drzew figowych.

— Wszystko idzie zgodnie z planem — oświadczyłem i pokazałem jej dokument otrzymany od pełnomocnika. — Şeküre dostała rozwód. Jeśli zaś chodzi o duchownego z innej
dzielnicy... — chciałem dodać: „Zajmę się tym", lecz zamiast
tego oświadczyłem: — Jest w drodze. Niech Şeküre będzie
gotowa.

— Şeküre chce mieć orszak ślubny, choćby najmniejszy,
i przyjęcie weselne. Przygotowałyśmy już pilaw z migdałami
i suszonymi morelami, a także...

Była tak podekscytowana, że wymieniłaby pewnie wszystkie przygotowane przez siebie potrawy, gdybym jej nie przerwał.

— Jeżeli ślub będzie uroczysty, dowiedzą się o nim Hasan i jego ludzie — ostrzegłem. — Najadą dom, zhańbią nas, unieważnią małżeństwo, a my nie będziemy mogli nic zrobić. Wszystkie nasze wysiłki pójdą na marne. Musimy strzec się nie tylko Hasana i jego ojca, lecz także szatana, który zamordował wuja. Nie boicie się?

— Jak mogłybyśmy się nie bać? — odparła Hayriye i rozpłakała się.

— Nie wolno ci nikomu pisnąć nawet słówka — powiedziałem. — Przebierzcie wuja w nocny strój, przygotujcie jego materac i ułóżcie go na nim nie jak nieżywego, lecz jak chorego. Postawcie mu przy głowie szklanki i butelki z syropem, zaciągnijcie szczelnie żaluzje. Upewnijcie się, czy nie ma w pokoju lamp, by podczas ceremonii mógł wystąpić jako opiekun Şeküre. Nie ma mowy o ślubnym orszaku. W ostatniej chwili możecie zaprosić kilku sąsiadów, to wszystko. Zapraszając ich, wytłumaczcie, że to ostatnia wola wuja. Nie będzie to radosna, lecz smutna uroczystość. Jeżeli nie będziemy ostrożni, zniszczą nas i ukarzą również ciebie. Rozumiesz?

Zapłakana skinęła głową. Wsiadłem na białego wierzchowca, zapowiadając, że postaram się o świadków i niedługo wrócę; Şeküre powinna się przygotować na to, że wkrótce stanę się panem tego domu, a teraz jadę do balwierza. Wszystko to przyszło mi do głowy w trakcie przemowy do Hayriye i tak jak w czasie bitew poczułem, że jestem ukochanym i wybranym sługą Boga, więc żadne zło mnie nie dosięgnie. Kiedy masz w sobie tę ufność, rób, co ci przychodzi do głowy, zdaj się na intuicję, a okaże się, że słusznie postępujesz.

Pokonałem cztery przecznice z Yakutlar do zatoki Złotego Rogu, by znaleźć czarnobrodego imama o promiennej twarzy z meczetu Yasin Paszy w sąsiedniej dzielnicy. Z miotłą w dłoni przepędzał właśnie nieczyste psy z błotnistego dziedzińca.

Przedstawiłem mu swoją sprawę. Z woli Boga, wyjaśniłem, żywot doczesny mojego wuja dobiega końca i zgodnie z jego ostatnią wolą mam poślubić jego córkę, która decyzją sędziego z Üsküdaru otrzymała rozwód z zaginionym na wojnie mężem. Imam odpowiedział, że według prawa koranicznego rozwiedziona kobieta musi odczekać miesiąc, by powtórnie wyjść za mąż, lecz ja wyjaśniłem, że poprzedni mąż Şeküre nie dał znaku życia już od czterech lat, nie było więc możliwości, by Şeküre zaszła z nim w ciążę. Dodałem też, że sędzia z Üsküdaru dał rozwód dziś rano, by umożliwić Şeküre zawarcie ponownego ślubu, i pokazałem dokument.

— Nie istnieją żadne przeszkody do zawarcia tego małżeństwa, efendi — zapewniłem. — To prawda, była moją krewną, lecz pokrewieństwo ze strony matki nie stanowi żadnej przeszkody, jej poprzedni związek unieważniono, między nami nie było religijnych, społecznych czy finansowych różnic. Więc gdyby szanowny imam przyjął te złote monety, które oto przed nim składam, gdyby zgodził się udzielić ślubu w obecności wszystkich sąsiadów, spełniłby dobry uczynek wobec Boga i osieroconych dzieci owdowiałej kobiety.

Zapytałem na koniec, czy szanowny imam lubi pilaw z migdałami i suszonymi morelami. Lubił, lecz wciąż był zajęty psami. Przyjął złote monety. Powiedział, że przywdzieje szatę weselną, obmyje się, sprawdzi turban i przybędzie na czas, by dać ślub. Zapytał o drogę do domu, a ja mu ją objaśniłem.

Bez względu na to, jak szybki jest ślub, a nawet gdy pan młody marzy o nim od dwunastu lat, zapomnienie o zmartwieniach i kłopotach, gdy człowiek oddaje się troskliwym rękom i słucha żarcików balwierza, który go goli i przycina mu włosy, jest najbardziej naturalną rzeczą. Nogi przywiodły mnie do zakładu, mieszczącego się przy targu na Aksaray, na tej samej ulicy, gdzie stał popadający w ruinę dom, który mój wuj, ciotka i piękna Şeküre opuścili przed laty. Tam właśnie udałem się przed pięcioma dniami, zaraz po powrocie do Stambułu. Golibroda uścisnął mnie i jak każdy dobry balwierz w tym mieście, zamiast spytać, gdzie się podziewałem przez te dwanaście lat, uraczył mnie najnowszymi ploteczkami z sąsiedztwa, kończąc rozmowę aluzją do miejsca, do którego wszyscy się udamy u kresu tej jakże ważnej podróży zwanej życiem.

Mistrz się postarzał. Brzytwa o prostym ostrzu drżała w obsypanej plamami dłoni, gdy wprawiał ją w ruch na moim policzku. Oddawał się pijaństwu, dlatego przyjął praktykanta, chłopca o różowej cerze, pełnych wargach i zielonych oczach, który wpatrywał się w swego nauczyciela ze strachem. Zakład zaś wyglądał czyściej i porządniej niż przed dwunastoma laty. Po napełnieniu gorącą wodą zbiornika, zwisającego z sufitu na nowym łańcuchu, balwierz starannie umył mi włosy i twarz. Stare szerokie zbiorniki z miedzianymi kranikami na dnie były świeżo ocynowane, bez śladu rdzy, piecyki wyczyszczone, a brzytwy z trzonkami z agatu naostrzone. Balwierz miał na sobie nieskazitelnie czystą jedwabną kamizelkę, jakiej przed dwunastoma laty nie nosił. Zapewne to ten elegancki uczeń, wysoki jak na swój wiek i szczupły, sprawił, że zakład i jego właściciel nabrali trochę ogłady. Oddając się przyjemnościom, których źródłem było różane mydło i golenie, nie mogłem przestać myśleć, że małżeństwo nie tylko odmienia życie i wzbogaca dom kawalera, lecz również ożywia jego pracę i warsztat.

Nie jestem pewny, ile czasu tam spędziłem. Ukołysało mnie ciepło emanujące z piecyka i wprawne ręce balwierza. Oto nagle, po tylu cierpieniach, życie darowało mi najwspanialszy prezent, za co byłem głęboko wdzięczny Allahowi. Zastanawiałem się, z jakiej to tajemniczej równowagi wyłonił się jego świat, czułem także smutek i żałość z powodu wuja leżącego bez życia w domu, którego wkrótce będę panem.

Właśnie miałem wstać, gdy w otwartych drzwiach zakładu nastąpił jakiś ruch. Şevket! Podekscytowany, lecz pewny siebie, wręczył mi kartkę papieru. Nie mogąc wydusić z siebie słowa, spodziewając się najgorszego i czując lodowaty powiew chłodu, zacząłem czytać.

Jeżeli nie będzie orszaku ślubnego, nie wyjdę za mąż.
Şeküre.

Chwyciłem Şevketa za ramię i posadziłem go sobie na kolanach. Bardzo chciałem odpisać mojej najdroższej Şeküre: „Jak sobie życzysz, kochanie", lecz gdzież bym znalazł pióro i atrament u niepiśmiennego golibrody? Tak więc z rozmyślną powściągliwością wyszeptałem odpowiedź chłopcu do ucha: „Dobrze", po czym spytałem, jak się miewa dziadek.

— Śpi.

Teraz wyczuwam, że Şevket, golibroda, a nawet wy sądzicie, iż miałem coś wspólnego ze śmiercią mojego wuja (Şevket oczywiście podejrzewa również inne rzeczy). Jaka szkoda! Pocałowałem chłopca, chociaż się opierał. Zeskoczył z kolan niezadowolony i szybko wyszedł.

W czasie wesela, odświętnie ubrany, obserwował mnie z daleka z wrogością.

Ponieważ Şeküre nie przenosiła się z domu ojca do mojego, lecz to ja wprowadzałem się do domu teścia, najbardziej stosowny byłby orszak panny młodej. Oczywiście nie mogłem przystroić moich możnych przyjaciół i krewnych i kazać im czekać przy bramie Şeküre na koniach. Mimo to zaprosiłem dwóch przyjaciół z dzieciństwa, których spotkałem po powrocie do Stambułu (jeden był urzędnikiem jak ja, a drugi prowadził łaźnię), i mojego drogiego balwierza, któremu oczy zaszkliły się, gdy życzył mi szczęścia w trakcie golenia i strzyżenia. Siedząc na białym koniu, którym jeździłem przez cały dzień, zapukałem do bramy mojej ukochanej Şeküre, jakbym miał ją wprowadzić do nowego domu i w nowe życie.

Hayriye, która mi otworzyła, dałem hojny napiwek. Şeküre — w ciemnoczerwonej sukni ślubnej, z różowymi wstążkami we włosach spływającymi aż do stóp — wyszła z domu wśród płaczu, pochlipywań i okrzyków: „Niech Bóg ją strzeże!", po czym z wdziękiem dosiadła drugiego białego konia, którego ze sobą przyprowadziliśmy. Kiedy dwaj muzykanci, w ostatniej chwili najęci przez balwierza, jeden z bębenkiem, a drugi z piskliwym fletem, zaczęli grać wolną melodię panny młodej, nasz biedny, smutny, ale dumny orszak ruszył w drogę.

Gdy konie rozpoczęły wolny marsz, zrozumiałem, że Şeküre urządziła to przedstawienie ze względu na bezpieczeństwo. Orszak zawiadamiał (co prawda w ostatniej chwili) sąsiadów o naszym ślubie, wywołując tym samym ich aprobatę i zapobiegając jakimkolwiek sprzeciwom wobec naszego małżeństwa. Decydując się na publiczną uroczystość, prowokowaliśmy jednak naszych wrogów, poprzedniego męża i jego rodzinę. Ryzykowaliśmy powodzenie całego przedsięwzięcia. Gdyby to ode mnie zależało, zawarłbym ślub w sekrecie i bez weselnej uczty. Wolałbym najpierw zostać mężem, a potem bronić naszego związku.

Wiodłem orszak na płochliwym białym rumaku, wypatrując Hasana i jego ludzi. Bałem się, że wyskoczą na nas z bocznej uliczki lub z ciemnej bramy. Zauważyłem, że młodzi ludzie, starzy mieszkańcy Stambułu i przypadkowi przechodnie zatrzymują się i machają do nas, zupełnie nie rozumiejąc, co się dzieje. Kiedy nieoczekiwanie znaleźliśmy się na małym placu targowym, zorientowałem się, że Şeküre postarała się, by wiadomości o rozwodzie i ślubie rozeszły się w okolicy, czym zjednała sobie przychylność sąsiadów. Sprzedawca owoców i warzyw zostawił na chwilę kolorowe pigwy, marchewki i jabłka i przeszedł z nami kilka kroków, wołając: „Chwalmy Pana, niech strzeże was oboje!". Smutny sklepikarz powitał nas uśmiechem, a piekarz, który kazał właśnie uczniowi wyszorować przypalone garnki — pełnym aprobaty spojrzeniem. Wciąż jednak czułem niepokój i miałem się na baczności przed nieoczekiwaną napaścią czy choćby wulgarną zaczepką. Toteż nie zrobiło na mnie większego wrażenia zamieszanie wywołane przez gromadkę żebrzących dzieci, które pobiegły za nami, gdy opuściliśmy bazar. Z błyskających zza okien, okiennic i żaluzji uśmiechów kobiet domyśliłem się, że entuzjazm tej hałaśliwej grupki jest naszą ochroną.

Patrząc na drogę, którą dzięki Bogu wracaliśmy już do domu, łączyłem się sercem z Şeküre i jej smutkiem. Najbardziej jednak martwiło mnie nie to, że jej ślub odbywał się zaledwie niecały dzień po śmierci ojca, lecz skromność uroczystości. Moja kochana Şeküre zasługiwała na konie ze srebrnymi wodzami i ozdobnymi siodłami, jeźdźców odzianych w sobole i haftowane złotem jedwabie, setki wozów wyładowanych prezentami i posagiem, na nie kończący się orszak córek wielmożów, sułtanów i powozów ze starszymi kobietami z haremu, rozprawiającymi o ekstrawagancjach minionych dni. Tymczasem nie miała nawet czterech ludzi do niesienia czerwonego jedwabnego baldachimu, chroniącego bogate panny przed wzrokiem ciekawskich, ani służącego na czele orszaku z dużymi weselnymi świecami i dekoracją w kształcie drzewa, ozdobioną owocami, złotymi i srebrnymi liśćmi i szlifowanymi kamieniami. Nie czułem wstydu, lecz raczej smutek wyciskający mi łzy z oczu za każdym razem, gdy dobosz i flecista przestawali grać, bo wjeżdżaliśmy w tłum kupujących na targu lub w grupę służących nabierających wodę przy fontannie na placu. Nie było bowiem nikogo, kto torowałby nam drogę okrzykiem: „Miejsce dla panny młodej!". Kiedy zbliżaliśmy się do domu, zebrałem się na odwagę i spojrzałem Şeküre w twarz. Stwierdziłem z ulgą, że pod różową lametą i czerwoną zasłoną nie widać smutku z powodu tych żałosnych braków, lecz zadowolenie, że nasz orszak dotarł na miejsce bez przeszkód. Tak więc, jak każdy pan młody, pomogłem zsiąść z konia mojej pięknej przyszłej żonie, wziąłem ją pod rękę i wspólnie opróżniliśmy worek pełen srebrnych monet, rzucając je w rozradowany tłum. Kiedy dzieci, podążające za naszym skromnym orszakiem, zaczęły je w pośpiechu zbierać, przeszliśmy po kamiennym chodniku. Gdy znaleźliśmy się w domu, poraziło nas nie tylko ciepło, lecz także ciężki smród rozkładu.

Tłum gości wypełnił dom, a Şeküre, starsi mężczyźni, kobiety i dzieci (Orhan przyglądał mi się podejrzliwie) zachowywali się, jakby niczego im nie brakowało, toteż zacząłem wątpić we własne zmysły. Wiedziałem jednak, jaki zapach wydają ciała leżące na słońcu po bitwie, w podartych ubraniach, bez butów i pasów, z twarzami, oczami i wargami poszarpanymi przez wilki i ptaki. Ten odór tak często wypełniał mi usta i płuca, wywołując odruch wymiotny, że nie mogłem się mylić.

Na dole w kuchni spytałem Hayriye o ciało wuja. Uświadomiłem sobie, że po raz pierwszy zwracam się do niej jako gospodarz tego domu.

— Tak jak pan kazał, położyłyśmy go na materacu, ubrałyśmy w nocny strój, przykryłyśmy kocem i ustawiłyśmy obok butelki z syropem. Jeżeli zaczął wydzielać nieprzyjemny zapach, to pewnie z powodu piecyka — odpowiedziała ze łzami w oczach.

Jedna czy dwie łzy zaskwierczały w garnku, w którym smażyła baraninę. Domyśliłem się, że wuj musiał ją brać co noc do swego łoża. Ester, siedząca cicho i dumnie w kącie kuchni, przełknęła jakiś kąsek i wstała.

— Miej na względzie jej szczęście — powiedziała. — I doceń jej wartość.

Przypomniała mi się lutnia, którą usłyszałem na ulicy pierwszego dnia po powrocie do Stambułu. W wygrywanej przez nią melodii było więcej życia niż smutku. Muzykę tę usłyszałem też w zaciemnionym pokoju, gdzie leżał wuj w białej koszuli nocnej, a imam dawał nam ślub.

Pozostawiona przez Hayriye w rogu pokoju lampka oliwna dawała tak nikłe światło, że trudno było stwierdzić, czy wuj leży chory, a co dopiero martwy. Dlatego w czasie zaślubin mógł odgrywać rolę prawnego opiekuna Şeküre. Mój przyjaciel balwierz i wprowadzony w sprawę starszy sąsiad byli świadkami. Zanim ceremonię zakończyły błogosławieństwa i rady duchownego oraz modlitwa wszystkich obecnych, wścibski starzec, zatroskany stanem zdrowia wuja, chciał się nad nim pochylić, lecz zerwałem się z miejsca i chwyciłem sztywną rękę wuja.

— Daj pokój obawom, mój panie, mój drogi wuju! — zawołałem. — Zrobię wszystko, co w mojej mocy, by Şeküre i jej synowie byli dobrze ubrani, najedzeni, darzeni miłością i wolni od trosk!

Potem, udając, że chory chce mi coś powiedzieć, ostrożnie i z szacunkiem przytknąłem ucho do jego ust. Słuchałem go z uwagą i szeroko otwartymi oczyma niczym młodzieniec darzonego uwielbieniem starszego człowieka, którego każde słowo było jak magiczny eliksir. Imam i sąsiedzi najwyraźniej docenili przywiązanie, jakie okazałem teściowi. Mam nadzieję, że teraz nikt już nie wierzy w to, że maczałem palce w tym morderstwie.

Oznajmiłem zebranym w pokoju gościom, że chory chce zostać sam, więc zaczęli pospiesznie przechodzić do pomieszczenia, w którym zbierali się mężczyźni, by zjeść przygotowane przez Hayriye pilaw i baraninę (wśród tymianku, kminku i smażonej jagnięciny nie czułem już odoru rozkładającego się ciała). Wyszedłem na korytarz i jak smutny patriarcha, snujący się w zamyśleniu po własnym domu, nie zwracając uwagi na przerażone widokiem mężczyzny kobiety, otworzyłem drzwi do pokoju Hayriye, po czym spojrzałem z uśmiechem na Şeküre, której oczy rozkosznie rozbłysły na mój widok.

— Şeküre, ojciec cię wzywa. Jesteśmy teraz małżeństwem, musisz ucałować jego dłoń.

Sąsiadki zaproszone przez Şeküre w ostatniej chwili i młode panny, zapewne krewne, pospiesznie zakryły twarze, lecz przez chwilę przyglądały mi się badawczo, zadowolone z nadarzającej się okazji.

Niedługo po wezwaniu na wieczorną modlitwę goście rozeszli się do domów, racząc się przedtem orzechami włoskimi, migdałami, suszonymi i kandyzowanymi owocami i cukierkami z goździków. Nie ustający płacz Şeküre w pokoju dla kobiet i kłótnie nieposłusznych dzieci nieco zwarzyły uroczystość. Wesołe żarty sąsiadów z nocy poślubnej kwitowałem milczeniem i kamienną twarzą, co tłumaczono sobie troską o chorego teścia.

Z całego wesela utkwiła mi w pamięci scena, w której zaprowadziłem Şeküre do pokoju wuja. Wreszcie byliśmy sami. Najpierw ze szczerym szacunkiem ucałowaliśmy zimną i sztywną dłoń zmarłego, a potem wycofaliśmy się w ciemny kąt i zaczęliśmy się całować jak dwoje spragnionych ludzi. Na gorącym języku żony, który wziąłem w usta, czułem smak pochłanianych przez dzieci twardych cukierków.

34.
Ja, Şeküre

Ostatni goście smutnej weselnej uroczystości ubrali się, osłonili twarze, włożyli buty, zabrali dzieci, które zdążyły jeszcze wcisnąć do ust ostatniego cukierka, i zostawili nas w przenikliwej ciszy. Staliśmy na podwórzu. Słychać było jedynie wróbla pijącego wodę z napełnionego do połowy wiadra stojącego przy studni. Pierzasta główka ptaka, połyskująca w blasku kamiennego paleniska, zniknęła nagle w ciemności, a ja poczułam natrętną obecność ojca, leżącego w opustoszałym, tonącym w mroku domu.

— Dzieci — odezwałam się tonem, jakim zwracałam się do Orhana i Şevketa, gdy chciałam im coś oznajmić — chodźcie do mnie.

Usłuchali.

— Czarny jest teraz waszym ojcem. Pocałujcie go w rękę.

Potulnie i bez słowa zrobili, co poleciłam.

— Moje dzieci nie potrafią jeszcze patrzeć ojcu w oczy, gdy do nich mówi. Nie wiedzą, co znaczą posłuszeństwo wobec niego i szacunek. — Spojrzałam na Czarnego. — Ale wiedząc o tym, że ich prawdziwy ojciec, którego nawet nie pamiętają, nie mógł ich tego nauczyć, zdobądź się na wyrozumiałość, gdy będą się zachowywać niegrzecznie lub niestosownie.

— Ja pamiętam ojca — wtrącił Şevket.

— Bądź cicho i słuchaj — upomniałam go. — Od dzisiaj słowo Czarnego ma większą wagę niż moje. — Ponownie spojrzałam na męża. — Jeżeli nie będą cię słuchać, jeżeli okażą ci lekceważenie jak krnąbrne, źle wychowane dzieci, zwróć im uwagę, lecz wybacz. — Już chciałam powiedzieć: „Zbij", lecz się powstrzymałam. — Miejsce, jakie zajmuję w twoim sercu, będą dzielić również one.

— Nie ożeniłem się z tobą jedynie po to, by być twoim mężem — odpowiedział Czarny — ale i po to, by być ojcem dla tych kochanych chłopców.

— Słyszeliście?

— O Panie, proszę cię, byś zawsze roztaczał nad nami światło — wtrąciła stojąca w rogu Hayriye. — Dobry Boże, miej nas w swojej opiece.

— Słyszeliście? — powtórzyłam. — Brawo, moi piękni mali mężczyźni. Skoro ojciec was kocha, to wybaczy wam za pierwszym razem, jeżeli się zapomnicie i nie posłuchacie go.

— Za drugim też — dodał Czarny.

— Ale jeżeli po raz trzeci zlekceważycie jego ostrzeżenie, wówczas zasłużycie na baty — powiedziałam. — Rozumiemy się? Wasz nowy ojciec uczestniczył w najdzikszych, najstraszniejszych bitwach, w bitwach gniewu bożego, z których wasz poprzedni ojciec nie powrócił. To twardy człowiek. Dziadek was psuł i rozpieszczał. Ale teraz jest bardzo chory.

— Chcę pójść do niego — odezwał się Şevket.

— Jeżeli nie będziecie posłuszni, Czarny pokaże wam, co znaczy porządne lanie. A dziadek was przed nim nie uratuje, tak jak ratował przede mną. Jeżeli nie chcecie się narazić na gniew ojca, nie kłóćcie się, żyjcie w zgodzie, nie kłamcie, odmawiajcie modlitwy, nie idźcie spać, zanim nie powtórzycie lekcji, nie odzywajcie się niegrzecznie do Hayriye i nie śmiejcie się z niej. Czy to jasne?

Czarny przykucnął i wziął Orhana na ręce. Şevket trzymał się na uboczu. Miałam ochotę objąć go i zapłakać. Mój mały, opuszczony, pozbawiony ojca synu, mój biedny, samotny Şevkecie, zostałeś na świecie sam. Przypomniałam sobie, jak byłam takim dzieckiem, równie samotnym jak on, i pewnego razu mój drogi ojciec wziął mnie na ręce tak jak Czarny Orhana. Lecz w przeciwieństwie do Orhana nie czułam się dziwnie w jego objęciach, niczym owoc nie z tego drzewa. Byłam zachwycona. Pamiętam, jak często tuliliśmy się z ojcem do siebie, chłonąc zapach naszych ciał. Byłam na granicy łez, lecz zdołałam się opanować. Nie planowałam jednak powiedzieć czegoś takiego:

— A teraz posłuchajmy, jak mówicie do Czarnego „ojcze".

Noc była mroźna, a na naszym podwórzu zaległa cisza. Z oddali dochodziło szczekanie i żałosne wycie psów. Minęło kilka minut. Cisza rozkwitła i rozwinęła się niczym czarny kwiat.

— Dobrze, dzieci — powiedziałam. — Wejdźmy do środka, bo się przeziębimy.

Nie tylko ja i Czarny czuliśmy się skrępowani jak młoda para, która została sama po weselu — także Hayriye i dzieci. Weszliśmy do domu niepewnie i z wahaniem. Uderzył mnie w nozdrza zapach ciała ojca, lecz najwyraźniej nikt nie zwrócił na to uwagi. W milczeniu wspięliśmy się po schodach na górę. Cienie na suficie, rzucane przez lampki oliwne, jak zawsze wirowały i łączyły się, rozciągały i kuliły, mimo to miałam wrażenie, że robią to po raz pierwszy.

— Czy mogę pocałować dziadka w rękę, zanim pójdę spać? — spytał Şevket, gdy zdejmowaliśmy buty.

— Przed chwilą u niego byłam — powiedziała Hayriye. — Dziadek tak bardzo cierpi, że musiały go opanować złe duchy. Trawią go gorączka i choroba. Idźcie do waszego pokoju, a ja przygotuję wam spanie.

Poprowadziła ich do sypialni. Rozkładając materac, pościel i kołdry zachowywała się tak, jakby każdy trzymany przez nią przedmiot był wyjątkowy. Zapewniała przy tym, że spanie w ciepłym pokoju, na czystej pościeli, pod ciepłymi kołdrami to jak spędzenie nocy w pałacu sułtana.

— Hayriye, opowiedz nam bajkę — poprosił Orhan, siedząc na nocniku.

— Był sobie raz niebieski człowiek — zaczęła — który miał przyjaciela dżina.

— Dlaczego ten człowiek był niebieski? — spytał Orhan.

— Na litość boską, Hayriye, przynajmniej dziś w nocy nie opowiadaj im o dżinach i duchach — upomniałam ją.

— Dlaczego nie? — spytał Şevket. — Mamo, czy jak uśniemy, wstaniesz i pójdziesz do dziadka?

— Wasz dziadek, niech Allah ma go w swej opiece, jest bardzo chory — odparłam. — Naturalnie, że pójdę sprawdzić, czy wszystko w porządku, a potem do was wrócę.

— Niech Hayriye zaopiekuje się dziadkiem — powiedział Şevket. — Przecież i tak zawsze to robi w nocy.

— Skończyłeś? — spytała Hayriye Orhana.

Kiedy wycierała chłopcu pupę mokrą szmatką, na jego twarzy malowała się senność. Potem zajrzała do nocnika i skrzywiła się, nie z powodu zapachu, lecz nikłej zawartości.

— Hayriye, wylej nocnik i przynieś z powrotem — poleciłam. — Nie chcę, żeby Şevket wychodził w środku nocy z pokoju.

— Dlaczego nie mogę wyjść z pokoju? — spytał Şevket. — Dlaczego Hayriye nie może nam opowiedzieć bajki o dżinach i wróżkach?

— Bo w domu są dżiny, głupku — odpowiedział Orhan. W jego głosie nie było słychać strachu, lecz zadowolenie, jak zwykle, gdy się wysiusiał.

— Mamo, czy są tu dżiny?

— Jeżeli wyjdziecie z pokoju i będziecie próbowali zobaczyć dziadka, wówczas dżiny was złapią.

— Gdzie Czarny będzie dziś spał? — spytał Şevket.

— Nie wiem — odrzekłam. — Hayriye przygotuje mu posłanie.

— Mamo, nadal będziesz z nami spała, prawda? — spytał
Şevket.

— Ile razy mam to powtarzać? Będę spała z wami tak jak
przedtem.

— Zawsze?

Hayriye wyszła z nocnikiem. Wyjęłam z komody dziewięć
ilustracji, które pozostawił morderca, i usiadłam na łóżku. Długo się im przyglądałam w świetle świecy, usiłując zgłębić ich
tajemnicę. Były takie piękne, że można je było wziąć za własne odległe wspomnienia. Przemawiały do widza równie dobrze jak tekst.

Zapatrzyłam się w te obrazki. Opierając brodę na pięknej
główce Orhana domyśliłam się, że on też patrzy na dziwny
portret Czerwieni. Zapragnęłam nagle wyjąć pierś i dać mu
ją do ssania. A gdy przestraszył się przerażającej śmierci, oddychając szybko przez czerwone wargi, miałam ochotę go
schrupać.

— Zaraz cię zjem, wiesz?

— Mamo, łaskoczesz — powiedział i odsunął się.

— Zejdź z tego, natychmiast wstawaj, ty potworze! — krzyknęłam i uderzyłam go.

Położył się na ilustracjach. Sprawdziłam je. Wyglądały na
nie uszkodzone. Leżący na wierzchu wizerunek konia był jedynie lekko, prawie niezauważalnie zgnieciony.

Weszła Hayriye z opróżnionym nocnikiem. Zebrałam rysunki i już miałam wyjść z pokoju, gdy Şevket zaczął płakać.

— Mamo, dokąd idziesz?

— Zaraz wracam.

Przeszłam przez lodowaty korytarz. Czarny siedział przed pustą poduszką ojca w tej samej pozycji, w jakiej spędził cztery dni, dyskutując z nim o malarstwie i perspektywie. Rozłożyłam ilustracje na półce na książki, na poduszce i na podłodze przed nim. Pokój tonący w blasku świecy natychmiast się ożywił i nabrał ciepła pod wpływem kolorów.

W pełnym szacunku milczeniu przyglądaliśmy się ilustracjom. Każdy nasz gest sprawiał, że przesycone zapachem śmierci powietrze z pokoju po drugiej stronie korytarza poruszało płomieniem świecy i tajemnicze miniatury ojca zdawały się ożywać. Czy te obrazki tyle dla mnie znaczyły, bo przyczyniły się do jego śmierci? Czy to niezwykłość portretu konia, wyjątkowość Czerwieni, mizeria drzewa, czy melancholia dwóch wędrujących derwiszów zrobiły na mnie takie wrażenie, czy też obawiałam się mordercy, który z powodu tych rysunków zabił ojca i być może jeszcze innych? Po chwili oboje z Czarnym zrozumieliśmy, że przyczyną przeciągającego się milczenia mogą być zarówno miniatury, jak i świadomość, że oto jesteśmy sami w naszą noc poślubną. Oboje nagle zapragnęliśmy mówić.

— Jutro rano powinniśmy ogłosić, że mój ojciec odszedł we śnie — stwierdziłam. Nie było w tym nic złego, lecz zabrzmiało nieszczerze.

— Jutro wszystko będzie dobrze — zapewnił Czarny, jakby nie wierząc w to, co mówi.

Kiedy zrobił prawie niedostrzegalny ruch w moją stronę, zapragnęłam go objąć tak, jak obejmowałam dzieci, i wziąć jego głowę w dłonie. W tym samym momencie usłyszałam, jak otwierają się drzwi do pokoju ojca. Zerwałam się przerażona i wyjrzałam na zewnątrz. Drzwi były lekko uchylone. Wyszłam na lodowaty korytarz. W pokoju wciąż ogrzewanym piecykiem unosił się odór rozkładu. Czy to Şevket lub ktoś inny zaglądał do środka? Ciało ojca, ubrane w nocną koszulę, leżało skąpane w bladym świetle palącego się piecyka. Pamiętam, jak czasami żegnałam go słowami: „Dobrej nocy, ojcze", gdy czytał przed snem *Księgę duszy*. Unosił się lekko, brał do ręki szklankę, którą mu przynosiłam, i mówił: „Oby nosiwodzie nigdy niczego nie zabrakło", po czym całował mnie w policzek i patrzył w oczy jak wtedy, gdy byłam dziewczynką... Spojrzałam w straszną twarz ojca i przeraziłam się. Nie chciałam na niego patrzeć, lecz jednocześnie, jakby za namową diabła, pragnęłam zobaczyć, jak się okropnie zmienił.

Wróciłam do pracowni z niebieskimi drzwiami, a wówczas Czarny mnie objął. Odepchnęłam go raczej bezmyślnie niż z gniewem. Walczyliśmy w migoczącym świetle świecy. Właściwie nie była to walka, lecz jej udawanie. Lubiliśmy być blisko siebie, dotykać swoich rąk, nóg, piersi. Zawstydzenie, jakie mnie ogarnęło, przypominało stan emocjonalny Chosrowa i Szirin opisywany przez Nizamiego. Czy Czarny, który znał jego dzieła, domyślił się, że podobnie jak Szirin myślałam: „Nie przerywaj", gdy powiedziałam: „Nie całuj mnie tak mocno"?

— Nie będę spać z tobą w jednym łożu, dopóki nie znajdzie się ten diabeł wcielony, dopóki nie złapią mordercy ojca — powiedziałam.

Wybiegłam z pokoju, płonąc ze wstydu. Mówiłam tak głośno, jakbym chciała, żeby usłyszały mnie dzieci i Hayriye, a może nawet mój biedny ojciec i były mąż, którego ciało dawno się rozsypało i zmieniło w pył na jakimś opuszczonym skrawku ziemi.

— Mamo, Şevket wyszedł na korytarz — doniósł Orhan, gdy wróciłam do synów.

— Wychodziłeś? — spytałam i zrobiłam ruch, jakbym chciała go uderzyć.

— Hayriye! — zawołał Şevket i przytulił się do niej.

— Nie wychodził — potwierdziła służąca. — Przez cały czas był w pokoju.

Zadrżałam. Nie mogłam spojrzeć jej w oczy. Uświadomiłam sobie, że gdy ogłosimy wiadomość o śmierci ojca, dzieci zaczną szukać ucieczki u niej, jej opowiadać swoje sekrety, a ta skromna służąca skorzysta z nadarzającej się okazji i będzie próbowała mnie kontrolować. Na tym się nie skończy, pewnie zrzuci na mnie odpowiedzialność za śmierć ojca, a potem postara się, by Hasan przejął opiekę nad dziećmi. Na pewno tak będzie. Zrealizuje ten swój bezwstydny plan, bo sypiała z ojcem, niech spoczywa w boskiej jasności. Dlaczego miałabym ukrywać to przed wami? Właściwie to już zaczęła to robić. Uśmiechnęłam się do niej miło, a potem wzięłam Şevketa na kolana i ucałowałam.

— Mówię ci, Şevket wychodził na korytarz — upierał się Orhan.

— Kładźcie się obaj. Zróbcie mi miejsce w środku, to opowiem wam baśń o szakalu bez ogona i czarnym dżinie.

— A Hayriye zabroniłaś opowiadać o dżinach — wtrącił Şevket. — Czemu ona nie może nam dziś opowiedzieć bajki?

— Czy odwiedzą Zapomniane Miasto? — spytał Orhan.

— Tak — odpowiedziałam. — Żadne z dzieci w tym mieście nie ma ojca ani matki. Hayriye, zejdź i sprawdź drzwi. Pewnie wszyscy pośniemy, zanim dotrę do połowy historii.

— Ja nie usnę — zapowiedział Orhan.

— Gdzie Czarny będzie dziś spał? — spytał Şevket.

— W pracowni — odparłam. — Przytulcie się do mamy, to rozgrzejemy się pod kołdrą. Czyje są te lodowate stopy?

— Moje — przyznał Şevket. — A gdzie Hayriye będzie spała?

Zaczęłam opowiadać bajkę — jak zwykle pierwszy usnął Orhan. Wówczas ściszyłam głos.

— Kiedy zasnę, nie wyjdziesz z łóżka, dobrze, mamo? — prosił Şevket.

— Nie, nie wyjdę.

Naprawdę nie miałam zamiaru tego robić. Kiedy Şevket usnął, zaczęłam myśleć, że przyjemnie jest tulić się do synów w drugą noc poślubną, gdy przystojny, mądry i upragniony mąż śpi w pokoju obok. Zasnęłam z tą myślą, lecz spałam niespokojnie. Oto co zapamiętałam z tego dziwnego królestwa między snem a jawą: Najpierw załatwiałam porachunki z rozgniewanym duchem zmarłego ojca, potem uciekałam przed widmem mordercy, który chciał zrobić ze mną to samo, co z ojcem. Był straszniejszy nawet od ducha ojca i gdy mnie gonił, wydawał klekoczące dźwięki. Wydawało mi się, że rzuca kamieniami w nasz dom. Trafiały one w okna i lądowały na dachu. Potem rzucił kamieniem w drzwi, a nawet usiłował je otworzyć. Kiedy począł wyć jak dzikie zwierzę, serce zaczęło mi bić jak szalone.

Obudziłam się zlana potem. Czy mi się to śniło, czy też obudziły mnie jakieś hałasy z wnętrza domu? Nie znalazłam na to odpowiedzi, więc przytuliłam się do synów i czekałam w bezruchu. Już prawie przekonałam siebie, że to był sen, kiedy znowu usłyszałam wycie. Jednocześnie coś dużego spadło na podwórze. Czyżby kamień?

Sparaliżowało mnie ze strachu. Nagle usłyszałam jakieś dźwięki. Gdzie jest Hayriye? W którym pokoju śpi Czarny? Co z ciałem ojca? Boże, modliłam się, miej nas w swojej opiece. Dzieci spały głęboko.

Gdyby zdarzyło się to przed ślubem, wstałabym i zajęła się wszystkim jak gospodarz domu, zdusiłabym strach i przepłoszyła dżiny i duchy. Teraz zaś skuliłam się ze strachu i objęłam chłopców. Czułam się tak, jakbym została sama na świecie i nikt nie mógł mi przyjść z pomocą. Przypuszczając, że zdarzy się coś strasznego, modliłam się do Allaha o ratunek. Byłam sama, podobnie jak we śnie. W tym momencie usłyszałam skrzypnięcie bramy. Czy to rzeczywiście brama? Tak, na pewno.

Wstałam, włożyłam suknię i wyszłam z pokoju, nie bardzo zdając sobie sprawę z tego, co robię.

— Czarny! — syknęłam, stojąc u szczytu schodów.

Pospiesznie włożyłam buty i zeszłam po stopniach. Świeczka zapalona od piecyka zgasła, gdy tylko znalazłam się na dworze. Wiał silny wiatr, chociaż niebo było przejrzyste. Kiedy wzrok przyzwyczaił się do ciemności, zauważyłam, że podwórze tonie w świetle półksiężyca. Przenajświętszy Allahu! Brama była otwarta! Zamarłam, trzęsąc się z zimna.

Dlaczego nie wzięłam z sobą noża? Nie miałam też świeczki czy choćby kawałka drewna. Nagle zauważyłam, że brama się porusza, po czym nieruchomieje ze skrzypnięciem. Pomyślałam, że chyba śnię.

Kiedy usłyszałam hałas dochodzący z wnętrza domu, jakby spod dachu, zrozumiałam, że dusza ojca pragnie opuścić ciało. Świadomość, że tak się męczy, jednocześnie uspokoiła mnie i zasmuciła. Jeżeli to ojciec jest przyczyną tych wszystkich dźwięków, to nic złego nie może mi się stać. Ale udręczona dusza ojca, gorączkowo usiłująca się uwolnić i wzlecieć, tak mnie zmartwiła, że zaczęłam się modlić do Allaha o wsparcie. Gdy jednak uświadomiłam sobie, że dusza ojca będzie chronić mnie i dzieci, spłynęła na mnie wielka ulga. Jeżeli rzeczywiście tuż za bramą czyha jakiś demon planujący coś złego, to niech strzeże się niespokojnej duszy ojca.

W tym momencie przyszło mi do głowy, że to może Czarny tak ojca zdenerwował. Czy ojciec sprowadzi zło na Czarnego? Gdzie on jest? I nagle go zobaczyłam. Stał za bramą, na ulicy i z kimś rozmawiał. Jakiś człowiek skrył się wśród drzew na pustym podwórku po drugiej stronie. Domyśliłam się, że to wycie, które słyszałam w łóżku, to jego sprawka, i natychmiast rozpoznałam w nim Hasana. W jego głosie słychać było żałosne, płaczliwe tony, lecz również groźbę. Przysłuchiwałam się im z daleka. Załatwiali swoje porachunki. Zrozumiałam, że jestem zupełnie sama na świecie z moimi synami. Myślałam, że kocham Czarnego, lecz prawdę mówiąc, tylko pragnęłam go kochać, bo smutny głos Hasana ranił mi serce.

— Jutro wrócę z sędzią, janczarami i świadkami, którzy przysięgną, że mój starszy brat żyje i wciąż walczy w górach Persji — groził. — Twoje małżeństwo jest bezprawne. Popełniasz cudzołóstwo.

— Şeküre nie była twoją żoną, lecz twojego nieżyjącego brata — twierdził Czarny.

— Mój brat żyje — powtórzył z przekonaniem Hasan. — Są świadkowie, którzy go widzieli.

— Dziś rano, biorąc pod uwagę to, że nie pokazał się w domu od czterech lat, sędzia z Üsküdaru dał Şeküre rozwód. Jeżeli twój brat żyje, niech świadkowie przekażą mu, że jest rozwodnikiem.

— Şeküre przez miesiąc nie wolno wyjść za mąż — odpowiedział Hasan. — W przeciwnym razie będzie to sprzeczne z Koranem. Jak ojciec Şeküre mógł się zgodzić na tak haniebną niedorzeczność?

— Wuj — odparł Czarny — jest bardzo chory, umierający. I sędzia uświęcił nasze małżeństwo.

— Pracowaliście wspólnie nad tym, żeby otruć Wuja? — spytał Hasan. — Zaplanowaliście to razem z Hayriye?

— Mój teść jest głęboko zasmucony tym, co zrobiłeś Şeküre. Twój brat, jeżeli rzeczywiście żyje, może zażądać od ciebie wyjaśnień za to, że okryłeś hańbą kobietę.

— To są wszystko kłamstwa! — wybuchnął Hasan. — Şeküre je wymyśliła po to, by od nas odejść!

Z wnętrza domu dobiegł krzyk. To krzyczała Hayriye. Potem usłyszałam Şevketa. Krzyczeli jedno przez drugie. Nie wiedząc, co się dzieje, ogarnięta strachem również krzyknęłam, po czym rzuciłam się w stronę domu, nie bardzo zdając sobie sprawę z tego, co robię.

Mój starszy syn zbiegł po schodach i wypadł na podwórze.

— Dziadek jest zimny jak lód! — zawołał. — Dziadek nie żyje!

Objęłam go i wzięłam na ręce. Służąca nadal krzyczała. Czarny i Hasan usłyszeli wrzaski i każde wypowiedziane słowo.

— Mamo, dziadek został zabity — oznajmił tym razem Şevket.

To również wszyscy usłyszeli. Łącznie z Hasanem? Mocno objęłam syna i weszłam z nim do domu. Stojąca u szczytu schodów Hayriye zastanawiała się, jak chłopiec mógł się obudzić i wymknąć z pokoju.

— Obiecałaś, że nas nie zostawisz — przypomniał Şevket i rozpłakał się.

Moje myśli były teraz przy Czarnym. Zajęty rozmową z Hasanem zapomniał zamknąć bramę. Ucałowałam syna w oba policzki i mocno go przytuliłam, uspokajając, po czym przekazałam go służącej.

— Idźcie na górę — szepnęłam.

Sama wróciłam na podwórze i stanęłam tuż przy bramie. Miałam nadzieję, że Hasan mnie nie zauważy. Zmienił miejsce, kryjąc się za drzewami rosnącymi wzdłuż ulicy. Skoro tak, to mógł mnie widzieć, bo zaczął się zwracać także do mnie.

Czułam się niepewnie, mając do czynienia z kimś, kogo nie mogłam zobaczyć, lecz poczułam się jeszcze gorzej, gdy Hasan oskarżył i mnie, i nas wszystkich. Pomyślałam, że ma rację. Zawsze przy nim i przy ojcu czułam się winna. Teraz uświadomiłam sobie ze smutkiem, że kocham człowieka, który mnie oskarża. Najdroższy Allahu, proszę, pomóż mi. Przecież miłość to nie cierpienie dla samego cierpienia, lecz środek, który zbliża ludzi do siebie.

Hasan oświadczył, że zabiłam ojca w zmowie z Czarnym. Słyszał słowa Şevketa i dodał, że wszystko wyszło na jaw, popełniliśmy niewybaczalny grzech, zasługujący na męki piekielne. Rano pójdzie do kadiego, by go o tym poinformować. Jeżeli okażę się niewinna, jeżeli moje ręce nie będą splamione krwią Wuja, to zmusi mnie i synów do powrotu do niego i będzie dla nich ojcem, póki brat nie wróci. Jeżeli zaś okażę się winna, to dla kobiety, która bez skrupułów porzuca męża gotowego do najwyższych poświęceń, żadna kara nie będzie zbyt surowa.

Cierpliwie słuchaliśmy tej wściekłej gadaniny, aż wśród drzew zapadła cisza.

— Jeżeli teraz dobrowolnie wrócisz do domu twojego prawdziwego męża — odezwał się Hasan zupełnie innym tonem — jeżeli po cichu, nie zauważona przez nikogo przyjdziesz z dziećmi do mnie, zapomnę o bezprawnym ślubie, popełnionych przez ciebie przestępstwach i o wszystkich twoich przewinieniach. A potem razem będziemy czekać na brata.

Czy on się upił? W jego głosie i propozycji przedstawionej w obecności mojego męża było coś tak naiwnego, że zaczęłam się obawiać o jego umysł.

— Rozumiesz?! — zawołał.

Nie miałam pojęcia, gdzie on jest. Dobry Boże, pomóż nam, twoim grzesznym sługom.

— Nie będziesz mogła żyć pod jednym dachem z człowiekiem, który zabił twojego ojca, Şeküre. Jestem tego pewny. Natychmiast pomyślałam, że może to on zamordował ojca, a teraz kpi sobie z nas. Ten Hasan to diabeł wcielony. Nie miałam jednak co do tego pewności.

— Słuchaj no, Hasanie! — zawołał mój mąż w ciemność.

— Mojego teścia zamordowano, to fakt. Zabił go najnikczemniejszy z ludzi.

— Zamordowano go przed ślubem, prawda? — powiedział Hasan. — To wy go zabiliście, bo sprzeciwiał się temu bezprawnemu małżeństwu, fikcyjnemu rozwodowi, fałszywym świadkom i wszystkim waszym oszustwom. Gdyby uznał cię za odpowiedniego kandydata, dawno oddałby ci córkę za żonę.

Mieszkając z nami wiele lat, Hasan poznał dokładnie naszą przeszłość i z pasją wzgardzonego kochanka pamiętał wszystkie szczegóły naszych rozmów z mężem, o których zapomnieliśmy lub chcieliśmy zapomnieć. Przez te wszystkie lata nazbierało się tyle wspólnych wspomnień, że gdyby zaczął o nich mówić, Czarny stałby się dla mnie nagle zupełnie obcy.

— Podejrzewamy, że to ty go zamordowałeś — powiedział Czarny.

— Nie, to wy go zabiliście, by móc się pobrać. To oczywiste. Ja nie miałem żadnego motywu.

— Zamordowałeś go, żebyśmy nie mogli się pobrać — odpowiedział Czarny. — Kiedy się dowiedziałeś, że zgodził się na rozwód Şeküre i nasze małżeństwo, postradałeś rozum. Poza tym byłeś wściekły na wuja za to, że namówił Şeküre do powrotu. Chciałeś się zemścić. Wiedziałeś, że dopóki żyje, dopóty nie dostaniesz jego córki.

— Dość tego — odparł Hasan zdecydowanie. — Nie chcę słuchać tych bzdur. Jest strasznie zimno. Stałem na tym mrozie, usiłując zwrócić waszą uwagę, rzucając kamieniami. Nie słyszeliście?

— Czarny był zajęty oglądaniem ilustracji ojca — odpowiedziałam. Czy źle zrobiłam, wspominając o tym?

Hasan odezwał się dokładnie tym samym tonem, jakim czasami zwracałam się do Czarnego:

— Şeküre, jako żona mojego brata najlepiej zrobisz, wracając teraz z dziećmi do domu bohatera sipahi, z którym na mocy Koranu wciąż jesteś związana.

— Odmawiam — syknęłam w sam środek ciemności. — Odmawiam, Hasanie.

— Wobec tego odpowiedzialność i lojalność względem brata zmuszają mnie do tego, bym jutro z samego rana powiadomił kadiego o tym, co tu usłyszałem. W przeciwnym razie to ode mnie zażądają wyjaśnień.

— I tak zażądają — powiedział Czarny. — Jeśli pójdziesz do sędziego, ujawnię, że to ty zamordowałeś wuja, ukochanego sługę naszego sułtana. Z samego rana.

— Doskonale — odparł Hasan ze spokojem. — Ogłoś tę rewelację.

— Wezmą was obu na tortury! — krzyknęłam. — Nie idź do sędziego. Zaczekaj. Wszystko się wyjaśni.

— Nie boję się tortur — odpowiedział Hasan. — Byłem dwa razy torturowany i teraz wiem, że to jedyny sposób, by wyciągnąć winę z niewinnego. Niech oszczercy boją się tortur. Opowiem kadiemu, kapitanowi janczarów, szejch ül-islamowi i wszystkim o księdze biednego Wuja i o ilustracjach. Zresztą wszyscy i tak o nich mówią. O co chodzi z tymi miniaturami? Co jest w nich takiego?

— Nic szczególnego — oznajmił Czarny.

— To znaczy, że je obejrzałeś przy pierwszej sposobności.

— Wuj chciał, bym skończył księgę.

— Dobrze. Mam nadzieję, że jeśli Bóg da, torturować będą nas obu.

Zapadła cisza. Potem usłyszeliśmy kroki na pustym dziedzińcu. Oddalały się czy zbliżały? Nie mogliśmy zobaczyć Hasana ani stwierdzić, co robi. Na pewno nie przedzierałby się w kompletnych ciemnościach przez ciernie, krzaki i jeżyny rosnące w końcu ogrodu. Mógł też bez trudu zniknąć czy nawet przejść tuż obok nas, kryjąc się wśród drzew.

— Hasanie! — zawołałam.

Nie było odpowiedzi.

— Cicho — ostrzegł Czarny.

Oboje trzęśliśmy się z zimna. Po chwili wahania zamknęliśmy bramę i drzwi do domu. Przed powrotem do ogrzanego przez dzieci łóżka jeszcze raz zajrzałam do ojca. W tym czasie Czarny ponownie pochylił się nad ilustracjami.

35.
Jestem koniem

Nie daj się zwieść temu, że stoję tu spokojny i nieruchomy. W rzeczywistości od wieków galopuję ponad równinami i polami bitew. Porywałem smutne córki szachów, by ktoś mógł je zaślubić; pędziłem bez zmęczenia ze strony na stronę, od opowieści do historii, od historii do legendy i z księgi do księgi; pojawiałem się w niezliczonych opowieściach, bajkach, manuskryptach i bitwach; towarzyszyłem niezwyciężonym bohaterom, legendarnym kochankom i niezwykłym armiom; uczestniczyłem we wszystkich kampaniach naszych zwycięskich sułtanów i w rezultacie uwieczniono mnie na tysiącach rysunków.

Jak to jest, spytacie, tak często pojawiać się na ilustracjach? Oczywiście napawa mnie to dumą, chociaż miewam wątpliwości, czy to właśnie ja występuję na wszystkich tych obrazkach. Ilustracje pokazują jasno, że każdy artysta postrzega mnie inaczej. Jestem jednak przekonany, że istnieją pewne cechy wspólne.

Moi przyjaciele miniaturzyści przypomnieli ostatnio pewną historię. Król niewiernych miał poślubić córkę weneckiego doży. Nagle ogarnęły go wątpliwości: „A jeżeli okaże się, że Wenecjanin jest biedny, a dziewczyna brzydka?". Aby to sprawdzić, rozkazał swojemu najlepszemu artyście namalować córkę doży, jego posiadłości i cały majątek. Wenecjanie mają inne poczucie przyzwoitości i pokazują artystom nie tylko córki, lecz również konie i pałace. Utalentowany malarz może ukazać pannę lub konia w taki sposób, aby korzystnie się wyróżniali na tle innych. Gdy król niewiernych oglądał obrazy z Wenecji, zastanawiając się, czy pojąć dziewczynę za żonę, jego ogier nagle poderwał się, próbując pokryć piękną klacz z malowidła. Stajenni musieli się bardzo natrudzić, aby utrzymać ogniste zwierzę w ryzach i nie dopuścić, by wielkim członkiem zniszczyło obraz wraz z ramami.

Podobno to nie uroda weneckiej klaczy tak podnieciła zachodniego ogiera, chociaż była naprawdę uderzająca, lecz wybór tej właśnie klaczy i bardzo wierne jej odwzorowanie. Nasuwa się pytanie: Czy grzechem jest namalowanie klaczy dokładnie tak, jak wygląda w rzeczywistości? W moim wypadku, o czym możecie się przekonać, istnieje niewielka różnica między moim wizerunkiem a wizerunkami innych koni.

Ci z was, którzy zwrócą uwagę na moją sylwetkę, długość nóg, dumną postawę, dojdą do wniosku, że jestem rzeczywiście wyjątkowy. Lecz te wspaniałe cechy potwierdzają jedynie talent miniaturzysty, który mnie malował, nie moją wyjątkowość. Wszyscy wiedzą, że nie ma konia dokładnie takiego jak ja. Jestem jedynie przedstawieniem jakiegoś konia, istniejącego w wyobraźni twórcy.

Oglądający mnie często mówią: „Dobry Boże, jaki wspaniały koń!". Lecz tym samym chwalą artystę, nie mnie. Każdy koń jest inny i miniaturzysta powinien o tym wiedzieć.

Przypatrzcie się dobrze, nawet wiadomy organ każdego ogiera jest inny. Nie bójcie się, możecie to sprawdzić, choćby biorąc go w rękę. Ten dany mi przez Boga cudowny dar ma właściwy dla siebie kształt i zakrzywienie.

Wszyscy miniaturzyści malują konie z pamięci w ten sam sposób, chociaż każdy z nas został stworzony przez Allaha, największego ze wszystkich stwórców, oddzielnie. Dlaczego są dumni z przedstawiania tysięcy i dziesiątek tysięcy koni w jeden sposób, bez realistycznego spojrzenia na nas? Powiem wam dlaczego. Ponieważ próbują ilustrować świat taki, jakim postrzega go Bóg, a nie taki, jakim oni sami go widzą. Czy nie stanowi to wyzwania dla boskiej jedyności? Czy to znaczy — niech Bóg broni — że ja również mógłbym wykonać pracę Allaha? Artyści niezadowoleni z tego, co widzą, malujący tego samego konia tysiące razy, utrzymujący, że to, co pokazuje im wyobraźnia, to boski koń, artyści twierdzący, że najlepszy wizerunek konia to wizerunek namalowany przez ociemniałego miniaturzystę — czy nie popełniają grzechu rywalizacji z Allahem?

Nowy styl zachodnich mistrzów nie jest świętokradztwem. Wprost przeciwnie, oni właśnie są najbliżej naszej wiary. Modlę się, by moi bracia z Erzurumu nie zrozumieli mnie źle. Nie podoba mi się, że niewierni artyści pokazują swoje kobiety na wpół nagie, w sposób daleki od pobożnej skromności, że nie rozumieją, jakie przyjemności daje kawa i przystojni chłopcy, że chodzą z gładko ogolonymi twarzami, chociaż włosy mają równie długie jak kobiety, i że utrzymują, iż Jezus też jest Bogiem — Allahu, miej nas w swojej opiece. Tak mnie ci niewierni zdenerwowali, że gdybym spotkał któregoś na swojej drodze, tobym go porządnie kopnął.

Mam już jednak dość fałszywego przedstawiania mnie przez miniaturzystów, którzy siedzą w domu jak niewiasty i nigdy nie byli na wojnie. Malują mnie w galopie z obiema przednimi nogami wyciągniętymi w przód. Żaden koń na świecie nie biega jak zając. Gdy jedna z przednich nóg jest wysunięta do przodu, druga jest w tyle. W przeciwieństwie do tego, co pokazują ilustracje batalistyczne, nie ma na świecie konia, który by wysuwał przednią nogę jak jakiś ciekawski pies, pozostawiając drugą na ziemi. Konie żadnego oddziału sipahi nie stąpają tak, jakby namalowano je za pomocą jednego szablonu. My, konie, szukamy pożywienia i gdy nikt nie widzi, zjadamy zieloną trawę rosnącą obok naszych kopyt. Nigdy nie przyjmujemy posągowych póz, jak nas przedstawiają na obrazkach. Dlaczego nasze jedzenie, picie, wydalanie i spanie budzą zakłopotanie? Dlaczego artyści boją się malować ten nasz wspaniały, dany przez Boga, instrument? W tajemnicy wszyscy, szczególnie kobiety i dzieci, bardzo lubią na niego patrzeć — co w tym złego? Czy hodża z Erzurumu jest także temu przeciwny?

Powiadają, że był sobie kiedyś w Szirazie wątły i bojaźliwy szach. Śmiertelnie się bał, że syn usunie go z tronu. Zamiast jednak wysłać go do Isfahanu na stanowisko gubernatora prowincji, uwięził go w najbardziej odległej komnacie pałacu. Książę w tej prowizorycznej celi, bez okien wychodzących na dziedziniec lub ogród, żył samotnie w świecie rękopisów przez trzydzieści jeden lat. Kiedy ziemska egzystencja jego ojca dobiegła końca, wstąpił na tron i oświadczył: „Przyprowadźcie mi konia. Oglądałem go tylko na rysunkach i jestem ciekaw, jak wygląda naprawdę". Przyprowadzono mu najpiękniejszego siwego rumaka. Kiedy nowy szach zobaczył, że koń ma nozdrza jak tunele, bezwstydny zad, sierść bardziej matową niż na ilustracjach i bydlęcy tułów, był tak rozczarowany, że rozkazał wybić wszystkie konie w królestwie. Po tak brutalnej rzezi, trwającej czterdzieści dni, rzeki królestwa spłynęły ponurą czerwienią. Wielki Allah nie powstrzymał się od wymierzenia sprawiedliwości. Szach nie miał teraz kawalerii i kiedy zmierzył się z armią odwiecznego wroga, Turkmen Beja z Czarnych Baranów, został rozgromiony, a jego wojsko wycięto w pień. Niech nie będzie wątpliwości: te historie pokazują, że rasa końska została pomszczona.

36.
Nazywam się Czarny

Şeküre zamknęła się z dziećmi w pokoju, a ja długo wsłuchiwałem się w różne dźwięki i w nieustanne skrzypienie. Orhan i Şevket szeptali coś między sobą, a ona gwałtownie ich uciszała. Usłyszałem hałas dochodzący z wybrukowanego kamieniami placyku przy studni, lecz szybko ucichł. Później moją uwagę przyciągnął krzyk mewy, która usiadła na dachu. W końcu, gdy na chwilę zapadła cisza, z drugiej strony korytarza rozległo się ciche chlipanie: to Hayriye płakała przez sen. Jej pojękiwania przeszły w kaszel i ucichły równie nagle, jak się pojawiły. Po chwili wydało mi się, że ktoś chodzi po pokoju, w którym leżał zmarły wuj, i zdrętwiałem. Zapanowała grobowa cisza.

W takich chwilach względnego spokoju studiowałem ilustracje, przyglądając się, jak namiętny Oliwka, piękny Motyl i zmarły pozłotnik nanosili farby na strony. Za każdym razem miałem ochotę wykrzyknąć: „Szatan!" lub: „Śmierć!", jak robił to wuj, lecz powstrzymywał mnie jakiś lęk. Jednocześnie miniatury wywoływały we mnie irytację, ponieważ pomimo nalegań wuja nie potrafiłem napisać do nich odpowiednich tekstów. Od kiedy nabrałem przekonania, że jego śmierć ma z nimi jakiś związek, stałem się nerwowy i niecierpliwy. Początkowo przyglądałem się im bez końca, słuchając opowieści wuja, by móc być bliżej Şeküre. Ale teraz, kiedy była moją prawnie zaślubioną żoną, w jakim celu miałbym się nimi zajmować? Bezlitosny głos wewnętrzny podpowiedział mi: „Nawet gdyby dzieci usnęły, Şeküre i tak nie opuściłaby swego łoża". Długo czekałem, wpatrując się w rysunki z nadzieją, że moja czarnooka piękność do mnie przyjdzie.

Rano wyrwał mnie ze snu lament służącej. Chwyciłem lichtarz i wybiegłem na korytarz. Pomyślałem, że to Hasan napadł na dom ze swoimi ludźmi, i zastanawiałem się, czy nie ukryć ilustracji, lecz szybko zorientowałem się, że Hayriye zaczęła płakać na polecenie Şeküre, aby w ten sposób ogłosić dzieciom i sąsiadom śmierć wuja.

Spotkawszy się w korytarzu, objęliśmy się czule. Dzieci, które wyskoczyły z łóżka poderwane krzykami Hayriye, stanęły nieruchomo.

— Wasz dziadek umarł — oznajmiła Şeküre. — Nie wolno wam wchodzić do tego pokoju pod żadnym pozorem.

Uwolniła się z moich ramion i idąc do ojca, zaczęła szlochać. Zaprowadziłem chłopców z powrotem do pokoju.

— Ubierzcie się lepiej, bo możecie się przeziębić — poleciłem, po czym usiadłem na krawędzi łóżka.

— Dziadek nie umarł tego ranka. On umarł w nocy — szepnął Şevket.

Długie pasemko wspaniałych włosów Şeküre leżało zwinięte na poduszce w kształcie arabskiej litery „W". Jej ciepło nie uleciało jeszcze spod kołdry. Słyszeliśmy, jak Şeküre płacze i zawodzi do wtóru niewolnicy. Zdolność mojej żony do udawania rozpaczy, jak gdyby jej ojciec rzeczywiście umarł niespodziewanie, była tak zaskakująca, że pomyślałem, iż zupełnie jej nie znam. Wyglądało to, jakby została opętana przez jakiegoś dżina.

— Boję się — oznajmił cicho Orhan, a w jego spojrzeniu zauważyłam prośbę o moją zgodę na płacz.

— Nie ma czego — pocieszyłem go. — Twoja matka płacze, aby sąsiedzi dowiedzieli się o śmierci dziadka i przyszli złożyć wyrazy współczucia.

— Jakie to ma znaczenie, czy oni przyjdą, czy nie? — zainteresował się Şevket.

— Jeżeli przyjdą, będą razem z nami opłakiwać jego śmierć. W ten sposób możemy podzielić się brzemieniem naszego bólu.

— Czy to ty zabiłeś dziadka?! — zawołał Şevket.

— Jeżeli chcesz sprawić przykrość matce, nie spodziewaj się, że znajdziesz we mnie przyjaciela! — wykrzyknąłem w odpowiedzi.

Nie krzyczeliśmy na siebie jak ojczym z pasierbem, lecz jak dwóch mężczyzn stojących na przeciwnych brzegach rzeki, która z hukiem toczyła swoje wody. Şeküre wyszła na korytarz i mocowała się z drewnianą listwą, próbując otworzyć okiennice. Chciała, aby jej krzyki były lepiej słyszane przez sąsiadów.

Podszedłem do niej i wspólnie pchnęliśmy okiennice. W końcu stanęły otworem, lecz spadły na podwórze. W nasze twarze uderzyły światło słoneczne i chłód. Şeküre krzyczała w sposób przeszywający serce.

Śmierć wuja, ogłoszona tym wrzaskiem, zmieniła się w pełen tragizmu, dręczący ból. Lament żony, szczery czy udawany, przytłaczał mnie. Nieoczekiwanie dla samego siebie zacząłem płakać. Nie wiedziałem, czy płaczę z prawdziwego żalu, czy też ze strachu przed tym, by nie zostać posądzonym o zabicie wuja...

— On odszedł, odszedł, odszedł! Mój drogi ojciec odszedł! — zawodziła Şeküre.

Płakałem i lamentowałem jak ona, choć nie bardzo zdawałem sobie sprawę, co mówię. Martwiłem się o to, jak będę wyglądał w oczach sąsiadów, obserwujących nas przez szczeliny w drzwiach i okiennicach, i czy właściwie się zachowuję. Płacz oczyścił mnie z wątpliwości, że mój ból jest nieszczery, z obaw, że mogą mnie oskarżyć o morderstwo, i ze strachu przed Hasanem i jego ludźmi.

Şeküre była moja i właśnie łzami czciłem ten fakt. Przyciągnąłem do siebie łkającą żonę i nie zwracając uwagi na obecność szlochających chłopców, czule pocałowałem ją w policzek i wydało mi się, że wdycham zapach migdałowych drzew naszej młodości.

Razem z dziećmi przeszliśmy do pokoju, gdzie leżał zmarły. Wyszeptałem: *La ilaha illal'lah* — w imię Boga miłościwego — jakbym przemawiał nie do wydzielających fetor dwudniowych zwłok, lecz do umierającego mężczyzny, od którego oczekiwałem wyznania wiary. Pragnąłem, aby wuj poszedł do nieba z tymi słowami na ustach. Udawaliśmy, że je powtórzył, i uśmiechnęliśmy się, patrząc na zniekształconą twarz i rozbitą głowę. Wzniosłem dłonie i wyrecytowałem surę *Ja Sin*, podczas gdy inni słuchali w milczeniu. Czystym kawałkiem gazy, przyniesionym przez Şeküre, starannie obwiązaliśmy szczękę wuja, delikatnie zamknęliśmy poranione oczy i ostrożnie przewróciliśmy go na prawy bok, tak aby twarz miał skierowaną w stronę Mekki. Córka przykryła ojca czystym białym prześcieradłem.

Byłem zadowolony z obecności chłopców i z panującej wokół ciszy. Poczułem się jak ktoś, kto ma prawdziwą żonę, dzieci i dom.

Zapakowałem ryciny do teczki, włożyłem gruby kaftan i pospiesznie wyszedłem z domu. Udając, że nie widzę sąsiadki, starszej kobiety z zasmarkanym wnukiem, która usłyszawszy krzyki, przyszła nacieszyć się naszym smutkiem, skierowałem się prosto do pobliskiego meczetu.

Nora w murze, którą imam nazywał swoim domem, była zaskakująco mała w porównaniu z okazałą budowlą o wielkich kopułach i rozległych dziedzińcach, typowych dla wznoszonych ostatnio meczetów. Duchowny rozszerzył granice owej nory i przywłaszczył sobie cały meczet (jak zauważyłem, stało się to częstym zwyczajem), nie przejmując się wyblakłym i zniszczonym praniem, rozwieszonym przez żonę między kasztanowcami rosnącymi w rogu dziedzińca. Udało mi się uniknąć ataku dwóch agresywnych psów, które wpadły z ulicy — synowie imama przepędzili je kijami, po czym przeprosili za to zdarzenie. Udaliśmy się z duchownym do prywatnej części domu.

Wyczytałem na jego twarzy pytanie: „Na miłość boską, co cię tu sprowadza?", podyktowane zapewne wczorajszym procesem i faktem, że nie poprosiliśmy go o poprowadzenie ceremonii zaślubin (co musiało go zdenerwować).

— Wuj odszedł dziś rano.

— Niech Bóg się nad nim zlituje. Niech znajdzie miejsce w niebie — powiedział życzliwie.

Dlaczego bezwiednie wprowadziłem do mojego oświadczenia słowa „dziś rano"? Wsunąłem mu do ręki kolejny złoty krążek, taki sam jak wczoraj, i poprosiłem, by odmówił przed ezanem* modlitwę za zmarłych i polecił bratu ogłosić śmierć wuja w całej okolicy.

— Mój brat ma przyjaciela, na wpół ociemniałego. Razem dokonamy ablucji zmarłego — powiedział.

Czy mogło być coś bardziej korzystnego niż to, by ślepiec i głupek umyli ciało wuja? Wyjaśniłem mu, że tradycyjna modlitwa pogrzebowa odbędzie się po południu i że wezmą w niej udział notable, urzędnicy z pałacu, cechy i szkoły teologiczne.

---

*   ezan — wezwanie przez muezina wiernych na modlitwę

Nie próbowałem nawet tłumaczyć, w jakim stanie jest twarz wuja i okaleczona głowa, uznając, że tą sprawą powinny się zająć władze wyższe.

Kwestie finansowe związane z zamówioną księgą nasz sułtan powierzył podskarbiemu i właśnie jego w pierwszej kolejności musiałem powiadomić o śmierci wuja. W tym celu postanowiłem odwiedzić tapicera, krewnego ze strony ojca, który od mojego dzieciństwa pracował u krawca naprzeciw bramy prowadzącej do Soğukçeşme. Odnalazłem go, ucałowałem pokrytą plamami rękę i wyjaśniłem błagalnie, że muszę się widzieć z podskarbim. Kazał mi czekać wśród łysiejących praktykantów, szyjących zasłony z podwójnie złożonego kolorowego jedwabiu, trzymanego na kolanach. Potem kazał mi iść z szefem pomocników krawieckich, który wybierał się właśnie do pałacu wziąć miarę. Kiedy weszliśmy na plac Alay Meydanı, ucieszyłem się, że nie będę musiał przechodzić obok pracowni mieszczącej się naprzeciw meczetu Aya Sofya i uniknę tym samym powiadamiania o zbrodni innych miniaturzystów.

Alay Meydanı sprawiał wrażenie tętniącego życiem, chociaż zwykle wydawał mi się pusty. Mimo iż przy wejściu dla petentów nie było żywej duszy (zwykle w dni, kiedy obradowała Rada Sułtańska, ustawiała się tu kolejka), ani nikogo przy spichrzach, wydawało mi się, że słyszę ciągły hałas, dochodzący z okien szpitala, warsztatu stolarskiego, piekarni, a także głosy stajennych, parskanie koni przed Bramą Szczęśliwości (jej iglice budziły we mnie respekt) i wśród cyprysów. Wytłumaczyłem sobie, że lęk, który odczuwam na myśl o przejściu przez Bramę Szczęśliwości, wynika z tego, że robię to po raz pierwszy w życiu.

Nie zwróciłem więc uwagi na miejsce, gdzie podobno kaci czekają w pogotowiu, nie potrafiłem też ukryć podniecenia na widok strażników podejrzliwie przyglądających się beli mate-

riału, którą niosłem dla niepoznaki, udając, że tylko towarzy-
szę memu przewodnikowi — krawcowi.

Kiedy wstąpiliśmy na plac Rady Sułtańskiej, ogarnęła nas
cisza. Łomotanie serca czułem nawet w żyłach na czole i na
karku. Byłem w miejscu tak często opisywanym przez wuja
i innych, składających wizyty w pałacu. I choć przypominało
rajski ogród o niezrównanej piękności, nie czułem uniesienia jak ktoś, kto znalazł się w niebie, lecz niepokój i pobożną
cześć. Byłem prostym poddanym sułtana, który, miałem teraz
pewność, jest fundamentem ziemskiego królestwa. Przyglądałem się pawiom przechadzającym się wśród zieleni, złotym pu-
charom zdobiącym pluskające fontanny, heroldom wielkiego
wezyra ubranym w jedwabie (którzy sprawiali wrażenie, jakby
płynęli w powietrzu) i czułem dumę z tego, że służę naszemu
władcy. Przecież to ja miałem dokończyć sekretną księgę sułtana, do której ilustracje niosłem. Nie bardzo wiedząc, co robię,
postępowałem za krawcem ze wzrokiem utkwionym w Wieżę
Rady, porażony jej wielkością.

W towarzystwie pałacowego chłopca, który do nas dołączył, bojaźliwie i cicho, jak we śnie, minęliśmy budynki skarbca i salę posiedzeń Rady. Miałem wrażenie, jakbym już kiedyś
widział to miejsce i dobrze je znał.

Weszliśmy przez szerokie drzwi do sali posiedzeń Starej
Rady Sułtańskiej. Zobaczyłem mężczyzn z tkaninami, wypra-
wionymi skórami, srebrnymi pochwami na szable i komódka-
mi wyłożonymi macicą perłową. Wywnioskowałem, że to rze-
mieślnicy z cechów naszego sułtana: mistrzowie wytwarzający
buławy i buzdygany, aksamit, przedmioty z kości słoniowej,
lutnicy, szewcy i złotnicy. Wszyscy czekali przed drzwiami
podskarbiego z petycjami dotyczącymi zapłaty, kupna mate-
riałów i z prośbami o pozwolenie wejścia do zakazanych, pry-

watnych komnat sułtana w celu wzięcia miary. Byłem zadowolony, że nie ma wśród nich żadnego miniaturzysty.

Stanęliśmy z boku. Od czasu do czasu zza zamkniętych drzwi dochodził do nas podniesiony głos urzędnika, podejrzewającego błąd w rachunkach i żądającego wyjaśnień. Potem następowała uprzejma odpowiedź, na przykład ślusarza. Głosy petentów rzadko wznosiły się ponad szept. Trzepot skrzydeł gołębi, odbijający się echem w sklepieniu ponad nami, był głośniejszy niż skromne prośby pokornych rzemieślników.

Kiedy nadeszła moja kolej, wszedłem do niewielkiej komnaty zajmowanej przez jednego urzędnika. Szybko wyjaśniłem, że mam ważną sprawę, wymagającą uwagi podskarbiego, a dotyczącą księgi zamówionej przez naszego sułtana, stanowiącej dla niego sprawę najwyższej wagi. Urzędnik podniósł wzrok, zaintrygowany moim pakunkiem. Pokazałem mu ilustracje z księgi wuja. Zauważyłem, że wyjątkowość rysunków, ich uderzająca ekscentryczność wzbudziły wewnętrzny sprzeciw urzędnika. Podałem imię ojca Şeküre, jego przydomek i zawód, nadmieniając przy tym, że umarł z powodu tych miniatur. Mówiłem szybko, zdając sobie sprawę, że jeżeli wyjdę z pałacu bez spotkania z sułtanem, oskarżą mnie o spowodowanie śmierci wuja.

Kiedy urzędnik wyszedł zawiadomić podskarbiego, poczułem, że oblewa mnie zimny pot. Czy podskarbi, który — jak powiedział mi kiedyś wuj — nigdy nie odstępuje sułtana, a czasami rozwija nawet przed nim modlitewny dywan i jest jego zaufanym człowiekiem, opuści część pałacu zwaną Enderun* aby spotkać się ze mną? Już samo to, że z mojego po-

---

* Enderun — prywatna część pałacu Topkapı, zespół budowli rozmieszczonych za trzecią bramą, zwaną Bramą Szczęśliwości; tam też znajdowała się szkoła paziów.

wodu wysłano kogoś do samego serca pałacu, było trudne do uwierzenia. Zastanawiałem się, gdzie może przebywać Jego Ekscelencja Sułtan. Czy odpoczywa w jakimś pawilonie nad brzegiem morza? Czy przebywa w haremie? Czy towarzyszy mu podskarbi?

Wkrótce zostałem wezwany. Ujmę to tak: zabrano mnie tak nagle, że nie miałem czasu się bać. Ale wpadłem w panikę, gdy zauważyłem, z jakim szacunkiem i zdumieniem patrzy na mnie stojący przy drzwiach mistrz wytwarzający aksamit. Wszedłem do środka i zamarłem z przerażenia. Myślałem, że nie wyduszę z siebie słowa. Nakrycie głowy wyszywane złotem było tak wspaniałe, że tylko on i wielki wezyr mogli nosić podobne. Tak, stałem przed obliczem podskarbiego. Patrzył na miniatury leżące na biurku, na którym położył je urzędnik. Poczułem się tak, jakbym to ja je namalował. Ucałowałem rąbek szaty wielkiego dostojnika.

— Moje drogie dziecko — powiedział. — Czy dobrze zrozumiałem, twój wuj odszedł?

Nie byłem w stanie z emocji, a może poczucia winy, wydusić z siebie słowa, więc tylko skinąłem głową. I wtedy zdarzyło się coś nieoczekiwanego. Współczujący i zdumiony wzrok podskarbiego sprawił, że po moim policzku wolno stoczyła się łza. Nie wiedziałem, co począć. Byłem poruszony faktem przebywania w pałacu, tym, że podskarbi opuścił naszego sułtana, by ze mną porozmawiać, i tym, że byłem tak blisko niego. Łzy zaczęły więc napływać mi do oczu, lecz nie czułem zakłopotania.

— Płacz, mój synu, to ukoi ci serce — poradził podskarbi.

Zaniosłem się żałosnym łkaniem. Chociaż wydawało mi się, że ostatnie dwanaście lat zrobiło ze mnie mężczyznę, to bliskość sułtana, serca imperium, uświadomiła mi, że jestem tylko dzieckiem. Nie dbałem o to, czy złotnicy lub wytwórcy aksamitu usłyszą mój szloch. Wiedziałem, że spowiadam się przed samym podskarbim.

Tak, wszystko mu wyznałem. Opowiedziałem, jak spotkałem się z moim zmarłym teściem, o małżeństwie z Şeküre, o groźbach Hasana, o kłopotach z księgą wuja i tajemnicach związanych z miniaturami. Odzyskałem zimną krew. Uświadomiłem sobie, że jedyną drogą na wydostanie się z pułapki, w jaką wpadłem, jest zdanie się na łaskę nieskończonej sprawiedliwości i miłości naszego sułtana, ostoi świata, niczego więc nie ukrywałem. Czy zanim podskarbi przemyśli to, co mu wyznałem, i skaże mnie na tortury, opowie o wszystkim sułtanowi?

— Niech wiadomość o śmierci wuja zostanie bezzwłocznie ogłoszona w pracowni — powiedział podskarbi. — Chcę, żeby cały cech artystów uczestniczył w pogrzebie.

Popatrzył na mnie, jakby chciał się upewnić, że nie zaprotestuję. Ośmielony jego zainteresowaniem, podzieliłem się swoimi domysłami na temat sprawcy obu zbrodni i ewentualnego ich motywu. Napomknąłem, że mogą być w to zamieszani stronnicy imama z Erzurumu i ludzie atakujący klasztory derwiszów, w których gra muzyka i tańczą mężczyźni. Kiedy zobaczyłem powątpiewanie na twarzy podskarbiego, podzieliłem się innymi moimi podejrzeniami. Poinformowałem go, że wynagrodzenie i zaszczyt związane ze zleceniem zilustrowania i ozdobienia manuskryptu prawdopodobnie wywołały rywalizację i zazdrość wśród miniaturzystów, a fakt, że projekt był prowadzony w tajemnicy, mógł zrodzić nienawiść i intrygi. Kiedy te słowa wypłynęły mi z ust, zorientowałem się, że podskarbi patrzy na mnie podejrzliwie — tak jak i wy. Dobry Boże, niech sprawiedliwości stanie się zadość, o nic więcej nie proszę.

Nastąpiła cisza. Podskarbi uciekł spojrzeniem w bok, jakby poczuł się zawstydzony moimi słowami i moim losem, po czym utkwił wzrok w miniaturach.

— Tu jest dziewięć rysunków — policzył. — Umowa mówiła o dziesięciu. Wuj wziął od nas więcej złotych listków, niż ich tu użyto.

— W takim razie morderca musiał ukraść ostatnią, na której wykorzystał resztę złota — odpowiedziałem.

— Nie zdradziłeś nam, kto miał być kaligrafem.

— Mój zmarły wuj nie skompletował jeszcze tekstu księgi. Sądził, że ja mu w tym pomogę.

— Moje drogie dziecko, przecież właśnie wyjaśniłeś, że dopiero co przybyłeś do Stambułu.

— To było tydzień temu. Przyjechałem trzy dni po zamordowaniu Eleganta.

— Chcesz powiedzieć, że wuj przez cały rok zajmował się ilustrowaniem nie napisanego i nie istniejącego rękopisu?

— Tak, panie.

— Czy powiedział ci, o czym ta księga ma być?

— Zgodnie z wolą naszego sułtana miała ilustrować tysiąc lat kalendarza muzułmańskiego, zasiać strach w sercu weneckiego doży, pokazując siłę militarną i dumę islamu, a także potęgę i bogactwo szlachetnego domu osmańskiego. Miała opisywać najbardziej wartościowe i istotne elementy naszego królestwa. Podobnie jak w *Rozprawie o fizjonomii* portret naszego sułtana znalazłby się w samym sercu dzieła. Co więcej, ponieważ rysunki miały powstać w stylu zachodnich mistrzów, z użyciem ich metod, miały wzbudzić podziw i pragnienie przyjaźni ze strony weneckiego doży.

— Jestem tego świadomy, ale czy te wszystkie psy i drzewa stanowią najbardziej wartościowe i istotne elementy szlachetnego domu osmańskiego? — zapytał podskarbi, wskazując na ilustracje.

— Mój wuj, niech spoczywa w spokoju, nalegał, żeby książka nie pokazywała bogactwa naszego sułtana, lecz jego duchową i moralną siłę, razem z ukrytymi troskami.

— A portret naszego sułtana?

— Nie widziałem go. Możliwe, że morderca gdzieś go ukrył. Kto wie, pewnie znajduje się teraz w jego domu.

Rola mojego zmarłego wuja została ograniczona do przygotowania zbioru dziwnych obrazków, które podskarbi uznał za bezwartościowe. Wuj przestał już być twórcą księgi wartej wydanych na nią pieniędzy. Czy podskarbi uznał, że to ja zamordowałem głupiego i nie budzącego zaufania człowieka, by poślubić jego córkę? Lub też z innych powodów: na przykład aby sprzedać złote listki? Z jego spojrzenia wyczytałem, że moja wizyta dobiegła końca, więc nerwowo i ostatkiem sił wyjaśniłem, że wuj zwierzył mi się, iż jeden z mistrzów miniatury, którego wynajął, mógł zamordować biednego Eleganta. Starałem się mówić zwięźle, że wuj podejrzewał Oliwkę, Bociana i Motyla. Nie miał jednak na to dowodów. Wyczułem, że podskarbi uznał mnie za zwykłego oszczercę i głupiego plotkarza.

Uradowałem się natomiast, kiedy powiedział, że musimy ukryć przed pracownikami warsztatu szczegóły tajemniczej śmierci wuja. Odebrałem to na nowo jako dowód wiary w moją historię. Ilustracje pozostały u niego, a ja przeszedłem ponownie przez Bramę Szczęśliwości, którą wcześniej uważałem za bramę do nieba. Po wyjściu i skontrolowaniu przez straże natychmiast poczułem się lepiej — jak żołnierz, który wraca do domu po długiej nieobecności.

37.
Jestem waszym ukochanym Wujem

Mój pogrzeb był wspaniały, dokładnie taki, jakiego bym sobie życzył. Byłem dumny z tego, że przyszli wszyscy, na których mi zależało. Wezyrowie obecni w Stambule w dniu mojej śmierci: — Kıbrıslı Hacı Hüseyin Pasza i Topal Baki Pasza — przypomnieli, że wyświadczyłem im wiele przysług. Wizyta ministra finansów Kırmızı Meleka Paszy, w chwili mojej śmierci cieszącego się uznaniem i zarazem krytykowanego, ożywiła skromny dziedziniec naszego meczetu. Gdybym żył i prowadził aktywne życie polityczne, awansowałbym do tej samej rangi co Mustafa Aga, dowódca straży sułtańskiej, którego widok szczególnie mnie uradował. Żałobnicy stanowili dostojną i imponującą grupę, wśród nich był sekretarz Kemalettin, naczelnik kancelarii Sert Salim Efendi, pałacowi urzędnicy, grupa byłych członków Rady Sułtańskiej, którzy dawno już zrezygnowali z działalności politycznej — każdy z nich był albo moim drogim przyjacielem, albo zajadłym wrogiem — szkolni koledzy oraz inni, którzy w jakiś sposób dowiedzieli się o mojej śmierci. Zjawili się także różni krewni, powinowaci i młodzież.

Dumny byłem także z pełnego powagi i pogrążonego w smutku zgromadzenia wiernych. Obecność podskarbiego Hazima Agi i dowódcy straży sułtańskiej świadczyła o tym, że Jego Ekscelencja Sułtan jest szczerze zasmucony moją przedwczesną śmiercią. Bardzo mnie to radowało. Nie wiedziałem jednak, czy żal naszego wielkiego sułtana oznaczał podjęcie wysiłków w celu złapania mordercy, jak również zwołania katów. Byłem za to pewny, że przeklęty zabójca jest teraz na dziedzińcu, wśród innych miniaturzystów i kaligrafów, i patrzy na moją trumnę z wyrazem szlachetnego bólu na twarzy.

Nie myślcie, że jestem wściekły na oprawcę i pałam żądzą zemsty albo że moja dusza nie może zaznać spokoju, ponieważ zostałem zdradziecko i okrutnie zamordowany. Przebywam w zupełnie innej sferze bytu. Duszę mam spokojną, bo wróciła do dawnej chwały po latach cierpień na ziemi.

Kiedy opuściła moje wijące się z bólu ciało, skąpane we krwi z ran zadanych kałamarzem, drżała przez chwilę w intensywnym świetle. Potem dwa piękne, uśmiechnięte anioły z jasnymi twarzami, o których czytałem wiele razy w *Księdze duszy*, powoli zbliżyły się do mnie w eterycznej poświacie, chwyciły mnie za ramiona, jakbym wciąż miał ciało, i zaczęły szybować w górę. Unosiliśmy się tak spokojnie, łagodnie jak w radosnym śnie. Minęliśmy lasy ognia, rzeki światła, ciemne morza, góry śniegu i lodu. Przejście przez nie trwało tysiące lat, chociaż wydawało się mgnieniem oka.

Sunęliśmy przez siedem niebios, mijając różne osobliwe stwory, bagna i chmury z nieskończoną różnorodnością owadów i ptaków. Na poziomie każdego nieba anioł prowadzący mnie pukał w bramę i na pytanie: „Kto tam?" — odpowiadał, przedstawiając mnie, to jest podając wszystkie moje imiona i zalety i kończąc stwierdzeniem: „Posłuszny sługa najwyższego Allaha", co wyciskało mi łzy radości z oczu. Wiedziałem jednak, że miną tysiące lat, zanim w dniu Sądu Ostatecznego wybrani do nieba zostaną oddzieleni od wtrąconych do piekła.

To, co się ze mną działo, pominąwszy drobiazgi, zgadzało się z tym, co opisywali Ghazali, Al-Dżawzijja i inni słynni uczeni. Odwieczne zagadki, ciemne znaki zapytania, które tylko zmarły mógł poznać, odsłaniały się teraz i rozjaśniały, wybuchając tysiącem barw.

Jak mógłbym opisać kolory widziane w czasie tej wspaniałej podróży? Cały świat stworzony był z barw, wszystko było kolorem. Przedtem czułem, że siła oddzielająca mnie od innych istot i przedmiotów posiadała barwę, teraz nabrałem pewności, że kolor obejmował mnie i wiązał ze światem. Widziałem pomarańczowe nieba, piękne zielone ciała, brązowe jajka i legendarne konie o błękitnej barwie. Świat był wiernym odbiciem ilustracji i legend, które od lat analizowałem. Z lękiem i podziwem śledziłem jego stwarzanie, jakby stawało się to po raz pierwszy i jakby wyłaniało się z mroków niepamięci. To, co nazywam pamięcią, zawierało cały świat. Gdy ujrzałem czas rozciągający się przede mną w obu kierunkach, zrozumiałem, w jaki sposób ów świat, w formie, w jakiej zobaczyłem go po raz pierwszy, może trwać jako pamięć. Kiedy umarłem, otoczony feerią barw, odkryłem także, dlaczego ogarnął mnie taki spokój, jakbym pozbył się kaftana bezpieczeństwa. Odtąd nie było już żadnych ograniczeń, ani w czasie, ani w przestrzeni — mogłem poznawać wszystkie obszary i miejsca.

Kiedy oswoiłem się z tą wolnością, z lękiem i ekstazą, uświadomiłem sobie, że jestem blisko Niego. Jednocześnie też odczułem z pokorą obecność absolutnie niezrównanej czerwieni.

W krótkim czasie czerwień przesyciła wszystko. Piękno tego koloru przepełniło mnie i cały wszechświat. Kiedy zbliżyłem się do Niego, miałem ochotę krzyczeć z radości, ale ogarnął mnie również wstyd, że stanąłem przed Jego obliczem zalany krwią. Przypomniałem sobie, że czytałem o śmierci i o tym, że to On powołuje Azraela oraz innych aniołów, wzywających ludzi przed Jego oblicze.

Czy będzie mi dane Go ujrzeć? Nie mogłem oddychać z podekscytowania.

Czerwień, która zbliżała się ku mnie — tak wszechobecna, że grały w niej wszystkie obrazy świata — była taka wspaniała i piękna, iż poczułem łzy pod powiekami na myśl o tym, że stanę się jej częścią i znajdę się blisko Niego. Wiedziałem jednak, że On już bardziej się do mnie nie zbliży. Zapytał o mnie aniołów, a oni wydali o mnie dobre świadectwo. Uznał mnie za wiernego sługę, wypełniającego Jego przykazania i zakazy, i obdarzył miłością.

Ale moją radość i płynące z oczu łzy zmąciła nagle nieznośna wątpliwość. Aby się jej szybko pozbyć, w poczuciu winy, niecierpliwy, zadałem Mu pytanie:

— Przez ostatnie dwadzieścia lat życia pozostawałem pod wpływem obrazów niewiernych, jakie zobaczyłem w Wenecji. Chciałem nawet mieć własny portret namalowany tą metodą, lecz się bałem. Kazałem natomiast artystom przedstawić w stylu giaurów Twój świat, Twoich niewolników i naszego sułtana, Twój cień na ziemi.

Nie zapamiętałem Jego głosu, lecz odpowiedź, jakiej mi udzielił:

— Wschód i Zachód należą do mnie.

Wstrzymałem oddech.

— Ale jakie ma znaczenie to wszystko, cały ten świat?

— Tajemnica — usłyszałem w myślach, a może: — Łaska.

— Nie byłem pewny.

Ze sposobu, w jaki podeszli do mnie aniołowie, wywnioskowałem, że podjęto już decyzję w sprawie mojej osoby, lecz musiałem czekać w boskiej równowadze czyśćca razem z całą masą innych dusz, które zmarły w ciągu ostatnich dziesiątków tysięcy lat, aż do dnia Sądu Ostatecznego, kiedy to zapadną końcowe decyzje. Cieszyłem się, że wszystko odbywało się dokładnie tak, jak zapisano w księgach. Przypomniałem sobie, że w czasie pogrzebu ponownie połączę się z ciałem. Szybko jednak zrozumiałem, że połączenie z martwym ciałem to na szczęście przenośnia. Pomimo smutku, w jakim byli pogrążeni, po skończonych modlitwach dostojni uczestnicy pochówku, których obecność napełniała mnie dumą, wyjątkowo sprawnie wzięli moją trumnę na ramiona i zeszli na mały cmentarz przy meczecie. Z tego miejsca orszak żałobny wyglądał jak sznurek.

Pozwólcie, że opiszę wam moją sytuację. Jak można wnioskować z legendy naszego Proroka, który powiedział: „Dusza wiernego jest jak ptak, który żywi się pokarmem z rajskich drzew", po śmierci dusza wędruje po niebieskim firmamencie. Według Abu Umar bin Abd al-Barra nie znaczy to, że dusza będzie miała jakiegoś ptaka lub nawet sama stanie się ptakiem, lecz — jak zręcznie wyjaśnia uczony Al-Dżawzijja — będzie można ją znaleźć tam, gdzie zbierają się ptaki. Miejsce, z którego obserwowałem świat, a które mistrzowie weneccy kochający perspektywę nazwaliby moim punktem widzenia, potwierdzało interpretację Al-Dżawzijjego.

Widziałem na przykład cienką nitkę konduktu pogrzebowego, zmierzającego na cmentarz, i jednocześnie z przyjemnością, jaką daje oglądanie obrazu, mogłem śledzić łódź nabierającą prędkości, z żaglami wypełnionymi wiatrem, halsującą w kierunku pałacowego cypla, gdzie Złoty Róg spotyka się z Bosforem. Świat oglądany z wysokości minaretu wyglądał jak wspaniała księga, której strony mogłem przeglądać jedna po drugiej.

Widziałem jednak znacznie więcej niż człowiek, który wspiął się wysoko, lecz jego dusza nie opuściła ciała. Mogłem obserwować wiele rzeczy naraz. Z drugiej strony Bosforu, za Üsküdarem, wśród nagrobków na pustym placu dostrzegłem chłopców przeskakujących jeden przez drugiego; widziałem też majestatycznie płynącą łódź wezyra spraw zagranicznych, napędzaną siedmioma parami wioseł, tę samą łódź, którą przed dwunastoma laty i siedmioma miesiącami wieźliśmy ambasadora Wenecji z jego nadmorskiej rezydencji na audiencję u wielkiego wezyra Kel Ragiba Paszy; widziałem również tęgą kobietę na nowym bazarze Langa, tulącą do piersi jak dziecko wielką głowę kapusty; byłem świadkiem uniesienia, jakie mnie ongiś ogarnęło, gdy umarł sierżant sułtański Ramazan, który otworzył mi tym samym drogę do awansu; oglądałem siebie jako dziecko siedzące na kolanach babki i wpatrujące się w czerwone koszule, rozwieszane przez matkę na podwórzu do wyschnięcia; potem patrzyłem, jak biegłem do sąsiadów w poszukiwaniu położnej, kiedy matka Şeküre, niech spoczywa w spokoju, zaczęła rodzić; odnalazłem czerwony pas, który zgubiłem ponad czterdzieści lat temu (wiem teraz, że ukradł go Vasfi); widziałem wspaniały ogród, o jakim marzyłem przed dwudziestu jeden laty, a który, o co modlę się do Allaha, pewnego dnia okaże się niebem; ujrzałem odcięte głowy, nosy i uszy wysłane do Stambułu przez Ali Beja, gubernatora Gruzji, po zdławieniu przez niego buntu w fortecy w Gori; i moją piękną Şeküre, która odeszła od kobiet z sąsiedztwa, opłakujących mnie w naszym domu, i utkwiła wzrok w płomieniach paleniska na podwórzu.

Zgodnie z tym, co napisano w księgach i co potwierdzają uczeni, dusza przebywa w czterech sferach: 1. w łonie; 2. w świecie ziemskim; 3. w czyśćcu, czyli boskiej próżni, gdzie teraz oczekuję na dzień Sądu Ostatecznego; 4. w niebie lub piekle po Sądzie Ostatecznym.

Od sfery pośredniej, zwanej czyśćcem, przeszłość i teraźniejszość biegną równocześnie, a dusza nie odczuwa żadnych ograniczeń. Ale gdy ktoś ucieka z otchłani czasu i przestrzeni, okazuje się, że życie to kaftan bezpieczeństwa. Jakkolwiek błoga jest egzystencja duszy bez ciała w królestwie śmierci, równie przyjemne jest trwanie ciała bez duszy wśród żywych. Jaka szkoda, że nikt nie zdaje sobie z tego sprawy przed śmiercią. Dlatego w czasie mojego wspaniałego pogrzebu, gdy ze smutkiem patrzyłem, jak moja droga Şeküre na próżno wypłakuje sobie oczy, błagałem Najwyższego Allaha, aby dał nam dusze bez ciała w niebie i ciała bez duszy na ziemi.

38.
Oto ja, mistrz Osman

Pewnie słyszeliście o tych upartych starych ludziach, którzy bezinteresownie poświęcili się sztuce. Będą atakować każdego, kto wejdzie im w drogę. Zwykle są wymizerowani, wysocy i kościści. Chcą, by kurcząca się liczba dni, jakie im jeszcze pozostały, była równa liczbie dni, które już przeminęły. Są zapalczywi i zwykle na wszystko narzekają. Pragną wszystkim sterować, co sprawia, że ludzie z ich otoczenia podnoszą ręce z irytacją. Nie lubią nikogo i niczego. Wiem to, bo jestem jednym z nich.

Mistrz nad mistrzami, osiemdziesięcioletni Nurullah Selim Czelebi, z którym miałem honor pracować przy ilustracjach w jednym warsztacie, był właśnie taki (chociaż nie tak drażliwy jak ja teraz). Skończyłem wtedy szesnaście lat i dopiero terminowałem. Podobnie było z Sarı Alim, ostatnim z wielkich mistrzów, zmarłym przed trzydziestu laty (chociaż nie był on tak szczupły i wysoki jak ja). Skoro strzały krytyki dosięgły tych legendarnych miniaturzystów, a teraz i ja czuję je na plecach, chciałbym, abyście wiedzieli, że te wyświechtane oskarżenia, kierowane pod naszym adresem, są całkowicie nieuzasadnione. A oto fakty:

1. Nie lubimy nowości dlatego, że nie znajdujemy w nich niczego wartościowego.

2. Traktujemy większość ludzi jak kretynów, ponieważ zazwyczaj są kretynami, a nie dlatego, że zatruwają nas gniew, nieszczęście lub jakaś inna wada charakteru. (Ale to prawda, że lepsze traktowanie ludzi byłoby bardziej eleganckie i rozsądne).

3. Powodem, dla którego mylę imiona i twarze — z wyjątkiem tych miniaturzystów, których kochałem i szkoliłem od stopnia praktykanta — nie jest starość, lecz fakt, iż owe imiona i twarze są tak bezbarwne i pozbawione życia, że aż niewarte zapamiętania.

W czasie pogrzebu Wuja, którego duszę Bóg przedwcześnie zabrał do siebie z powodu jego głupoty, próbowałem zapomnieć, że zmarły był dla mnie źródłem trudnej do opisania udręki, bo zmuszał mnie do naśladowania mistrzów europejskich. W drodze powrotnej z cmentarza przyszły mi do głowy takie oto myśli: ślepota i śmierć, te boskie dary, mogą stać się wkrótce i moim udziałem. Oczywiście w waszej pamięci pozostanę dopóty, dopóki moje ilustracje i manuskrypty będą cieszyć wasze oczy, a kwiaty zachwytu rozkwitać w waszych sercach. Lecz po mojej śmierci niech będzie wiadomo, że u kresu życia wiele rzeczy wywoływało uśmiech na mojej twarzy. Na przykład:

1. Dzieci (to one nadają sens światu).
2. Słodkie wspomnienia (o przystojnych chłopcach, pięknych kobietach, przyjemności malowania i przyjaźniach).
3. Oglądanie prac dawnych mistrzów z Heratu (czego nie zrozumieją nie wtajemniczeni).

Wynika z tego prosty wniosek: w pracowni naszego sułtana, którą kieruję, nie powstają już wspaniałe arcydzieła jak dawniej. Sytuacja wkrótce jeszcze się pogorszy — wszystko skurczy się i zniknie. Z bólem zdaję sobie sprawę z tego, że rzadko osiągamy wysublimowany poziom dawnych mistrzów z Heratu, chociaż poświęcamy naszej pracy całe życie. Pokorne zaakceptowanie tego czyni to życie łatwiejszym. Łatwiejszym dlatego, że skromność jest w naszej części świata wysoko nagradzaną cnotą.

Kierując się taką właśnie skromnością, poprawiałem ilustrację w *Księdze uroczystości*, opisującej ceremonię obrzezania naszego księcia, na której przedstawiono dary ofiarowane przez gubernatora Egiptu: leżący na czerwonym aksamicie, wykuty w złocie i zdobiony rubinami, szmaragdami i turkusami miecz oraz największą dumę gubernatora — szybkie jak błyskawica, żwawe arabskie konie z białą strzałką na czole i srebrną, błyszczącą sierścią, wyposażone w złote ostrogi i wodze, strzemiona z masy perłowej i zielonożółtych chryzoberyli oraz siodła z czerwonego aksamitu, ozdobione srebrną nicią i rubinowymi rozetami. Muśnięciem pędzla dotykałem tu i tam komponowaną przez siebie ilustrację. Namalowanie konia, miecza, księcia i ambasadorów zleciłem uczniom. Dodałem purpury niektórym liściom platanu na Hipodromie i żółci guzikom na kaftanie posła Tataristanu. Kiedy nakładałem niewielką ilość złotej farby na końskie wodze, ktoś zapukał do drzwi. Odłożyłem pędzel.

Był to sułtański posłaniec. Podskarbi wzywał mnie do pałacu. Oczy zawsze mnie pobolewały, włożyłem więc do kieszeni szkła powiększające i wyszedłem z chłopcem.

Jak miło było iść ulicami po długiej, wytężonej pracy. W takich chwilach cały świat wydaje się niezwykły i zdumiewający, jakby Allah stworzył go zaledwie wczoraj.

Dostrzegłem psa wyglądającego ciekawiej niż wszystkie ilustracje psów, jakie kiedykolwiek widziałem, konia nie dorównującego pięknem tym tworzonym przez mistrzów miniaturystyki, drzewo platanu na Hipodromie, przypominające to, którego liście znaczyłem przed chwilą odcieniem purpury. Przejście przez Hipodrom, na którym odbywały się parady, rysowane przeze mnie przez ostatnie dwa lata, było jak stąpanie po własnych obrazkach. Powiedzmy, że mielibyśmy skręcić w jakąś ulicę. Na ilustracji wykonanej przez mistrzów Zachodu wyszlibyśmy poza jej ramy. Gdyby zaś namalowali ją wielcy mistrzowie z Heratu, znaleźlibyśmy się w miejscu, z którego spogląda na nas Allah. Na chińskim malowidle zostalibyśmy uwięzieni, ponieważ chińskie rysunki są nieskończone.

Zorientowałem się, że chłopiec nie prowadzi mnie do sali Rady Sułtańskiej, gdzie zazwyczaj spotykałem się z podskarbim, aby porozmawiać o manuskryptach i ozdobnych strusich jajach lub innych darach, które moi miniaturzyści przygotowywali dla naszego sułtana. Tym razem nie mieliśmy dyskutować o zdrowiu miniaturzystów, stanie fizycznym i spokoju ducha samego podskarbiego, farbach, złotych listkach lub innych materiałach, o zwykłych skargach i prośbach, pragnieniach, radościach, żądaniach i poleceniach naszej ostoi świata sułtana, o moim wzroku, okularach czy lumbago, o zięciu nicponiu podskarbiego albo o jego burej kotce.

Cicho wkroczyliśmy do prywatnego ogrodu sułtana. Niczym przestępcy, lecz z większą ostrożnością, zeszliśmy spokojnie ku morzu. Pomyślałem, że jesteśmy niedaleko willi nad Bosforem, co oznaczało, że zobaczę władcę. Jego Ekscelencja musiał być tutaj. Zboczyliśmy jednak ze ścieżki i przeszliśmy przez łukowo sklepione drzwi do kamiennego budynku, stojącego za szopami, w których przechowywano łodzie. Poczułem zapach pieczonego chleba, dochodzący z piekarni żołnierzy sułtańskich, po czym ujrzałem członków straży przybocznej, odzianych w czerwone mundury. W środku czekali na mnie podskarbi i dowódca straży — anioł i diabeł.

Dowódca, który w imieniu sułtana nadzorował wykonywanie egzekucji, torturował, przesłuchiwał, bił, oślepiał i karał dybami, uśmiechnął się do mnie słodko. Wyglądało to tak, jakby podróżny, z którym musiałem dzielić izbę w gospodzie, zamierzał opowiedzieć mi jakąś wzruszającą historię.

— Rok temu sułtan polecił mi sporządzić w wielkim sekrecie ilustrowany manuskrypt — odezwał się niepewnym głosem nie dowódca straży, lecz podskarbi. — Miał on znaleźć się wśród darów przygotowanych dla poselskiej delegacji. Ze względu na tajemnicę Jego Ekscelencja nie zdecydował się powierzyć napisania manuskryptu mistrzowi Lokmanowi, królewskiemu kronikarzowi. Z tego samego powodu też nie ośmielił się zaangażować ciebie, chociaż podziwia twój talent. Przypuszczał, że jesteś zajęty pracą nad *Księgą uroczystości obrzezania*.

Zaraz po wejściu do sali pomyślałem, że jakiś łajdak rzucił na mnie oszczerstwo, iż dopuściłem się herezji przy którejś z ilustracji, a w innej ośmieszyłem władcę. Wyobraziłem sobie z przerażeniem, że ten plotkarz przekonał sułtana o mojej winie i za chwilę, nie zważając na mój wiek, wezmą mnie na tortury. Kiedy usłyszałem, że podskarbi chce po prostu wprowadzić poprawki do zamówionego przez sułtana manuskryptu, jego słowa wydały mi się słodsze od miodu. Nie dowiedziałem się niczego nowego, ale z uwagą wysłuchałem informacji dotyczących rękopisu, który dobrze znałem. Dotarły też do mnie plotki o Nusrecie Hodży z Erzurumu i intrygach w pracowni.

— Kto jest odpowiedzialny za przygotowanie rękopisu? — spytałem.

— Wuj, jak zapewne wiesz — odpowiedział podskarbi, po czym, nie spuszczając ze mnie wzroku, dodał: — Wiedziałeś, że zmarł przedwcześnie, a mówiąc ściślej: został zamordowany?

— Nie — odparłem krótko niczym dziecko i umilkłem.

— Sułtan jest wściekły — oznajmił podskarbi.

Ten Wuj był głupcem. Mistrzowie miniaturzyści śmiali się z niego, że się wywyższa, chociaż nie dorównuje im wiedzą, że ma więcej ambicji niż inteligencji. Widziałem też, że z tym pogrzebem jest coś nie tak. Ciekawe, jak zginął.

Podskarbi dokładnie mi to wyjaśnił. Przerażające. Boże, miej nas w opiece. Kto to mógł zrobić?

— Sułtan postanowił — dodał podskarbi — że wspomnianą księgę należy skończyć jak najszybciej. Dotyczy to również *Księgi uroczystości obrzezania...*

— Wydał też drugie rozporządzenie — wtrącił dowódca straży. — Jeżeli rzeczywiście strasznym mordercą okaże się któryś z miniaturzystów, to ów diabeł o czarnym sercu ma zostać znaleziony. Poniesie taką karę, która odstraszy innych.

Na twarzy dowódcy pojawił się wyraz zadowolenia, sugerujący, że on już wie, jaką karę sułtan ma na myśli.

Domyśliłem się, że władca dopiero co zlecił to zadanie stojącym przede mną mężczyznom, zmuszając ich tym samym do współpracy. Widać było jak na dłoni, że im to nie w smak. Poczułem jeszcze większe uwielbienie dla sułtana, wykraczające daleko poza zwykły strach. Usługujący chłopiec podał kawę, a my usiedliśmy na chwilę.

Powiedzieli mi, że Wuj miał bratanka, Czarnego, którego wychował. Czarny wykształcony był w sztuce miniatur i zdobienia ksiąg. Czy go znam? Nie odpowiedziałem. Jakiś czas temu Czarny, zaproszony przez Wuja, wrócił z frontu perskiego, gdzie służył pod dowództwem Serhata Paszy — dowódca straży zmierzył mnie podejrzliwym wzrokiem. Czarny zaskarbił sobie łaski Wuja i poznał dzieje księgi, której tworzenie Wuj nadzorował. Twierdzi, że o zamordowanie Eleganta Wuj podejrzewał jednego z miniaturzystów, który przychodził do niego wieczorami pracować nad manuskryptem. Czarny widział namalowane przez tych mistrzów ilustracje i uważa, że zabójcą Wuja jest malarz, który ukradł wizerunek sułtana z lwią częścią złotych listków. Przez dwa dni Czarny ukrywał śmierć Wuja. W tym czasie poślubił jego córkę, co było wątpliwe z etycznego i religijnego punktu widzenia, i zamieszkał w jej domu. Z tego powodu moi rozmówcy uznali Czarnego za podejrzanego.

— Jeżeli po przeszukaniu domów i miejsc pracy brakująca strona znajdzie się u któregoś z moich miniaturzystów, Czarny zostanie uznany za niewinnego — powiedziałem. — Szczerze mówiąc, jestem jednak pewny, że moje drogie dzieci, moi natchnieni przez Boga miniaturzyści, których znam, od kiedy zaczęli terminować w zawodzie, nie są zdolni do odebrania życia drugiemu człowiekowi.

— Jeśli chodzi o Oliwkę, Bociana i Motyla — rzekł dowódca, używając przezwisk, które im nadałem — to zamierzamy przeczesać ich domy, stanowiska pracy i miejsca najczęściej przez nich odwiedzane. Gdy zajdzie taka potrzeba, także sklepy. Niczego nie pominiemy. To dotyczy również Czarnego... — W jego głosie zabrzmiała rezygnacja. — Ponieważ będziemy działać w tak niekorzystnych okolicznościach, sąd udzielił nam zgody na tortury, gdyby okazały się konieczne w czasie przesłuchania Czarnego. Tortury zostały uznane za zgodne z prawem, gdyż po raz drugi zamordowano kogoś, kto był związany z cechem miniaturzystów, co rzuciło podejrzenie na wszystkich, od uczniów po mistrza.

Chwilę zastanawiałem się nad tym, co usłyszałem. 1) Zwrot „zgodne z prawem" oznaczał, że to nie sułtan udzielił zgody na tortury. 2) Ponieważ w oczach sądu wszyscy miniaturzyści byli podejrzani o podwójne morderstwo i ponieważ ja, ich przełożony, nie potrafiłem wskazać przestępcy w naszym kręgu, również byłem podejrzany. 3) Zrozumiałem, że oczekują ode mnie, abym dobitnie i bezwarunkowo zgodził się na poddanie torturom moich ukochanych uczniów, Motyla, Oliwki i Bociana, oraz wszystkich, którzy w ostatnich latach mnie zdradzili.

— Ponieważ sułtan oczekuje szybkiego ukończenia *Księgi uroczystości obrzezania* i tej drugiej wykonanej zaledwie w połowie — powiedział podskarbi — obawiamy się, że tortury mogą to utrudnić, mogą uszkodzić ręce i oczy mistrzów i zmniejszyć ich sprawność. — Spojrzał na mnie. — Czy mam rację?

— Mieliśmy ostatnio podobny kłopot — wtrącił szorstko dowódca straży. — Któregoś ze złotników lub jubilerów, którzy zajmowali się naprawami, opętał diabeł. Jak dziecko zachwycił się filiżanką do kawy z rubinowym uszkiem, należącą do Neymiye — wkrótce naczynie zostało skradzione. Zniknięcie ulubionej filiżanki, które nastąpiło w pałacu w Üsküdarze, bardzo zmartwiło młodszą siostrę naszego sułtana, toteż władca polecił mi wszczęcie śledztwa. Ani sułtan, ani Neymiye nie chcieli, by ucierpiały palce lub oczy podejrzanych, bo zmniejszyłoby to ich możliwości twórcze. Poleciłem więc rozebrać do naga wszystkich mistrzów rzemiosła i wrzucić do lodowatego basenu między żaby i kawałki lodu. Od czasu do czasu wyciągałem ich i smagałem biczem, uważając, aby nie uszkodzić twarzy i rąk. W krótkim czasie jubiler, którego opętał diabeł, przyznał się i uznał zasadność kary. Woda była lodowata, powietrze zimne, dodajmy do tego biczowanie, ale oczy i palce jubilerów nie doznały uszczerbku, ponieważ ich serca były czyste. Nawet sułtan stwierdził, że jego siostra była bardzo zadowolona z mojej pracy i że jubilerzy pracują teraz z większym zapałem, kiedy zgniłe jabłko wyrzucono ze skrzyni.

Byłem jednak pewny, że dowódca straży potraktuje moich miniaturzystów ostrzej niż jubilerów. Chociaż szanował entuzjastyczny stosunek sułtana do ilustrowania manuskryptów, to podobnie jak wielu za jedyną godną poważania formę sztuki uznawał kaligrafię, a ozdabianie i ilustrowanie traktował jak flirt z herezją, dobry dla kobiet i zasługujący jedynie na naganę.

— Kiedy ty zajmowałeś się pracą, twoi ukochani miniaturzyści kłócili się o to, kto zostanie ich szefem po twojej śmierci — powiedział, by mnie sprowokować.

Czy była to stara plotka, czy też dotarły do niego jakieś nowe informacje? Powstrzymałem się i nie odpowiedziałem. Podskarbi doskonale wiedział, że jestem na niego wściekły — zamówił manuskrypt u tego zmarłego półgłówka za moimi plecami. Byłem również wściekły na moich niewdzięcznych podwładnych, którzy ukradkiem wykonali ilustracje, aby się podlizać i zarobić dodatkowo kilka srebrnych monet.

Złapałem się na rozmyślaniu, jaki rodzaj tortur mogą zastosować podczas przesłuchania. Nie uciekną się do obdzierania ze skóry, bo to nieuchronnie prowadziłoby do śmierci. Nie będą wbijać na pal, bo jest to środek odstraszający przeciw buntownikom. Łamanie i wyrywanie palców rąk i nóg również nie wchodzi w grę. Oczywiście wyłupywanie oczu — ostatnio coraz częściej wykorzystywane, co widać po rosnącej liczbie jednookich na ulicach Stambułu — byłoby nieodpowiednie dla mistrzów sztuki. Kiedy więc wyobraziłem sobie moich drogich miniaturzystów w odosobnionym narożniku sułtańskiego ogrodu tkwiących w lodowatej wodzie, wśród lilii wodnych, drżących z zimna i spoglądających na siebie z nienawiścią, miałem ochotę wybuchnąć śmiechem. Poczułem jednak też dotkliwy ból, pomyślawszy o tym, jak Oliwka będzie wrzeszczał, gdy jego tyłek napiętnują gorącym żelazem, i jak zblednie skóra drogiego Motyla, gdy go skrępują. Nie mogłem sobie wyobrazić Motyla, którego talent i umiłowanie miniatur wyciskały mi łzy z oczu, poddawanego karze dybów niczym zwykły, przyłapany na kradzieży praktykant. Stałem jak ogłuszony i czułem wewnętrzną pustkę.

Mój podstarzały umysł nie był w stanie pracować. O tej porze malowalibyśmy z pasją pozwalającą o wszystkim zapomnieć.

— Ci ludzie są najlepszymi miniaturzystami sułtana — oświadczyłem. — Postarajcie się, aby nie spotkała ich żadna krzywda.

Podskarbi wstał, zadowolony, zebrał leżące w drugim końcu stołu karty i położył je przede mną. Następnie, ponieważ w pokoju było ciemno, postawił obok dwa wielkie lichtarze z grubymi świecami, roztaczającymi wokół migotliwy blask. Przyjrzałem się obrazkom.

Jak mógłbym opisać to, co ujrzałem, przesuwając nad miniaturami szkła powiększające? Chciało mi się śmiać, lecz nie dlatego, że były dowcipne. Ogarnął mnie gniew — wyglądało na to, że Wuj poinstruował moich mistrzów następująco: „Malujcie nie tak, jak do tej pory, lecz jakbyście byli kimś zupełnie innym". Zmusił ich, by odwołali się do nie istniejących wspomnień, do wyczarowywania przyszłości, w której nigdy nie chcieliby żyć. A najbardziej niesłychane było to, że przez te bzdury zaczęli zabijać jeden drugiego.

— Czy możesz powiedzieć, patrząc na te ilustracje, który miniaturzysta namalował którą miniaturę? — zapytał podskarbi.

— Tak — odpowiedziałem gniewnie. — Gdzie znalazłeś te rysunki?

— Czarny przyniósł je z własnej woli — wyjaśnił. — Może to stanowić dowód, że on i zmarły Wuj są niewinni.

— Torturujcie go w trakcie przesłuchania — powiedziałem. — W ten sposób dowiemy się, jakie jeszcze tajemnice ukrywał Wuj.

— Posłaliśmy po niego — wyjaśnił dowódca straży. — Później dokładnie przeszukamy dom młodego żonkosia.

Nagle ich twarze zapłonęły dziwnym blaskiem, pojawił się na nich błysk lęku i atencji, po czym trzasnęli obcasami. Nie musiałem się odwracać, by wiedzieć, że oto pojawił się Jego Ekscelencja Sułtan, Zbawca Świata.

39.
Nazywam się Ester

Ach, jak wspaniale jest płakać razem ze wszystkimi! Kiedy mężczyźni poszli na pogrzeb ojca drogiej Şeküre, kobiety, krewni i przyjaciele zebrali się w domu i wspólnie rozpaczali. Ja także biłam się w piersi z żalu i płakałam razem z nimi. Zawodziłam jednym głosem z piękną dziewczyną obok mnie, pochylając się w jej stronę i kołysząc w przód i w tył. Rozpaczałam też nad sobą i nad własnym nędznym życiem. Gdybym mogła tak płakać chociaż raz w tygodniu, zapomniałabym, że muszę włóczyć się cały dzień po ulicach, aby związać koniec z końcem, i o złośliwych uwagach na temat mojej tuszy, żydowskiego pochodzenia... Narodziłabym się na nowo jako jeszcze bardziej wygadana Ester.

Lubię spotkania towarzyskie, bo mogę najeść się do syta i zapomnieć, że jestem czarną owcą w stadzie. Lubię baklawę, kruche ciasto z miodem i orzechami, cukierki miętowe, chleb marcepanowy i suszone owoce, pilaw z mięsem i ciasteczka podawane w czasie ceremonii obrzezania, lubię wiśniowy sorbet serwowany na uroczystościach organizowanych przez sułtana na Hipodromie, wszystkie potrawy na ucztach weselnych i ziarna sezamowe, miód i rozmaicie przyprawione kawałki chałwy, przesyłane przez sąsiadów w czasie czuwania przy zwłokach...

Ostrożnie wyślizgnęłam się na korytarz, włożyłam buty i zeszłam po schodach. Zanim skręciłam do kuchni, usłyszałam dziwny hałas, dochodzący zza na wpół otwartych drzwi, znajdujących się obok stajni. Zrobiłam kilka kroków w tamtą stronę i zajrzałam do środka. Şevket i Orhan związali syna jednej z żałobnic i właśnie malowali mu twarz farbami i pędzlami zmarłego dziadka.

— Jeżeli będziesz próbował uciekać, to cię zbiję, o tak! — krzyknął Şevket i uderzył chłopca.

— Drogie dziecko, baw się grzecznie i nie rób krzywdy drugiemu, dobrze? — powiedziałam jak najłagodniej.

— Pilnuj swoich spraw — warknął Şevket.

Zauważyłam małą, wystraszoną, jasnowłosą siostrę związanego chłopca stojącą za nimi i nagle poczułam do niej wielką sympatię. Daj sobie spokój, Ester, pomyślałam.

W kuchni Hayriye spojrzała na mnie podejrzliwie.

— Wypłakałam wszystkie łzy — powiedziałam. — Na miłość boską, nalej mi szklankę wody.

Zrobiła to w milczeniu. Przed wypiciem popatrzyłam jej w oczy podpuchnięte od płaczu.

— Biedny Wuj. Powiadają, że był już martwy przed ślubem Şeküre — zagadnęłam. — Nie można wiązać ludziom ust, tak jak zawiązuje się worki. Niektórzy twierdzą, że doszło do oszustwa.

Spuściła wzrok na stopy, po czym uniosła głowę i nie patrząc na mnie, powiedziała:

— Boże, chroń nas od bezpodstawnych oszczerstw.

Jej pierwszy gest potwierdził moje słowa, a ton głosu wskazywał, że nie mówi prawdy.

— O co chodzi? — zapytałam szeptem, jakbym była jej zaufaną.

Niezdecydowana Hayriye oczywiście wiedziała, że nie ma żadnej władzy nad Şeküre po śmierci Wuja, którego jeszcze przed chwilą opłakiwała najszczerszymi łzami.

— Co teraz ze mną będzie? — spytała.

— Şeküre darzy cię wielkim szacunkiem — odparłam, jakbym przekazywała jej nowinę.

Podniosłam pokrywę naczynia z chałwą, stojącego między wielkim glinianym dzbanem z syropem z winogron a słojem z marynatą, włożyłam do niego palec, po czym pochyliłam się nad drugim, by powąchać. Spytałam, kto przysłał te smakołyki.

Hayriye zaczęła pospiesznie wyjaśniać.

— Ten jest od Kasıma Efendiego z Kayseri. Ten przysłał pracownik oddziału miniaturzystów, mieszkający dwie ulice dalej, ten jest od ślusarza Mańkuta Hamdiego, a ten od panny młodej z Edirne...

— Kalbiye, wdowa po Elegancie, nie przyszła złożyć wyrazów współczucia. Nie przysłała listu ani chałwy — rozległ się głos Şeküre.

Po tych słowach wyszła z kuchni i skierowała się w stronę schodów. Podążyłam za nią, wiedząc, że chce porozmawiać ze mną na osobności.

— Nie było żadnych niesnasek między Elegantem a moim ojcem. W dniu pogrzebu Eleganta przygotowaliśmy chałwę i posłaliśmy im. Chcę wiedzieć, o co chodzi — powiedziała Şeküre.

— Zaraz pójdę i się dowiem — odrzekłam, uprzedzając jej słowa.

W odpowiedzi pocałowała mnie w policzek. Kiedy owiał nas chłód z podwórza, objęłyśmy się i stałyśmy tak chwilę bez ruchu.

— Ester, boję się — powiedziała.

— Nie bój się, kochana — odrzekłam. — Nie ma tego złego, co by na dobre nie wyszło. Popatrz, w końcu jesteś mężatką.

— Nie jestem pewna, czy dobrze zrobiłam — wyznała. — Dlatego nie pozwoliłam mu zbliżyć się do siebie. Spędziłam tę noc przy moim biednym ojcu. — Spojrzała na mnie szeroko otwartymi oczyma, jakby chciała powiedzieć: „Rozumiesz, co mam na myśli?".

— Hasan uważa, że twój ślub w oczach sądu jest nieważny — wyszeptałam. — Przesłał ci tę wiadomość.

Chociaż mruknęła: „Nigdy więcej", otworzyła liścik i przeczytała, lecz tym razem nie zdradziła mi, co zawierał. Miała rację, zachowując dyskrecję. Nie byłyśmy same na podwórzu. Nad nami głupkowato uśmiechający się cieśla mocował okiennicę w oknie korytarza. Przy okazji obserwował nas i płaczące kobiety. Tymczasem Hayriye wyszła z domu i pobiegła otworzyć bramę synowi życzliwych sąsiadów, który stukał i wołał, że przyniósł chałwę.

— Minęło już trochę czasu od momentu, gdy go pochowaliśmy — powiedziała Şeküre. — Czuję, że dusza mojego biednego ojca opuszcza ciało i ulatuje do nieba.

Uwolniła się z moich objęć, spojrzała w jasne niebo i odmówiła długą modlitwę. Nagle doznałam wrażenia, że oddalam się od niej, i wcale by mnie nie zdziwiło, gdybym była chmurą, na którą patrzyła. Jak tylko skończyła się modlić, ucałowała mnie czule w oba policzki.

— Ester — szepnęła. — Dopóki morderca ojca będzie chodził wolny, dopóty ani ja, ani moje dzieci nie zaznamy spokoju.

Ucieszyło mnie, że nie wspomniała imienia nowego męża.

— Idź do domu Eleganta, porozmawiaj z wdową i dowiedz się, dlaczego nie przysłała nam chałwy. Daj mi natychmiast znać, co ci powiedziała.

— Czy masz jakąś wiadomość dla Hasana? — spytałam.
Zaraz poczułam zakłopotanie, ale nie dlatego, że zadałam to
pytanie, lecz że nie mogłam spojrzeć jej w oczy. Aby to ukryć,
zatrzymałam przechodzącą Hayriye i uchyliłam pokrywę naczynia, które niosła. — Ach, chałwa z kaszą manną i pistacja-
mi. — I spróbowałam. — Dodali także pomarańcze.
Ucieszyło mnie, że Şeküre uśmiechnęła się słodko, jakby
wszystko szło zgodnie z planem.
Zebrałam tobołek i wyszłam. Nie zrobiłam więcej niż dwa
kroki, kiedy przy końcu ulicy zobaczyłam Czarnego. Wracał
z uroczystości pogrzebowych teścia, a z jego rozpromienionej
twarzy mogłam wyczytać, że młody żonkoś jest zadowolony
z życia. Nie chcąc psuć mu nastroju, weszłam między grządki
warzywne przy domu, w którym mieszkał brat kochanki sławnego żydowskiego doktora Mosze Hamona, zanim go powiesili.
Ten ogród, kojarzący się ze śmiercią, wprawiał mnie w takie
przygnębienie, że stale zapominałam, iż mam znaleźć kupca
na tę posiadłość.
Atmosfera śmierci panowała także w domu Eleganta, chociaż nie napełniała mnie smutkiem. Byłam przecież Ester,
kobietą, która odwiedzała tysiące domów i poznawała setki
wdów. Wiedziałam, że żony, które wcześnie straciły mężów,
załamywały się, rozpaczały lub wpadały w gniew i buntowały
się (Şeküre dotknęły wszystkie te nieszczęścia). Kalbiye zatrul
gniew, co mogło ułatwić mi zadanie.
Jak wszystkie próżne kobiety, z którymi los obszedł się
okrutnie, Kalbiye zupełnie słusznie podejrzewała, że odwiedzający ją goście przychodzą do niej tylko po to, by się nad
nią litować w czarnej godzinie lub, co gorsza, popatrzeć na jej
ból i w sekrecie cieszyć się własną sytuacją. Toteż nie bawiła
się w żadne uprzejmości, lecz przechodziła od razu do sedna
sprawy. Dlaczego przyszłam właśnie teraz, kiedy miała oddać

się pocieszającej drzemce? Doskonale wiedziałam, że nie obchodzą ją jedwabie z Chin czy chusteczki do nosa z Bursy, nie próbowałam więc nawet udawać, że otwieram tobołek, i przedstawiłam zmartwienie Şeküre.

— Şeküre obawia się, że czymś zraniła twoje uczucia i nie może dzielić z tobą bólu — powiedziałam.

Kalbiye potwierdziła gniewnie, że nie pytała o samopoczucie Şeküre, nie odwiedziła jej, żeby złożyć kondolencje, nie płacze razem z nią i nie przygotowała chałwy. Nie potrafiła przy tym ukryć radości, że dostrzeżono jej niechęć. Oto więc nadszedł właściwy moment, by wasza bystra Ester spróbowała wyjaśnić przyczynę i okoliczności jej gniewu.

Kalbiye bardzo szybko przyznała, że jest zła na zmarłego Wuja i przygotowywany przez niego manuskrypt. Powiedziała, że jej mąż, niech spoczywa w spokoju, zgodził się pracować nad tą księgą nie dla dodatkowego zarobku w postaci kilku srebrnych monet, lecz dlatego że Wuj przekonał go, iż cały projekt aprobuje sułtan. Kiedy jednak zorientował się, że miniatury, których złocenie zlecił mu Wuj, powoli zmieniają się z prostego ornamentu w pełne ilustracje, w dodatku noszące cechy świętokradztwa, bezbożności, a nawet herezji, zaniepokoił się i zaczął tracić zdolność odróżniania dobra od zła. Ponieważ była osobą bardziej rozsądną i ostrożną niż mąż, Kalbiye dodała, że te wątpliwości nie powstały nagle, tylko raczej pojawiały się stopniowo. Ponieważ jednak biedny Elegant nigdy nie miał kontaktu z jawnym świętokradztwem, uznał je za nieuzasadnione. Poza tym podnosiło go na duchu to, że nie opuścił żadnego kazania głoszonego przez Nusreta Hodżę z Erzurumu, a gdyby nie odmówił jednej z pięciu codziennych modlitw, czułby się nie w porządku. Wiedział, że kilku łajdaków z pracowni podśmiewa się z jego bogobojności, jak również zdawał sobie sprawę, że ich bezwstydne żarty wynikają z zazdrości o jego talent i artyzm.

Wielka połyskująca łza stoczyła się po policzku Kalbiye i wasza Ester o dobrym sercu postanowiła, że przy pierwszej okazji znajdzie jej lepszego mężczyznę niż ten, którego ostatnio straciła.

— Mąż rzadko rozmawiał ze mną o swoich troskach — powiedziała ostrożnie Kalbiye. — Polegałam więc tylko na swoich spostrzeżeniach i doszłam do wniosku, że to, co się stało, ma związek z ilustracjami, z powodu których mój mąż przyszedł tamtego wieczoru do domu Wuja.

Był to rodzaj usprawiedliwienia. W odpowiedzi rzekłam, że los jej i los Şeküre są w takim razie powiązane, jeżeli Wuj został rzeczywiście zabity przez tego samego łajdaka co Elegant. Nie mówiąc już o wspólnych wrogach. Z kąta patrzyły na mnie dwie pozbawione ojca sieroty o wielkich głowach — kolejne podobieństwo do sytuacji, w której znalazła się Şeküre. Bezlitosna logika swatki mówiła mi jednak, że położenie Şeküre jest znacznie bardziej fascynujące i i tajemnicze. Wyjaśniłam Kalbiye, co o tym wszystkim sądzę.

— Şeküre poleciła mi powiedzieć, że jeżeli wyrządziła ci krzywdę, to bardzo tego żałuje. Kocha cię jak siostrę i jak kobietę podobnie doświadczoną przez los. Chce, abyś to przemyślała i pomogła jej. Kiedy zmarły Elegant wychodził z domu tamtego wieczoru, czy wspominał, że ma zamiar spotkać się jeszcze z kimś poza Wujem? Czy kiedykolwiek myślałaś o tym, że planował spotkać się jeszcze z kimś?

— Znaleziono przy nim to — powiedziała.

Z wiklinowego pudełka z przykrywką, w którym znajdowały się igły do haftowania, skrawki materiału i wielki orzech włoski, wyjęła złożoną kartkę papieru.

Zobaczyłam na niej różne kształty wyrysowane atramentem, który rozmyła woda ze studni. W momencie gdy udało mi się ustalić, co one przedstawiają, Kalbiye wypowiedziała na głos moje myśli.

— To są konie. Ale Elegant zajmował się jedynie złoceniem. Nigdy nie malował koni. I nikt nigdy by mu takiej pracy nie zlecił.

Wasza podstarzała Ester spoglądała na konie naszkicowane w pośpiechu, lecz nic nie mogła z nich wywnioskować.

— Gdybym mogła zanieść tę kartkę Şeküre, byłaby bardzo wdzięczna — powiedziałam.

— Jeżeli Şeküre pragnie zobaczyć te szkice, niech sama po nie przyjdzie — odrzekła Kalbiye wyniośle.

40.

Nazywam się Czarny

Może zdążyliście się już zorientować, że ludziom takim jak ja — melancholikom, dla których miłość, ból, szczęście i niedola są jedynie wymówkami służącymi do podtrzymywania wiecznej samotności — życie nie oferuje ani wielkich radości, ani wielkiego smutku. Nie twierdzę, że nie możemy wiązać się z duszami dręczonymi podobnymi uczuciami — wprost przeciwnie, współczujemy im. Nie możemy jednak zrozumieć dziwnego niepokoju, który ogarnia nas w takich chwilach. Ta cicha udręka mąci nam umysł i studzi serca, zajmując miejsce przeznaczone na prawdziwą radość i smutek.

Dzięki Bogu pochowałem ojca Şeküre, wróciłem do domu i w geście współczucia objąłem żonę. Lecz ona nagle wybuchnęła płaczem i osunęła się na wielką poduszkę obok synów, którzy popatrzyli na mnie z niechęcią, a ja nie wiedziałem, co począć. Jej rozpacz zbiegła się z moim zwycięstwem. Za jednym zamachem spełniłem marzenie młodości, uwolniłem się od jej ojca, który mnie lekceważył, i stałem się panem tego domu. Czy ktoś uwierzyłby w szczerość moich łez? Mogę was zapewnić, że wcale nie jest tak, jak myślicie. Ja naprawdę chciałem się smucić, lecz nie mogłem. Teść zawsze był dla mnie lepszym ojcem niż mój prawdziwy. Kiedy jednak wścibski imam, który obmywał ciało zmarłego, zaczął paplać na prawo i lewo, między sąsiadami uczestniczącymi w pogrzebie błyskawicznie rozeszła się plotka, że ojciec mej żony zmarł w tajemniczych okolicznościach — wyczułem to, stojąc na dziedzińcu meczetu. Nie chciałem, by mój płacz został źle zrozumiany. Nie muszę wam mówić, jak prawdziwy jest strach przed uznaniem kogoś za człowieka bez serca.

Zawsze znajdzie się jakaś współczująca krewna, która będzie przekonywać innych, by nie potępiali cię za to, że nie ronisz łez — na pewno płacze twoja dusza. A ja rzeczywiście płakałem w duchu, starając się ukryć w kącie przed wścibskimi sąsiadami i dalekimi krewnymi o zdumiewających zdolnościach liczenia wylanych łez.

Zastanawiałem się właśnie, czy jako pan domu nie powinienem zająć się wszystkim, gdy rozległo się pukanie do drzwi. Chwila paniki. Czyżby to był Hasan? Pragnienie, by wreszcie uwolnić się z tego piekła żałobników, okazało się jednak silniejsze.

Był to sułtański posłaniec, który przyniósł mi wezwanie do pałacu. Nie spodziewałem się tego. Po wyjściu za bramę podwórza znalazłem na ziemi ubłoconą srebrną monetę. Czy bałem się iść do pałacu? Tak, lecz jednocześnie byłem zadowolony, że znalazłem się na mrozie, pośród koni, psów, drzew i ludzi. Poczułem sympatię do posłańca, zupełnie jak ci beznadziejni marzyciele, którzy wierzą, że można złagodzić okrucieństwo świata, nim staną przed katem, i zagaiłem rozmowę o tym, jak piękne jest życie, o kaczkach pływających w stawie i o dziwnym kształcie chmury. Niestety, posłaniec był posępnym, krostowatym młodzieńcem o zaciśniętych wargach. Kiedy przechodziłem obok meczetu Aya Sofya i wpatrywałem się z lękiem w smukłe cyprysy pnące się ku zamglonemu niebu, włosy nagle stanęły mi dęba. Nie przerażało mnie to, że umrę, dopiero co poślubiwszy po tylu latach czekania Şeküre, lecz to, iż nie miałem okazji ani razu się z nią kochać. Jawna niesprawiedliwość losu.

Nie podążyliśmy ku przerażającym wieżom Bramy Środkowej, za którymi sprawni kaci wypełniali swojej zadania, lecz ku warsztatom stolarskim. Kiedy przechodziliśmy między spichlerzami, kot myjący się w błocie pod nogami kasztanka, z którego nozdrzy buchała para, odwrócił się, lecz nie spojrzał na nas. Bardziej zajmowała go toaleta niż ludzie.

Za spichrzami dwóch mężczyzn w zielonych i purpurowych strojach, których rangi i przynależności nie potrafiłem określić, zwolniło posłańca, a mnie zamknęło w ciemnym pomieszczeniu małego domku. Musieli go niedawno postawić, bo pachniało w nim świeżością. Wiedziałem, że zamknięcie w ciemnym pokoju miało wywołać strach przed torturami. Zacząłem obmyślać kłamstwa, jakie przedstawię, by ocalić głowę, mając nadzieję, że zaczną od dybów. W pomieszczeniu obok panowało niezłe zamieszanie.

Pewnie niektórych z was dziwi mój żartobliwy i wesoły nastrój w obliczu czekających mnie tortur, lecz czy nie wspominałem o tym, że uważam się za bożego szczęściarza? Jeżeli ptaki szczęścia, po latach poniżenia, unoszące się nad moją głową przez te dwa ostatnie dni, nie są tego wystarczającym dowodem, to z pewnością jest nim znaleziona za bramą moneta. Podnosiła mnie na duchu i święcie wierzyłem w to, że będzie mnie chronić. Trzymałem ją w dłoni, pocierałem i całowałem ten dar losu zesłany mi przez Allaha. Kiedy jednak zaprowadzono mnie do drugiego pomieszczenia, w którym zobaczyłem dowódcę straży sułtańskiej i jego łysych chorwackich pomagierów, zrozumiałem, że nie mam na co liczyć. Bezlitosny wewnętrzny głos uświadamiał mi, że srebrny krążek w kieszeni wcale nie pochodzi od Boga, lecz jest jednym z tych, jakimi przed dwoma dniami obsypałem żonę, i nie został zauważony przez dzieci. Tak więc nie miałem już nic, co mogłoby mnie ocalić.

Nawet nie poczułem, kiedy z oczu zaczęły mi płynąć łzy. Chciałem błagać oprawców, lecz jak we śnie żaden dźwięk nie wyszedł z moich ust. Wojny, trupy, zamachy polityczne i tortury, które obserwowałem z daleka, dowodziły, że w jednej chwili można stracić życie, lecz sam nigdy nie byłem tego tak bliski. Zamierzali usunąć mnie z tego świata, tak jak zsunęli ze mnie ubranie.

Ściągnęli ze mnie kamizelkę i koszulę. Jeden z katów usiadł na mnie i unieruchomił mi ręce kolanami, drugi zaś z wprawą kobiety przygotowującej posiłek włożył mi na głowę klatkę i zaczął wolno kręcić umocowaną z przodu śrubą. Nie, to nie była klatka, raczej imadło, stopniowo ściskające mi czaszkę. Krzyknąłem, ile sił w płucach, mamrotałem coś niewyraźnie i płakałem głównie dlatego, że nerwy odmówiły mi posłuszeństwa. Natychmiast przerwali.

— Czy to ty zabiłeś Wuja? — spytali.

— Nie — odparłem, głęboko wciągając powietrze.

Ponownie zaczęli dokręcać śrubę. To była istna męczarnia. Znowu zadali mi pytanie.

— Nie.

— To kto?

— Nie wiem!

Zastanawiałem się, czy nie powiedzieć im, że to ja go zabiłem. Świat przyjemnie wirował mi nad głową. Popadałem w obojętność. Czyżbym zaczynał przyzwyczajać się do bólu? Moi oprawcy przerwali na chwilę. Nie czułem cierpienia, lecz jedynie strach.

Kiedy pomyślałem, że srebrna moneta mnie uratuje, nagle zaprzestali tortur i zdjęli z głowy przypominające imadło urządzenie, które nie wyrządziło mi krzywdy. Kat przyciskający mnie do podłogi wstał, nie wypowiadając nawet słowa przeprosin. Włożyłem koszulę i kamizelkę. Potem nastąpiła długa chwila ciszy. W drugim końcu pomieszczenia zobaczyłem naczelnego miniaturzystę Osmana. Podszedłem do niego i pocałowałem go w rękę.

— Nie martw się, moje dziecko — powiedział. — Oni cię tylko sprawdzali.

Od tej chwili wiedziałem, że znalazłem nowego ojca na miejsce Wuja — niech spoczywa w spokoju.

— Nasz sułtan postanowił, że nie będziesz torturowany — powiedział dowódca straży. — Uznał, że powinieneś pomóc naczelnemu miniaturzyście, mistrzowi Osmanowi, znaleźć drania, który zabił jego pomocnika i wiernego poddanego przygotowującego dla niego manuskrypty. Masz trzy dni na przepytanie miniaturzystów, przyjrzenie się ich obrazkom i ustalenie sprawcy. Władca jest zatrwożony plotkami roznoszonymi przez złośliwców na temat jego miniaturzystów i manuskryptów. Podskarbi Hazim Aga i ja pomożemy znaleźć ci tego łajdaka, tak jak zarządził sułtan. Jeden z was był blisko związany z Wujem, a zatem zna miniaturzystów, którzy przychodzili do niego wieczorami, oraz całą historię księgi. Drugi jest wielkim mistrzem, szczycącym się tym, że zna wszystkich artystów z pracowni jak własną kieszeń. Jeżeli w ciągu trzech dni nie uda wam się przyprowadzić tego bydlaka razem z brakującą stroną, którą ukradł, a o której krąży wiele plotek, życzeniem naszego sułtana jest, byś ty, Czarny, pierwszy został poddany torturom i przesłuchaniu. Później, żeby nie było wątpliwości, przyjdzie kolej na pozostałych miniaturzystów.

Nie dostrzegłem żadnych sekretnych gestów czy znaków wymienianych przez dwóch starych przyjaciół współpracujących z sobą od lat: podskarbiego Hazima Agę, zlecającego zadania, i naczelnego miniaturzystę mistrza Osmana, który dostawał za jego pośrednictwem fundusze i materiały.

— Wszyscy wiedzą, że jeżeli w sułtańskim pałacu, pułku czy oddziale zostanie popełniona zbrodnia, wówczas cała grupa ponosi za nią odpowiedzialność, dopóki nie znajdzie się sprawca. Oddział, który nie potrafi odnaleźć w swoim gronie mordercy, zostaje uznany przez sąd za oddział morderców, łącznie z oficerem i mistrzem, i podlega odpowiedniej karze — powiedział dowódca. — Dlatego nasz mistrz Osman będzie miał oczy szeroko otwarte i przyjrzy się uważnie każdej ilustracji. Wykryje zdradę, podstęp i intrygę, która sprawiła, że miniaturzyści rzucili się sobie do gardeł. A potem odda winnych pod sprawiedliwy osąd Zbawcy Świata, naszego sułtana, dzięki czemu przywróci cechowi dobre imię. Do tego czasu ma otrzymać wszystko, co mu będzie potrzebne. Moi ludzie w tej chwili konfiskują wszystkie rękopisy ozdabiane przez mistrzów w domowym zaciszu.

41.
Oto ja, mistrz Osman

Dowódca straży sułtańskiej i podskarbi kilkakrotnie powtórzyli rozkazy naszego władcy, po czym zostawili nas samych. Czarnego wykończył strach, płacz i zadane mu tortury. Pogrążył się w milczeniu jak mały chłopiec. Czułem, że go polubię, więc dałem mu spokój.

Miałem trzy dni na przestudiowanie stron zabranych przez strażników kaligrafom i miniaturzystom oraz ustalenie, czyim są dziełem. Pamiętacie, jaki wstręt wzbudziły we mnie ilustracje do księgi Wuja, które Czarny oddał podskarbiemu, by oczyścić się z podejrzeń. Musiało coś być w tych miniaturach, skoro taki ilustrator jak ja, bez reszty oddany sztuce, poczuł aż tak gwałtowną niechęć i odrazę. Kiepskie miniatury nie spowodowałyby takiej reakcji. Dlatego ze wzmożoną ciekawością przyjrzałem się dziewięciu rysunkom, których przygotowanie zlecił ten nieszczęsny głupiec ilustratorom, przychodzącym do niego pod osłoną nocy.

Przyjrzałem się drzewu, namalowanemu na samym środku strony, ozdobionej na brzegach przez biednego Eleganta misternym wzorem i złoceniami. Do jakiej sceny i opowieści pasował ten rysunek? Gdybym polecił moim miniaturzystom narysować drzewo, drogi Motyl, mądry Bocian i chytry Oliwka zastanowiliby się najpierw nad jego miejscem w historii, by potem już nie mieć wątpliwości. Ja zaś po obejrzeniu tego

drzewa byłbym w stanie wywnioskować z układu gałęzi i liści, o jakiej opowieści myślał miniaturzysta. Tu jednak widziałem jedynie biedne, samotne drzewo, a za nim wysoką linię
horyzontu, nawiązującą stylem do starych mistrzów z Szirazu i podkreślającą wrażenie pustki. Nic nie wypełniało przestrzeni stworzonej przez ów horyzont. Pragnienie namalowania drzewa według zasad weneckich mistrzów łączyło się tu
z perskim sposobem patrzenia na świat z góry, co w efekcie
dało złą ilustrację, ani wenecką, ani perską. Tak wyglądałoby
drzewo na końcu świata. Próbując połączyć dwa style, moi miniaturzyści i ten bezmyślny błazen stworzyli mierny obrazek.
Mojego gniewu nie wzbudzało to, że miniatura łączyła dwa
punkty widzenia, lecz właśnie jej miernota.

Podobne odczucia towarzyszyły mi podczas oglądania innych miniatur — rumaka jak ze snu i kobiety z pochyloną głową. Dobór tematyki też był irytujący — wędrujący derwisze
i szatan... Wyglądało na to, że moi uczniowie z niechęcią tworzyli te słabe ilustracje, mające ozdobić manuskrypt naszego
sułtana. Ogarnął mnie strach na myśl o tym, że to Allah odebrał życie Wujowi, nie pozwalając mu ukończyć księgi. Nie
muszę chyba dodawać, że nie miałem zamiaru kontynuować
tej pracy.

Kogo nie rozgniewałby wizerunek psa namalowanego z góry, lecz patrzącego na mnie, jakby był moim bratem? Z jednej
strony zaskakiwała mnie prostota rysunku, piękno ukośne-
go, groźnego spojrzenia, pochylony ku ziemi łeb i biel zębów,
świadczące o talencie miniaturzysty (byłem bliski ustalenia,
kto nim jest). Z drugiej strony jednak nie mogłem wybaczyć,
że ów talent wprzęgnięto w absurdalną logikę narzuconą
przez czyjąś wolę. Ani pragnienie naśladowania europejskich
mistrzów, ani przekonanie, że w księdze stanowiącej dar od
naszego sułtana dla doży powinno się wykorzystać techniki

stosowane przez Wenecjan, nie tłumaczyły obecnej w tych obrazkach tak silnej chęci przypodobania się Zachodowi.

Na jednej z bardziej ekspresyjnych miniatur przeraziła mnie intensywność czerwieni. Natychmiast rozpoznałem dotyk pędzla moich miniaturzystów, widoczny w każdym z czterech rogów. Kierowana tajemniczą logiką ręka nie znanego mi mistrza nałożyła na rysunek niezwykły odcień czerwieni tak, że zalewała ona przedstawiony na nim świat. Zatrzymałem się dłużej nad tą wielowątkową miniaturą i pokazałem Czarnemu, kto namalował platan (Bocian), statki i domy (Oliwka) oraz kanię i kwiaty (Motyl).

— Taki wielki mistrz jak ty, panie, od lat kierujący pracownią, potrafi rozpoznać styl swoich miniaturzystów, sposób prowadzenia przez nich pędzla, zwinność palców i inne ich charakterystyczne cechy — przyznał Czarny. — Skoro jednak ekscentryczny miłośnik ksiąg pokroju mojego wuja zmusił tych samych miniaturzystów do zastosowania nowych technik, czy wciąż będziesz umiał ustalić autorów ilustracji?

Postanowiłem odpowiedzieć przypowieścią.

— Dawno, dawno temu żył sobie szach, który rządził Isfahanem. Był miłośnikiem pięknych ksiąg i mieszkał samotnie w pałacu. Był silny, potężny i inteligentny, lecz bezlitosny. Wielbił przy tym tylko dwie rzeczy: iluminowane manuskrypty i córkę. Był bardzo oddany córce — jego wrogowie nie mylili się, twierdząc, że jest w niej zakochany. Z dumy i zazdrości wypowiadał wojnę książętom i szachom, gdy tylko któryś z nich przysyłał posłańców z oświadczynami. Oczywiście żaden mąż nie był jej godny. Szach uwięził córkę w komnacie zamkniętej na czterdzieści spustów. Zgodnie z powszechnym w Isfahanie przekonaniem uważał, że jej uroda zblednie, gdy spojrzą na nią inni mężczyźni. Pewnego dnia, gdy dostarczono mu opowieść o Chosrowie i Szirin, spisaną i iluminowaną w stylu mi-

strzów z Heratu, po Isfahanie zaczęła krążyć plotka, że blado-
lica piękność na jednej z miniatur to nikt inny jak córka
zazdrosnego szacha. Ale jeszcze zanim się one pojawiły, szach,
tknięty podejrzeniem, ze łzami w oczach otworzył księgę i zobaczył, że na jednej z miniatur rzeczywiście uwieczniono jego
piękną córkę. Podobno to nie córka szacha, chroniona przez
czterdzieści spustów, lecz jej uroda wydostała się pewnej nocy
z komnaty niczym znudzony duch, odbijając się w licznych
zwierciadłach, przechodząc pod drzwiami i przez dziurki od
kluczy niczym promień światła lub smużka dymu, i ukazała
się oczom pracującego nad księgą miniaturzysty. Utalentowany młody artysta nie mógł się oprzeć wizji i zapragnął uwiecznić to piękno na papierze. Rysował właśnie scenę, w której
Szirin patrzy na portret Chosrowa i zakochuje się w nim.

— Mój ukochany mistrzu, mój drogi panie, cóż za zbieg
okoliczności — powiedział Czarny. — Ja też bardzo lubię tę
scenę.

— To nie są bajki, to zdarzyło się naprawdę — odrzekłem.
— Ów miniaturzysta nie namalował pięknej córki szacha jako
Szirin, lecz jako kurtyzanę grającą na flecie lub nakrywającą
do stołu, bo w tym momencie pracował właśnie nad jej postacią. Skutkiem tego uroda Szirin zbladła wobec nadzwyczajnej
piękności kurtyzany, co zakłóciło sens dzieła. Kiedy szach ujrzał córkę na iluminacji, postanowił dowiedzieć się, który miniaturzysta ją namalował. Ten jednak, obawiając się gniewu
władcy, nie posłużył się własnym stylem przy portretowaniu
kurtyzany i Szirin, lecz nową metodą, by nikt go nie rozpoznał.
Swoje zrobiły również zręczne pociągnięcia pędzlem kilku innych miniaturzystów.

— Jak więc szach ustalił, kto sportretował jego córkę?
— Na podstawie uszu.
— Czyich uszu, córki czy tych na miniaturze?

— Właściwie to ani jednych, ani drugich. Kierując się intuicją, najpierw pootwierał wszystkie księgi na stronach z ilustracjami wykonanymi przez jego miniaturzystów i przyjrzał się uszom postaci. Zobaczył je w nowym świetle. Każdy z artystów malował uszy po swojemu, czy była to twarz sułtana, dziecka, wojownika, czy, niech mi Bóg wybaczy, przysłonięta welonem twarz Proroka, a nawet, znowu niech mi Bóg wybaczy, szatana. Każdy rysował je zawsze w ten sam sposób, jakby były one sekretnym znakiem.

— Dlaczego?

— Kiedy mistrzowie miniaturystyki malują twarz, skupiają się przede wszystkim na tym, by ukazać jej piękno, przestrzegać reguł sztuki, nadać jej odpowiedni wyraz, albo też na tym, czy powinna być do kogoś podobna. Kiedy jednak przychodzi czas na uszy, nie naśladują innych, nie powielają wzorców, nie studiują prawdziwego ucha. Nie myślą, do niczego nie dążą, nawet nie zastanawiają się nad tym, co robią. Po prostu malują je z pamięci.

— Ale czy wielcy mistrzowie nie tworzą swoich arcydzieł z pamięci, nie starając się patrzeć na prawdziwego konia, drzewo lub człowieka? — zapytał Czarny.

— To prawda — odpowiedziałem — lecz taką pamięć zdobywa się po latach przemyśleń, kontemplacji i refleksji. Przez całe życie oglądają mnóstwo koni, tych namalowanych i prawdziwych, i mają świadomość, że ten ostatnio widziany tylko zepsułby idealny obraz zwierzęcia, zachowany w pamięci. Koń, którego mistrz maluje setki razy, w końcu staje się bliski bożemu ideałowi konia. Podpowiada to artyście dusza i doświadczenie. Malowany z pamięci, powstaje dzięki talentowi, wielkiemu wysiłkowi i wewnętrznej wizji i jest bliski jego boskiemu wizerunkowi. Natomiast ucho — rysowane zanim jeszcze ręce została przekazana wiedza, zanim miniaturzysta zdąży pomyśleć, co ta ręka robi lub też zanim przyjrzy się uszom córki szacha — zawsze będzie niedoskonałe. Właśnie te niedoskonałości czy wady odróżniają jedne uszy od drugich i są swoistym podpisem.

Zrobił się ruch. Ludzie dowódcy straży przynieśli do starego warsztatu strony zabrane z domów miniaturzystów i kaligrafów.

— Zresztą uszy to słaby punkt człowieka — powiedziałem z nadzieją, że Czarny się uśmiechnie. — Są jednocześnie takie same i inne. To idealne świadectwo brzydoty.

— Co się stało ze złapanym miniaturzystą?

Nie powiedziałem, że go oślepiono, by nie przygnębiać Czarnego.

— Poślubił córkę szacha — odrzekłem. — A ta metoda identyfikacji artystów znana jest wśród chanów, szachów i sułtanów utrzymujących pracownie jako metoda kurtyzany. Ale trzymana jest w tajemnicy na wypadek, gdyby któryś z miniaturzystów narysował zakazaną postać lub pozwolił sobie na figiel, a potem wszystkiego się wyparł. Dzięki temu władcy mogą w jednej chwili ustalić winnego, bowiem utalentowani artyści mają wrodzoną skłonność do malowania tego, co zakazane. Czasami wręcz nie mogą się powstrzymać od psot. Odkrycie ich wykroczeń polega na odnalezieniu banalnych, pospiesznie rysowanych i powtarzających się szczegółów, usuniętych ze środka miniatury, takich jak uszy, ręce, trawa, liście, a nawet końskie grzywy, nogi czy kopyta. Lecz ta metoda nie skutkuje, jeżeli miniaturzysta pamięta o tym, że dany szczegół stał się jego znakiem rozpoznawczym. Na przykład wąsy. Wielu ilustratorów wie, że często wykorzystuje się je jako rodzaj podpisu. Brwi to co innego, nikt nie zwraca na nie uwagi... A teraz sprawdźmy, którzy miniaturzyści użyli pędzli i trzcinek do stworzenia obrazków zmarłego Wuja.

Zestawiliśmy strony dwóch iluminowanych manuskryptów: przygotowanego w sekrecie i robionego oficjalnie. Były to dwie księgi o różnej tematyce, z odmiennymi w stylu miniaturami. Pierwsza to ksiega zamordowanego Wuja, a druga — *Księga uroczystości obrzezania*, w której powstawaniu brałem udział. Przyjrzeliśmy się im z uwagą, pomagając sobie szkłem powiększającym.

1. W *Księdze uroczystości* zatrzymaliśmy się najpierw przy otwartym pysku lisa, którego skórę niósł mistrz cechu kuśnierzy, odziany w czerwony kaftan z purpurową szarfą. Mistrz przechodził wraz z innymi kuśnierzami przed naszym sułtanem, władca zaś obserwował pochód ze specjalnie na tę uroczystość zbudowanej galerii. Niewątpliwie to Oliwka namalował zarówno wyróżniające się zęby lisa, jak i zęby szatana na ilustracji Wuja. Szatan był postacią złowieszczą — pół demonem, pół olbrzymem — pochodzącą prawdopodobnie z Samarkandy.

2. W tym wyjątkowo radosnym dniu poniżej sułtańskiej galerii, górującej nad Hipodromem, pojawił się oddział zubożałych gazich* w łachmanach. Jeden z nich zwrócił się z prośbą do władcy: „Dostojny sułtanie, my, twoi oddani żołnierze, dostaliśmy się do niewoli, walcząc z niewiernymi w imię naszej religii. Odzyskaliśmy wolność, pozostawiając wielu naszych współbraci jako zakładników. Wypuszczono nas po to, byśmy wrócili z okupem. Nie zdołaliśmy jednak zebrać dość pieniędzy, by wykupić naszych braci ginących w niewoli u niewiernych. Zdajemy się na twoją łaskę. Prosimy, ofiaruj nam złoto lub niewolników, byśmy mogli ich wymienić za naszych towa-

---

* gazi — bohater, tytuł przysługujący wojownikom uczestniczącym w wojnie za wiarę (gazawat)

rzyszy". Bez wątpienia to Bocian malował pazury leniwego psa na boku strony — spoglądającego jednym okiem na sułtana, na biednych, pozbawionych środków do życia gazich oraz na perskich i tatarskich ambasadorów na Hipodromie — jak również pazury psa widniejącego w rogu miniatury Wuja, przedstawiającej przygody złotej monety.

3. Wśród kuglarzy żonglujących jajkami na drewnianych deseczkach i fikających koziołki przed sułtanem był łysy mężczyzna z gołymi łydkami i w purpurowej kamizelce, który grał na tamburynie, siedząc na brzegu czerwonego dywanu. Trzymał on instrument w ten sam sposób jak kobieta mosiężną tacę na rysunku Czerwieni w manuskrypcie Wuja. Bez wątpienia było to dzieło Oliwki.

4. Kiedy cech kucharzy przechodził przed sułtanem, w kotle stojącym na piecyku, który z kolei umieszczony był na wozie, gotowała się faszerowana kapusta z mięsem i cebulą. Mistrzowie kuchni, zgromadzeni przy wozie, stawiali swoje garnki na niebieskich kamieniach leżących na różowej ziemi. Autorem kamieni był ten sam artysta, który namalował czerwone kamienie na ciemnoniebieskiej ziemi. Unosiła się nad nią postać przypominająca ducha. „Śmierć" — zatytułował rysunek Wuj. Bez wątpienia chodziło o Motyla.

5. Jadący na koniach tatarscy posłańcy przynieśli wiadomość, że wojska szacha perskiego szykują się do następnej wyprawy przeciw domowi osmańskiemu, po czym zrównali z ziemią wspaniały pawilon widokowy ambasadora perskiego, który w potoku uprzejmości zapewniał naszego sułtana, Zbawcę Świata, że szach jest jego przyjacielem i żywi do niego jedynie braterskie uczucia. W czasie tego gwałtownego zdarzenia przybiegli ludzie z wodą, by zlikwidować kurz unoszący się nad Hipodromem, oraz grupa mężczyzn ze skórzanymi workami z olejem lnianym, którym zamierzali oblać tłum gotowy

rzucić się na ambasadora w nadziei, że to uspokoi nastroje. Uniesione stopy nosiwodów i mężczyzn z workami wykonał ten sam miniaturzysta, który namalował uniesione stopy atakujących żołnierzy na rysunku przedstawiającym Czerwień — to również było dziełem Motyla.

Nie ja dokonałem tego ostatniego odkrycia, gdy w poszukiwaniu wskazówek przesuwałem szkło powiększające w prawo i w lewo, z jednego rysunku na drugi, lecz Czarny, który przypatrywał się iluminacjom szeroko otwartymi oczyma, prawie nie mrugając, kierowany strachem przed torturami i nadzieją powrotu do czekającej w domu żony. Całe popołudnie sprawdzaliśmy metodą kurtyzany, który z miniaturzystów malował który rysunek spośród dziewięciu pozostawionych przez Wuja, a potem wyciągaliśmy wnioski.

Wuj nie wyznaczył jednej osoby do ilustracji, lecz zlecił całej trójce moich miniaturzystów pracę nad wszystkimi. To oznaczało, że rysunki bardzo często wędrowały z rąk do rąk, z domu do domu. Zauważyłem również nieudolne pociągnięcia pędzlem piątego artysty. Rozgniewał mnie ten brak talentu podłego mordercy, lecz Czarny ustalił na podstawie ostrożnych ruchów pędzla, że jest to dzieło Wuja, dzięki czemu nie podjęliśmy fałszywego tropu. Gdy wykluczyliśmy biednego Eleganta, który wykonał prawie identyczne złocenia w księdze Wuja i *Księdze uroczystości obrzezania* (tak, to złamało mi serce) i był autorem kilku ścian, liści i chmur, stało się oczywiste, że rysunki Wuja stworzyli moi trzej najlepsi miniaturzyści, najdrożsi, najmilsi uczniowie, trójka bliskich memu sercu artystów: Oliwka, Motyl i Bocian.

Omawiając ich umiejętności, mistrzostwo i zapał do zdobywania wiedzy, nie mogliśmy oczywiście pominąć mojego życia.

Przymioty Oliwki

Naprawdę miał na imię Velican. Czy miał jakiś przydomek prócz tego, który mu nadałem, nie wiem, ponieważ nigdy nie widziałem, jak podpisuje swoje prace. Kiedy był terminatorem, przychodził po mnie do domu we wtorkowe ranki. Był bardzo dumny, gdyby więc zniżył się do sygnowania miniatury, jego znak byłby prosty i wyraźny, nie starałby się go ukryć. Allah szczodrze obdarzył go zdolnościami. Mógł bez trudu robić wszystko, od złocenia po liniowanie, i robił to doskonale. W pracowni był mistrzem od drzew, zwierząt i ludzkich twarzy. Jego ojciec, który przywiózł go do Stambułu, gdy miał dziesięć lat, wyuczył się zawodu u Sijawusza, sławnego iluminatora pracowni szacha perskiego w Tabrizie, specjalizującego się w twarzach. Oliwka wywodzi się z długiej linii mistrzów, której korzenie sięgają Mongołów, i tak jak dawni mistrzowie, którzy przed stu pięćdziesięciu laty ulegli wpływom mongolsko-chińskim i osiedlili się w Samarkandzie, Bucharze i Heracie, maluje okrągłe jak księżyc twarze młodych kochanków, jakby byli oni Chińczykami. Ani w czasie terminowania, ani po zdobyciu przez niego tytułu mistrza nie mogłem przekonać tego upartego artysty do zmiany stylu. Jakże pragnąłem, by wyszedł poza tkwiące głęboko w jego duszy wzory mistrzów mongolskich, chińskich i Heratu, chciałem nawet, żeby o nich zapomniał. Kiedy mu to powiedziałem, odparł, że jak wielu miniaturzystów przenoszących się z pracowni do pracowni, z kraju do kraju zapomniał o tych starych stylach, jeśli w ogóle się ich uczył. Choć wielkość miniaturzystów polega właśnie na czerpaniu wiedzy ze wspaniałych wzorców, to gdyby jednak Velican naprawdę o nich zapomniał, stałby się jeszcze świetniejszym miniaturzystą. Jednakże ze skrywania głęboko w duszy nauk dawnych mentorów — niczym nie wyznanych grzechów — wypływają dwie korzyści, z których on nawet nie zdaje sobie sprawy:

1. U tak zdolnego miniaturzysty trzymanie się starych wzorców wywołuje poczucie winy i wyobcowania, które pobudzają talent do rozwoju.

2. W trudnych chwilach może zawsze przypomnieć sobie to, o czym, jak twierdzi, zapomniał, i stworzyć z powodzeniem nowy temat, opowieść lub scenę, wykorzystując do tego jeden ze starych wzorców z Heratu. Bystre oko umożliwi mu narysowanie nowego rysunku zawierającego dawne formy i nauki mistrzów szacha Tahmaspa. Jego prace pięknie łączą styl miniatur z Heratu i stambulską ornamentykę.

Podobnie jak innym miniaturzystom złożyłem mu raz nie zapowiedzianą wizytę w domu. W przeciwieństwie do mnie i wielu innych mistrzów mieszkał w strasznym bałaganie, na który składały się porozrzucane farby, pędzelki, gładzidła do polerowania, przenośny stół i inne przedmioty. Zaskoczyło mnie to, lecz on nie sprawiał wrażenia zawstydzonego. Nie przyjmował żadnych dodatkowych prac, by zarobić kilka srebrników. Kiedy przedstawiłem te wszystkie fakty Czarnemu, powiedział, że to Oliwka był największym entuzjastą technik europejskich mistrzów, podziwianych przez Wuja, i najszybciej je sobie przyswoił. Domyśliłem się, że miała to być pochwała, ale ten nieszczęsny głupiec się pomylił. Trudno mi powiedzieć, jak bardzo — ze względu na Sijawusza, nauczyciela swego ojca i Muzaffera, mistrza Sijawusza, Behzada i innych — Oliwka był przywiązany do stylu z Heratu. Zawsze zastanawiałem się, czy aby nie ukrywa innych zamiłowań. Uświadomiłem sobie, że ze wszystkich moich miniaturzystów był on najspokojniejszy i najwrażliwszy, ale jednocześnie wyjątkowo podstępny i przebiegły. Kiedy pomyślałem o izbie tortur, on pierwszy przyszedł mi do głowy. (Jednocześnie chciałem i nie chciałem, by wzięto go na męki). Miał oczy dżina. Widział wszystko, łącznie z moimi wadami, i na wszystko zwracał uwagę, lecz z rezerwą przybysza, starającego się przystosować do nowej sytuacji. Rzadko otwierał usta, by wytknąć błędy. Był podstępny, to prawda, lecz nie był mordercą. (Nie powiedziałem tego Czarnemu). Oliwka w nic nie wierzył. Nie wierzył też w pieniądze, mimo to je gromadził. Wbrew powszechnemu przekonaniu wszyscy mordercy są ludźmi głębokiej wiary. Iluminowanie rękopisów prowadzi do malowania, a malowanie z kolei prowadzi do — niech mi Bóg wybaczy — przeciwstawienia się Allahowi. Każdy to wie. Można więc sądzić, że Oliwka jest prawdziwym artystą, choć uważam, że dane mu przez Boga talenty są mniejsze niż Motyla czy Bociana. Chciałbym, żeby Oliwka był moim synem. Pragnąłem w ten sposób wywołać zazdrość u Czarnego, lecz on tylko szeroko otworzył ciemne oczy i spojrzał na mnie z dziecięcą ciekawością. Powiedziałem, że Oliwka świetnie maluje czarnym atramentem rysunki przeznaczone do wklejenia do albumów, przedstawiające żołnierzy, sceny polowań, widoki w chińskim stylu z mnóstwem bocianów i żurawi, urodziwych chłopców siedzących pod drzewem, recytujących wiersze i grających na fletach, smutek legendarnych kochanków, gniew miecznika, wściekłość szacha i strach na twarzy bohatera uchylającego się przed atakiem smoka.

— Może wuj chciał, żeby Oliwka namalował ostatnią miniaturę, którą miał stanowić wierny portret naszego sułtana w stylu europejskim? — zastanawiał się Czarny.

Czy on chce wprawić mnie w zakłopotanie?

— Przypuśćmy, że tak było. Dlaczego jednak po zamordowaniu Wuja miałby uciec z pracą, którą przecież znał? — zapytałem. — Albo czy musiał zabijać Wuja, żeby ją zobaczyć?

Przez chwilę zastanawialiśmy się nad tymi kwestiami.

— Może czegoś w tym rysunku brakowało? — powiedział Czarny. — Lub też pożałował czegoś, co zrobił, i to go przeraziło? — Zamyślił się. — Może po zamordowaniu wuja zabrał pracę, by ją zniszczyć, zachować na pamiątkę lub bez konkretnego powodu...? Oliwka jest przecież wielkim miniaturzystą, który potrafi docenić piękny obraz.

— Mówiliśmy już o tym, w czym objawia się wielkość Oliwki — powiedziałem z rosnącym gniewem. — Natomiast żadna z ilustracji Wuja nie jest piękna.

— Przecież nie widzieliśmy ostatniej — odparł śmiało Czarny.

Przymioty Motyla

Znany jest jako Hasan Czelebi z dzielnicy Baruthane, lecz dla mnie zawsze będzie Motylem. Ten przydomek przypomina mi o jego dawnej urodzie. Był tak piękny, że każdy, kto na niego spojrzał, nie wierzył własnym oczom i musiał spojrzeć jeszcze raz. To wręcz niesamowite, ale jego talent dorównywał urodzie. Jest mistrzem koloru i to stanowi jego siłę. Maluje z pasją, znajdując rozkosz w nakładaniu barw. Lecz uprzedziłem Czarnego, że Motyl jest niestały i niezdecydowany. Chcąc jednak dokonać sprawiedliwej oceny, dodałem, że jest wybitnym miniaturzystą, malującym z serca. Jeżeli sztuka ornamentu nie ma odwoływać się do inteligencji, przemawiać do drzemiącego w nas zwierzęcia lub dodawać pewności siebie sułtanowi, lecz jedynie być świętem dla oczu, to rzeczywiście Motyl jest prawdziwym miniaturzystą. Tworzy szerokie, ciepłe linie, podobne do tych, które przed czterdziestu laty malowali mistrzowie z Kazwinu. Pewną ręką kładzie jasne, czyste kolory i zawsze można w jego pracach znaleźć łagodne kolistości ukryte w układzie iluminacji. Lecz to ja go uczyłem, nie ci dawno zmarli mistrzowie z Kazwinu. Może dlatego kocham go jak syna, a nawet bardziej niż syna, nigdy jednak się go nie bałem. Tak jak wszystkim moim uczniom nie szczędziłem mu w dzieciństwie i później razów trzonkiem od pędzla, linijką, a nawet kawałkiem drewna, lecz to nie znaczy, że go nie szanowałem. Bociana też często biłem linijką, ale go szanowałem. Wbrew temu, co może sądzić przypadkowy widz, razy zadane przez mistrza nie wypędzają z terminatora ducha talentu czy szatana, lecz tylko czasowo powstrzymują. Jeżeli jest to porządne lanie i w pełni zasłużone, po pewnym czasie duchy i szatan podniosą głowy i będą pobudzać miniaturzystę do pracy. Razy zadane Motylowi stworzyły z niego zadowolonego i posłusznego artystę.

Poczułem nagłą potrzebę pochwalenia go przed Czarnym.

— Mistrzostwo Motyla — powiedziałem — to dowód na to, że obraz szczęścia, który sławny poeta maluje w swoim mesnevi, jest możliwy jedynie dzięki boskiemu darowi zrozumienia i nakładania koloru. Gdy to sobie uświadomiłem, pojąłem, czego brakuje Motylowi: nie wiedział, co to jest chwilowa utrata wiary, nazwana przez poetę Dżamiego „ciemną nocą duszy". W stanie niebiańskiej szczęśliwości przystępuje do pracy z pewnością siebie i zadowoleniem, wierząc, że stworzy niebiańskie dzieło — i to mu się udaje. Nasze armie oblegające zamek Doppio, węgierskiego ambasadora całującego stopy sułtanowi, Proroka wznoszącego się do siódmego nieba — to są z natury pomyślne wydarzenia, lecz dzięki Motylowi stają się gejzerami rozkoszy tryskającymi z kart. Gdy na mojej iluminacji cień śmierci lub obraz posiedzenia rządu są zbyt ciężkie, proszę Motyla, by pokolorował ją według własnego uznania, i wówczas sprzęty, liście, flagi i morze, nieruchome, jakby przysypała je cmentarna ziemia, zaczynają marszczyć się pod wpływem wiatru. Chwilami myślę, że Allah pragnie, by świat był taki, jakim maluje go Motyl, by życie było świętem. Jest to bowiem królestwo, w którym czas się zatrzymał, kolory recytują melodyjnymi głosami gazele*, a szatan nie istnieje.

Ale nawet Motyl wie, że czegoś jego miniaturom brakuje. Ktoś mógłby rzec — i słusznie — że są radosne jak święto, lecz pozbawione głębi. Uwielbiają je książęce dzieci i stojące nad grobem stare kobiety z haremu, lecz nie ludzie zmuszeni zmagać się z szatanem. Motyl doskonale zdaje sobie z tego sprawę i czasami zazdrości miniaturzystom, którzy są może mniej zdolni, ale opętani przez dżiny i demony. To, co uważa za złośliwość i robotę dżinów, jest jednak najczęściej czystym złem i zawiścią.

Irytuje mnie, bo malując, nigdy nie zatraca się w tym wspaniałym świecie, nie tonie w rozkoszy, lecz jedynie myśli o tym, by jego ryciny podobały się ludziom. Irytuje mnie, ponieważ myśli o pieniądzach, które zarobi. Oto kolejna ironia losu: wielu miniaturzystów jest mniej utalentowanych od niego, lecz bardziej oddanych sztuce.

Czując potrzebę zrekompensowania swoich wad, Motyl wciąż stara się dowieść, że poświęca się sztuce. Dlatego jak artyści o ptasich móżdżkach, malujący na paznokciach i ziarnkach ryżu prawie niewidzialne gołym okiem obrazki, zajął się malarstwem miniaturowym. Kiedyś zapytałem go, czy dlatego poświęcił się temu zajęciu, które odebrało wzrok wielu iluminatorom, że wstydzi się ogromnego talentu, jakim obdarzył go Allah. Jedynie głupcy malują na ziarnku ryżu liście na drzewie, pragnąc w ten sposób zdobyć sławę i uznanie protektorów.

---

*   gazel — forma poezji w literaturach islamu, wiersz o treści lirycznej, zbudowany z 9–15 dystychów o rymujących się połówkach

Skłonność Motyla do sprawiania przyjemności ludziom, a nie sobie samemu, jego nie kontrolowana potrzeba zadowolenia innych doprowadziła do tego, że stał się niewolnikiem pochwał. Z tego też powodu ten niezdecydowany miniaturzysta, by wzmocnić swoją pozycję, postanowił zostać naczelnym iluminatorem. To Czarny poruszył tę sprawę.

— Tak — przyznałem. — Wiem, że snuje rozmaite intrygi, bo chciałby zostać moim następcą.

— Czy z tego powodu mógłby kogoś zamordować?

— To możliwe. Jest mistrzem, choć nie zdaje sobie z tego sprawy i nie potrafi zapomnieć o świecie, gdy maluje.

Kiedy to powiedziałem, uświadomiłem sobie, że ja również chcę, by Motyl został moim następcą. Nie ufałem Oliwce, a Bocian w końcu stałby się niewolnikiem stylu Wenecjan. Motyl pragnął być podziwiany — zdenerwowała mnie myśl, że mógłby odebrać komuś życie — a to ułatwiłoby mu kierowanie pracownią i zdobycie przychylności sułtana. Jedynie wrażliwość i wiara Motyla we własne umiejętności dadzą odpór sztuce Wenecjan, która oszukuje widza, próbując oddać rzeczywistość ze wszystkimi jej szczegółami i przy zastosowaniu cienia: ptaki, mosty, łodzie, świeczniki, świątynie, stajnie, woły, powozy — tak jakby dla Allaha wszystko było jednakowo ważne.

— Czy złożyłeś mu, mistrzu, podobnie jak innym nie zapowiedzianą wizytę?

— Kto spojrzy na prace Motyla, natychmiast domyśli się, że zna on wartość miłości i wie, co znaczą radość i smutek. Lecz jak wszyscy miłośnicy kolorów ulega emocjom i jest niestały. Pokochałem jego boski talent i wyczucie barw, dlatego zawsze bacznie go obserwowałem i wiem o nim wszystko, co trzeba. Oczywiście w takich sytuacjach inni miniaturzyści robią się zazdrośni, co psuje atmosferę w pracowni. Zdarzały się nam

intymne chwile, lecz Motyl nie przejmował się tym, co powie-
dzą inni. Kiedy jednak ożenił się z piękną córką sprzedawcy
owoców, przestałem go odwiedzać. Nie było też już powodu.

— Podobno należy do grupy zwolenników hodży z Erzurumu — powiedział Czarny. — Mówią, że może wiele zyskać, gdyby hodża i jego ludzie ogłosili, że pewne ilustracje
są niezgodne z religią i wyklęli ilustrowane przez nas księgi
— przedstawiające bitwy, broń, krwawe sceny i uroczystości,
nie mówiąc już o pochodach, w których uczestniczą wszyscy,
od mistrzów kucharskich po czarodziejów, od derwiszów po kö-
czeków* i od przygotowujących kebab po ślusarzy — po czym
zezwolili na malowanie według zasad perskich mistrzów.

— Nawet gdybyśmy powrócili do tamtych wspaniałych ilustracji z czasów Timura, do tamtego życia, z wszystkimi jego
szczegółami, i do tamtych reguł — w czym Bocian byłby najlepszy — w końcu wszystko i tak poszłoby w niepamięć — odpowiedziałem bezlitośnie — bo wszyscy będą chcieli malować
jak Europejczycy.

Czyżbym naprawdę wierzył w to, co powiedziałem?

— Mój wuj też tak uważał — wyznał Czarny. — Ale on był
optymistą.

Przymioty Bociana

Widziałem, jak podpisywał swoje prace: „Malarz Günahkar
Mustafa Czelebi". Nie zastanawiając się nad tym, czy ma lub
czy powinien mieć swój styl, czy należy wyróżniać go podpisem albo jak starzy mistrzowie zachować anonimowość i kiero-
wać się skromnością, czy wręcz przeciwnie, po prostu pisał swoje nazwisko z uśmiechem na ustach i wymyślnym zakrętasem.

---

* köczek — w dawnej Turcji młody tancerz przebrany za kobietę

Odważnie szedł ścieżką, którą mu wyznaczyłem, i przelewał na papier to, czego nikt przed nim nie był w stanie przelać. Podobnie jak ja przyglądał się dmuchaczom szkła, obracającym w palcach drążki i kształtującym ciekłe szkło, by zrobić z niego niebieskie dzbany i zielone butelki. Przyglądał się skórze, dratwom i drewnianym kopytom szewców pochylających się nad butami i butom, które szyli, płynnemu chodowi konia w czasie uroczystości, prasie wyciskającej olej z ziaren, armacie strzelającej do wroga, sworzniom i lufom naszych strzelb. Przypatrywał się im, a potem malował, nie przejmując się tym, że mistrzowie z czasów Timura lub legendarni iluminatorzy z Tabrizu i Kazwinu nie zniżali się do tego. Był pierwszym muzułmańskim miniaturzystą, który poszedł na wojnę i wrócił z niej cały i zdrów, by zilustrować *Księgę zwycięstw*. Pierwszy przyglądał się wrogim fortecom, armatom, wojskom, koniom z krwawiącymi ranami, żołnierzom walczącym o życie, by to wszystko namalować.

Rozpoznawałem jego prace raczej po tematyce niż po stylu i po tym, że dbał o ukrywanie szczegółów bardziej niż tematu ilustracji. Ze spokojnym sumieniem mogłem powierzyć mu wykonanie wszystkich prac przy miniaturze, od przygotowania stron i kompozycji po kolorowanie najbanalniejszych szczegółów. Dlatego to on powinien objąć po mnie stanowisko naczelnego miniaturzysty. Lecz ambicja, próżność i protekcjonalny stosunek do kolegów utrudniałyby mu kierowanie ludźmi i w końcu wszystkich by stracił. Gdyby mu pozwolić, dzięki niewiarygodnej pracowitości sam wykonałby wszystkie rysunki. Gdyby postawił sobie taki cel, na pewno by go osiągnął. Jest mistrzem. Zna swój fach. Jest dumny z siebie. To dobrze.

Kiedy pewnego dnia złożyłem mu nie zapowiedzianą wizytę, zastałem go przy pracy. Na stolikach, biurkach i poduszkach rozłożone były strony, nad którymi pracował. Były to miniatury do ksiąg dla sułtana, dla mnie, z ubiorami dla głupich europejskich podróżników, traktujących nas z wyższością, obrazek do tryptyku dla pewnego paszy mającego o sobie wysokie mniemanie, miniatury przeznaczone do włączania do albumów, prace namalowane dla własnej przyjemności, a nawet wulgarne wyobrażenie kopulacji. Wysoki i szczupły, przeskakiwał z jednego rysunku do drugiego, jak pszczoła z kwiatka na kwiatek, nucąc ludowe piosenki i szczypiąc w policzek ucznia mieszającego farbę. Z grymasem na twarzy pochylił się nad jedną z iluminacji, po czym podał mi ją z chichotem. W przeciwieństwie do innych nie przerwał malowania przez szacunek dla mnie, ale skorzystał wręcz z okazji, by popisać się talentem i umiejętnościami zdobytymi dzięki ciężkiej pracy (był w stanie wykonywać robotę siedmiu lub ośmiu artystów). Przyszło mi nagle do głowy, że jeżeli mordercą był któryś z tych trzech miniaturzystów, to chciałbym, żeby był to Bocian. Kiedy u mnie terminował, jego obecność w pracowni w piątkowe poranki nie była dla mnie źródłem takiej ekscytacji jak obecność Motyla.

Każdy szczegół traktował z równą uwagą, starając się jedynie, by był wyraźny, dlatego estetycznym podejściem przypominał weneckich mistrzów. Ale w przeciwieństwie do nich mój ambitny Bocian nie uważał, że każda twarz jest inna, wyjątkowa. Przypuszczam, że skoro otwarcie lub skrycie wszystkich lekceważył, nie przywiązywał wagi do twarzy. Jestem pewny, że zamordowany Wuj nie zlecił mu namalowania portretu naszego sułtana.

Nawet pracując nad sceną o wielkim znaczeniu, Bocian nie mógł się powstrzymać od umieszczenia gdzieś na karcie żebraka, którego nędza umniejszała przepych i nadzwyczajność uroczystości. Miał dość pewności siebie, by żartować z każdej iluminacji, jej tematyki i własnej osoby.

— Sposób zamordowania Eleganta przywodzi na myśl Józefa, którego zazdrośni bracia wrzucili do studni — powiedział Czarny. — A śmierć Wuja przypomina z kolei śmierć Chosrowa, którego zabił syn pożądający jego żony Szirin. Mówią, że Bocian uwielbiał malować sceny batalistyczne i makabryczne wyobrażenia śmierci.

— Każdy, kto myśli, że iluminator utożsamia się z tworzonym przez siebie obrazkiem, nie rozumie ani mnie, ani moich miniaturzystów. To, co nas wyróżnia, to nie temat zamówionej przez kogoś sceny — zresztą zawsze ten sam — lecz zawarte w niej uczucia: promieniujące światło, niepewność lub gniew, które można dostrzec w postaciach, koniach i drzewach, pragnienie i smutek emanujące z cyprysu sięgającego nieba, rezygnacja i cierpliwość wyczuwalne w kaflach zdobionych z gorliwością grożącą utratą wzroku... To są nasze ukryte znaki, a nie stojące w rzędzie konie. Kiedy malarz pragnie oddać narowistość i szybkość konia, nie maluje własnej gwałtowności i szybkości. Starając się stworzyć idealne zwierzę, ujawnia poprzez nałożenie intensywnych, żywych kolorów swoją miłość do bogactwa natury i jej stwórcy — i nic więcej.

42.

Nazywam się Czarny

Leżały przed nami najróżniejsze strony manuskryptów — niektóre z wykaligrafowanym tekstem, gotowe do powielenia, inne jeszcze nie pomalowane lub z jakichś powodów nie skończone. Przez całe popołudnie oglądaliśmy prace mistrzów miniatur i rysunki do księgi mojego wuja, porównując je i oceniając. Myśleliśmy, że traktujący nas z szacunkiem, ale szorstcy strażnicy, którzy przynieśli nam strony odebrane iluminatorom i kaligrafom po przeszukaniu ich domów (część kart nie miała nic wspólnego z interesującymi nas księgami, część zaś dowodziła, że kaligrafowie dla dodatkowego zarobku przyjmowali po cichu zlecenia spoza pałacu) dadzą nam wreszcie spokój, lecz w pewnym momencie najzuchwalszy z nich podszedł do mistrza i wyciągnął zza swojej szarfy kartę papieru.

Początkowo nie zwróciłem na nią uwagi, sądząc, że jest to list jakiegoś ojca z prośbą o przyjęcie syna na naukę zawodu. Blade światło przenikające do wnętrza pomieszczenia świadczyło, że po poranku nie ma już śladu. Chcąc odpocząć, wykonałem ćwiczenie zalecane przez mistrzów z Szirazu, pozwalające uchronić się przed przedwczesną ślepotą. Patrzyłem bezmyślnie w przestrzeń, nie skupiając się na niczym. Wtedy właśnie zauważyłem słodki kolor papieru trzymanego w ręce przez mistrza Osmana. Wpatrywał się w niego z niedowierzaniem. Serce we mnie zamarło. Takie listy przesyłała mi Şeküre przez Ester. Już miałem powiedzieć jak idiota: „Co za zbieg okoliczności", gdy zauważyłem, że dołączono do niego namalowaną na grubym papierze miniaturę, podobnie jak zrobiła Şeküre, śląc do mnie pierwszy list.

Mistrz Osman zatrzymał obrazek, list zaś przekazał mnie. Wtedy zorientowałem się, że jest to rzeczywiście wiadomość od Şeküre.

Mój drogi mężu,
wysłałam Ester do Kalbiye, wdowy po Elegancie. Pokazała jej tę ilustrowaną stronę, którą Ci przesyłam. Poszłam do domu Kalbiye i zrobiłam wszystko, co w mojej mocy, by przekonać ją, że najlepiej zrobi, jeżeli odda mi tę miniaturę. Elegant miał ją przy sobie, gdy wyciągnięto go ze studni. Kalbiye przysięga, że nikt nie zlecił mężowi — niech spoczywa w boskim blasku — namalowania koni. Kto więc jest ich autorem? Ludzie dowódcy straży przeszukali dom. Przesyłam ten list, bo może się przydać w śledztwie. Dzieci całują Cię w rękę.
Twoja żona Şeküre

Trzykrotnie przeczytałem trzy ostatnie słowa pięknego liściku. Były dla mnie jak trzy wspaniałe róże w ogrodzie. Pochyliłem się nad obrazkiem, który mistrz Osman studiował ze szkłem powiększającym w ręku. Chociaż atrament się rozmazał, natychmiast zauważyłem, że przedstawia konie stojące w jednej pozycji, jak rysowali je starzy mistrzowie, by wprawić rękę.

— Kto to namalował? — zapytał mistrz Osman po przeczytaniu listu Şeküre, po czym sam sobie odpowiedział: — Oczywiście ten sam miniaturzysta, który wykonał konia dla Wuja.

Skąd miał tę pewność? Przecież nie wiedzieliśmy, kto namalował konia do księgi Wuja. Wyciągnęliśmy na wierzch miniaturę konia i zaczęliśmy ją studiować.

Widniał na niej piękny rumak maści kasztanowej, od którego nie można było oderwać oczu. Czy rzeczywiście? Miałem mnóstwo czasu, by razem z wujem przyjrzeć się temu rysunkowi, a także później, gdy w samotności oglądałem ilustracje, ale wówczas nie zwrócił mojej uwagi. Był piękny, lecz na tyle zwyczajny, że trudno było ustalić, kto jest jego autorem. Nie był to prawdziwy kasztan, raczej gniady z lekkim odcieniem czerwieni. Często widywałem takie konie w księgach i wiedziałem, że miniaturzysta namalował go z pamięci i to jednym pociągnięciem pędzla.

Wpatrywaliśmy się w obrazek, aż w końcu odkryliśmy jego sekret. Dostrzegłem piękno rumaka, połyskujące niczym żar, i tkwiącą w nim siłę, która budziła chęć do życia i poznawania świata. „Kim był miniaturzysta o tak magicznym dotyku pędzla, że potrafił namalować konia, tak jak widział go Allah?" — pomyślałem, zapominając, że to pospolity morderca. Koń stał przede mną jak żywy, chociaż wiedziałem, że to jedynie ilustracja. Stąd brało się moje wrażenie, że mamy do czynienia z dziełem pełnym i doskonałym.

Porównaliśmy rozmazane szkice koni z wizerunkiem z księgi wuja i w końcu uznaliśmy, że stworzyła je ta sama ręka. W dumnej postawie silnych, eleganckich zwierząt wyczuwało się raczej spokój niż ruch. Koń narysowany do manuskryptu wuja zrobił na mnie wielkie wrażenie.

— Co za wyjątkowy rumak — powiedziałem. — Ma się ochotę wziąć kartę papieru i skopiować go z najdrobniejszymi szczegółami.

— Największym dowodem uznania dla malarza jest usłyszeć, że jego praca zachęca do malowania — powiedział mistrz Osman. — Zapomnijmy jednak o talencie autora i spróbujmy rozszyfrować jego szatańską osobowość. Czy Wuj, niech spoczywa w spokoju, nie wspominał, jakiemu poematowi miał towarzyszyć ten rumak?

— Nie. Według niego był to jeden z koni żyjących na ziemiach, którymi włada nasz wielki sułtan. To piękne zwierzę, należące do dynastii osmańskiej. Miało symbolizować bogactwo terenów pozostających pod panowaniem sułtana. Ale, podobnie jak wszystko, co wychodzi spod ręki weneckich mistrzów, miało przypominać żywego rumaka, a nie zrodzonego z boskiej wizji. Miało przedstawiać konia ze Stambułu, z konkretnej stajni, by doża pomyślał, że osmańscy miniaturzyści widzą świat jak Europejczycy, więc Turcy osmańscy też nie mogą się od nich różnić. Dzięki temu uznałby on władzę naszego sułtana i przyjąłby jego przyjaźń. Inny sposób przedstawienia świadczyłby o tym, że inaczej postrzega się świat. Obrazek ten jednak przestrzega wielu zasad stosowanych przez dawnych mistrzów.

Im dłużej przyglądaliśmy się koniowi, tym piękniejszy i cenniejszy się nam wydawał. Miał lekko otwarty pysk, widoczny między zębami język, błyszczące oczy, mocne i smukłe nogi. Czy obraz staje się sławny dzięki niemu samemu, czy dzięki temu, co się o nim mówi? Mistrz Osman wolno przesuwał szkło powiększające nad zwierzęciem.

— Co ten koń próbuje nam powiedzieć? — spytałem z naiwnym entuzjazmem. — Dlaczego on istnieje? Dlaczego akurat ten? Co w nim takiego jest? Dlaczego tak mnie ekscytuje?

— Iluminacje, tak jak księgi zamawiane przez sułtanów, szachów i paszów, są świadectwem władzy — odpowiedział mistrz Osman. — Ich donatorzy uważają za piękne te bogato złocone, niezwykle kosztowne i pracochłonne dzieła, bo świadczą one o zamożności ich fundatorów. Piękno ilustracji odgrywa ważną rolę, bo dowodzi, że talent miniaturzysty jest rzadki i kosztowny jak złote listki użyte do dekoracji. Zdaniem innych portret konia jest piękny, bo przypomina prawdziwe zwierzę, jest jego boską wizją konia lub czystym wytworem wyobraźni. Prawdopodobieństwo zależy od talentu artysty. Dla nas, miniaturzystów, piękno miniatury kryje się w subtelności i bogactwie znaczeń. Oczywiście gdyby ten koń ujawnił rękę mordercy, która go stworzyła, gdyby był jego szatańskim znakiem, zwiększyłoby to znaczenie obrazka. Możemy również stwierdzić, że to nie wizerunek konia jest piękny, lecz sam koń, co oznaczałoby, że patrząc na iluminację, widzimy prawdziwe zwierzę.

— Gdybyś spojrzał, panie, na tego konia jak na prawdziwe zwierzę, co byś zobaczył?

— Biorąc pod uwagę jego wielkość, powiedziałbym, że nie jest to kucyk, lecz, sądząc z długości i wygięcia szyi, dobry koń wyścigowy. Płaski grzbiet świadczy o tym, że rumak nadawałby się do długich podróży. Z delikatnych kończyn można wywnioskować, że jest zwinny i mądry jak arab, lecz przeczy temu zbyt długa i zbyt duża sylwetka. Smukłe nogi sugerują to, co Fadlan, uczony z Buchary powiedział o dobrych koniach w *Księdze rysunków koni*. Że gdyby taki koń znalazł się nad rzeką, przeskoczyłby ją bez strachu. Znam na pamięć te wspaniałe teksty o najlepszych rumakach, przepięknie przetłumaczone przez sułtańskiego weterynarza Fujuziego, i mogę stwierdzić, że każde słowo pasuje do tego kasztanka, którego tu widzimy. Dobry koń powinien mieć piękny łeb i oczy gazeli oraz proste jak trzcina uszy w odpowiedniej od siebie odległości. Dobry koń powinien mieć małe zęby, krągłe czoło i cienkie brwi. Powinien być wysoki, długowłosy, z krótką talią, małym nosem, drobnymi łopatkami i szerokim, płaskim grzbietem. Powinien mieć pełne uda, długą szyję, szeroką klatkę piersiową i szeroki zad. Powinien być dumny i elegancki i stąpać, jakby pozdrawiał będących po drugiej stronie.

— To jest dokładnie nasz kasztanek — powiedziałem, patrząc ze zdumieniem na wizerunek konia.

— Rozpoznaliśmy zwierzę — stwierdził mistrz Osman z ironicznym uśmiechem — lecz niestety nie pomaga nam to w ustaleniu tożsamości autora, bowiem żaden zdrowy na umyśle artysta nie namalowałby konia, wykorzystując do tego żywe zwierzę. My, miniaturzyści, narysowalibyśmy konia z pamięci, bez odrywania pędzelka. Przypominam ci, że wielu iluminatorów zaczyna jego rysowanie od kopyta.

— Czy nie dlatego, żeby koń pewnie stał na ziemi? — spytałem potulnie.

— Zgodnie z tym, co Dżamaluddin z Kazwinu napisał w *Księdze rysunków koni*, dobry portret konia, poczynając od kopyt, można wykonać tylko wtedy, gdy ma się w głowie cały jego obraz. Natomiast jeżeli chce się go namalować po głębokim namyśle lub, co jeszcze śmieszniejsze, patrząc na prawdziwe zwierzę, należy zaczynać od głowy, potem przejść do szyi, a później do tułowia. Słyszałem, że niektórzy weneccy miniaturzyści chętnie sprzedają krawcom i rzeźnikom ilustracje przeciętnych koni jucznych, malowane metodą prób i błędów. Taka iluminacja nie ma żadnej wartości i nie oddaje piękna świata stworzonego przez Boga. Jestem jednak przekonany, że nawet przeciętni artyści wiedzą, że prawdziwy obrazek nie powstaje według tego, co widzi oko, lecz według tego, co zapamiętała i do czego przywykła ręka. Malarz pozostaje sam na sam z kartką. Z tego powodu musi polegać na własnej pamięci. A teraz nie pozostało nam nic innego, jak posłużyć się metodą kurtyzany, by odkryć podpis w wizerunku naszego konia, którego narysowano z pamięci szybkimi i zręcznymi pociągnięciami pędzla. Patrz uważnie.

Zaczął wolno przesuwać szkło powiększające nad koniem, jakby szukał skarbu na starej mapie nakreślonej na wołowej skórze.

— Tak — powiedziałem jak uczeń pragnący dokonać szybkiego i błyskotliwego odkrycia, by zrobić wrażenie na mistrzu. — Moglibyśmy porównać kolory i hafty na derce pod siodłem z tymi na innych iluminacjach.

— Moi miniaturzyści nawet by tego nie tknęli. Malowaniem strojów, dywanów i derek zajmują się uczniowie. Pewnie są dziełem Eleganta. Zapomnij o nich.

— A co z uszami? — zapytałem poruszony. — Uszy...

— Nie. Uszy nie zmieniły się od czasów Timura. Są jak trzcina, o czym dobrze wiemy.

Już chciałem zapytać: „A co z grzywą plecioną w warkocze i każdym pasemkiem włosów?", lecz zmilczałem, bo nie bawiła mnie ta gra w ucznia i mistrza. Skoro jestem uczniem, powinienem znać swoje miejsce.

— Spójrz tutaj — powiedział mistrz Osman niczym zatroskany, uważny lekarz, pokazujący koledze wysypkę charakterystyczną dla dżumy. — Widzisz?

Ustawił szkło nad głową konia i wolno je uniósł. Pochyliłem się, by lepiej widzieć powiększoną część. Uwagę zwracały końskie chrapy.

— Widzisz? — powtórzył mistrz Osman.

Chcąc mieć pewność, postanowiłem stanąć tuż nad szkłem. Kiedy mistrz Osman zrobił to samo, zetknęliśmy się policzkami. Poczułem szorstkość jego brody i chłód policzka.

Zapadła cisza. Coś cudownego działo się na ilustracji oddalonej od moich zmęczonych oczu na długość ręki. Obserwowaliśmy to z podziwem i obawą.

— Co jest z tym nosem? — wyszeptałem w końcu z trudem.

— Dziwnie go namalował — stwierdził mistrz Osman, nie odrywając wzroku od miniatury.

— Może pędzel mu się zsunął. Czy to błąd?

Przyglądaliśmy się dziwnym chrapom.

— Czy to jest ten wenecki styl, o którym mówią wszyscy, łącznie z chińskimi mistrzami? — zapytał mistrz Osman.

Zdusiłem w sobie gniew zrodzony z myśli, iż naczelny iluminator żartuje sobie z mego wuja.

— Wuj, niech spoczywa w pokoju, mawiał, że każdy błąd, który nie wynika z braku umiejętności czy talentu, lecz z wnętrza duszy miniaturzysty, nie powinien być uznawany za błąd, ale za cechę stylu.

Czy stało się to za sprawą miniaturzysty, czy też samego konia, ów nos był jedyną wskazówką pozwalającą zidentyfikować szubrawca, który zamordował wuja. Mieliśmy bowiem trudności z identyfikacją nosów, nie mówiąc już o nozdrzach na rysunku znalezionym przy Elegancie.

Wiele czasu spędziliśmy na badaniu wizerunków koni, namalowanych w ostatnich latach do różnych ksiąg przez ukochanych miniaturzystów mistrza Osmana. Szukaliśmy w chrapach tej nieregularności. Ponieważ *Księga uroczystości obrzezania*, nad którą prace wciąż trwały, przedstawiała różne społeczności w trakcie przemarszu przed sułtanem, na dwustu pięćdziesięciu miniaturach było zaledwie kilka koni. Wysłano więc ludzi do pracowni, gdzie gromadzono księgi z rysunkami, notatniki z obowiązującymi modelami i świeżo ukończone tomy, a także do prywatnych komnat sułtana i haremu, by przynieśli wszystkie manuskrypty, które nie leżały zamknięte w pałacowym skarbcu.

Na podwójnej ilustracji z *Księgi zwycięstw*, znalezionej w komnatach młodego księcia, przedstawiającej ceremonię pogrzebową sułtana Sulejmana Wspaniałego, zmarłego w czasie oblężenia Szigetvaru, przyjrzeliśmy się kasztankowi z białą gwiazdką i oczami gazeli, który ciągnął karawan oraz innym pogrążonym w smutku koniom w efektownych czaprakach i haftowanych złotem siodłach. Wszystkie te konie namalowali Motyl, Oliwka i Bocian. Bez względu na to, czy zwierzęta ciągnęły karawan o wielkich kołach, czy też stały na baczność z wodnistymi oczami spoglądającymi na ciało ich pana, przykryte czerwonym materiałem, cechowała je ta sama elegancja zapożyczona od mistrzów z Heratu — miały dumnie wysuniętą przednią nogę (a pozostałe nogi mocno oparte o ziemię), długie, wygięte szyje, związane ogony i wyszczotkowane grzywy. Jednak na żadnym z nosów nie zauważyliśmy interesującej nas nieregularności. Nie znaleźliśmy jej wśród setki rumaków niosących na swoich grzbietach dowódców, uczniów i hodżów, uczestniczących w ceremonii pogrzebowej, stojących na szczytach okolicznych wzgórz w hołdzie zmarłemu sułtanowi.

Smutek ceremonii pogrzebowej udzielił się również nam. Zdenerwowało nas, że iluminowany manuskrypt, nad którym tak się trudzili mistrz Osman i jego miniaturzyści, był w złym stanie, bo kobiety z haremu, bawiąc się z sułtańskimi dziećmi, pomazały strony. Przy drzewie, pod którym polował dziadek naszego sułtana, czyjaś ręka napisała: „Mój wielki panie, kocham cię i czekam na ciebie cierpliwie jak to drzewo". Pochylaliśmy się więc nad tymi legendarnym księgami, o których powstaniu słyszałem, lecz nigdy nie miałem okazji ich zobaczyć, z sercami przepełnionym smutkiem i rezygnacją.

W drugim tomie *Księgi umiejętności* (w którym widoczne były pociągnięcia pędzla wszystkich trzech miniaturzystów) zobaczyliśmy za strzelającą armatą i oddziałami piechoty setki koni najróżniejszej maści — kasztanowej, siwej i czarnej; w kolczugach i zbrojach, niosących na grzbietach wspaniałych sipahi z szablami w dłoniach, jadących szczytem różowych wzgórz. Jednak żaden z rumaków nie miał skazy na nosie.

— W końcu czymże jest skaza! — powiedział mistrz Osman, przyglądając się rysunkowi przedstawiającemu Zewnętrzną Bramę i miejsce parad, gdzie się właśnie znajdowaliśmy.

Nie znaleźliśmy tej nieregularności na nosach koni różnych maści, dosiadanych przez gwardzistów, heroldów i sekretarzy Rady Sułtańskiej na miniaturze zawierającej z prawej strony szpital, sułtańską salę audiencyjną i drzewa na dziedzińcu, zmniejszone tak, by zmieściły się w obrębie ilustracji, lecz na tyle okazałe, by robiły wrażenie na widzu. Oglądaliśmy dziadka naszego sułtana, Selima Groźnego, gdy wypowiedział wojnę władcy emiratu Dulkadir, stożkowy namiot rozbity nad brzegiem rzeki Küskün, polowanie z czarnymi chartami o czerwonych ogonach, młode gazele z uniesionymi w górę zadami, przerażone zające i lamparta leżącego w kałuży krwi, której plamy rozkwitały niczym kwiaty. Ani kasztanka sułtana z białą gwiazdą na czole, ani konie, na których siedzieli sokolnicy z ptakami na rękach, nie miały interesującej nas cechy.

Do zmierzchu obejrzeliśmy ponad setkę koni, które wyszły spod pędzla Oliwki, Motyla i Bociana w ciągu ostatnich czterech, pięciu lat: kasztanka z pięknymi uszami, należącego do krymskiego chana Mehmeda Gireja; konie kare i gniade; różowawe i siwe, z widocznymi zza szczytu wzgórza łbami, biorące udział w bitwie; rumaki Haydara Paszy, który odbił fortecę Halk al-Wad z rąk hiszpańskich niewiernych w Tunezji oraz rudokasztanowe i pistacjowe hiszpańskie konie, z których jeden upadł głową naprzód, gdy pokonani salwowali się ucieczką. Przy jakimś karym rumaku mistrz Osman stwierdził: „Nie zauważyłem tego. Ciekawe, kto wykazał się taką niedbałością?". Przyjrzeliśmy się też rudemu koniowi, który zwrócił uszy w stronę lutni i grającemu na niej paziowi siedzącemu pod drzewem; Szebdizowi, rumakowi Szirin, równie pięknemu i płochliwemu jak ona, czekającemu na nią, gdy kąpała się w jeziorze przy świetle księżyca; pięknym koniom uczestniczącym w potyczkach turniejowych; narowistemu rumakowi i przystojnemu stajennemu, na widok którego mistrz

Osman z sobie tylko znanego powodu stwierdził: „Kochałem go w młodości. Jestem już bardzo zmęczony"; złocistemu rumakowi, którego Allah posłał do proroka Eliasza, by chronić go przed atakiem pogan — jego skrzydła przez pomyłkę domalowano Eliaszowi; czystej krwi wspaniałemu siwkowi sułtana Sulejmana z małym łbem i ogromnym tułowiem, spoglądającemu ze smutkiem na młodego i miłego księcia; koniom rozwścieczonym, w galopie, zmęczonym, pięknym, tym, na które nikt nie zwracał uwagi, koniom, które nigdy nie opuszczą ilustracji oraz koniom, pokonującym złocone ramy. Jednak żaden z nich nie posiadał poszukiwanej przez nas cechy.

Chociaż odczuwaliśmy zmęczenie i smutek, nie opuszczało nas podniecenie. Kilka razy zapomnieliśmy o koniu i delektowaliśmy się pięknem miniatury i jej kolorów. Mistrz Osman oglądał miniatury — z których większość sam malował, nadzorował lub ozdabiał — raczej z nostalgicznym zachwytem niż ze zdziwieniem.

— Te są dziełem Kasıma z dzielnicy Kasımpaşa — powiedział w pewnym momencie, wskazując na drobne purpurowe kwiatki u podstawy czerwonego namiotu sułtana Sulejmana, dziadka naszego sułtana. — Nie był mistrzem, ale przez czterdzieści lat wypełniał puste przestrzenie rysunku tymi pięciolistnymi kwiatkami, zanim przed dwoma laty nieoczekiwanie nie zszedł z tego świata. Zlecałem mu wykonanie kwiatów, bo nikt lepiej niż on nie potrafił tego zrobić. — Umilkł na chwilę, po czym dodał: — Szkoda, jaka szkoda!

Domyśliłem się, że te słowa oznaczają koniec pewnej epoki.

Było już prawie ciemno, gdy nagle zrobił się ruch i pomieszczenie zalało światło. Serce zabiło mi jak młotem, bo natychmiast zrozumiałem, że oto pojawił się Pan Świata, Jego Ekscelencja Nasz Sułtan. Rzuciłem się do jego stóp i ucałowałem rąbek szaty. Kręciło mi się w głowie. Nie byłem w stanie podnieść oczu.

On tymczasem zaczął już rozmawiać z mistrzem Osmanem. Ogarnęła mnie duma, że jestem świadkiem jego rozmowy z człowiekiem, z którym zaledwie przed chwilą oglądaliśmy wspólnie iluminacje. Niewiarygodne, nasz sułtan siedział tam, gdzie niedawno ja siedziałem, i tak jak ja słuchał z uwagą wyjaśnień mistrza. Podskarbi, stojący u boku władcy, aga sokolników i inni, których nie znałem, pełnili przy nim straż i wpatrywali się w otwarte księgi z wytężoną uwagą. Zebrałem odwagę i spojrzałem w twarz Władcy Świata, co prawda tylko z ukosa. Jaki on przystojny! Jaki doskonały. Serce przestało mi kołatać w piersi. W tym momencie nasze oczy się spotkały.

— Bardzo kochałem twojego wuja, niech spoczywa w spokoju — powiedział. Tak, mówił do mnie. Ze zdenerwowania umknęła mi część jego wypowiedzi. — Byłem bardzo zasmucony. Jednakże z ulgą stwierdzam, że każda z tych miniatur to arcydzieło. Kiedy wenecki giaur je zobaczy, będzie zaskoczony i przerażony moją mądrością. Rozpoznacie tego przeklętego miniaturzystę po końskim nosie. W przeciwnym razie, chociaż to okrutne, trzeba będzie poddać torturom wszystkich mistrzów miniatury.

— Wielka Ostojo Świata, Wasza Ekscelencjo, Mój Panie — powiedział mistrz Osman. — Może prędzej złapalibyśmy autora błędu, gdyby każdy z moich miniaturzystów namalował konia na czystej kartce papieru, nie myśląc o żadnej opowieści.

— Jeżeli rzeczywiście jest to błąd, a nie prawdziwy nos namalowany w takiej konwencji — słusznie zauważył sułtan.

— Mój panie — powiedział mistrz Osman — jeżeli Wasza Wysokość rozkaże, można by ogłosić zawody dziś wieczorem. Strażnicy poszliby do miniaturzystów z prośbą o szybkie namalowanie konia na czystej karcie papieru...

Sułtan spojrzał na dowódcę straży królewskiej, jakby chciał powiedzieć: „Słyszałeś?".

— Wiecie, którą z opowieści poety Nizamiego o rywalizacji najbardziej lubię? — zapytał.

Jedni odpowiedzieli: „Wiemy", inni spytali: „Którą?", inni zaś, jak ja, milczeli.

— Nie lubię tej o konkursie poetów, ani tej o rywalizacji między chińskimi i zachodnimi malarzami, ani tej o lustrze — odrzekł przystojny sułtan. — Najbardziej podoba mi się historia pojedynku między lekarzami walczącymi na śmierć i życie.

Po tych słowach opuścił nas, by udać się na wieczorną modlitwę.

Później, gdy rozległo się wołanie muezina, przekroczyłem bramy pałacu, spiesząc z radością do domu, na myśl o czekającej tam Şeküre i chłopcach. Nagle z przerażeniem przypomniałem sobie opowieść o pojedynku lekarzy.

Jeden z lekarzy, ten którego często przedstawiano w różowym stroju, przygotował trującą zieloną pigułkę, wystarczająco silną, by powalić słonia i dał ją drugiemu lekarzowi, temu w granatowym kaftanie. Ów lekarz połknął zatrutą pigułkę, a zaraz potem granatową odtrutkę, którą sam zrobił. Jego cichy śmiech wskazywał na to, że nic mu się nie stało. Teraz nadeszła jego kolej przygotowania tchnienia śmierci. Ciesząc się z tego, zerwał w ogrodzie różową różę, przytknął ją do ust i cicho wyszeptał sekretny wiersz. Następnie gestem, wskazującym na wielką pewność siebie, podał kwiat rywalowi, by ten go powąchał. Siła wiersza tak wstrząsnęła lekarzem w różowym kaftanie, że gdy przytknął różę do nosa, która nie miała w sobie nic poza naturalnym zapachem, zemdlał ze strachu i umarł.

43.
Nazywają mnie Oliwka

Przed wezwaniem na wieczorną modlitwę rozległo się pukanie do drzwi. Otworzyłem bez zwłoki. Na progu stał pałacowy strażnik, człowiek schludny, przystojny, wesoły i młody. W ręku, prócz papieru i tablicy, trzymał lampkę oliwną, która rzucała mu cienie na twarz. Spiesznie przekazał mi wiadomość, że sułtan ogłosił pojedynek między mistrzami miniaturystyki polegający na tym, aby w jak najkrótszym czasie namalować najpiękniejszego konia. Polecono, abym usiadł na podłodze, położył papier na tablicy, tablicę na kolanach i szybko stworzył najpiękniejszego na świecie konia, nie wykraczając poza ramy strony.

Zaprosiłem gościa do środka i pobiegłem po tusz oraz najlepszy pędzelek z włosia z kocich uszu. Usiadłem na podłodze i znieruchomiałem. A może ten pojedynek to podstęp, za który zapłacę krwią lub głową? Ale czyż wszystkie legendarne dzieła mistrzów z Heratu nie powstawały za pomocą pociągnięć pędzla wyznaczających granice piękna i śmierci?

Przepełniała mnie chęć malowania, lecz jednocześnie bałem się naśladować dawnych mistrzów, dlatego się wstrzymywałem. Patrzyłem na białą kartę papieru, czekając, aż moja dusza przestanie się lękać. Usiłowałem skupić się wyłącznie na zwierzęciu, które miałem narysować, zbierałem całą swoją energię i uwagę.

Przed oczami zaczęły mi galopować wszystkie konie, jakie kiedyś namalowałem i widziałem. Był też wśród nich ten wyjątkowy. Zamierzałem narysować rumaka, jakiego jeszcze nikt nie stworzył. Najpierw go sobie wyobraziłem. Świat zniknął, zapomniałem, że istnieję, że jestem, że tu siedzę, że mam malować. Ręka sama zanurzyła pędzelek w kałamarzu, nabierając właściwą porcję tuszu. Do dzieła, moja ręko, sprowadź tego konia z mojej wyobraźni na świat! Zwierzę i ja staliśmy się jednością.

Kierując się intuicją, wybrałem odpowiednie miejsce na pustej stronie. Wyobraziłem sobie, że stoi na nim koń, i nagle...
zanim zdążyłem pomyśleć, moja ręka, samorzutnie i pewnie, zaczęła sunąć po papierze, malując najpierw kopyto, potem smukłą pęcinę, i pobiegła w górę. Kiedy z równą pewnością namalowała kolano i dotarła do tułowia, ogarnęło mnie uniesienie. Zatoczyła łuk i przesunęła się wyżej. Jaka piękna była pierś tego rumaka! Następnie ręka uformowała szyję, dokładnie taką, jaką miał koń w mojej wyobraźni. Nie odrywając pędzelka od papieru, przeszedłem od policzka do silnego pyska, który po namyśle zostawiłem otwarty. Potem wszedłem do wnętrza pyska — tak właśnie ma być, otwórz szerzej pysk, koniku — i namalowałem język. Wolno uformowałem nos — nie ma miejsca na wahanie. Spokojnie pojechałem w górę po skosie i objąłem spojrzeniem cały rysunek. Gdy zobaczyłem, że nakreślona linia jest dokładnie taka jak w mojej wyobraźni, zapomniałem, co maluję, i uszy oraz szlachetne wygięcie wspaniałej szyi wyszły mi same spod pędzelka. Po narysowaniu grzbietu ręka sama się zatrzymała, by pędzel mógł napić się z kałamarza. Z zadowoleniem namalowałem mocny i krągły zad. Rysunek całkowicie mnie pochłonął. Miałem wrażenie, że stoję obok konia i maluję ogon. Był to waleczny ogier, rumak uczestniczący w wyścigach. Zrobiłem węzeł na ogonie

i szerokim łukiem przesunąłem się w górę. Rysując nasadę ogona i pośladki, czułem przyjemny chłód własnego siedzenia i odbytnicy. Delektując się tym wrażeniem, wygładziłem zad, domalowałem lewą tylną kończynę umieszczoną tuż za prawą i na koniec kopyta. Byłem pod wrażeniem wizerunku konia i ręki, która stworzyła elegancką przednią kończynę dokładnie w takiej pozycji, jak sobie wyobraziłem.

Oderwałem dłoń od papieru i pospiesznie namalowałem ogniste, pełne smutku oczy. Po krótkim wahaniu dorysowałem nozdrza i czaprak. Wykreskowałem grzywę, pasemko po pasemku, jakbym przeczesywał ją palcami, dodałem strzemiona, białą gwiazdę na czole i starannie wymierzone, proporcjonalne jądra i członek.

Malując wspaniałego rumaka, staję się wspaniałym rumakiem.

44.
Nazywają mnie Motyl

Było to chyba w porze wieczornej modlitwy. Ktoś stanął u drzwi. Wyjaśnił, że sułtan ogłosił pojedynek. Wedle rozkazu, mój drogi władco. Któż jak nie ja namaluje najpiękniejszego rumaka?

Zawahałem się jednak, gdy dowiedziałem się, że rysunek ma być wykonany czarnym tuszem. Dlaczego nie w kolorze? Jestem mistrzem w doborze i nakładaniu barw. Kto będzie oceniał, czyja ilustracja jest najlepsza? Starałem się wyciągnąć jak najwięcej informacji od barczystego, ładnego chłopca o różowych ustach, który przyszedł z pałacu, i wywnioskowałem, że za tym pojedynkiem stoi naczelny iluminator mistrz Osman. Doskonale zna mój talent i lubi mnie bardziej niż innych miniaturzystów.

Popatrzyłem więc na pustą kartę i oczami wyobraźni ujrzałem konia, który zadowoli zarówno sułtana, jak i mistrza Osmana. Rumak musi być pełen życia, lecz o dumnej postawie, jak zwierzęta malowane przez mistrza Osmana przed dziesięciu laty. Powinien też stać dęba, co zawsze podobało się sułtanowi — dzięki temu obaj uznają, że jest piękny. Ciekawe, ile sztuk złota dadzą mi za niego? Jak namalowałby go Mir Musavvir, a jak Behzad?

Nagle zwierzę pojawiło się w moich myślach tak nieoczekiwanie, że zanim zrozumiałem, co to jest, przeklęta ręka chwyciła pędzelek i zaczęła malować rumaka cudnego ponad wszelkie wyobrażenie, zaczynając od uniesionej przedniej lewej nogi. Po połączeniu nogi z korpusem gładko i zdecydowanie wykonałem dwa łuki. Gdybyście je zobaczyli, powiedzielibyście, że ten artysta nie jest miniaturzystą, lecz kaligrafem. Spojrzałem z podziwem na moją dłoń, która sprawiała wrażenie, jakby należała do kogoś innego. Te dwa efektowne łuki stały się okazałym końskim podbrzuszem, potężną piersią i łabędzią szyją. Rysunek można było uznać za skończony. Och, jaki ze mnie utalentowany artysta! Tymczasem ręka wyprofilowała nos i otwarty pysk silnego i pełnego życia rumaka, po czym domalowała rozumne czoło i uszy. Następnie, spójrz, matko, stworzyłem jeszcze jeden piękny łuk, jakbym pisał list. Omal się nie roześmiałem. Idealną linią zjechałem od końskiej szyi do siodła. Moja ręka malowała siodło, a ja z dumą patrzyłem na zwierzę o silnym, krągłym tułowiu, tak różnym od mojego. Wszyscy będą pod wrażeniem. Przyszły mi na myśl słodkie uwagi sułtana, gdy zdobędę nagrodę. Wręczy mi sakiewkę pełną złotych monet. Znowu omal się nie roześmiałem, gdy wyobraziłem sobie, jak przeliczam je w domu. Ręka, którą obserwowałem kątem oka, skończyła siodło, zamoczyła pędzelek w kałamarzu i zaczęła malować zad. Zachichotałem, jakbym opowiadał dowcip. Szybko narysowałem ogon. Jaki krągły i kształtny wyszedł mi zad. Miałem ochotę ująć go w dłonie jak delikatny tyłek chłopca, którego chciałem posiąść. Uśmiechnąłem się, tymczasem moja sprytna ręka skończyła kreślić tylne kończyny i pędzel znieruchomiał. To był najpiękniejszy koń na świecie. Przepełniała mnie radość, myślałem o tym, jak wszyscy będą się zachwycać moim rysunkiem, nazwą mnie najbardziej utalentowanym miniaturzystą i ogłoszą naczelnym miniaturzystą. Zaraz jednak przyszło mi do głowy, co jeszcze mogą powiedzieć ci durnie: „Jak szybko i z jaką łatwością go namalował". Zaniepokoiło mnie to, że mogliby nie potraktować poważnie mojego wspaniałego obrazka. Dlatego starannie namalowałem grzywę, nozdrza, zęby, pasma włosów w ogonie i czaprak, by nie było wątpliwości, że napracowałem się nad ilustracją. W takiej pozycji powinny być widoczne końskie jądra, ale pominąłem je, bo mogłyby przyciągnąć uwagę kobiet. Popatrzyłem z dumą na moje dzieło: oto stający dęba rumak, poruszający się niczym burza, silny i władczy. Zupełnie jakby zerwał się wiatr i wprawił pędzel w eliptyczny ruch niczym litery w tekście, mimo to zwierzę utrzymywało równowagę. Ludzie będą wielbić cudownego miniaturzystę, który stworzył tę iluminację, jak wielbili Behzada czy Mir Musavvira, i ja też stanę się taki jak oni.

Malując wspaniałego konia, staję się dawnym mistrzem malującym konia.

45.
Nazywają mnie Bocian

Po wieczornej modlitwie zamierzałem pójść do kawiarni, lecz powiedziano mi, że ktoś na mnie czeka w bramie. Oby przynosił dobre wieści. Był to posłaniec z pałacu. Poinformował mnie o pojedynku ogłoszonym przez sułtana. Doskonale, najpiękniejszy koń na świecie. Powiedzcie tylko, ile mi za to dacie, a namaluję wam pięć lub sześć takich.

Zachowałem jednak te myśli dla siebie i zaprosiłem chłopca do środka. Chwilę się zastanawiałem. Najpiękniejszy koń przecież nie istnieje. Potrafiłem malować rumaki bitewne, wielkie mongolskie, szlachetne araby, bohaterskie, wstrząsane drgawkami w kałuży krwi, a nawet nieszczęsne konie pociągowe, zaprzęgnięte do wozu pełnego kamieni. Nikt jednak nie nazwałby żadnego z tych zwierząt najpiękniejszym koniem na świecie. Wiedziałem, że mówiąc o takim rumaku, sułtan miał na myśli najwspanialsze okazy malowane tysiące razy w Persji przy zachowaniu wszystkich zasad, form i póz. Ale jaki miał w tym cel?

Oczywiście ktoś nie chciał, abym to ja wygrał sakiewkę złota. Gdyby kazali mi namalować konia przeciętnego, żaden nie dorównałby mojemu. Kto oszukał sułtana? Nasz władca, wbrew nie kończącym się plotkom zazdrosnych artystów, dobrze wie, że to ja jestem najbardziej utalentowanym miniaturzystą. Uwielbia moje miniatury.

Moja ręka nieoczekiwanie poderwała się do pracy, jakby chciała wznieść się ponad te wszystkie irytujące rozważania. Skupiłem się na zadaniu i namalowałem konia, poczynając od kopyta. Pewnie widzieliście takiego na ulicy lub na polu walki. Znużony, lecz skupiony... Ogarnięty gniewem szybko nakreśliłem konia kawaleryjskiego. Był nawet lepszy. Nikt nie potrafił malować takich pięknych rumaków. Już chciałem narysować kolejnego, gdy posłaniec z pałacu powiedział, że jeden wystarczy.

Chciał wziąć kartę papieru i wyjść, lecz go powstrzymałem, bo doskonale wiedziałem, że ci dranie będą dawać sakiewkę złotych monet za te konie. Jeżeli przedstawię go tak, jak chciałem, nie otrzymam nagrody. A jeśli jej nie zdobędę, stracę dobre imię. Chwilę się zastanawiałem.

— Zaczekaj — rzekłem do chłopca, po czym wszedłem do środka, przyniosłem dwie złote fałszywe weneckie monety i wręczyłem je posłańcowi. Oczy rozszerzyły mu się ze strachu. — Jesteś dzielny jak lew — powiedziałem.

Wyjąłem notatnik ze szkicami, którego nikomu nie pokazywałem. Zawierał wykonane przeze mnie w sekrecie kopie najpiękniejszych miniatur, które zwróciły moją uwagę, a także rysunków z ksiąg zamkniętych w skarbcu, zrobione przez naczelnego karła Cafera i przedstawiające najpiękniejsze drzewa, smoki, ptaki, myśliwych i wojowników. Oczywiście trzeba mu było zapłacić za nie dziesięć sztuk złota. Mój notatnik jest wspaniały nie dla tych, którzy poprzez iluminacje i ozdoby chcą widzieć świat współczesny, lecz dla tych, którzy pragną przypomnieć sobie stare baśnie.

Pokazując posłańcowi ilustracje, przerzucałem strony i wybrałem najpiękniejszego konia. Pospiesznie zrobiłem igłą dziurki w rysunku. Potem podłożyłem czystą kartę papieru pod szablon, posypałem go miałkim węglem i potrząsnąłem, żeby pył przedostał się przez otwory. Uniosłem szablon. Pył przeniósł piękną sylwetkę konia na kartkę poniżej. Przyjemnie było na nią patrzeć.

Chwyciłem za pędzelek. Z natchnieniem, które nieoczekiwanie na mnie spłynęło, szybkimi i zdecydowanymi pociągnięciami połączyłem elegancko wszystkie dziurki. Malując podbrzusze, kształtną szyję, nos i zad, czułem tego konia w sobie.

— Proszę — powiedziałem. — Oto najpiękniejszy rumak na świecie. Żaden z tych głupców nie potrafiłby takiego namalować.

Żeby posłaniec też w to uwierzył i nie opowiedział sułtanowi, co mnie natchnęło przy pracy, dałem mu jeszcze trzy fałszywe monety. Obiecałem, że dostanie więcej, jeżeli wygram pojedynek. Pewnie miał nadzieję, że dzięki temu jeszcze raz zobaczy moją żonę, na którą gapił się z otwartymi ustami. Wielu twierdzi, że dobrego miniaturzystę poznaje się po jego przedstawieniu konia. Ale żeby zostać najlepszym iluminatorem, nie wystarczy namalować dobrego konia. Trzeba również przekonać sułtana i krąg jego pochlebców, że naprawdę jest się najlepszym.

Malując wspaniałego konia, jestem sobą, nikim więcej.

46.
Nazwą mnie mordercą

Czy zdołaliście odkryć, kim jestem, po sposobie, w jaki namalowałem konia?

Jak tylko polecono mi go narysować, od razu wiedziałem, że nie chodzi o żaden konkurs. Chcieli mnie złapać na tej ilustracji. Przecież przy ciele Eleganta znaleziono moje szkice koni na grubym papierze. Nie popełniłem jednak błędu i nie zostawiłem ani jednego charakterystycznego znaku, po którym mogliby mnie rozpoznać. Byłem tego pewny, mimo to czułem strach podczas pracy. Czy przygotowując wizerunek tego zwierzęcia dla Wuja, zrobiłem coś, co mogło mnie obciążyć? Tym razem musiałem namalować innego rumaka. Zająłem myśli zupełnie innymi rzeczami. Zapanowałem nad sobą i stałem się kimś innym.

Ale kim ja jestem? Artystą ukrywającym talent, by dostosować się do stylu pracowni, czy też miniaturzystą, który pewnego dnia narysuje konia widzianego oczyma wyobraźni? Nagle z przerażeniem zdałem sobie sprawę z obecności we mnie tego drugiego artysty. Czułem się tak, jakby ktoś mnie obserwował, i ogarnął mnie wstyd.

Nie mogłem dłużej usiedzieć na miejscu. Wybiegłem z domu i ruszyłem mrocznymi ulicami. Szejch Osman Baba napisał w *Żywotach świętych*, że pewien derwisz, pragnąc uciec przed dręczącym go szatanem, przez całe życie wędrował, nie pozostając długo w jednym miejscu. Przez sześćdziesiąt siedem lat przenosił się z miasta do miasta, aż w końcu miał dość uciekania i uległ szatanowi. W tym wieku mistrzowie miniatury tracą wzrok lub oddalają się od Allaha. Odnajdują swój styl, jednocześnie uwalniając się od wszelkich jego ograniczeń.

Szedłem przez targ drobiu w dzielnicy Bejazyt, przez pusty targ niewolników, wychwytując unoszące się w powietrzu zapachy zup i gulaszów z okolicznych jadłodajni i udając, że czegoś szukam. Mijałem zamknięte zakłady balwierzy, prasowalnie i piekarnię, w której stary piekarz liczył pieniądze — obrzucił mnie zdziwionym spojrzeniem — sklep warzywny pachnący marynatami i soloną rybą. Dostrzegając jedynie kolory, wszedłem do sklepu z galanterią i ziołami, gdzie coś ważono, i zacząłem się wpatrywać zachłannym wzrokiem, jak w ukochaną osobę, w worki z kawą, imbirem, szafranem i cynamonem, kolorowe bańki z żywicą z drzewa mastyksowego, z anyżkiem, którego zapach unosił się nad ladą, i na kopce brązowego i czarnego kminku. Chwilami miałem ochotę włożyć to wszystko do ust, chwilami zaś przenieść cały ten świat na papier.

Udałem się w miejsce, w którym już dwa razy jadłem, a które nazwałem garkuchnią dla poniewieranych. Chociaż bardziej odpowiednią nazwą byłaby garkuchnia dla nędzarzy. Stali bywalcy wiedzieli, że była otwarta do północy. W środku siedziało kilku nieszczęśników wyglądających na koniokradów lub uciekinierów z galer, paru biedaków, których smutek i beznadziejny stan sprawiały, że jak palacze opium błądzili gdzieś wzrokiem po odległych krainach, dwóch żebraków starających się zachować minimum przyzwoitości i młody mężczyzna, zajmujący miejsce w rogu sali, z dala od innych gości. Pozdrowiłem kucharza z Aleppo, nałożyłem sobie do miski faszerowanej kapusty, polałem ją śmietaną, posypałem ostrą papryką i usiadłem obok młodzieńca.

Każdego wieczoru ogarnia mnie smutek i rozpacz. Och, moi bracia, moi drodzy bracia, otruto nas, gnijemy, umieramy, przepracowujemy się, toniemy po szyję w cierpieniu... Czasami śni mi się, że on wychodzi ze studni i idzie za mną, wiem jednak, że pochowaliśmy go głęboko w ziemi. Nie mógłby wyjść z grobu.

Mężczyzna, który — jak sądziłem — schował nos w zupie i zapomniał o całym świecie, zagaił rozmowę. Czy to znak dany przez Allaha?

— Tak — odpowiedziałem. — Dobrze zmielili mięso. Kapusta jest taka, jak lubię.

Dowiedziałem się, że skończył marną szkołę za dwadzieścia srebrników dziennie i został urzędnikiem u Arif Paszy. Nie spytałem, dlaczego o tej porze przesiaduje w ulicznej garkuchni, wśród hołoty, a nie w posiadłości paszy, meczecie lub domu, w ramionach ukochanej żony. Zapytał, skąd pochodzę i kim jestem. Zastanawiałem się przez chwilę.

— Nazywam się Behzad. Przybywam z Heratu i Tabrizu. Stworzyłem najwspanialsze rysunki, niewiarygodne arcydzieła. W Persji i Arabii, w każdej muzułmańskiej pracowni manuskryptów, od setek lat tak o mnie mówią: „Wyglądają jak prawdziwe, jakby malował je Behzad".

Oczywiście to nieprawda. Moje miniatury przedstawiają to, co przekazuje umysł, nie wzrok. Ale obraz, o czym dobrze wiecie, jest ucztą dla oczu. Jeżeli połączycie te dwie sprawy, znajdziecie się w moim świecie, bo:

ALIF: miniatura ożywia to, co przekazuje umysł jako ucztę dla oczu,

LAM: to, co widzi oko, pojawia się na ilustracji, karmiąc umysł,

MIM: w konsekwencji piękno to oko odkrywające w naszym świecie to, o czym umysł już wie.

Czy absolwent nędznej szkoły zrozumiał ten logiczny wywód, który wydobyłem w olśnieniu z głębi duszy? Nie. Dlaczego? Mimo że spędzilibyście trzy lata na słuchaniu za dwadzieścia srebrników dziennie — dziś za tę sumę można kupić dwadzieścia bochenków chleba — nauk hodży w podrzędnej szkole koranicznej, leżącej gdzieś na peryferiach i tak byście nie wiedzieli, kim, u diabła, był Behzad. Nie miałem wątpliwości, że ten dwudziestosrebrnikowy hodża też nie wiedział. Wyjaśnię wam to.

— Malowałem wszystko — powiedziałem — absolutnie wszystko. Proroka siedzącego z czterema kalifami w meczecie przed zieloną wnęką modlitewną, następnie w innej księdze boskiego Proroka wznoszącego się na wierzchowcu zwanym Al-burak do siódmego nieba w Dniu Wniebowstąpienia, Aleksandra w drodze do Chin, walącego w bęben w nadmorskiej świątyni, by wystraszyć potwora wywołującego sztormy na oceanie, masturbującego się sułtana, który podgląda piękności, kąpiące się nago w basenie haremu przy dźwiękach lutni, młodego zapaśnika pewnego zwycięstwa po zgłębieniu wszystkich chwytów mistrza, ponoszącego porażkę w obecności sułtana z rąk owego mistrza, który miał w zanadrzu jeszcze jedną sztuczkę, Lejlę i Madżnuna jako dzieci klęczące w klasie o pięknie zdobionych ścianach, które zakochują się w sobie podczas recytowania Koranu, zawstydzonych lub głupich kochanków, którzy nie mogą na siebie patrzeć, kamienne ściany pałaców, skazanego poddanego torturom, lecące orły, bawiące się króliki, podstępne tygrysy, cyprysy i platany ze srokami, śmierć, współzawodniczących poetów, święta ku czci zwycięstwa i ludzi takich jak ty, którzy nie widzą niczego poza stojącą przed nimi zupą.

Zachowujący rezerwę urzędnik przestał się bać, a nawet uznał mnie za zabawnego i uśmiechnął się.

— Hodża musiał ci to czytać — ciągnąłem. — To jest moja ukochana opowieść z *Ogrodu warzywnego* Saadiego. Pewnie ją znasz. Król Dariusz odłączył się od świty na polowaniu i zgubił się wśród wzgórz. Nagle pojawił się przed nim groźnie wyglądający nieznajomy z kozią bródką. Król wpadł w panikę i sięgnął po łuk. Wówczas ów człowiek zaczął go błagać: „Wstrzymaj się z wypuszczeniem strzały, królu. Nie poznajesz mnie? Jestem przecież twoim parobkiem, któremu powierzyłeś setkę koni i źrebaków. Ile razy się widzieliśmy? Znam temperament, usposobienie, a nawet umaszczenie każdego z twoich stu rumaków. Dlaczego więc nie dostrzegasz twoich sług, nawet jeśli tak jak mnie często nas widujesz?".

Kare, kasztanowe i białe konie — z taką troską doglądane przez parobka na niebiańskim zielonym pastwisku usłanym kwiatami o najróżniejszych kolorach — malowałem z taką radością i spokojem, że nawet najgłupsi czytelnicy zrozumieliby przesłanie opowieści Saadiego: piękno i tajemnice świata objawiają się jedynie dzięki miłości, uwadze, zainteresowaniu i współczuciu. Jeżeli chcesz żyć w tym raju, w którym biegają szczęśliwe klacze i ogiery, otwórz szeroko oczy i przyjrzyj się z uwagą kolorom, szczegółom i ironii świata.

Rozbawiłem i jednocześnie przestraszyłem tego ucznia hodży za dwadzieścia srebrników dziennie. Miał ochotę rzucić łyżkę i uciec, lecz mu na to nie pozwoliłem.

— Tak oto Behzad, mistrz nad mistrzami, namalował króla, parobka i konie — powiedziałem. — Od stu lat miniaturzyści wzorują się na tych rumakach. Stworzone przez wyobraźnię i serce Behzada, stały się modelami. Setki iluminatorów, łącznie ze mną, znają te konie na pamięć. Widziałeś kiedykolwiek ilustrację konia?

— Raz widziałem skrzydlatego rumaka we wspaniałej księdze, którą pokazał mojemu zmarłemu hodży wielki nauczyciel, uczony nad uczonymi.

Zastanawiałem się, czy powinienem wepchnąć do talerza z zupą głowę tego pajaca, który tak jak jego nauczyciel potraktował poważnie dzieło *Dziwy stworzeń*, i utopić go, czy też pozwolić mu opisać w pełnych zachwytu słowach jedyny wizerunek konia, jaki widział w życiu, w Bóg wie jak nędznym manuskrypcie. Wybrałem trzecie wyjście — odłożyłem łyżkę i wyszedłem z jadłodajni.

Jakiś czas później dotarłem do opuszczonego klasztoru derwiszów. Kiedy wszedłem do środka, ogarnął mnie spokój. Doprowadziłem się do porządku i wsłuchałem w ciszę. Potem wyjąłem z ukrycia lustro, które tam schowałem, i ustawiłem na niskim stole. Położyłem na kolanach deskę do malowania i dwustronicową ilustrację. Spoglądając w lustro, próbowałem narysować węglem swój portret. Cierpliwie szkicowałem przez dłuższy czas. Kiedy zobaczyłem, że twarz na papierze nie jest podobna do mojego odbicia w lustrze, ogarnęła mnie taka rozpacz, że łzy trysnęły mi z oczu. Jak sobie z tym radzili malarze weneccy, którymi tak się zachwycał Wuj? Wyobraziłem sobie, że jestem jednym z nich w nadziei, że dzięki temu stworzę przekonujący autoportret.

Jakiś czas później przekląłem artystów europejskich i Wuja, zmazałem to, co narysowałem, popatrzyłem w lustro i zacząłem wszystko od nowa.

W końcu znowu znalazłem się na ulicy i dotarłem do tej podłej kawiarni. Nie miałem pojęcia, jak do niej trafiłem. Gdy wszedłem do środka, ogarnął mnie taki wstyd, że jestem wśród tych nędznych miniaturzystów i kaligrafów, że pot wystąpił mi na czoło.

Wyczułem, że mnie obserwują, trącając się łokciami i śmiejąc się. No dobrze — widziałem, jak to robią. Usiadłem w kącie, starając się zachowywać swobodnie. Jednocześnie moje oczy szukały innych mistrzów, moich drogich braci, z którymi wspólnie terminowaliśmy u naczelnego iluminatora Osmana. Byłem pewny, że ich też poproszono o namalowanie konia i że włożyli w to wiele wysiłku, całkiem poważnie traktując zaplanowany przez tych głupców pojedynek.

Meddah jeszcze nie rozpoczął przedstawienia. Na ścianie nie powieszono nawet obrazka. Musiałem więc wdać się w rozmowę z tłumem gości w kawiarni.

No więc dobrze, będę z wami szczery: żartowałem, opowiadałem nieprzyzwoite historie, całowałem wylewnie swoich towarzyszy w policzki, posługiwałem się dwuznacznikami, insynuacjami, niedomówieniami, pytałem, jak sobie radzą pomocnicy mistrzów, i bezlitośnie wbijałem szpile naszym wrogom. Kiedy już się rozgrzałem, posunąłem się nawet do tego, że zacząłem całować mężczyzn w szyję. Ale świadomość, że część mojej duszy pozostaje milcząca, gdy ja zachowuję się grubiańsko, sprawiała mi nieznośny ból.

To jednak nie przeszkadzało mi posługiwać się kwiecistym językiem i porównywać mojego koguta i innych, o których była mowa, do pędzli, trzcinek, filarów w kawiarni, fletów, balasków, kołatek, porów, minaretów, kobiecych palców w gęstym syropie, sosen, do tyłków pięknych chłopców, do pomarańczy, fig, ciasteczek w kształcie stogów siana, poduszek i małych mrowisk. Tymczasem najpróżniejszy z kaligrafów, mój rówieśnik, potrafił porównać swój narząd — dodam, że całkiem po amatorsku i bez przekonania — jedynie do masztu i kija tragarza. Poza tym robiłem też aluzje do kutasów starych miniaturzystów, które nie były w stanie się unieść; do wiśniowych warg nowych terminatorów; do mistrzów kaligrafii chowających pieniądze (tak jak ja) w pewne miejsce („najohydniejszy kącik”); mówiłem też o tym, że do mojego wina ktoś musiał dosypać opium zamiast płatków róż, o ostatnich wielkich mistrzach z Tabrizu i Sziuzu, o mieszaniu kawy z winem w Aleppo i o tym, że można tam spotkać kaligrafów i uroczych młodzieńców.

Czasami wydawało mi się, że jedna z dwóch tkwiących we mnie dusz zwyciężyła, pozostawiając drugą w tyle, i mogłem wreszcie zapomnieć o tej milczącej i nie kochanej cząstce siebie. W takich chwilach przypominały mi się rodzinne uroczystości z dzieciństwa, kiedy byłem sobą. Pomimo tych wszystkich żartów, pocałunków i uścisków jakaś część mnie pozostawała milcząca, pogrążała się w cierpieniu i samotności w samym sercu tłumu.

Kto obdarzył mnie tą niemą, bezlitosną duszą — to nie była dusza, lecz dżin — która stale mnie strofowała i odsuwała od innych? Szatan? Tego tkwiącego we mnie milczenia nie łagodziła diabelska złośliwość, lecz najczystsze i najprostsze historie. Pod wpływem wypitego wina opowiedziałem dwie z nadzieją, że zapewnią mi spokój. Wysoki, blady uczeń kaligrafa o różowawej karnacji wbił we mnie zielone oczy i słuchał z wytężoną uwagą.

Dwie historie o ślepocie i stylu miniaturzysty opowiedziane, by złagodzić samotność duszy

Alif

Wbrew powszechnie panującemu przekonaniu malowania koni z natury nie wymyślili europejscy artyści, lecz wielki mistrz Dżamaluddin z Kazwinu. Kiedy Uzun Hasan, chan Białych Baranów, zdobył Kazwin, stary mistrz nie miał ochoty stać się jedynie malarzem z pracowni zwycięskiego władcy. Postanowił wyruszyć z nim na wojnę, oświadczając, że chce ozdobić jego kronikę scenami z walki, których sam będzie świadkiem. I tak oto ten wielki mistrz, który od sześćdziesięciu dwóch lat malował konie, szarże kawalerii i bitwy, nie oglądając żadnej, po raz pierwszy miał obserwować bitwy. Zanim jednak zdążył zobaczyć głośne i gwałtowne starcie spienionych koni, stracił ręce i wzrok w wyniku ognia armatniego przeciwnika. Stary mistrz, jak wszyscy prawdziwi artyści, czekał na ślepotę jak na błogosławieństwo Allaha, dlatego i utraty rąk nie potraktował jako wielkiego nieszczęścia. Oznajmił, że pamięć miniaturzysty nie mieści się w rękach, jak niektórzy twierdzili, lecz w umyśle i sercu. Co więcej, teraz, gdy oślepł, zaczął głosić, że widzi prawdziwe miniatury, sceny i konie bez skazy tak, jak Allah chciał, by je oglądano. Aby podzielić się tymi cudami z miłośnikami sztuki, wynajął wysokiego, bladego ucznia kaligrafa o zielonych oczach i dyktował mu, jak ma malować konie ukazujące mu się w boskiej ciemności, tak jakby sam trzymał w dłoni pędzelek. Po śmierci mistrza przystojny uczeń zebrał trzysta trzy opisy sposobów rysowania tych zwierząt, począwszy od lewej przedniej kończyny, w trzy tomy: *Wizerunki koni*, *Bieg koni* i *Miłość do koni*. Stały się one bardzo popularne i poszukiwane na terenach rządzonych przez władców Białych Baranów. Mimo że powstało wiele ich kopii i nowych wydań, a iluminatorzy i terminatorzy uczyli się ich na pamięć jak podręczników, po upadku państwa Uzun Hasana i rozpowszechnieniu się w całej Persji stylu wypracowanego przez szkołę z Heratu, Dżamaluddin i jego manuskrypty zostały zapomniane. Przyczyniła się też do tego krytyczna rozprawa Kamaluddina Rezy z Heratu, zatytułowana *Konie ślepca*. Twierdził on w niej, że żadne ze zwierząt opisanych przez Dżamaluddina z Kazwinu nie może być boską wizją konia, bo żadne nie jest bez skazy, gdyż stary mistrz opisał je dopiero po obejrzeniu bitwy — i nie ma tu znaczenia, że był jej świadkiem stosunkowo krótko. Skarby Uzun Hasana zagrabił sułtan Mehmet Zdobywca i przywiózł do Stambułu, nie powinno więc dziwić, że niektóre z tych trzystu trzech opisów pojawiają się od czasu do czasu w różnych manuskryptach, jak również, że niektóre miniatury przedstawiające rumaki wyglądają, jakby ich autor wzorował się na tych opisach.

Lam

W Heracie i Szirazie fakt, że mistrz miniaturystyki, zbliżający się do kresu swoich dni, tracił wzrok po latach wytężonej pracy, odbierano nie tylko jako dowód determinacji artysty, lecz także jako dowód boskiego uznania dla jego pracy i talentu. Bywało, że na mistrzów, którzy nie oślepli na starość, patrzono podejrzliwie, dlatego wielu z nich robiło wszystko, by pozbyć się wzroku. Z szacunkiem odnoszono się również do twórców, którzy sami się oślepiali, idąc za przykładem legendarnych mistrzów, wybierających utratę wzroku zamiast pracy dla innego władcy lub zmiany stylu. Gdy Abu Said, wnuk Timura z rodu szacha Mirana, podbił Taszkient i Samarkandę, posunął się nawet do tego, że bardziej szanował udawaną ślepotę niż prawdziwą. Kara Weli, stary mistrz, który go do tego natchnął, twierdził, że ślepy miniaturzysta widzi w ciemności konie objawione przez Boga. O prawdziwym talencie jednak świadczyła umiejętność postrzegania świata tak jak niewidomi. W wieku sześćdziesięciu siedmiu lat udowodnił swoją tezę, malując konia bez patrzenia, chociaż jego oczy pozostały otwarte i wzrok utkwił w kartce papieru. Pod koniec eksperymentu — w czasie którego sprowadzeni przez szacha Mirana głusi muzycy przygrywali na lutni, a niemi bajarze opowiadali historie, wspierając w ten sposób sławnego mistrza — stworzonego przez Kara Welego pięknego konia porównano z innymi jego wizerunkami rumaków. Ku zdziwieniu szacha niczym się one nie różniły. Mistrz oznajmił wtedy, że utalentowany artysta, bez względu na to, czy ma oczy otwarte, czy zamknięte, zawsze będzie widział konie tak samo, to znaczy tak jak Allah. Nie ma więc różnicy między niewidomymi a widzącymi mistrzami miniatury — ręka zawsze będzie malować tego samego konia, ponieważ nie istnieje coś, co Europejczycy nazywają stylem. Od stu dziesięciu lat muzułmańscy miniaturzyści wzorują się na koniach narysowanych przez Kara Welego. Jeśli zaś chodzi o niego samego, to po klęsce Abu Saida i zamknięciu jego pracowni przeniósł się z Samarkandy do Kazwinu, gdzie dwa lata później skazano go za to, że uparcie zaprzeczał zapisanemu w Koranie zdaniu, iż ociemniały i widzący nie są sobie równi. Został oślepiony i zabity przez żołnierzy szacha Nizama.

Zamierzałem opowiedzieć pięknookiemu uczniowi kaligrafa trzecią historię o tym, jak wielki mistrz Behzad sam się oślepił, o tym jak nie chciał opuszczać Heratu, dlaczego niczego nie namalował, gdy siłą przeniesiono go do Tabrizu, że styl miniaturzysty jest tak naprawdę stylem pracowni, w której pracuje, i o innych sprawach poruszanych przez mistrza Osmana, lecz moją uwagę przyciągnął meddah. Skąd wiedziałem, że tego wieczoru będzie opowiadał o szatanie?

Chciałem stwierdzić: „To szatan pierwszy powiedział «ja». To szatan wprowadził styl. To szatan oddzielił Wschód od Zachodu". Ale zamknąłem oczy i kierując się sercem, namalowałem go na grubym papierze. Meddah, jego pomocnik i zaciekawieni widzowie chichotali i podjudzali mnie do tego.

Czy sądzicie, że mam własny styl, czy też zawdzięczam go winu?

47.
Ja, szatan

Lubię zapach czerwonej papryki smażonej na oliwie z oliwek, deszcz padający o świcie na spokojne morze, widok kobiety pojawiającej się w otwartym oknie, ciszę, myśli i cierpliwość. Wierzę w siebie i nie obchodzi mnie to, co o mnie mówią. Ale dziś wieczorem pojawiłem się w tej kawiarni, aby wyjaśnić mojemu miniaturzyście i braciom kaligrafom pewne krążące o mnie plotki.

Zapewne myślicie, że sprawy, o których będę mówić, wyglądają zupełnie inaczej. Jesteście jednak na tyle rozsądni, by wiedzieć, że przeciwieństwo moich słów nie zawsze jest prawdą, i chociaż powątpiewacie we mnie, spryt podpowiada wam, że warto mnie posłuchać. Wiecie, że moje imię, pojawiające się w Koranie pięćdziesiąt dwa razy, jest najczęściej cytowane.

Zacznijmy więc od boskiego Koranu. Wszystko, co tam o mnie napisano, to prawda. Mówię to z najgłębszą pokorą. To również jest kwestia stylu. Zawsze sprawiało mi wielki ból, że jestem w Koranie lekceważony. Lecz ten ból to mój sposób życia. Tak po prostu jest.

To prawda, że Bóg stworzył człowieka w obecności nas, aniołów. Potem chciał, byśmy padli przed nim na kolana. Tak właśnie napisano w surze *Wzniesione krawędzie*: Gdy inni aniołowie oddali pokłon człowiekowi, ja odmówiłem. Przypomniałem, że Adam powstał z gliny, a ja z ognia, czyli z czegoś lepszego, jak wszyscy wiecie. Dlatego nie pokłoniłem się człowiekowi. I Bóg uznał moje zachowanie za dumne.

— Uchodź stąd — powiedział. — To nie miejsce, gdzie tacy jak ty mogliby knuć i wzrastać w siłę.

— Daj mi zwłokę do Dnia, kiedy oni będą wskrzeszeni — odpowiedziałem.

Zgodził się. Obiecałem, że będę kusić potomków Adama, którzy stali się przyczyną mojej kary, a On powiedział, że pośle do piekła tych, którzy pójdą za mną. Nie muszę wam mówić, że każdy z nas pozostał wierny danemu słowu. Nic więcej nie mam na ten temat do powiedzenia.

Według niektórych Bóg Wszechmogący i ja zawarliśmy układ. Twierdzą, że kuszę poddanych Allaha, usiłując zniszczyć ich wiarę. Dobrzy są mądrzy i nie dadzą się sprowadzić na manowce, lecz źli, ulegający cielesnym pragnieniom, będą grzeszyć, by potem wypełnić czeluście piekielne. Dlatego to, co robię, jest takie ważne. Gdyby bowiem wszyscy ludzie mieli iść do nieba, nikt by się nie bał, a świat i panujący na nim nie mogliby działać, kierując się jedynie cnotami. Toteż zło jest równie potrzebne jak cnoty, a grzech równie niezbędny jak prawość. Jeśli tak, to powinienem dziękować za ten boski porządek świata — oczywiście za Jego zgodą (z jakiego innego powodu pozwoliłby mi żyć do dnia Sądu Ostatecznego?). Ja na zawsze zostałem naznaczony jako „zły", nikt nie przyznaje mi praw; to mój skryty ból. Ludzie tacy jak Halladż Mansur czy Ahmad Ghazali, brat sławnego imama Ghazalego, kierując się tą linią rozumowania, doszli do konkluzji, że skoro grzechy, których jestem przyczyną, są popełniane za zgodą i wolą Allaha, to tego właśnie życzy sobie Allah. Stwierdzili również, że dobro i zło nie istnieją, bo wszystko pochodzi od Allaha i nawet ja jestem jego częścią.

Niektórych z tych pozbawionych rozumu ludzi spalono razem z ich pismami. Oczywiście, że istnieje dobro i zło, a odpowiedzialność za nakreślenie podziału między nimi spada na każdego z nas. Nie jestem Allahem, Boże uchowaj, i to nie ja zasiałem w głowie owych głupców takie bzdury. Sami je wymyślili.

Tu muszę wnieść kolejne zażalenie: nie jestem źródłem całego zła i grzechu na świecie. Wielu ludzi grzeszy, bo popychają ich do tego ślepa ambicja, pożądanie, brak silnej woli, niegodziwość, a przeważnie głupota, której nie potrzeba żadnych podszeptów, podstępów czy pokus z mojej strony. Równie absurdalne, jak wysiłki uczonych filozofów, by oczyścić mnie z wszelkiego zła, jest przypuszczenie, iż jestem jego jedynym źródłem, czemu zresztą zaprzecza Koran. To nie ja kuszę sprzedawcę owoców, podstępnie wciskającego zgniłe jabłka klientom, nie ja namawiam dziecko, by kłamało, nie ja zmuszam do pochlebstw, nie ja każę starcowi snuć nieprzyzwoite fantazje i nie ja zachęcam chłopców, by się onanizowali. Nawet Wszechmocny nie znajdzie niczego złego w puszczaniu wiatrów czy masturbacji. Ciężko pracuję, byście popełniali naprawdę ciężkie grzechy. Niektórzy kaznodzieje jednak uważają, że ten, kto ziewa, kicha czy nawet pierdzi, jest moją ofiarą. To dowodzi, że w ogóle mnie nie rozumieją.

„Pozwól im wprowadzać się w błąd — powiecie — bo w ten sposób łatwiej ich oszukasz". Słusznie. Przypominam wam jednak, że mam swoją dumę, która poróżniła mnie z Wszechmocnym. Mogę przyjmować dowolną postać, a w niezliczonych księgach tysiące razy opisywano, jak to udało mi się skusić pobożnego człowieka, zwłaszcza pod postacią rozpalającej żądze pięknej kobiety, do popełnienia grzechu. Czy w związku z tym zebrani tu dziś wieczór bracia miniaturzyści mogliby mi wyjaśnić, dlaczego uparcie przedstawiają mnie jako wzbudzającego strach pokracznego stwora z rogami, długim ogonem i twarzą obsypaną brodawkami?

Tak oto dotarliśmy do sedna sprawy — malarstwa figuratywnego. Uliczna gawiedź stambulska, podburzona przez kaznodzieję, którego imienia nie wymienię, by nie ściągnąć na was jego gniewu, potępia jako niezgodne ze słowem Bożym: intonowanie ezanu, zbieranie się w tekke, siadanie sobie na kolanach i zatracanie się przy wtórze instrumentów muzycznych. Niektórzy miniaturzyści, obawiający się tego hodży i jego zwolenników, twierdzą, że to ja stoję za europejskim stylem malowania. Od wieków kieruje się pod moim adresem niezliczone oskarżenia, lecz wszystkie fałszywe.

Wróćmy do początku. Wszyscy trzymają się tego, że to ja skusiłem Ewę, by zjadła zakazany owoc, zapominając o tym, jak się cała sprawa zaczęła. Nie, nie zaczęła się od mojej nieposkromionej pychy, okazanej Wszechmocnemu. Najpierw była ta historia ze stworzeniem człowieka, któremu zgodnie z oczekiwaniem Boga mieliśmy oddać pokłon, co spotkało się z moją słuszną i zdecydowaną odmową, chociaż inni aniołowie Go usłuchali. Sądzicie, że to właściwe, bym kłaniał się człowiekowi, którego Bóg stworzył ze zwykłej gliny, podczas gdy mnie stworzył z ognia? Och, bracia moi, mówcie, co wam podpowiada sumienie. Wiem, że o tym myśleliście i obawiacie się, że to, co tu powiecie, nie zostanie między nami. On to usłyszy i pewnego dnia każe wam się z tego wytłumaczyć. Dobrze, nieważne, po co dał wam sumienie. Macie rację, że się boicie. Zapomnę o tym pytaniu i o dyskusji na temat wyższości gliny nad ogniem. Lecz o jednym nigdy nie zapomnę i zawsze będę z tego dumny: nie pokłoniłem się człowiekowi.

Ale to właśnie robią nowi europejscy mistrzowie — nie wystarcza im malowanie i uwiecznianie każdego szczegółu, łącznie z kolorem oczu, karnacji, kształtem warg, zmarszczkami na czole, workami pod oczami, ohydnymi włosami w uszach mężczyzn, księży, bogatych kupców, a nawet kobiet — u których nie pomijają nawet uroczego cienistego zagłębienia między piersiami. Mają jeszcze czelność umieszczać postacie na środku strony, jakby człowiekowi należało oddawać cześć. Malują go jak jakiegoś bożka, przed którym powinniśmy bić pokłony. Czy człowiek jest na tyle ważny, by trzeba było go przedstawiać ze wszystkimi szczegółami, łącznie z jego cieniem? Gdyby domy na ulicy rysować tak, jak widzą je ludzie, to znaczy stopniowo malejące, gdy się od nich oddalamy, człowiek zająłby miejsce Allaha w samym środku świata. No cóż, wszechmocny Allah ma więcej rozumu ode mnie. Ale wobec tego absurdem jest twierdzenie, że to ja stoję za tymi portretami. Ja, który odmówiłem oddania pokłonu człowiekowi i zostałem skazany na niewypowiedziane męki i samotność, ja, który straciłem łaskę Boga i stałem się obiektem przekleństw. Rozsądniej byłoby czynić mnie odpowiedzialnym, jak piszą niektórzy mułłowie* i głoszą niektórzy kaznodzieje, za masturbujące się dzieci i za każdego, kto puszcza gazy.

Mam jeszcze jedną uwagę na ten temat, lecz moje słowa nie są przeznaczone dla tych, którzy myślą jedynie o popisywaniu się, uciechach cielesnych, bogaceniu się czy innych równie absurdalnych namiętnościach. Tylko Bóg w swojej nieskończonej mądrości mnie zrozumie. Czy to nie Ty, Boże, wpoiłeś człowiekowi dumę, każąc aniołom pokłonić się przed nim? Teraz człowiek traktuje siebie tak jak Twoi aniołowie mieli traktować jego. Ludzie wielbią się i stawiają w centrum świata. Nawet Twoi najbardziej oddani słudzy chcą, by ich malowano w zachodnim stylu. Jestem pewien, że ten narcyzm sprawi, iż zupełnie o Tobie zapomną. Lecz to mnie będą za to winić.

---

* mułła — muzułmański uczony, teolog, nauczyciel

Jak mógłbym was przekonać, że nie biorę sobie tego wszystkiego do serca? Oczywiście stojąc twardo na nogach pomimo wielu wieków bezlitosnego kamienowania, przeklinania i potępiania. Gdybyż tylko moi gniewni i słabi wrogowie, którzy niestrudzenie mnie oskarżają, pamiętali o tym, że sam Wszechmocny pozwolił mi żyć do dnia Sądu Ostatecznego, za to im wyznaczył nie więcej niż sześćdziesiąt, siedemdziesiąt lat. Gdybym im poradził, że mogą ten czas wydłużyć, pijąc kawę, na pewno niektórzy — tylko dlatego że rada pochodziłaby od szatana — postąpiliby dokładnie na odwrót i zupełnie zrezygnowali z tego napoju albo, co gorsza, stanęliby na głowie i usiłowali wlać ją sobie do tyłka.

Nie śmiejcie się. Nieważna jest treść, lecz forma myśli. Nie chodzi o to, co miniaturzysta maluje, lecz o jego styl. Ale powinien on być bardzo subtelny. Chciałem zakończyć historią miłosną, ale robi się późno. Złotousty meddah, który oddał mi dziś głos, obiecuje, że opowie ją pojutrze, w środę wieczorem, gdy zawiesi portret kobiety.

48.

Ja, Şeküre

Śnił mi się ojciec mówiący jakieś niezrozumiałe rzeczy, i tak mnie to przeraziło, że się obudziłam. Şevket i Orhan spali przytuleni do mnie, a ja byłam mokra od potu. Ręka Şevketa leżała na moim brzuchu, a spocona główka Orhana na piersi. Udało mi się jakoś wstać i wyjść z pokoju, nie budząc synów.

Szerokim korytarzem poszłam do sypialni Czarnego. Trzymana przeze mnie świeca nie dawała jednak dość światła, bym mogła go zobaczyć. Dostrzegłam jedynie brzeg białego materaca, który przypominał przykryte całunem ciało na środku ciemnego, zimnego pokoju.

Kiedy wyciągnęłam rękę, czerwonopomarańczowe światło objęło zmęczoną, nie ogoloną twarz Czarnego i nagie ramiona. Podeszłam bliżej. Spał jak Orhan, zwinięty w kłębek. Wyglądał niewinnie jak panienka.

To jest mój mąż, pomyślałam. Wydawał się taki daleki, taki obcy, że ogarnął mnie smutek. Gdybym miała przy sobie nóż, zamordowałabym go... Nie, nie chciałam tego robić, zastanawiałam się tylko, podobnie jak dzieci, co by było, gdybym go zabiła. Nie wierzyłam, że przez te wszystkie lata żył jedynie myślami o mnie, zachowując ten niewinny wyraz twarzy.

Trąciłam go stopą w ramię. Kiedy mnie ujrzał, był raczej zaskoczony niż zadowolony i podniecony, na co miałam nadzieję.

— Śnił mi się ojciec — powiedziałam, zanim zdążył dojść do siebie. — Wyznał mi coś przerażającego. Ty go zabiłeś.

— Czy nie byliśmy razem, gdy zamordowano twojego ojca?

— Mam tego świadomość — odparłam. — Ale wiedziałeś, że ojciec będzie sam w domu.

— Nie wiedziałem. To ty wysłałaś Hayriye z dziećmi. Tylko ona i może Ester o tym wiedziały. A kto jeszcze, to ty się lepiej orientujesz.

— Czasami jakiś wewnętrzny głos chce mi powiedzieć, dlaczego wszystko tak źle się ułożyło, chce wyjawić tajemnicę naszych nieszczęść. Otwieram usta, by mógł przemówić, lecz jak we śnie nie wydaję z siebie żadnego dźwięku. Nie jesteś już tym dobrym i naiwnym Czarnym z dzieciństwa.

— Ten naiwny Czarny został przepędzony przez ciebie i twojego ojca.

— Jeśli ożeniłeś się ze mną, by zemścić się na ojcu, to osiągnąłeś swój cel. Może dlatego dzieci cię nie lubią.

— Wiem — odrzekł, nie okazując smutku. — Przed pójściem spać przez chwilę byliście na dole. Słyszałem, jak mówili: „Czarny, Czarny, dupek marny".

— Trzeba było ich zbić — powiedziałam, trochę żałując, że tego nie zrobił, po czym dodałam pospiesznie: — Jeżeli podniesiesz na nich rękę, zabiję cię.

— Chodź do łóżka — poprosił — bo zmarzniesz na kość.

— Może już nigdy nie wejdę do twojego łóżka. Może popełniliśmy błąd, biorąc ślub. Mówią, że nasz związek nie ma mocy prawnej. Wiesz, że przed snem słyszałam kroki Hasana? Nic dziwnego. Kiedy mieszkałam w domu mojego zmarłego męża, też je słyszałam. Dzieci go lubią. A on jest bezlitosny. Ma czerwoną szablę. Powinieneś się strzec jej ostrza.

W oczach Czarnego ujrzałam takie znużenie i surowość, że wiedziałam, iż nie zdołam go przestraszyć.

— Z nas dwojga to ty masz w sobie więcej ufności i smutku
— stwierdziłam. — Ja tylko staram się nie być nieszczęśliwa
i chronić dzieci, ty zaś uparcie chcesz udowodnić, na co cię
stać. A nie robisz tego z miłości do mnie.

Zaczął mówić, jak bardzo mnie kocha, jak myślał o mnie
w pustych karawanserajach, dzikich górach i podczas śnież-
nych nocy. Gdyby tego nie powiedział, obudziłabym dzieci
i wróciła do domu pierwszego męża.

— Czasami wydaje mi się, że mój były mąż może w każdej
chwili wrócić — powiedziałam pod wpływem impulsu. — Nie
chodzi o to, że boję się, aby mnie nie przyłapano w środku nocy z tobą lub żeby dzieci mnie nie przyłapały, lecz że jak tylko
padniemy sobie w objęcia, on zapuka do drzwi.

Słyszeliśmy lamenty kotów walczących ze sobą tuż za bramą podwórza. Potem zaległa cisza. Byłam bliska płaczu. Nie
mogłam ani postawić świecznika na stole, ani wrócić do siebie i synów. Postanowiłam, że nie wyjdę z tego pokoju, dopóki
się nie upewnię, że Czarny nie ma nic wspólnego ze śmiercią
ojca.

— Lekceważysz nas — stwierdziłam. — Stałeś się wyniosły,
od kiedy się ze mną ożeniłeś. Traktujesz nas z góry, bo mój mąż
zaginął, a teraz, gdy zamordowano ojca, litujesz się nad nami.

— Moja godna szacunku Şeküre — powiedział ostrożnie.
Ucieszyło mnie, że zaczął w ten sposób. — Wiesz, że to nieprawda. Zrobiłbym dla ciebie wszystko.

— Więc wstań i czekaj ze mną.

Dlaczego powiedziałam, że czekam?

— Nie mogę — odpowiedział, pokazując z zawstydzeniem
na kołdrę i koszulę nocną.

Miał rację, mimo to poczułam złość, że mi odmówił.

— Zanim zamordowano ojca, wchodziłeś do tego domu, ku-
ląc się jak kot, który rozlał mleko — odrzekłam. — Teraz na-

zywasz mnie godną szacunku Şeküre, jakbyś chciał dać mi do zrozumienia, że są to dla ciebie puste, nic nie znaczące słowa.

Trzęsłam się, ale nie z gniewu, tylko z zimna, które czułam na nogach, plecach i na szyi.

— Chodź do łóżka i bądź moją żoną — powiedział.

— Czy kiedykolwiek odnajdą łotra, który zabił ojca? — zapytałam. — Jeżeli ma to potrwać jakiś czas, nie powinnam mieszkać w tym domu razem z tobą.

— Dzięki tobie i Ester mistrz Osman skupił całą uwagę na koniach.

— Mistrz Osman był zaprzysięgłym wrogiem ojca, który niech spoczywa w spokoju. Teraz mój biedny ojciec widzi z góry, że to on ma ci pomóc znaleźć mordercę. Musi mu to sprawiać wielki ból.

Wyskoczył z łóżka i podszedł do mnie. Nie byłam w stanie się ruszyć. Lecz wbrew temu, czego się spodziewałam, zgasił tylko świecę palcami. Staliśmy w kompletnej ciemności.

— Twój ojciec już nas nie widzi — wyszeptał. — Jesteśmy sami. Powiedz mi, moja droga: kiedy wróciłem po dwunastu latach, dałaś mi do zrozumienia, że mogłabyś mnie pokochać, że znalazłabyś dla mnie miejsce w sercu. Potem się pobraliśmy. Od tego czasu uciekasz przed uczuciem do mnie.

— Musiałam cię poślubić — odszepnęłam. Pogrążona w ciemności, uświadomiłam sobie, że moje słowa wbijają mu się w ciało niczym paznokcie, jak napisał kiedyś poeta Fuzuli.

— Gdybym mogła cię pokochać, pokochałabym, kiedy byłam jeszcze dzieckiem — dodałam.

— No to powiedz mi, królowo ciemności. Musiałaś podglądać miniaturzystów, którzy u was bywali. Który z nich jest mordercą?

Ucieszyło mnie, że nie stracił dobrego humoru. W końcu był przecież moim mężem.

— Zimno mi.

Nie pamiętam, czy to powiedziałam. Zaczęliśmy się całować. Objęłam go, wciąż trzymając w ręku świecę, i wzięłam w usta jego aksamitny język. Moje łzy, włosy, koszula nocna, drżące ciało, a nawet jego ciało były cudowne. Przyjemnie było ogrzać sobie nos o jego gorący policzek, lecz bojaźliwa Şeküre panowała nad sobą. Całując go, nie uległam ani nie upuściłam świecy. Myślałam o ojcu, który mnie obserwował, o byłym mężu i śpiących dzieciach.

— Ktoś jest w domu! — krzyknęłam, odepchnęłam męża i wybiegłam na korytarz.

49.
Nazywają mnie Czarny

Wczesnym rankiem, kiedy było jeszcze ciemno, nie widziany przez nikogo wymknąłem się po cichu jak gość, który ma coś na sumieniu, i ruszyłem przez zabłocone ulice. W dzielnicy Bejazyt dokonałem ablucji na dziedzińcu, wszedłem do meczetu i pomodliłem się. W środku był tylko imam i jakiś starzec, który potrafił spać, modląc się jednocześnie. Tę rzadką umiejętność zdobywa się po latach ćwiczeń. Bywają takie momenty między marzeniami sennymi a smutnymi wspomnieniami, gdy czujemy, że nadeszła właśnie chwila, w której Allah poświęca nam trochę uwagi, i rodzi się w nas nadzieja na możliwość wręczenia sułtanowi bezpośrednio podania z jakimś życzeniem do Boga. Ja błagałem Allaha, by dał mi szczęśliwy dom pełen kochających ludzi.

Kiedy dotarłem do domu mistrza Osmana, uświadomiłem sobie, że w ciągu tygodnia człowiek ten zajął w moich myślach miejsce przynależne do tej pory zmarłemu wujowi. Był bardziej uparty i nieprzystępny, lecz jego wiara w malarstwo była głębsza. Przypominał raczej starego derwisza niż wielkiego mistrza, który przez wiele lat rodził w miniaturzystach strach, podziw i miłość.

W drodze do pałacu — on na koniu, lekko zgarbiony, ja pieszo, lekko pochylony do przodu — wyglądaliśmy pewnie jak derwisz z uczniem na tanich miniaturach, ilustrujących stare baśnie.

Na miejscu zastaliśmy dowódcę straży i jego ludzi, czekających na nas z niecierpliwością. Sułtan uważał, że gdy tylko obejrzymy ilustracje z wizerunkami koni, natychmiast będziemy wiedzieli, kto jest mordercą. Dlatego polecił, aby zbrodniarza szybko poddać torturom, nie pozwalając mu na żadne wyjaśnienia. Nie zaprowadzono nas do fontanny katów, gdzie każdy mógł nas zobaczyć, lecz do budynku znajdującego się w prywatnym ogrodzie sułtana, w którym odbywały się przesłuchania, tortury i duszenia.

Młodzieniec, zbyt elegancki i uprzejmy na strażnika, pewnym siebie gestem rozłożył na stole trzy karty papieru.

Mistrz Osman wyjął szkło powiększające i serce zaczęło mi walić w piersi. Jego oko, pozostające w odpowiedniej odległości od szkła, jak orzeł szybujący nad ziemią przesunęło się wolno nad trzema wspaniałymi portretami koni. I jak orzeł, który wypatrzył młodą gazelę, przyszłą ofiarę, zatrzymało się nad końskimi nosami i przyjrzało im się ze spokojem i uwagą.

— Nie ma tu tego — powiedział chłodno po pewnym czasie.

— Czego nie ma? — zapytał dowódca straży.

Sądziłem, że wielki mistrz obejrzy dokładnie każdego konia, od grzywy po kopyto.

— Ten przeklęty miniaturzysta nie pozostawił żadnego śladu — wyjaśnił mistrz Osman. — Nie zdołamy określić, kto namalował kasztanka na podstawie tych obrazków.

Wziąłem szkło i przyjrzałem się końskim nozdrzom. Miał rację. Żadne nie przypominały tych z wizerunku namalowanego do manuskryptu mojego wuja. Zerknąłem na oprawców czekających na zewnątrz z przyrządem o nie znanym mi przeznaczeniu. Kiedy obserwowałem ich przez uchylone drzwi, któryś cofnął się pospiesznie, jakby opętany przez dżina, szukając schronienia za jednym z drzew morwowych.

W tym momencie niczym nieziemskie światło rozjaśniające szary poranek wkroczył do pomieszczenia Jego Ekscelencja Sułtan, Podpora Świata.

Mistrz Osman wyznał mu, że nie jest w stanie niczego wyczytać z tych ilustracji. Nie mógł się jednak powstrzymać i zwrócił uwagę władcy na piękno koni: jak jeden z nich stawał dęba, na sylwetkę drugiego oraz dostojeństwo i dumę trzeciego, przywodzące na myśl miniatury dawnych mistrzów. Jednocześnie próbował przypisać obrazki poszczególnym artystom. Posłaniec potwierdził trafność jego słów.

— Nie dziw się, panie, że znam moich miniaturzystów jak własną kieszeń — powiedział mistrz. — Nie mogę tylko zrozumieć, dlaczego jeden z nich wprowadził ten zupełnie nieznany szczegół. Bo nawet błąd artysty ma swoje korzenie.

— Co chcesz przez to powiedzieć? — zapytał sułtan.

— Najszczęśliwszy Padyszachu, Wielki Sułtanie, Zbawco Świata, moim zdaniem ten ukryty znak, widoczny w nozdrzach kasztanka, nie jest bezsensowną pomyłką, lecz ma swe korzenie w przeszłości, w innych miniaturach, innych technikach, stylach, a może nawet innych koniach. Gdyby nam pozwolono przejrzeć cudowne strony starych ksiąg, które trzymasz, panie, pod kluczem w żelaznych skrzyniach i półkach skarbca, może zdołalibyśmy ustalić tę technikę i przypisać to, co teraz uważamy za błąd, jednemu z miniaturzystów.

— Chciałbyś wejść do mojego skarbca? — spytał sułtan ze zdumieniem.

— Tak — odparł mistrz.

Było to tak śmiałe życzenie, jak prośba o pozwolenie wejścia do haremu. Zrozumiałem, że harem i skarbiec, dwa najpiękniejsze miejsca w prywatnym raju władcy, były dla niego również najdroższymi sercu.

Próbowałem wyczytać z pięknej twarzy sułtana, na którą patrzyłem teraz bez obaw, jego decyzję, lecz on nieoczekiwanie wyszedł. Czyżby się rozgniewał lub poczuł urażony? Czy za chwilę ukarzą nas, a może i wszystkich miniaturzystów, za zuchwalstwo mistrza Osmana?

Patrząc na leżące przede mną trzy wizerunki koni, wyobraziłem sobie, że zginę i nie zobaczę więcej Şeküre, nie mówiąc już o dzieleniu z nią łoża. Pomimo niezaprzeczalnego piękna zwierzęta te wydały mi się nagle jak nie z tego świata.

W czasie tej przerażającej chwili ciszy uświadomiłem sobie, że tak jak dziecko, które zostało sprowadzone do żeńskiej części pałacu, do jego serca, i wychowane, by służyć sułtanowi, a może nawet umrzeć za niego, tak miniaturzysta szkoli się po to, by służyć Bogu i umrzeć dla jego piękna.

Jakiś czas później, gdy ludzie podskarbiego poprowadzili nas do Bramy Środkowej, moimi myślami zawładnęła śmierć, a właściwie śmiertelna cisza. Gdy przechodziliśmy przez Bramę Szczęśliwości, gdzie stracono wielu paszów, strażnicy zachowywali się tak, jakby nas nie widzieli. Kiedy mijaliśmy plac Rady Sułtańskiej, wieża i pawie, które wczoraj tak mnie oczarowały, nie zrobiły na mnie żadnego wrażenia. Wiedziałem bowiem, że jesteśmy prowadzeni do środka sekretnego świata — Enderunu.

Minęliśmy drzwi broniące wstępu nawet wielkim wezyrom. Jak dziecko wkraczające w świat baśni patrzyłem w ziemię, by uniknąć spotkania z cudami i istotami, które mogły mnie zauważyć. Nie obejrzałem nawet sali, w której odbywały się audiencje. Mój wzrok spoczął na chwilę na ścianach haremu, pobliskim platanie, nie różniącym się od innych drzew, i na wysokim mężczyźnie w błękitnym kaftanie z błyszczącego jedwabiu. Minęliśmy wysoką kolumnadę. W końcu zatrzymaliśmy się przed monumentalnym wejściem, większym i okazalszym od innych, ozdobionym ornamentami stalaktytowymi. Strzegli go strażnicy w połyskliwych kaftanach. Jeden z nich dał znak, by otwarto zamek.

— Dostąpiliście wielkiego szczęścia — powiedział podskarbi, patrząc nam w oczy. — Jego Ekscelencja Nasz Sułtan wyraził zgodę, byście weszli do skarbca Enderunu. Zobaczycie księgi, których nikt nie widział. Obejrzycie niezwykłe iluminacje i złote strony i jak myśliwi zdobycz wytropicie mordercę. Mój pan polecił przypomnieć wam, że dobry mistrz Osman ma trzy dni — jeden już minął — do czwartku do południa, na podanie imienia winowajcy. W przeciwnym razie sprawa zostanie przekazana dowódcy straży, który zarządzi tortury.

Najpierw zdjęto materiał przykrywający kłódkę, zapieczętowany, by nikt bez pozwolenia nie wprowadził klucza do zamka. Odźwierny i dwóch strażników sprawdzili, czy pieczęć nie jest naruszona, i dali znak głową. Złamano pieczęć, włożono klucz i przenikliwą ciszę wypełnił trzask otwieranego rygla. Mistrz Osman zrobił się szary na twarzy. Kiedy jedno ze skrzydeł ciężkich drewnianych podwójnych drzwi stanęło otworem, twarz okrył mu cień — jakby wspomnienie dawnych dni.

— Mój pan nie chciał, aby wchodzili tu pisarze i sekretarze, zajmujący się spisami inwentarza — powiedział podskarbi. — Sułtański bibliotekarz odszedł do wieczności i teraz nie ma nikogo, kto zajmowałby się księgami. Dlatego mój pan rozkazał, żeby tylko Cezmi Aga wam towarzyszył.

Cezmi Aga był karłem o jasnych błyszczących oczach, który liczył już sobie siedemdziesiąt lat. Jego nakrycie głowy, przypominające żagiel, było jeszcze dziwniejsze od niego samego.

— Cezmi Aga zna zawartość skarbca jak własną kieszeń. Lepiej niż ktokolwiek wie, gdzie leżą księgi i inne rzeczy.

Stary karzeł nie sprawiał wrażenia, że jest z tego dumny. Przesunął wzrokiem po piecyku na srebrnych nóżkach, nocniku z rączką z masy perłowej, lampce oliwnej i świecznikach, które przynieśli paziowie.

Podskarbi oznajmił, że drzwi zostaną zamknięte za nami i zapieczętowane siedemdziesięcioletnim sygnetem sułtana Selima Groźnego. O zachodzie słońca, po wieczornych modlitwach, pieczęć ponownie zostanie złamana w obecności strażników strzegących skarbca. Powinniśmy też zachować szczególną ostrożność, by nic przez pomyłkę nie trafiło pod nasze ubrania, szarfy i do kieszeni. Po wyjściu zostaniemy dokładnie przeszukani.

Weszliśmy, mijając stojących po obu stronach strażników. W środku panował lodowaty chłód. Drzwi się za nami zamknęły i spowiła nas ciemność. W nozdrza uderzył mnie zapach pleśni, kurzu i wilgoci. Wokół piętrzyły się w nieładzie najróżniejsze przedmioty, skrzynie i hełmy. Miałem wrażenie, jakbym był świadkiem wielkiej bitwy.

Oczy przywykły w końcu do dziwnego światła, przenikającego do środka przez grube kraty w wysokich oknach i balustrady schodów biegnących wzdłuż wysokich ścian i prowadzących na wyższe piętro. W pomieszczeniu dominował kolor czerwony — od zawieszonych na ścianach aksamitnych materii, kobierców i kilimów. Pomyślałem z czcią, że nagromadzone tu bogactwo jest wynikiem toczonych wojen, rozlewu krwi, plądrowania miast i grabienia skarbów.

— Ogarnął cię strach? — zapytał karzeł, odgadując moje myśli. — Wszyscy boją się podczas pierwszej wizyty. Nocą duchy tych skarbów szepczą do siebie.

Cisza, w której tonęła ta obfitość niewiarygodnych przedmiotów, była przerażająca. Usłyszeliśmy za plecami grzechot pieczęci mocowanej na zamku i rozejrzeliśmy się wokół z obawą.

Zobaczyłem miecze, wyroby z kości słoniowej, kaftany, srebrne świeczniki i chorągwie z atłasu, inkrustowane masą perłową skrzynki, żelazne skrzynie, chińskie wazy, pasy, lutnie o długich gryfach, zbroje, jedwabne poduszki, globusy, wysokie buty, futra, rogi nosorożca, zdobione strusie jaja, strzelby, strzały, buzdygany, liczne ścienne półki. Stosy kobierców, tkanin i atłasów sprawiały wrażenie jakby spływały na mnie powolutku z małych wnęk ściennych. Przedziwne światło, którego nigdy przedtem nie widziałem, rzucało blask na tkaniny, kaftany, szable, ogromne różowe świece, sułtańskie turbany, wyszywane perłami poduszki, złotem haftowane siodła, miecze z brylantowymi rękojeściami, buzdygany z rubinowymi uchwytami, kawuki i egrety, dziwne zegary, figurki koni i słoni z kości słoniowej, nargile z główkami wysadzanymi brylantami, skrzynki z masy perłowej, końskie egrety, ciężkie sznury różańców, ozdobione rubinami i turkusami hełmy, dzbany. Światło, sączące się z wysokich okien, wydobywało z półmroku unoszące się w powietrzu drobinki kurzu, niczym letnie promienie słońca wnikające przez szklaną kopułę meczetu — lecz to nie było słońce. Powietrze w tym świetle stało się niemal namacalne i wszystkie przedmioty sprawiały wrażenie, jakby wykonano je z tego samego materiału. Gdy z lękiem wsłuchiwaliśmy się w panującą ciszę, zrozumiałem, że zarówno światło, jak i pokrywający wszystko kurz przygaszają dominującą tu czerwień, łącząc przedmioty w zagadkową jedność. I kiedy wzrok przesuwał się po tych dziwnych i niewyraźnych kształtach, nawet za drugim czy trzecim razem nie mogąc ustalić ich granic, olbrzymie bogactwo wydawało się jeszcze bardziej przerażające. To, co początkowo wziąłem za kufer, okazało się składanym stolikiem, a jeszcze później jakimś dziwnym europejskim przyrządem. Przekonałem się, że inkrustowana masą perłową skrzynia, stojąca między kaftanami i egretami wyciągniętymi z pudeł i rzuconymi w nieładzie, to w rzeczywistości egzotyczny sekretarzyk przysłany przez moskiewskiego cara.

Cezmi Aga umieścił piecyk w przeznaczonej do tego wnęce w ścianie.

— A gdzie leżą księgi? — zapytał mistrz Osman szeptem.

— Które? — chciał wiedzieć karzeł. — Korany z Arabii kaligrafowane stylem kufi, które sułtan Selim Groźny (jego siedzibą jest raj) przywiózł z Tabrizu? Księgi paszów, których majątki przejęto po skazaniu ich na śmierć? Księgi podarowane dziadkowi naszego sułtana przez ambasadora weneckiego czy chrześcijańskie z czasów sułtana Mehmeda Zdobywcy?

— Te, które szach Tahmasp przysłał w darze Jego Ekscelencji Sułtanowi Selimowi, mieszkańcowi raju, przed dwudziestu pięciu laty — odpowiedział mistrz Osman.

Karzeł zaprowadził nas do wielkiej szafy. Mistrz Osman pospiesznie otworzył drzwi i powiódł spojrzeniem po stojących tam tomach. Otworzył jeden z nich, odczytał kolofon i zaczął przerzucać strony. Patrzyliśmy ze zdumieniem na z pietyzmem wykonane miniatury, przedstawiające chanów z lekko skośnymi oczyma.

— Dżyngis-chan, Czagataj chan, Tuluj chan i Kubilaj chan władca Chin — przeczytał mistrz Osman, po czym zamknął księgę i wziął następną.

Trafiliśmy na niewiarygodnie piękną miniaturę ze sceną, w której Farhad, wzmocniony potęgą miłości, niesie ukochaną Szirin i jej konia. Żeby oddać namiętność i niedolę kochanków, skały, chmury i trzy smukłe cyprysy, będące świadkami tego czynu, namalowano drżącą ze smutku dłonią z takim bólem, że natychmiast wyczuliśmy z mistrzem Osmanem smak łez w spadających liściach. Ten chwytający za serce moment narysowano — zgodnie z zasadą wielkich mistrzów — nie po to, by ukazać męską siłę Farhada, lecz żeby pokazać, jak jego ból udziela się całemu światu.

— To replika miniatury Behzada, wykonana przed osiemdziesięciu laty w Tabrizie — powiedział mistrz Osman, po czym odłożył księgę i wziął następną. Miniatura przedstawiała scenę z opowieści o kocie i myszy z *Kelile i Dimne**. Biedna mysz, uciekając przed kuną goniącą ją po polu i lecącym w górze jastrzębiem, znalazła ratunek u pechowego kota, który wpadł w pułapkę zastawioną przez myśliwego. Zawarli umowę: kot, udając, że jest przyjacielem myszy, będzie ją lizał, by przegonić kunę i jastrzębia. W zamian mysz uwolni go z sideł. Zanim zdążyłem dokładniej przyjrzeć się ilustracji, mistrz odłożył księgę i na chybił trafił otworzył kolejną.

Był to piękny obraz przedstawiający tajemniczą kobietę i mężczyznę. Kobieta, w zielonej pelerynie, trzymając złączone kolana, eleganckim gestem otwierała dłoń, jakby o coś pytała. Mężczyzna zaś słuchał jej z uwagą. Wpatrywałem się chciwie w miniaturę, zazdroszcząc im bliskości, miłości i przyjaźni.

Odstawiwszy tę księgę, mistrz Osman sięgnął po następną. Perska kawaleria i turańskie wojska, odwieczni wrogowie, odziali się w zbroje, hełmy i nagolenniki, wzięli łuki, kołczany i strzały i dosiedli wspaniałych legendarnych koni, również w pełnych zbrojach. Zanim rozpoczęli walkę na śmierć i życie, stanęli naprzeciw siebie z włóczniami na sztorc, w równych rzędach na piaszczystym stepie, w pełnej gamie kolorów, i cierpliwie patrzyli na dowódców, którzy wysunęli się na czoło i zaczęli walczyć. Przyszło mi na myśl, że bez względu na

---

* *Kelile i Dimne* — popularny zbiór bajek zwierzęcych wywodzący się z Indii; z języka perskiego na arabski przetłumaczył je Ibn Mukaffa (X w.), a na turecki przełożył — Kul Mesud (XIV w.).

to, czy miniatura jest współczesna, czy powstała przed stu laty, czy jest wyobrażeniem bitwy, czy sceny miłosnej, tak naprawdę przedstawia zmaganie artysty z własną wolą i zamiłowaniem do malarstwa. Już miałem powiedzieć, że autor maluje właściwie swoją cierpliwość, lecz w tym momencie odezwał się mistrz Osman.

— Tu też tego nie ma — powiedział, po czym zamknął ciężką księgę.

Na kartach pewnego albumu zobaczyliśmy rysunek z rozciągającym się daleko krajobrazem, z wysokimi górami ginącymi wśród kłębiastych chmur. Pomyślałem, że miniatury mają pokazywać ten świat, tymczasem przedstawiają go jak zupełnie inną rzeczywistość. Mistrz Osman zaczął opowiadać, jak ten chiński obraz wędrował z Buchary do Heratu, z Heratu do Tabrizu, a stamtąd do pałacu naszego sułtana. Umieszczano go w różnych księgach o porwanych oprawach, by w końcu, wraz z innymi rysunkami wspólnie oprawionymi, trafić z Chin tutaj, do Stambułu.

Oglądaliśmy rysunki przedstawiające wojnę i śmierć, jedną straszniejszą i doskonalszą od drugiej — Rustama z szachem Mazenderanu, Rustama atakującego armię Afrasijaba, Rustama w zbroi jako tajemniczego, bohaterskiego wojownika. Inny album ukazywał rozczłonkowane ciała, kindżały unurzane we krwi, pogrążonych w smutku żołnierzy z widmem śmierci w oczach i wojowników ścinających ludzi jak trzciny, gdy nie znane nam armie ścierały się ze sobą. Mistrz Osman chyba już po raz tysięczny obejrzał scenę z Chosrowem podglądającym Szirin kąpiącą się w jeziorze przy świetle księżyca, z Lejlą i Madżnunem mdlejącymi na swój widok po długiej rozłące i niezwykle żywą miniaturę pełną ptaków, drzew i kwiatów z Salamanem i Absal, którzy uciekli z tego świata i żyli na wyspie szczęścia. Jak na prawdziwego mistrza przystało, nie mógł się powstrzymać, by nie zwrócić mojej uwagi na jakiś dziwny szczegół w rogu choćby najgorszej miniatury, będący zapewne wynikiem przeoczenia iluminatora lub też zestawienia kolorów.

— Chosrow i Szirin słuchają pięknego śpiewu dam dworu, lecz spójrz tutaj, co za żałosny i złośliwy autor umieścił niepotrzebnie tę wielką sowę na gałęzi? Kto wprowadził tego ślicznego chłopca ubranego w damskie szaty między egipskie kobiety, raniące sobie palce przy krojeniu pomarańczy, bo nie mogły oderwać wzroku od przystojnego Józefa? Czy miniaturzysta, który namalował oślepienie strzałą Isfandijara, mógł przewidzieć, że on też utraci wzrok?

Widzieliśmy anioły towarzyszące naszemu Prorokowi podczas Wniebowstąpienia; ciemnoskórego starca o sześciu rękach i długiej białej brodzie symbolizującego Saturna; małego Rustama śpiącego spokojnie w kołysce inkrustowanej masą perłową pod opieką matki i piastunek. Widzieliśmy, jak umiera Dariusz w ramionach Aleksandra, jak Bahram Gur zamknął się w czerwonej komnacie z ruską księżniczką, jak Sijawusz przeszedł przez ogień na karym koniu nie mającym tajemniczego podpisu na nozdrzach i jak pogrążony w smutku orszak pogrzebowy niósł Chosrowa, zamordowanego przez syna.

Gdy mistrz Osman przeglądał tak księgę za księgą, rozpoznawał czasami autorów miniatur lub też wyłuskiwał podpisy, skromnie ukryte wśród kwiatów rosnących w ruinach domu czy też w czarnej studni z dżinem. Porównując sygnowania i kolofony, mógł stwierdzić, kto co od kogo zapożyczył. Niestrudzenie przerzucał karty w nadziei, że znajdzie miniatury. Upływały długie chwile ciszy, w których słychać było jedynie szelest stron. Od czasu do czasu mistrz wykrzykiwał: „Aha!", lecz ja zachowywałem spokój, bo nie wiedziałem, co go tak podekscytowało. Niekiedy przypominał mi, że już widzieliśmy tak skomponowaną stronę lub taki układ drzew i żołnierzy na koniach w księgach i scenach związanych z innymi opowieściami, pragnąc w ten sposób pobudzić moją pamięć. Porównał miniaturę z *Piątki* Nizamiego z czasów szacha Rezy, syna Timura, sprzed prawie dwustu lat, z miniaturą, która według niego powstała w Tabrizie siedemdziesiąt lub osiemdziesiąt lat wcześniej, po czym zapytał mnie, czego uczy nas fakt, że dwóch miniaturzystów maluje taki sam obraz, nie znając pracy drugiego. I zaraz sam sobie odpowiedział:

— Malować to zapamiętywać.

Przeglądając stare manuskrypty, patrzył ze smutkiem na wspaniałe arcydzieła (bo nikt już nie potrafi tak malować), to znowu rozpromieniał się na widok gorszych obrazków (bo wszyscy miniaturzyści są braćmi) i pokazywał mi, co artysta zachował w pamięci — drzewa, anioły, parasolki, tygrysy, namioty, smoki i smutnych książąt.

— Pewnego razu Allah spojrzał na świat w całej jego okazałości — dodał — i widząc jego piękno, przekazał je nam, swoim sługom. Obowiązkiem miniaturzystów i tych, którzy kochają sztukę, jest zachować w pamięci te wspaniałości, jakie ujrzał Allah i nam pozostawił. Najwięksi mistrzowie poświęcali życie, wzrok, wszystkie siły i umiejętności, próbując oddać cudowny sen, który Allah objawił naszym oczom. Ich wysiłek nasuwa na myśl ludzkość wspominającą złote chwile u zarania dziejów. Niestety, nawet najwięksi miniaturzyści, podobnie jak starcy lub iluminatorzy, którzy stracili wzrok, potrafili przypomnieć sobie jedynie oderwane fragmenty tej wspaniałej wizji. Tajemnicza mądrość kryje się w fenomenie starych mistrzów, którzy tak samo malowali drzewo, ptaka, księcia biorącego kąpiel w łaźni publicznej lub smutną młodą kobietę w oknie, chociaż dzieliły ich setki lat i nigdy nie widzieli swoich prac.

Jakiś czas później, gdy czerwone światło zbladło i okazało się, że w szafie nie ma ani jednej księgi przesłanej dziadkowi naszego sułtana przez szacha Tahmaspa, mistrz Osman podjął swój wywód:

— Bywało, że skrzydło ptaka, sposób, w jaki liść trzyma się drzewa, krzywizny okapu, układ płynących chmur czy kobiecy śmiech nie zmieniały się przez wieki, bo mistrzowie przekazywali sposób ich malowania uczniom. Potem oglądały je następne pokolenia, traktując je jak wzór i zachowując w pamięci. Ucząc się jakiegoś szczegółu od mistrza, miniaturzysta wierzy, że jest to idealna forma, niezmienna jak Koran. I tak jak opanowuje wersety Koranu, tak utrwala w pamięci ów szczegół, który pozostanie w niej na zawsze. Nie znaczy to jednak, że będzie go wykorzystywał. Zwyczaje pracowni, w której traci wzrok, przyzwyczajenia i upodobania apodyktycznego mistrza lub kaprys sułtana nie pozwolą mu zastosować tego szczegółu i namaluje skrzydło ptaka czy śmiejącą się kobietę...

— ...lub końskie nozdrza...

— ...lub końskie nozdrza — powtórzył mistrz Osman z kamienną twarzą — niezgodnie z tym, co zachował w pamięci, lecz zgodnie z zasadami obowiązującymi w danej pracowni. Rozumiesz mnie?

Na miniaturze przedstawiającej Szirin na tronie, z dzieła Nizamiego, którego kilka wersji zdążyliśmy już zobaczyć, mistrz Osman odczytał głośno napis wyryty na dwóch kamiennych tablicach, znajdujących się nad murami pałacu: „Najwyższy Allah czuwa nad zwycięskim synem chana Timura, naszym szlachetnym sułtanem, naszym sprawiedliwym chanem, nad jego panowaniem i posiadłościami, żeby mógł żyć w spokoju (głosiła lewa tablica) i dostatku (głosiła tablica prawa)".

— Na jakich miniaturach końskie nozdrza wyglądają tak jak u naszego miniaturzysty? — zapytałem jakiś czas później.

— Musimy odszukać legendarną *Księgę królewską*, dar szacha Tahmaspa — odpowiedział mistrz Osman. — Musimy wrócić do tych wspaniałych dni, kiedy Allah miał udział w powstawaniu miniatur. Pozostało nam jeszcze wiele ksiąg do przejrzenia.

Przemknęło mi przez myśl, że może głównym celem mistrza Osmana nie jest znalezienie koni z dziwnymi chrapami, lecz obejrzenie jak największej liczby tych wspaniałych miniatur, które przez lata całe spały spokojnie w skarbcu, z dala od oczu ciekawskich. Chciałem jak najszybciej odszukać potrzebne nam wskazówki i wrócić do czekającej w domu Şeküre, toteż wstrętem napawała mnie myśli, że wielki mistrz mógłby chcieć zostać w tym lodowatym pomieszczeniu jak najdłużej.

Otwieraliśmy następne szafy we wnękach i skrzynie, wskazywane przez starego karła. Czasami miałem już dość miniatur, w większości bardzo do siebie podobnych, jak choćby oglądania Chosrowa przychodzącego do Szirin pod pałacowe okno. Zostawiałem wtedy mistrza, nawet nie patrząc na nozdrza konia, na którym siedział Chosrow, by ogrzać się przy piecyku, lub spacerowałem, przejęty strachem i szacunkiem, między stosami tkanin, złota, broni, zbroi i łupów zgromadzonych w przylegających do skarbca salach. Przywoływany okrzykiem i gestem przez mistrza Osmana, biegłem do niego z nadzieją, że znalazł jakieś nowe arcydzieło lub wreszcie konia z dziwnym nosem, ale okazywało się, że chciał mi tylko pokazać jakąś ilustrację, którą trzymał w lekko drżącej dłoni, siedząc na dywanie z Uszaku, pamiętającym czasy sułtana Mehmeda Zdobywcy. Była to, co prawda, wyjątkowa ilustracja, jakiej jeszcze nie widziałem, lecz przedstawiała szatana podstępnie zakradającego się na arkę Noego.

Obejrzeliśmy setki szachów, królów, sułtanów i chanów — panujących w różnych królestwach i imperiach — beztrosko polujących na gazele, lwy i króliki. Przekonaliśmy się, że nawet diabeł może gryźć paznokcie i odwracać się ze zgorszeniem od bezwstydnego człowieka, stojącego na kawałkach drewna przymocowanych do tylnych kończyn wielbłąda i gwałcącego to biedne zwierzę. W arabskiej książce pochodzącej z Bagdadu natknęliśmy się na miniaturę przedstawiającą ucieczkę kupca, trzymającego za nogi mitycznego ptaka i szybującego nad morzami. Następny tom, który otworzył się na pierwszej stronie, zawierał ulubioną przeze mnie i Şeküre scenę z Szirin wpatrującą się w wiszący na gałęzi portret Chosrowa i zakochującą się w nim. Potem, patrząc na miniaturę, która zdawała się ożywiać skomplikowany mechanizm zegara, składający się ze szpulek, metalowych kulek, ptaków i arabskich figurek siedzących na słoniu, przypomnieliśmy sobie o upływie czasu.

Nie wiem, jak długo przeglądaliśmy te wszystkie księgi i miniatury. Miałem wrażenie, że niezmienny, skostniały złoty czas, zamknięty w tych ilustracjach, zlał się z wilgotnym, spleśniałym czasem panującym w skarbcu. Wydawało mi się, że te ilustrowane strony, których powstanie okupiono wiekami ciężkiej pracy oczu na zlecenie nieprzeliczonych szachów, chanów i sułtanów, ożyły tak jak otaczające nas przedmioty — hełmy, bułaty, kindżały z rękojeściami zdobionymi brylantami, zbroje, porcelanowe filiżanki z Chin, pokryte kurzem delikatne lutnie oraz poduszki wyszywane perłami, kilimy i puszczone w bieg konie różnej maści, których wiele podobnych widzieliśmy na miniaturach.

— Teraz rozumiem, że powielając ukradkiem i wytrwale te same miniatury przez setki lat, tysiące artystów w niezwykle zręczny sposób malowały stopniowo zmieniającą się wokół nich rzeczywistość.

Przyznam szczerze, że nie bardzo zrozumiałem, co miał na myśli wielki mistrz. Ale uwaga, jaką poświęcał ilustracjom powstałym w ciągu ostatnich dwustu lat w pracowniach Buchary i Heratu, Tabrizu czy Bagdadu i Stambułu, daleko przewyższała zaangażowanie konieczne do znalezienia wskazówki, mającej wyjaśnić dziwny sposób na malowanie końskich nozdrzy. Nasze poszukiwania zmieniły się w coś w rodzaju elegii na cześć natchnienia, talentu i cierpliwości wszystkich mistrzów, którzy malowali na tych ziemiach przez lata.

Z tego powodu, gdy w porze wieczornej modlitwy zaczęto otwierać drzwi skarbca i mistrz Osman oświadczył, że nie zamierza stąd wychodzić i że jedynie pozostając tu do rana i oglądając miniatury przy świetle lamp oliwnych i świec, może wykonać rozkaz sułtana, poinformowałem go, że zostaję z nim i z karłem. Kiedy jednak mistrz przedstawił nasze życzenie strażnikom i poprosił o zgodę podskarbiego, natychmiast pożałowałem swojej decyzji. Tęskniłem za Şeküre i naszym domem. Niepokoiłem się, jak sobie poradzi sama z dziećmi i jak zdoła zamknąć naprawione okiennice.

Przez uchylone drzwi skarbca kusiło bogactwo toczącego się na zewnątrz życia, wielkie mokre od rosy platany na dziedzińcu Enderunu — teraz spowite mgłą — i gestykulacja dwóch sułtańskich paziów, rozmawiających na migi, by nie zakłócać spokoju władcy. Zostałem jednak tam, gdzie byłem, bo nie zdołałem pokonać zakłopotania i wyrzutów sumienia.

50.
My dwaj wędrowni derwisze

Plotkę, że nasz rysunek znalazł się wśród miniatur z Chin, Samarkandy i Heratu, zebranych w albumie ukrytym w najciemniejszym kącie skarbca, wypełnionego łupami gromadzonymi przez stulecia przez przodków Jego Ekscelencji Sułtana, rozpowszechnił w pracowniach miniaturzystów prawdopodobnie karzeł Cezmi Aga. Jeżeli będzie nam wolno opowiedzieć własną wersję, na naszych warunkach — zgodnie z wolą Boga — mamy nadzieję, że nikt z gości tej pięknej kawiarni nie poczuje się obrażony.

Sto dziesięć lat upłynęło od naszej śmierci, czterdzieści od zamknięcia naszych bezpowrotnie straconych tekke, tych jaskiń herezji i gniazd czarnej magii, tymczasem spójrzcie, stoimy przed wami. Jak to możliwe? Powiem wam jak: namalowano nas w stylu europejskim. Na tej miniaturze widać, że kiedyś wędrowaliśmy po imperium naszego sułtana z jednego miasta do drugiego.

Szliśmy boso, mieliśmy ogolone głowy i byliśmy półnadzy. Każdy z nas miał na sobie kaftan z jeleniej skóry, pas, w ręku kij, na szyi miskę żebraczą zawieszoną na łańcuchu. Jeden niósł siekierę do cięcia drzewa, a drugi łyżkę do zjedzenia tego, co Bóg da.

Pewnego razu, stojąc przy fontannie przed karawanserajem, mój drogi przyjaciel — nie, mój ukochany; nie, mój brat — i ja wdaliśmy się w zwyczajową sprzeczkę: „Ty pierwszy", „Nie, ty" — zastanawiając się, kto pierwszy weźmie łyżkę i zacznie jeść z miski, gdy wtem podszedł do nas podróżny, dał każdemu po srebrnej weneckiej monecie i zaczął nas malować.

Był Europejczykiem. Oczywiście był dziwny. Umieścił nas w samym środku strony, jakbyśmy byli sułtańskim namiotem, i narysował tak, jak staliśmy, półnagich. Wówczas podzieliłem się z moim towarzyszem myślą, która właśnie przyszła mi do głowy. Żeby wyglądać jak prawdziwi biedni żebrzący derwisze kalenderyci, powinniśmy spojrzeć w górę, by źrenice się schowały i widać było tylko białka oczu, jak u ślepców. Tak też uczyniliśmy. Derwisze patrzą raczej na świat wewnętrzny, który mają w głowie, a ponieważ nasze głowy są pełne haszyszu, świat naszych myśli jest przyjemniejszy od tego, jaki zobaczył europejski artysta.

Po chwili jednak sytuacja się pogorszyła, bo usłyszeliśmy grzmiący głos szanownego hodży. Nie zrozumcie nas źle. Wspomnieliśmy o szanownym hodży, choć w zeszłym tygodniu w tej pięknej kawiarni zaszło wielkie nieporozumienie. Szanowny hodża, o którym mówimy, nie ma nic wspólnego z Jego Ekscelencją Nusretem Hodżą z Erzurumu ani z tym draniem Husretem Hodżą, ani też z hodżą z Sivasu, który robił to z diabłem na drzewie. Ci, którzy widzą wszystko w złym świetle, powiedzieli, że jeśli Jego Ekscelencja Hodża stanie się jeszcze raz celem krytyki, obetną język meddahowi i spuszczą mu tę kawiarnię na głowę.

Przed stu dwudziestu laty nie było jednak kawiarni, więc hodża, o którym zaczęliśmy opowiadać, po prostu zapałał gniewem:

— Hej, niewierny Europejczyku, dlaczego rysujesz tych dwóch? — zapytał. — Ci plugawi derwisze kalenderyci walę-

sają się, kradną i żebrzą, palą haszysz, piją wino, pieprzą się
ze sobą i sądząc z ich wyglądu, nie chodzą do meczetu, nie od-
mawiają modlitw, nie wiedzą, co to dom i rodzina. To zwykłe
męty na tym naszym dobrym świecie. Dlaczego więc malujesz
ich plugawy portret, gdy jest tyle piękna w tym wielkim kraju?
Chcesz okryć nas hańbą?

— Skądże znowu. Po prostu obrazy przedstawiające wasze
złe strony przynoszą więcej pieniędzy — odpowiedział niewierny.

Osłupieliśmy, słysząc tak mądrą ripostę.

— Gdybyś mógł zarobić dużo pieniędzy, namalowałbyś diabła w korzystny sposób? — zapytał hodża, usiłując rozpocząć
dyskusję, lecz jak widać z rysunku, Europejczyk był prawdziwym artystą, przeto wolał zająć się pracą i zarabianiem pieniędzy niż słuchaniem pustej gadaniny hodży.

Namalował nas, po czym wsunął obrazek do skórzanej teczki przytroczonej do siodła i wrócił do swojego miasta. Jakiś
czas później zwycięska armia osmańska podbiła i splądrowa-
ła to miasto leżące nad Dunajem, a my dwaj wróciliśmy do
Stambułu i do królewskiego skarbca. Tu, nieustannie kopio-
wani, przechodziliśmy z jednej księgi do drugiej, aż wreszcie
trafiliśmy do tej przynoszącej szczęście kawiarni, gdzie kawę
traktuje się jak odmładzający i pobudzający eliksir.

Krótka rozprawa o malarstwie, śmierci i naszym miejscu w świecie

Szanowny hodża z Konyi, o którym wspomnieliśmy, tak oto
powiedział w jednym z kazań, spisanych i zebranych w grubym tomie: „Kalenderyci to śmiecie, bo nie należą do żadnej
z czterech kategorii, na jakie dzielą się ludzie: dostojników,
kupców, rolników, artystów. Dlatego są niepotrzebni".

Dodał również: tych dwóch zawsze wałęsa się razem i zawsze kłóci o to, który pierwszy ma jeść ich jedyną łyżką. Ci, którzy nie wiedzą, że to przebiegła aluzja do ich ulubionej gry w „kto pierwszy przechytrzy drugiego", uważają to za bardzo zabawne.

Jego Ekscelencja Nie-Zrozumcie-Tego-Źle Hodża odkrył naszą tajemnicę, ponieważ również i on, tak jak my, piękni, młodzi chłopcy, terminatorzy i miniaturzyści, podąża tą samą ścieżką.

Prawdziwy sekret

Prawdziwy sekret jednak tkwi w czym innym: kiedy ów niewierny nas malował, spoglądał na nas tak ciepło i przywiązywał taką wagę do szczegółów, że polubiliśmy go i spodobało nam się, że mu pozujemy. Ale popełnił błąd, patrząc na świat gołym okiem i malując jedynie to, co widział. Z tego powodu narysował nas tak, jakbyśmy byli ślepi, chociaż widzieliśmy. Lecz nie mieliśmy nic przeciwko temu. Właściwie to jesteśmy całkiem zadowoleni. Według hodży smażymy się w piekle. Według niektórych niedowiarków jesteśmy tylko rozkładającymi się ciałami, a według was, inteligentnych miniaturzystów, jesteśmy obrazem, a ponieważ jesteśmy obrazem, stoimy przed wami jak żywi. Pewnej nocy po wpadce z szanownym hodżą i trzydniowej podróży z Konyi do Sivasu przez osiem wsi, w czasie której cały czas żebraliśmy, zaskoczył nas taki śnieg i mróz, że tuląc się mocno do siebie, usnęliśmy i zamarzliśmy na śmierć. Tuż przed śmiercią miałem sen: byłem tematem obrazka, który trafił do nieba po setkach tysięcy lat.

51.
Oto ja, mistrz Osman

W Bucharze opowiadają historię, która sięga czasów chana Abdullaha. Chociaż słynącemu ze swej podejrzliwości uzbeckiemu chanowi nie przeszkadzało, że przy miniaturze pracowało jednocześnie kilku artystów, to był jednak zdecydowanie przeciwny wzajemnemu podglądaniu się rysowników i kopiowaniu cudzych pomysłów. Taki proceder bowiem uniemożliwiał stwierdzenie, który z artystów ponosił odpowiedzialność w razie wystąpienia błędu. A co ważniejsze, ci bezczelni i leniwi miniaturzyści, zamiast na osobności szukać w swym umyśle boskich obrazów, woleli zaglądać sobie przez ramię i cudze koncepcje traktować jak własne. Dlatego też uzbecki chan gorąco powitał uciekających przed wojną i tyranią szachów dwóch wspaniałych mistrzów: jednego z południa, z Szirazu, a drugiego ze wschodu, z Samarkandy. Dał im schronienie na swym dworze, umieszczając w osobnych pracowniach, znajdujących się na przeciwległych krańcach pałacu, aby byli jak najdalej od siebie. Zabronił im podglądania moich prac. Obaj mistrzowie przez trzydzieści siedem lat i cztery miesiące słuchali opowieści chana Abdullaha o pięknych miniaturach stworzonych przez tego drugiego, których nigdy nie mieli zobaczyć, oraz o tym, jak były one zadziwiająco podobne lub odmienne. W efekcie obaj pałali ogromną wzajemną chęcią obejrzenia swoich dzieł. Wreszcie, gdy długie jak u żółwia życie uzbeckiego chana dobiegło kresu, obaj miniaturzyści odwiedzili swoje pracownie, aby zobaczyć i porównać znane tylko z opowieści arcydzieła. Siedząc obok siebie na olbrzymiej poduszce i trzymając na kolanach księgi, patrzyli na swe miniatury, przygotowywane na podstawie snutych przez Abdullaha legend — i obaj doznali wielkiego rozczarowania. Nie odzwierciedlały one baśniowego ducha opowieści. Zamiast tego przypominały rysunki, które widzieli już wcześniej — raczej przeciętne, szare i niewyraźne. Nie zdawali sobie przy tym sprawy, że powodem owej niewyraźności była ich pogłębiająca się ślepota. Nie zrozumieli tego również później, gdy całkowicie stracili wzrok. Brak wyrazistości tłumaczyli faktem, iż zostali oszukani przez chana. Umarli w przeświadczeniu, że sny są znacznie piękniejsze niż obrazy.

Głęboką nocą w zimnym skarbcu, kiedy zmarzniętymi palcami przewracałem strony i przyglądałem się kolejnym miniaturom, o których obejrzeniu marzyłem przez czterdzieści lat, zdałem sobie sprawę, że jestem szczęśliwszy od twórców z tej okrutnej opowieści. Już to, że zanim straciłem wzrok i odszedłem w przyszłe życie, dane mi było wziąć do ręki księgi, o których tak wiele słyszałem, sprawiło mi ogromną przyjemność. Czasami, na widok miniatury, przedstawiającej według mnie coś wspanialszego niż sama legenda, pomrukiwałem nawet z zadowoleniem: „Dzięki Ci, Boże".

Na przykład osiemdziesiąt lat temu szach Ismail przeprawił się przez rzekę i ponownie podbił Herat oraz cały Chorasan, odsuwając od władzy Uzbeków, a następnie mianował swego brata Sama Mirzę gubernatorem Heratu. Ten zaś, aby uczcić to radosne wydarzenie, zamówił kolejną ilustrowaną wersję manuskryptu *Konwergencja gwiazd*, opowiadającego historię, której świadkiem był rezydujący w pałacu w Delhi Amir Chosrow. Jak głosi legenda, jedna z jego ilustracji przedstawiała spotkanie dwóch władców świętujących na brzegu rzeki swoje zwycięstwo. Ich twarze przypominały twarz sułtana Delhi Kajkubada oraz jego ojca, chana Bugrę, władcę Bengalu, którzy byli bohaterami owej księgi. Ale również szacha Ismaila oraz jego brata Sama Mirzę, którzy przyczynili się do powstania manuskryptu. Byłem święcie przekonany, że w namalowanym namiocie sułtana mogliby znaleźć się wszyscy bohaterowie znanych mi opowieści, przychodzący mi na myśl podczas oglądania ilustracji — dziękowałem Bogu za możliwość podziwiania tej cudownej księgi.

Miniatura Szajcha Mohammada, jednego z największych mistrzów swojej epoki, przedstawiała biednego poddanego, którego podziw i sympatia dla sułtana przybrały formę czystej miłości. Ów człowiek, patrząc, jak sułtan gra w polo, miał nadzieję, iż kiedyś piłeczka potoczy się w jego kierunku, a on złapie ją i wręczy swemu władcy. Czekał długo i cierpliwie, aż pewnego razu tak właśnie się stało: został uwieczniony podczas wręczania sułtanowi piłeczki. Miłość, podziw i posłuszeństwo, jakie biedny poddany odczuwał wobec wielkiego chana lub władcy, a młody uczeń wobec swego mistrza, i jakie mi wielokrotnie opisywano, były tutaj ukazane z wielką subtelnością i głębokim współczuciem: od wyciągnięcia dłoni trzymającej piłeczkę aż po niemożność zebrania się na odwagę, by spojrzeć w twarz monarsze. Oglądając tę miniaturę, wiedziałem, że nie ma na świecie większej radości niż być uczniem wielkiego mistrza i że taka uległość, granicząca niemal ze służalczością, sprawiała tyle samo przyjemności, ile bycie mistrzem pięknego, młodego i zdolnego ucznia. I było mi żal tych, którzy nigdy się o tym nie przekonają.

Przerzucałem strony, przypatrując się pośpiesznie, ale zarazem z wielką uwagą tysiącom ptaków, koni, żołnierzy, kochanków, wielbłądów, drzew i chmur, podczas gdy szczęśliwy karzeł dumnie i śmiało — jak szach z dawnych czasów, któremu dano sposobność prezentacji swego bogactwa — wyjmował ze skrzyni tom po tomie i kładł przede mną. Z żelaznej skrzyni, wypełnionej po brzegi wspaniałymi woluminami, wystawały w rogach dwa piękne manuskrypty. Pierwszy miał ciemnowiśniową oprawę w stylu sziraskim, drugi zaś w stylu herackim, pokrytą ciemnym lakierem w stylu chińskim. Miniatury w tych pięknych księgach były tak podobne do siebie, że na początku pomyślałem, iż jedna jest kopią drugiej. Próbując ustalić oryginał, dokładnie przyjrzałem się imionom kaligrafów, szukałem ukrytych sygnatur, aż w końcu z drżeniem zdałem sobie sprawę, że owe dwa tomy Nizamiego to legendarne księgi, których twórcą był szejch Ali z Tabrizu, przeznaczone dla chana Czarnych Baranów i Uzun Hasana — chana Białych Baranów. Po tym jak Uzun Hasan został oślepiony przez chana Czarnych Baranów, który nie chciał dopuścić do powstania kolejnej wersji księgi, wielki mistrz znalazł u niego schronienie i z pamięci wykonał kopię przerastającą swą pięknością oryginał. Stwierdziłem, że rysunki w drugiej z tych legendarnych ksiąg, wykonane po całkowitej utracie wzroku przez autora, były prostsze i bardziej klarowne w pierwszym tomie, kolory zaś były bardziej żywe i inspirujące, co uzmysłowiło mi, że pamięć niewidomego odsłania w bezlitosny sposób prostotę życia, ale również pozbawia owo życie wigoru.

Jako że sam jestem wielkim i prawdziwym twórcą, uznanym przez samego Allaha, który jest wszechmocny, wiedziałem, iż pewnego dnia i ja oślepnę. Ale czy właśnie tego teraz pragnąłem? Wyczuwając w nieogarnionej i przerażającej ciemności skarbca obecność Allaha, tak jak skazany człowiek, pragnący po raz ostatni spojrzeć na świat, zanim zostanie ścięty, zwróciłem się do Niego: „Pozwól mi zobaczyć te wszystkie ilustracje i rozkoszować się nimi".

Przeglądając strony, uzmysłowiłem sobie, że legendy i historie związane ze ślepotą potwierdzały siłę niezmierzonej boskiej mądrości. W słynnej scenie namalowanej przez Szajcha Alego Rezę z Szirazu, ukazującej spacerującą Szirin w sielankowej scenerii i moment zakochania się w Chosrowie po ujrzeniu jego portretu zawieszonego na gałęzi platana, drzewo to zostało przedstawione po mistrzowsku, ze wszystkimi listkami zakrywającymi całe niebo. Słysząc uwagę głupca, który — ujrzawszy tę ilustrację — stwierdził, iż głównym jej tematem nie jest platan, lecz zakochana dziewczyna, mistrz próbował wytłumaczyć, że jego celem nie było pokazanie namiętności dziewczęcia, tylko wrażliwości artysty. I aby to udowodnić, postanowił namalować to samo drzewo na ziarnku ryżu. Po siedmiu latach i trzech miesiącach wytężonej pracy mistrz oślepł, narysowawszy tylko połowę platana. Jeżeli nie zmylił mnie podpis ukryty pod cudnymi stopami służących Szirin, z pewnością zobaczyłem to samo wspaniałe drzewo, namalowane wcześniej przez samego mistrza na karcie papieru. Na kolejnej stronie Rustam, oślepiający Aleksandra strzałą o rozwidlonym ostrzu, został przedstawiony zgodnie z zasadami stylu hinduskiego — tak żywo i barwnie, że ślepota, wieczny smutek i ukryte pragnienie prawdziwego miniaturzysty ukazywały się obserwatorowi jako zapowiedź radosnego świętowania.

Przyglądając się tym wszystkim rysunkom i księgom, zachowywałem się jak człowiek, który ujrzał to, o czym dużo słyszał i co bardzo chciał zobaczyć. Lecz towarzyszył mi niepokój starca, który przeczuwał, że wkrótce jego oczom nie będzie dane już nic widzieć. W zimnym pomieszczeniu skarbca, zdominowanym przez kolor czerwony, jakiego nigdy wcześniej nie widziałem, a który był rezultatem połączenia barwy tkanin i unoszącego się kurzu w kręgu światła świec, czasami głośno się zachwycałem. Wówczas Czarny i karzeł podbiega-

li do mnie, zaglądali mi przez ramię i patrzyli na niezwykłą
stronę trzymaną przeze mnie w rękach. Wówczas, nie mogąc
się opanować, objaśniałem im:

— Ten czerwony kolor należy do wspaniałego mistrza Mirzy Baby Imamiego z Tabrizu, który jego sekret zabrał ze sobą
do grobu. Widnieje on w bordiurze kobierca, na turbanie safawidzkiego szacha i, spójrzcie, jest również na brzuchu lwa
oraz kaftanie tego pięknego chłopca. Allah nigdy nie ukazuje
takiej czerwieni, z wyjątkiem momentów, gdy jego poddani zaczynają krwawić. Tak więc możemy tylko próbować osiągnąć
taki właśnie odcień koloru czerwonego, który dostrzegalny
jest jedynie gołym okiem na tkaninach i obrazach największych mistrzów. Bóg jednakże powierzył sekret owego odcienia
czerwieni nielicznym owadom, żyjącym wśród kamieni — zakończyłem, po czym dodałem: — Dzięki niech będą Allahowi,
który teraz nam go ukazał.

— Spójrzcie na to! — wykrzyknąłem po dłuższej chwili,
nie mogąc się powstrzymać.

Ta miniatura mogła się znajdować w każdym zbiorze gaze-
lów mówiących o miłości, przyjaźni, szczęściu i wiośnie. Patrzyliśmy na wiosenne drzewa kwitnące całą gamą kolorów, na
cyprysy przypominające niebiosa oraz ogromną radość zakochanych, przebywających w ogrodzie. W pozycji niemal pół-
leżącej rozkoszowali się winem i recytowali poezję. Poczułem
się tak, jakby w zakurzonym, stęchłym i lodowatym skarbcu
można było zarazem poczuć zapach wiosennych kwiatów oraz
delikatną woń skóry biesiadników oddających się rozkoszy.

— Zwróćcie uwagę, w jaki sposób artysta, który doskonale
namalował ręce kochanków, ich cudowne nogi, oddał elegancję
ich postawy oraz radość unoszących się wokół ptaków, przedstawił w tle mnóstwo cyprysów — powiedziałem. — To dzieło
Luftiego z Buchary, któremu kapryśny i kłótliwy charakter nie

pozwolił dokończyć żadnej ilustracji. Spierał się z każdym szachem i chanem, twierdząc, iż nie rozumieją miniatury, i nigdy
nie zabawił długo w jednym miejscu. Wędrował z jednego pałacu do drugiego, z miasta do miasta, odchodząc zawsze w gniewie i stale szukając władcy, którego księga zasługiwałaby na
jego talent. Skończył w pracowni jakiegoś mało ważnego chana, który rządził tylko nagimi wierzchołkami gór. Uznawszy,
że „posiadłości chana" są, co prawda, niewielkie, ale władca
przynajmniej zna się na malarstwie, Lufti spędził tam pozostałe dwadzieścia pięć lat życia. To, czy wiedział, że jego pan był
ślepy, pozostaje do dzisiaj zagadką i jest przedmiotem żartów.

Było już grubo po północy, gdy spytałem:

— Czy widzicie tę stronę?

I tym razem obydwaj podbiegli do mnie z wysoko uniesionymi lichtarzami.

— Od czasów wnuków Timura, czyli przez ostatnie sto
pięćdziesiąt lat, tom ten należał do dziesięciu osób. Przebył
razem z nimi drogę z Heratu do Stambułu — objaśniłem.

Używając szkła powiększającego, czytaliśmy zapiski wy-
pełniające strony aż po same brzegi, zdania przedstawiające
fakty historyczne oraz sąsiadujące tu z sobą imiona sułtanów,
którzy w rzeczywistości się nienawidzili. Księga ta powstała
w Heracie, spisana przy Bożej pomocy ręką kaligrafa Sultan
Welego, syna Muzaffera, w 849 roku hidżry. Dzieło przeznaczone było dla Ismet-ud Dunja, żony Muhammada Dżunkiego,
brata Władcy Świata, Bajsungura.

Potem przeczytaliśmy, że dzieło to znalazło się w posiada-
niu sułtana Halila z Białych Baranów, a później trafiło w ręce
jego syna Yakuba Beja, aż w końcu przejęli je uzbeccy sułtano-
wie z północy kraju — wszyscy oni przez jakiś czas bawili się
nim, usuwając bądź też dodając obrazki, przy czym, począwszy od pierwszego właściciela, wzbogacali je twarzami swoich

pięknych żon, z dumą odnotowując na stronicach ich imiona. W końcu księga została przekazana zdobywcy Heratu — Samowi Mirzie, który umieścił w niej oddzielną dedykację i podarował ją bratu, szachowi Ismailowi. Ten z kolei dodał własną dedykację i przywiózł ją jako podarunek do Tabrizu. Kiedy mieszkaniec raju sułtan Selim Groźny pokonał szacha Ismaila pod Czałdyranem i splądrował Pałac Ośmiu Rajów w Tabrizie, manuskrypt — po długiej podróży przez pustynie, góry i rzeki — trafił ostatecznie do skarbca w Stambule.

Nie wiem, w jakim stopniu Czarny i karzeł podzielali moje zainteresowanie i emocje. Przeglądając kolejne tomy, wyczuwałem głęboki smutek tysięcy rysowników z setek małych i dużych miast. Każdy z nich miał wyjątkowy temperament i malował dla różnych okrutnych szachów, chanów i wodzów, wykazując się ogromnym talentem oraz tracąc przy tym wzrok. Przerzucając strony pewnej księgi, ukazującej metody torturowania, poczułem upokorzenie i ten sam ból, jakich doświadczałem, kiedy mnie i innych terminatorów bito podczas przyuczania do zawodu; przypomniały mi się ciosy wymierzone linijką, tak silne, że nasze policzki stawały się przeraźliwie czerwone, a także razy w nasze opalone głowy, zadawane wygładzonymi kamieniami z marmuru. Nie miałem pojęcia, co ta mierna księga robiła w skarbcu Osmanów. Nie przedstawiała tortur jako konieczności przeprowadzanej pod nadzorem sędziego w celu wymierzania sprawiedliwości Allaha na tym świecie. Odwiedzający nasz kraj niewierni w rezultacie pokazywali nas swoim współwyznawcom jako okrutnych ludzi o złym sercu, namawiając sprzedajnych miniaturzystów do ukorzenia się i wykonania naprędce tego typu obrazków w zamian za kilka złotych monet. Byłem zażenowany wyraźną i, chciałoby się rzec, nieprzyzwoitą przyjemnością, z jaką autor malował sceny brania w dyby, bicia w twarz, krzyżowania, wieszania, wieszania do góry nogami, wrzucania na bosak, wbijania na pal, wystrzeliwania z armat, przybijania gwoździami, duszenia, podrzynania gardeł, karmienia skazańcami wygłodzonych psów, chłostania, przygniatania, trzymania w lodowatej wodzie, wyrywania włosów, łamania palców, obdzierania ze skóry, odcinania nosów i wyłupywania oczu. Tylko prawdziwi artyści, tacy jak my — którzy przez cały okres przyuczania do zawodu musieli znosić bezlitosne chłosty, okładanie pięściami po to tylko, aby drażliwy mistrz, któremu nie szło rysowanie, poczuł się lepiej, nie wspominając już niezliczonych uderzeń kijami i linijkami, wymierzanych po to, by tkwiący w nas diabeł odrodził się jako dżin inspiracji — tylko my mogliśmy odczuwać wyjątkową satysfakcję, rysując cięgi i tortury, tylko my mogliśmy kolorować te szczegóły z radością, z jaką maluje się dziecięcy latawiec.

Po upływie stuleci ludzie oglądający świat przedstawiony na naszych ilustracjach niczego nie zrozumieją. Pragnący przyjrzeć się im uważniej, lecz pozbawieni cierpliwości, może i poczują zawstydzenie, radość, przeszywający ból czy niezwykłą przyjemność obserwacji, jaką i ja w tej chwili odczuwam, oglądając obrazy w lodowatym skarbcu. Ale nigdy tak naprawdę nie odnajdą sensu tych miniatur. Kiedy przewracałem stronice zdrętwiałymi z zimna palcami, zarówno moja wierna lupa z perłową rączką, jak i moje lewe oko przypatrywały się miniaturom niczym stary bocian przemierzający ziemię: nie był zaskoczony tym, co ujrzał, a jednocześnie z ekscytacją podziwiał nowe rzeczy. Z tych oto stron, niektórych nawet legendarnych, ukrytych przed nami przez długie lata, dowiedziałem się, czego i od kogo nauczył się dany artysta oraz w jakiej pracowni i pod patronatem jakiego szacha narodziło się pojęcie zwane stylem, który mistrz dla kogo pracował i jak na przykład znane mi chińskie chmurki rozpowszechniły się w całej Persji. Wpływ chińskich mistrzów można było dostrzec również w Kazwinie. Chwilami pozwalałem sobie na cichutkie „aha...", ale w środku odczuwałem katusze, dręczyły mnie przygnębienie i żal, którymi nie mogę się z wami podzielić — współczucie w stosunku do zlekceważonych, nękanych, cudnych malarzy o twarzach jak księżyc w pełni i gazelich oczach, uciskanych przez władców i cierpiących dla dobra sztuki. Artyści ci, zanim oślepli, a po latach mozolnej pracy stali się zupełnie anonimowi, poważali siebie nawzajem i darzyli uczuciem swych mistrzów, łączyła ich zaś miłość do malarstwa.

Przepełniony żalem i melancholią wkroczyłem w świat wyrafinowanych i niezwykle delikatnych uczuć, o których przedstawianiu moja dusza stopniowo zapominała przez lata wojen i uczt wydawanych na cześć naszego sułtana. W pewnym albumie ujrzałem rysunek wąskiego w talii perskiego chłopca o czerwonych ustach, trzymającego na kolanach księgę; dokładnie taką jak ja w tym momencie. Przypomniało mi się to, o czym mający słabość do złota i władzy szachowie zawsze zapominali — że piękno tego świata należy do Allaha. Na stronie innego albumu, wykonanego przez młodego mistrza z Isfahanu, wzruszony zobaczyłem dwoje niezwykłych, zakochanych w sobie młodych ludzi. Ich widok przypomniał mi, jaką miłością moi uczniowie darzyli malarstwo. Wątły młodzieniec o drobniutkich stopach odsłaniał swoje delikatne przedramię, co wzbudzało pragnienie, aby je pocałować i umrzeć, a smukła dziewczyna o pięknych wiśniowych ustach, migdałowych oczach i małym nosku spoglądała z zachwytem na trzy drobne znaki miłości, jakby trzy cudowne kwiaty, które mężczyzna emanujący namiętnością — pragnąc dowieść siły swojej miłości i przywiązania do dziewczęcia — wypalił sobie na przedramieniu.

Z niezrozumiałych dla mnie powodów moje serce zaczęło bić gwałtowniej. Jak sześćdziesiąt lat temu, kiedy byłem jeszcze uczniem, pojawiły się na mym czole krople potu, wywołane widokiem nieprzyzwoitych ilustracji, narysowanych czarnym tuszem w stylu tabriskim: przystojnych młodzieńców i smukłych dziewcząt o małych piersiach. Przypomniałem sobie pasję, z jaką oddawałem się miniaturze, i emocje, jakich doświadczyłem, gdy po kilku latach małżeństwa i moich pierwszych staraniach o status mistrza ujrzałem młodzieńca — kandydata na ucznia — o twarzy anioła i oczach jak migdały. Przez chwilę miałem wrażenie, że w malarstwie nie chodzi o melancholię i żal, ale o pragnienie, które mnie ogarnęło, i że to talent artysty zamieniał owo pragnienie w boską miłość, a następnie w miłość do świata, jakim widział go Bóg. To doznanie było tak silne, iż z zachwytem wracałem myślami do lat spędzonych nad deską do rysowania, kiedy zgarbiłem się od pracy i chłosty wymierzanej mi w trakcie terminowania, do początku kłopotów ze wzrokiem, wynikających ze ślęczenia nad ilustracjami, oraz do malarskich katuszy, jakie musiałem znosić i jakie przeze mnie znosili inni.

Gdy spostrzegłem zbliżające się do mnie słabe światło jednego ze świeczników, podniosłem z ziemi przyniesiony przez karła rękopis i zacząłem go wertować. To było dzieło specjalnie przygotowane dla szachów. Na rysunku pośród zieleni widniały zakochane w sobie dwa jelenie — stojące niedaleko szakale wyraźnie im zazdrościły. Gdy przewróciłem stronę, zobaczyłem gniade konie. Były przepiękne, tak tworzyć potrafili tylko starzy mistrzowie z Heratu! Na innej zaś był wizerunek pewnego siebie człowieka z pięknie namalowaną dłonią. Miniatura ta miała siedemdziesiąt lat. Wprawdzie nie rozpoznałem przedstawionej na niej osoby, ale zaintrygowała mnie ręka tej postaci. Serce zrozumiało, zanim zdążyłem pomyśleć: tak wspaniale mógł ją narysować tylko on! Wielki mistrz Behzad. Miniatura niemal promieniowała światłem.

Wprawdzie wiele lat temu widziałem dzieła Behzada, ale — czy to dlatego, że nie oglądałem ich sam, tylko z innymi mistrzami, czy też dlatego, że nie byliśmy pewni ich autorstwa — nie wstrząsnęły mną tak jak teraz.

Wydawało się, że cuchnące pleśnią pomieszczenie skarbca rozświetliło słońce. Podziękowałem Allahowi, że pozwolił mi zobaczyć to piękno, zanim oślepnę. Skąd pewność, że wkrótce oślepnę? Nie wiem! Czarny stał obok i trzymając świecę, patrzył na miniaturę. Chciałem mu opowiedzieć o swoim przeczuciu, ale z ust wyrwało się coś innego:

— Spójrz, jaka piękna dłoń. To Behzad.

Wziąłem Czarnego za rękę. Kiedyś dotykałem delikatnych dłoni swoich uczniów. Byli przystojni, lubiłem każdego z nich. Ręka Czarnego była niezawodna i mocna. Cieplejsza od mojej. Nadgarstek miał delikatny i szeroki, taki jak lubiłem. W młodości brałem dłonie uczniów i — zanim wyjaśniłem im, jak należy trzymać pędzel — z miłością patrzyłem w ich przestraszone piękne oczy. Podobnie spojrzałem na Czarnego.

— Jesteśmy malarzami, braćmi — oświadczyłem. — Ale teraz wszystko się kończy.

— Jak to?

Powiedziałem „teraz wszystko się kończy", bo takich słów użyłby wielki minaturzysta, który poświęcił długie lata swojego życia chanowi albo jego następcy, stworzył genialne prace w stylu starych mistrzów, a nawet narzucił pracowni swój styl. Wypowiedziałby je, pragnąc ślepoty, bo jego pan przegrał wszystkie wojny i mistrz wiedział, że razem z żołnierzami rabusiami pojawią się nowi władcy, którzy zrujnują jego pracownię, porwą księgi, będą drwić z rysunków i utrwalonych przez niego szczegółów, które kochał jak własne dzieci. Ale Czarnemu trzeba było wszystko wyjaśnić w inny sposób.

— Ta miniatura to wizerunek wielkiego poety Abdullaha Hatifiego — wyjaśniłem. — Był tak znanym twórcą, że kiedy szach Ismail wkroczył do Heratu, wszyscy prócz niego starali się o względy Ismaila. Szach sam przyszedł do poety, do jego domu za miastem. Wiemy, że to Hatifi, nie dlatego, że mistrz Behzad z całą dokładnością przedstawił jego twarz, ale z treści napisu poniżej, czyż nie?

Czarny z aprobatą popatrzył na mnie swoimi pięknymi oczyma.

— Przyjrzyjmy się twarzy poety — powiedziałem. — Wygląda jak wiele innych. Gdyby zmarły Abdullah Hatifi pojawił się tutaj, nie poznalibyśmy go. Ale wiedzielibyśmy, że to on. W atmosferze rysunku, w pozie postaci, kolorach, pozłocie, wspaniałej ręce narysowanej przez mistrza Behzada jest coś, co od razu sugeruje, iż to właśnie wizerunek owego poety. Bo w naszej miniaturze treść ma pierwszeństwo przed obrazem. Teraz, kiedy zaczęto naśladować francuskich i włoskich mistrzów, świat treści ustąpi miejsca światu obrazów, jak w księdze, którą zamówił sułtan u świętej pamięci Wuja. Dlatego że w europejskiej tradycji...

— Nie ma już wuja, został zamordowany — przerwał mi Czarny niegrzecznie.

Ująłem jego rękę z szacunkiem i gładziłem podobnie jak małą dłoń ucznia, który miał szansę zostać wielkim mistrzem. Jakiś czas patrzyliśmy w milczeniu na dzieło Behzada. Potem Czarny uwolnił swą rękę.

— Na poprzedniej stronie nawet nie spojrzeliśmy na nozdrza gniadych koni — zauważył.

— Niczym się nie wyróżniają — odwróciłem kartkę, aby się przekonał, że w wizerunkach zwierząt nie ma niczego niezwykłego.

— Kiedy wreszcie znajdziemy dziwne chrapy? — dopytywał się Czarny niczym rozkapryszone dziecko.

Nad ranem, gdy razem z karłem otworzyłem żelazną skrzynię pełną jedwabi i niespodziewanie wyciągnąłem spod zielonego atłasu słynną *Księgę królewską* szacha Tahmaspa, Czarny spał już zwinięty na czerwonym dywanie z Uszaku, opierając głowę na aksamitnej, wyszywanej perłami poduszce. Ta znana księga, którą ponownie ujrzałem po latach, spowodowała, że od razu zrozumiałem, iż dopiero teraz zaczyna się dla mnie nowy dzień.

Manuskrypt był tak ciężki, że razem z Cezmim Agą z trudem go podnieśliśmy. Dotknąłem legendarnego dzieła, które dwadzieścia pięć lat temu widziałem z daleka, i wyczułem, że pod skórzaną okładką jest drewno. Kiedy zmarł sułtan Sulejman Wspaniały, szach Tahmasp z radości, że wreszcie pozbył się trzykrotnego zdobywcy Tabrizu, przysłał nowemu władcy Selimowi karawanę z prezentami ze swego skarbca, a wśród nich oprócz niezwykle bogato zdobionego Koranu znajdowała się ta wspaniała księga. Poselstwo perskie, liczące trzysta osób, zawiozło najpierw owe prezenty do Edirne, gdzie sułtan spędzał czas na zimowym polowaniu, a następnie przewiozło je na grzbietach wielbłądów i mułów do Stambułu. Zanim księgę zamknięto w skarbcu, my, trzej młodzi mistrzowie w towarzystwie ówczesnego naczelnego miniaturzysty Czarnego Memi, poszliśmy ją obejrzeć, podobnie jak mieszkańcy Stambułu, pragnący zobaczyć słonia z Indii albo żyrafę z Afryki. Od mistrza Czarnego Memi dowiedzieliśmy się, że wielki Behzad, który w podeszłym wieku przeniósł się z Heratu do Tabrizu, nie iluminował tej księgi, ponieważ oślepł.

W tym czasie dla nas, osmańskich miniaturzystów, zachwycających się manuskryptami z kilkoma zaledwie rysunkami, oglądanie ogromnego foliału, zawierającego dwieście pięćdziesiąt miniatur, było porównywalne ze spacerem po wspaniałym pałacu, którego mieszkańcy smacznie spali. W milczeniu i z wielkim szacunkiem studiowaliśmy bogato ilustrowane strony, jakbyśmy patrzyli na rajskie ogrody, które na chwilę ukazały się naszym oczom. Potem rozprawialiśmy o księdze zamkniętej przez dwadzieścia pięć lat w skarbcu.

W milczeniu, niczym ogromne drzwi pałacu, otworzyłem grubą okładkę legendarnej *Księgi królewskiej*. Przyjemny szelest przewracanych stronic wzbudzał we mnie nie tyle zachwyt, ile smutek.

1. W skupieniu się na rysunkach przeszkadzały mi zasłyszane informacje o tym, że wszyscy stambulscy miniaturzyści zapożyczali jakieś elementy z ilustracji w tej księdze.
2. Myśląc o tym, że mogę trafić na rysunek Behzada umieszczony w rogu, nie byłem w stanie kontemplować cudownych arcydzieł, pojawiających się co pięć, sześć miniatur (z jaką pewnością siebie i gracją Tahmuras opuszczał żelazną maczugę na głowy diabłów i potworów, które potem, w czasie pokoju, będą uczyć go alfabetu, greki i innych języków!).
3. W podziwianiu księgi przeszkadzały mi końskie nozdrza oraz obecność Czarnego i karła.

Byłem rozczarowany tym, że kieruję się bardziej rozumem niż sercem, chociaż Allah w swej szczodrobliwości podarował mi wspaniałą okazję, bym mógł zobaczyć tę słynną księgę, zanim na moje oczy spadnie aksamitna zasłona ciemności, łaska, którą zsyła Bóg wielkim miniaturzystom.

Nim poranne promienie słońca zajrzały do pomieszczenia, które coraz bardziej przypominało zimny grobowiec, obejrzałem wszystkie dwieście pięćdziesiąt dziewięć rysunków. Skoro kierowałem się rozumem, pozwólcie, że wnioski podsumuję w punktach, tak jak to lubią robić arabscy uczeni, stawiający umysł na pierwszym miejscu.

1. Nigdzie nie znalazłem rumaka z charakterystycznymi, podciętymi nozdrzami, którego narysował podły morderca. Ani wśród wizerunków koni, które Rustam napotkał na swej drodze w Turanie, ścigając złodziei; ani wśród wspaniałych rumaków szacha Feriduna, wpław pokonujących Tygrys, aż sułtan arabski zakazał im tego; nie było go też wśród dereszowatych koni, ze smutkiem obserwujących, jak Tur zdradziecko ucina głowę młodszemu bratu Ireczowi z zazdrości o to, że ojciec oddał mu najlepsze kraje — Iran i Chiny — a jemu, Turowi, zostawił tylko ziemie zachodnie; nie znalazłem go wśród zwierząt bohaterskiej armii Aleksandra, prowadzonych przez Chazarów, Egipcjan, Berberów i Arabów, w pełnym rynsztunku, z żelaznymi tarczami, niezniszczalnymi mieczami i błyszczącymi hełmami; nie przypominał go też legendarny koń, którego nad brzegiem zielonego jeziora zabił szach Jezdegird, dręczony ciągłym krwotokiem z nosa, zesłanym mu przez Allaha jako kara za bunt przeciw boskim wyrokom, a uleczonym przez wody tego jeziora. Ale pozostał mi jeszcze dzień na obejrzenie innych ksiąg znajdujących się w skarbcu.

2. Przez ostatnie dwadzieścia pięć lat wśród miniaturzystów krążyła plotka, że pewien iluminator, który za specjalnym przyzwoleniem sułtana wszedł do skarbca, odnalazł tę księgę i skopiował konie, drzewa, chmury, kwiaty, ptaki, ogrody, sceny bitewne i miłosne, a potem je wykorzystywał. Wystarczyło, że narysował coś wyjątkowego, a inni, kierując się zazdrością, przypominali mu o tym z lekceważeniem, nazywając jego prace perską twórczością z Tabrizu.

W tym czasie Tabriz już nie był własnością naszego sułtana. Kiedy podobnymi oszczerstwami obrzucano mnie, czułem słuszny gniew, chociaż w głębi duszy rozpierała mnie duma, ale kiedy mówiono tak o innych, gotów byłem uwierzyć w tę plotkę. Teraz dopiero ze smutkiem zdałem sobie sprawę, że nasza czwórka, której dane było zapoznać się z księgą i której wryła się ona w pamięć, przez dwadzieścia pięć lat bardzo starała się tworzyć dla naszego władcy na jej podobieństwo. Nie bolałem nad zachowaniem bezwzględnych sułtanów, którzy nie pokazywali nam ani tej księgi, ani innych manuskryptów przechowywanych w skarbcu, lecz nad tym, jak bardzo ograniczony jest świat iluminatora. Zarówno mistrzowie z Heratu, jak i nowi z Tabrizu rysowali lepiej od nas, Osmanów.

Nagle przemknęła mi przez głowę myśl, że byłoby słuszne, gdyby mnie oraz wszystkich moich miniaturzystów za dwa dni poddano torturom. Ze wzburzeniem zacząłem czubkiem nożyka wydrapywać oczy postaci na leżącym przede mną rysunku. Opowiadał on o perskim uczonym, który nauczył się grać w szachy, patrząc jedynie na szachownicę przywiezioną przez indyjskiego posła, po czym pokonał indyjskiego mistrza! Perskie kłamstwo. Wydrapałem oczy graczom, szachowi i towarzyszącym mu osobom. Potem cofnąłem się o kilka stron i bezlitośnie wyciąłem oczy walczącym ze sobą szachom, wojownikom potężnych armii zakutym we wspaniałe zbroje i odrąbanym głowom. W ten sposób potraktowałem trzy strony, po czym wsunąłem nożyk za pas.

Ręce mi drżały, ale nie czułem się źle. W ciągu pięćdziesięciu lat uprawiania przez siebie sztuki spotkałem dziesiątki podobnie zachowujących się dziwaków, ale czy teraz lepiej rozumiałem ich reakcje? Zapragnąłem, by na ilustracje zaczęła się sączyć krew z oczu, które przed chwilą przekłułem.

3. W ten sposób u schyłku życia zaznałem udręki i ukojenia. Żadna z ilustracji zamieszczonych w tej wspaniałej księ-

dze, którą dzięki dziesięciu latom pracy najlepszych perskich mistrzów stworzył szach Tahmasp, nie wyszła spod pędzla wielkiego Behzada. Brak śladu ręki mistrza potwierdzał, że w ostatnich latach życia, kiedy stracił przychylność szacha i uciekł z Heratu do Tabrizu, był on ślepy. Stwierdziłem z satysfakcją, że wielki mistrz, osiągnąwszy doskonałość, sam się oślepił, żeby nie tworzyć miniatur dla innych pracowni i nie realizować zamówień innego szacha.

Czarny z karłem położyli przede mną kolejny gruby tom i otwarli go.

— To nie to — orzekłem, ledwie rzuciwszy okiem. — To *Księga królewska* z czasów Mogołów. Spójrzcie, wojownicy zakuci w zbroje i żelazne konie Aleksandra Macedońskiego: konie napełniane były naftą, podpalało się ją, z nozdrzy buchał płomień i wtedy jako płonące pochodnie kierowane były na wroga.

Popatrzyliśmy na żelazną armię w ogniu — oczywiste zapożyczenie z chińskiego malowidła.

— Cezmi Ago — powiedziałem. — W *Księdze sułtana Selima* rysowaliśmy dary od szacha Tahmaspa, które jego posłowie przywieźli przed dwudziestu pięciu laty.

Błyskawicznie odszukał *Księgę sułtana Selima* i położył ją przede mną. Obok przepięknie iluminowanej strony, przedstawiającej scenę ofiarowania przez posłów sułtanowi Selimowi *Księgi królewskiej* wraz z innymi prezentami, wśród wymienionych podarunków moje oko odnalazło tekst, który już kiedyś czytałem, lecz zapomniałem o nim, bo był taki niewiarygodny:

Złota szpila z turkusowym zakończeniem, inkrustowanym masą perłową, jaką posłużył się czcigodny mistrz nad mistrzami Behzad z Heratu, aby się oślepić.

Spytałem karła, gdzie znalazł tę księgę. Szliśmy, manewrując w zakurzonej ciemności między skrzyniami, stosami tkanin i kobierców, szafami, pod licznymi schodami. Widziałem, jak nasze cienie malały lub powiększały się, sunąc po tarczach, tygrysich skórach i kości słoniowej. W jednym z pomieszczeń, wyłożonym tkaninami w wyblakłym czerwonym kolorze, pośród różnych ksiąg, narzut wyszywanych złotą i srebrną nicią, kindżałów z rękojeściami z bursztynu i kamieni z rzeki Dżejlan, leżącymi obok żelaznego kufra, w którym znaleziono *Księgę królewską*, dostrzegłem prezenty szacha Tahmaspa, takie jak jedwabne isfahańskie kobierce, szachy z kości słoniowej i piórnik z czasów Timura, ozdobiony intarsją z masy perłowej, przedstawiającą chińskie smoki. Otworzyłem go i ukazała mi się lekko przypalona kartka papieru o zapachu róży oraz złota szpilka z trzonkiem z turkusów i masy perłowej. Wyjąłem ją i bezszelestnie wróciłem na miejsce.

Gdy zostałem sam, położyłem igłę, którą oślepił się mistrz Behzad, na otwartej stronie *Księgi królewskiej* i zacząłem się jej przypatrywać. Zawsze czułem się nieswojo, kiedy przyglądałem się przedmiotom dotykanym wcześniej przez wprawne ręce mistrza.

Dlaczego szach Tahmasp posłał sułtanowi Selimowi w prezencie razem z księgami tę okropną szpilę? Czy dlatego, że szach jako dziecko pobierał lekcje rysunku u Behzada, w młodości zachwycał się jego miniaturami, ale gdy dożył sędziwego wieku, usunął z pałacu poetów i malarzy, by poświęcić się Allahowi? Czy dlatego tak łatwo rozstał się z niezrównaną księgą, nad którą dziesięć lat pracowali najlepsi mistrzowie? A może posłał tę igłę razem z manuskryptem, żeby wszyscy widzieli, że koniec mistrza znaczy dobrowolne oślepienie, albo, zgodnie z inną wersją, chciał w ten sposób powiedzieć: kto raz zobaczy to zachwycające dzieło, nie zechce więcej oglądać świata? Jest też możliwe, że dla szacha, który tak jak wielu władców na starość okazywał skruchę za swoją grzeszną miłość do miniatur, ta księga nie miała już wartości.

Przypomniałem sobie historie, które wiele razy słyszałem od rozczarowanych życiem miniaturzystów: kiedy armia Dżihan Szacha, władcy Czarnych Baranów, zbliżała się do Szirazu, naczelny miniaturzysta tamtejszej pracowni, legendarny Ibn Husam, zwrócił się do swego ucznia słowami: „Nie będę dla nich pracował" — i rozkazał, aby wypalono mu oczy. Kiedy sułtan Selim Groźny ze swoją armią pokonał szacha Ismaila, wkroczył do Tabrizu i splądrował Pałac Ośmiu Rajów, sprowadził razem z innymi miniaturzystami starego perskiego mistrza, który, jak mówiono, nie chcąc tworzyć miniatur w osmańskim stylu, oślepił się lekami. Zdarzało się, że i ja przypominałem swoim uczniom, gdy poddawali się irytacji, iż wielki Behzad również pozbawił się wzroku.

Czy nie ma innego wyjścia? Czy mistrz, korzystający z nowych metod, nie może, choćby w niewielkim stopniu, zachować technik i stylu dawnych twórców?

Na ostrym czubku igły znajdowała się ciemna plamka, ale moje zmęczone oczy nie mogły ustalić, czy to krew, czy coś innego. Przystawiłem lupę i długo oglądałem igłę, jakbym obserwował smutną miłosną scenę. Spróbowałem wyobrazić sobie, jak Behzad to zrobił. Mówią, że człowiek nie ślepnie od razu, że aksamitna ciemność ogarnia go stopniowo, przez wiele dni lub nawet miesięcy, tak jak w naturalny sposób tracą wzrok starzy ludzie.

Przechodząc do następnego pomieszczenia, zauważyłem zwierciadło w ramie z kości słoniowej z rzeźbioną rączką, w masywnej oprawie z hebanowego drewna, zdobionej napisami. Usiadłem i spojrzałem sobie w oczy. W źrenicach, które od sześćdziesięciu lat przyglądały się moim dłoniom podczas malowania, odbijał się drżący płomień świecy. W jaki sposób mistrz Behzad tego dokonał? — zadawałem sobie pytanie.

Nie odrywając wzroku od lustra, ruchem kobiety sięgającej po czernidło do powiek, wyciągnąłem rękę po igłę. Bez wahania, jakbym chciał przebić strusie jajo przed jego ozdobieniem, spokojnie, acz zdecydowanie wbiłem igłę w prawą źrenicę. Skręciło mnie w żołądku, ale nie dlatego, że poczułem, co robię, lecz z powodu tego, co widziałem. Wbiłem igłę na długość jednej czwartej palca, po czym wyjąłem ją.

W dwuwierszu wypisanym na ramie lustra poeta życzył nie kończącego się piękna i radości temu, kto na nie patrzył, a także wiecznego trwania samemu lustru.

Z uśmiechem przekłułem drugie oko.

Długo siedziałem w bezruchu. Po prostu wpatrywałem się w otaczający mnie świat.

Tak jak się spodziewałem, kolory wokół mnie nie pociemniały, lecz jakby lekko blakły. Ale na razie widziałem całkiem nieźle.

Gdy po jakimś czasie jasny promień słońca przedostał się do skarbca i padł na czerwony i ciemnoczerwony jak krew materiał, podskarbi i jego ludzie zaczęli powtarzać ceremonię zrywania pieczęci. Po otworzeniu drzwi Cezmi Aga zmienił nocniki, lampy, węgiel w piecyku, przyniósł świeży chleb, suszone morwy i oświadczył, że będziemy kontynuować nasze poszukiwania koni z dziwnymi nozdrzami w księgach należących do sułtana. Co może być wspanialszego od oglądania najdoskonalszych miniatur i postrzegania świata takim, jakim widział go Allah?

52.
Nazywam się Czarny

Kiedy nad ranem podskarbi i jego ludzie, przestrzegając ustalonego ceremoniału, otworzyli drzwi skarbca, moje oczy już na tyle przyzwyczaiły się do czerwonawego przytłumionego oświetlenia, że światło zimowego poranka, które wpadło z pałacowego podwórza, wydało mi się za jasne i nierzeczywiste. Nie zareagowałem, podobnie jak mistrz Osman. Zdawało mi się, że jeśli ruszę się z miejsca, zniknie zapach kurzu i pleśni, który niemal można było dotknąć ręką, a razem z nim poszukiwane przez nas ślady.

Mistrz Osman z dziwnym zachwytem na twarzy, jakby zetknął się z czymś niezwykłym, patrzył na promienie słoneczne, przenikające do skarbca między głowami służby stojącej po obu stronach wrót.

Podobny wyraz twarzy zauważyłem u niego, kiedy nocą kartkował *Księgę królewską* szacha Tahmaspa i przeglądał znajdujące się w niej miniatury. Gdy pochylał się nad lupą, a usta wykrzywiał lekko, jakby postanowił właśnie zdradzić jakąś rozkoszną tajemnicę, na jego twarzy malowało się to samo zdumienie.

Po ponownym zamknięciu skarbca zacząłem z coraz większym niepokojem krążyć po jego pomieszczeniach, myśląc o tym, że nie znajdziemy w księgach niezbędnych informacji, że nie starczy nam czasu. Ponieważ wydawało mi się, że naczelny iluminator nie przykłada się zbytnio do pracy, zdradziłem mu swoje obawy.

Jak prawdziwy mistrz, przywykły do okazywania łaskawości swoim uczniom, wziął mnie za rękę.

— Pozostaje nam tylko widzieć świat takim, jakim widzi go Allah, i ufać w jego sprawiedliwość. Czuję, jak wśród tych iluminacji i przedmiotów spływa na nas łaska Allaha. Spójrz: szpila, którą oślepił się mistrz Behzad...

Opowiadając przykrą historię związaną z igłą, przysunął lupę, abym mógł ją lepiej obejrzeć, więc przyjrzałem się temu nieprzyjemnie ostremu przedmiotowi i zobaczyłem na czubku różową plamkę.

— Dla starych mistrzów — powiedział Osman — pytanie o to, czy można zmienić styl swojej pracy, kolory, którym jest się wiernym przez całe życie, było kwestią sumienia. Uważali za niegodne jednego dnia widzieć świat oczyma wschodniego szacha, a drugiego —ʀ zachodniego władcy, tak jak to czynią współcześni artyści.

Nie patrzył ani na mnie, ani na księgę leżącą przed nim. Pogrążył się w rozpamiętywaniu przeszłości. Na otwartej stronie *Księgi królewskiej* walczyły ze sobą dwie silne armie Iranu i Turanu; konie napierały na siebie, kopie kawalerzystów przebijały zbroje, szable rozcinały jeźdźców, ociekające krwią ciała bez głów i rąk spadały na ziemię, w śmiertelnych zmaganiach odważni wojownicy mordowali się nawzajem, a wszystko to było przedstawione w żywych, jaskrawych kolorach.

— Kiedy wielkich mistrzów zmuszano do rysowania w nie znanym im stylu zwycięzców i naśladowania obcych wzorów, wtedy bez zastanowienia, wziąwszy do ręki igłę, bohatersko oślepiali się, żeby bronić swojego honoru, a potem kładli przed sobą jakąś wspaniałą miniaturę i dopóki nie zstąpiło na nich błogosławieństwo Allaha, czyli wieczna ślepota, patrzyli na nią bez przerwy, godzinami, czasem dniami. Ponieważ wpatrywali się w nią bez końca, treść miniatury, zraszanej kapiącą z ich oczu krwią, stopniowo wypierała tkwiące w nich zło i powoli odzyskiwali spokój, podczas gdy oczy zachodziły im bielmem. Wiecie, jaką miniaturę chciałbym oglądać, zanim oślepnę? — Zapatrzył się w dal jak człowiek usiłujący przypomnieć sobie zdarzenie z dzieciństwa. — Wykonaną w stylu starych mistrzów z Heratu, w której Chosrow, przybywszy na swym koniu, pełen miłości wyczekuje Szirin obok jej pałacu!

Prawdopodobnie zacząłby ze szczegółami opisywać tę scenę, tak jak poetycko przedstawiał historię pozbawiających się wzroku miniaturzystów, ale przerwałem mu:

— Nauczycielu, mistrzu, a ja chciałbym bez chwili przerwy patrzeć na piękną twarz mojej ukochanej. Ożeniłem się z nią trzy dni temu. Dwanaście lat z tęsknotą o niej myślałem. Rysunki przedstawiające miłość Szirin i Chosrowa zawsze mi ją przypominają.

Na twarzy mistrza Osmana może i pojawiło się jakieś zainteresowanie, ale nie miało ono związku ani z moimi słowami, ani ze sceną walki przedstawioną na miniaturze. Stał, jakby czekał na dobrą wiadomość. Upewniwszy się, że niczego nie zauważy, wziąłem leżącą przed nim szpilę i odszedłem.

W trzecim pomieszczeniu skarbca, usytuowanym obok łazienki, znajdował się ciemny kącik, w którym zwalono popsute zegary różnego typu i wielkości — prezenty od europejskich królów. Poszedłem tam i dokładnie obejrzałem ozdobną igłę, którą, jak powiedział mistrz Osman, oślepił się Behzad.

Od czasu do czasu jej czubek połyskiwał różową substancją w świetle wstającego dnia, które odbijało się w brylantach, kryształowym szkle, złotych oprawach martwych i zakurzonych zegarów. Czy rzeczywiście legendarny mistrz Behzad jej użył? Czy rzeczywiście mistrz Osman powtórzył ten bolesny czyn? Umieszczona na dużym zegarze jaskrawo pomalowana figurka grubego Araba wielkości palca jakby z aprobatą kiwnęła mi w odpowiedzi. Zegarmistrz habsburskiego cesarza dla żartu skonstruował taki mechanizm, że o pełnej godzinie człowiek w turbanie wesoło kiwał głową odpowiednią liczbę razy, rozweselając w ten sposób sułtana i jego żony w haremie.

Przejrzałem kilka pośledniejszych ksiąg. Karzeł wyjaśnił, że znalazły się tutaj w wyniku konfiskaty majątków paszów, którym ścięto głowy. Musiało być ich wielu, bo i tomów było mnóstwo. Z okrutną satysfakcją karzeł oświadczył, że każdy pasza, upojony bogactwem i władzą, który zapomina, że jest niewolnikiem sułtana, a posiada pozłacaną księgę, jakby sam był władcą lub szachem, zasługuje na utratę majątku i śmierć. Wśród tych foliałów były albumy z miniaturami i ilustrowane zbiory poezji. Gdy trafiałem na scenę, w której Szirin zakochuje się w portrecie Chosrowa, długo się w nią wpatrywałem.

Była to miniatura w miniaturze i przedstawiała Szirin podczas spaceru w ogrodzie, podziwiającą wizerunek Chosrowa. Nie zawierała zbyt wielu szczegółów nie dlatego, że miniaturzyści nie potrafili ich oddać — wielu rysowało na paznokciu, ziarnku ryżu, albo nawet włosie. Czemuż więc nie przedstawili wyraźnie przystojnego Chosrowa, tak by jego oczy i twarz były rozpoznawalne? Postanowiłem po południu koniecznie zapytać o to mistrza Osmana i aby zapomnieć o swej niewesołej sytuacji, dalej odruchowo przewracałem leżące przede mną w nieporządku księgi. W pewnym momencie moją uwagę przykuł rysunek na tkaninie, przedstawiający ślubny orszak. Zobaczyłem na nim konia i moje serce zabiło mocniej.

Miał dziwne nozdrza. Na grzbiecie dźwigał kapryśną pannę młodą i patrzył mi prosto w oczy. Jakby to czarodziejskie zwierzę chciało zdradzić mi jakąś tajemnicę. Myślałem, że śnię, chciałem krzyknąć, ale straciłem głos.

Chwyciłem księgę i potykając się o przedmioty i kufry, podbiegłem do mistrza Osmana. Położyłem przed nim znalezisko. Spojrzał na nie. Wyraz jego twarzy się nie zmienił, więc zniecierpliwiony powiedziałem:

— Nozdrza konia są takie same, jak na rysunku wykonanym na zamówienie wuja.

Skierował lupę na zwierzę i tak mocno się schylił, że niemal dotykał jej nosem.

— Jak widać — nie wytrzymałem przeciągającego się milczenia — ten koń jest narysowany w innym stylu i nie przypomina tego z księgi wuja. Ale nozdrza są te same. Sądzę, że miniaturzysta chciał widzieć świat takim, jak widzą go chińscy artyści. — Umilkłem. — To procesja ślubna. Przypomina chiński rysunek, lecz postaci wyglądają, jakby rysował je któryś z nas.

Lupa mistrza ponownie przykleiła się do rysunku, a jego nos do lupy. Aby lepiej widzieć, zmusił do pracy nie tylko oczy, ale i głowę, przygarbione plecy oraz ramiona. Znów zapadła cisza.

— Nozdrza konia są podcięte — odezwał się w końcu, ciężko oddychając.

Pochyliłem się nad jego głową. Nasze policzki zbliżyły się do siebie i długo patrzyliśmy na miniaturę. W tym momencie ze smutkiem zdałem sobie sprawę, że mistrz Osman nie tylko ledwie dostrzega końskie nozdrza, ale w ogóle ma trudności z widzeniem.

— Widzicie to? — zapytałem niecierpliwie.

— Bardzo słabo — przyznał. — Opowiedz mi, co tutaj jest namalowane.

— Jeśli o mnie chodzi, to widzę niewesołą pannę młodą — zacząłem ponuro. — Siedzi na gniadym koniu z podciętymi nozdrzami i w towarzystwie obcych strażników jedzie do pana młodego. Twarze mężczyzn, ich surowy wyraz, czarne brody, zmarszczone brwi, długie gęste wąsy, stroje z jednobarwnej cienkiej tkaniny, delikatne obuwie, nakrycia głowy z niedźwiedzich skór, topory i szable wskazują na to, że są to Turkmeni z federacji Białych Baranów z Mawerannahr*. Piękna narzeczona, którą czeka długa droga, bo podróżuje z druhnami, nocą, przy świetle lamp oliwnych i pochodni, jest pewnie chińską księżniczką.

— Może iluminator, aby podkreślić nienaganną urodę panny młodej, pomalował jej twarz na biało jak Chińczycy, a oczy zrobił skośne, dlatego uznajemy teraz ten obraz za chińską i wytworną pracę? — zastanawiał się głośno mistrz Osman.

— Tak czy siak — stwierdziłem — współczuję tej smutnej piękności, która nocą jedzie przez step, otoczona strażnikami o surowych spojrzeniach, podążając do obcego kraju, gdzie czeka na nią przyszły mąż, którego nigdy nie widziała. — I od razu dodałem: — Czy teraz będziemy w stanie określić, który z naszych miniaturzystów narysował konia?

— Przewertuj stronice i opowiedz, co tam jeszcze znajdziesz — poprosił mistrz Osman.

Wtedy właśnie dołączył do nas karzeł, który siedział na nocniku, gdy ja pobiegłem z księgą do mistrza. We trzech przyglądaliśmy się teraz miniaturom.

Zobaczyliśmy ładne Chinki, narysowane w tym samym stylu co smutna panna młoda, grające w ogrodzie na lutniach ud. Przed naszymi oczami przesuwały się chińskie domy, melancholijne karawany, które wyruszyły w daleką drogę, stepowe drzewa piękne jak stare wspomnienia i stepowe pejzaże. Zgięte w chińskim stylu drzewa, bujnie kwitnące wiosenne kwiaty, wesoło śpiewające na gałęziach słowiki. Przyglądaliśmy się namiotowi w stylu chorasańskim, w którym książęta naj-

---

* Mawerannahr — nazwa ziem leżących za Oksusem i Amu-darią, tzw. Transoksania

widoczniej rozprawiali o poezji, winie i miłości, oraz pięknym ogrodom, z których — na wspaniałych koniach i z sokołami na rękach — wyjeżdżali na polowanie postawni mężczyźni. Na następnych stronach jakby buszował szatan, bo odczuliśmy realną obecność zła i głupoty. Czyżby autor zabarwił ironią miniaturę przedstawiającą bohaterskiego następcę tronu, który gigantyczną włócznią zabija smoka? Czy naśmiewał się z biedy nieszczęsnych chłopów, czekających, aż szejch ich pocieszy? Co sprawiło miniaturzyście większą radość: kreślenie przywiązanych do siebie parzących się psów czy pokrywanie jaskrawą czerwoną farbą ust kobiet, z chichotem obserwujących psi taniec? Potem zobaczyliśmy diabły narysowane przez miniaturzystę tak, jak je sobie wyobrażał: te dziwne stworzenia podobne były do dżinów i straszydeł, które często przedstawiali mistrzowie z Heratu. Ale tutaj satyryczny talent artysty sprawił, że były jeszcze straszniejsze, bardziej agresywne i bardziej podobne do ludzi. Roześmialiśmy się, gdy ujrzeliśmy diabły wielkości człowieka, ze skręconymi ciałami, rozgałęzionymi rogami i kocimi ogonami. Te nagie dziwolągi o gęstych brwiach i okrągłych twarzach, z ogromnymi oczami, ostrymi zębami i pazurami, z ciemną jak u starców skórą walczyły ze sobą, prowadziły wielkiego konia na ofiarę dla swoich bóstw, skakały, bawiły się, ścinały drzewa, chwytały przystojnych sułtanów i porywały ich razem z lektyką, łapały smoki, okradały skarbiec. Gdy wyjaśniałem mistrzowi Osmanowi, że miniaturzysta, którego prace znajdowały się w tym tomie, przedstawiał szatanów — tak jak Siyah Kalem* — jako brodatych

---

* Siyah Kalem — dosł. Czarne Pióro, malarz żyjący w XV w., którego pochodzenie nie jest ustalone, najprawdopodobniej urodził się w którymś z krajów Azji Środkowej. Unikalny zbiór jego rysunków znajduje się w zbiorach pałacu Topkapı, rysunki mają oryginalny styl, z widocznymi wpływami malarstwa chińskiego i środkowoazjatyckiego.

derwiszów kalenderytów z przerzedzonymi włosami, w łachmanach, łańcuchach, z gigantycznymi rękami — ten uważnie
mnie słuchał, od czasu do czasu powtarzając moje słowa.

— Podcinanie koniom nozdrzy, żeby łatwiej oddychały
i miały więcej siły, to stara tradycja mongolska — wyjaśnił, gdy
skończyłem opisywać miniatury. I zaczął opowiadać: — Słyszałem, że kiedy wojownicy chana Hülegü, którzy zdobyli na
swoich koniach kraje arabskie, Persję oraz Chiny, weszli do
Bagdadu i zaczęli mordować ludzi oraz rabować miasto, a potem powrzucali wszystkie księgi do Tygrysu, słynny kaligraf
Ibn Szakir, który wkrótce miał zostać miniaturzystą, obawiając
się rzezi, wyruszył, inaczej niż wszyscy, nie na południe, lecz
na północ, skąd — jak wiadomo — przybyła mongolska jazda.
W tamtym czasie miniatur nie robiono, bo zabraniał tego szlachetny Koran, a malarzy nie traktowano poważnie. Poznanie
największego sekretu naszego rzemiosła — widoku świata z minaretu, stałej, jawnej lub ukrytej linii horyzontu i wszystkich
innych rzeczy, rysowanych za pomocą żywych i pastelowych
kolorów — od barankowych obłoków po najmniejsze owady
— tak jak przedstawiali to Chińczycy — zawdzięczamy naszemu patronowi, mistrzowi miniatur Ibn Szakirowi; on to — jak
słyszałem — podczas swego słynnego marszu na północ, którego celem było dotarcie do serca armii mongolskiej, obserwował nozdrza koni. Ale podobno w Samarkandzie, dokąd dotarł
po roku, przeżywszy śnieżyce i huragany, nie rysował takich
zwierząt. Ideałem dla niego nie były silne, krępe, zwycięskie
konie Mongołów, które zobaczył w dojrzałym wieku, lecz piękne
ne arabskie rumaki, które z żalem opuścił w młodości. Z tego
powodu dziwny nos ogiera z księgi Wuja nie przypomina mongolskich koni ani tych sprowadzonych przez Mongołów do
Chorasanu i Samarkandy. — Mówiąc to, mistrz Osman spoglądał raz na księgę, raz na nas, jakby widział jedynie obrazy wy-

wołane przez wyobraźnię. — Oprócz koni z podciętymi nozdrzami interesujące są w tej księdze również diabły, które
dotarły do kraju Persów i do nas za sprawą mongolskiej armii.
Słyszeliście, oczywiście, że są one wysłannikami sił zła, za-
mieszkującymi podziemny mrok, i że zabierają ludzkie życie
oraz wszystko, co uważamy za cenne, do otchłani, królestwa
śmierci. W tym podziemnym świecie wszystko — chmury,
drzewa, przedmioty, psy, księgi — ma duszę i potrafi mówić.
    — Zgadza się — potwierdził stary karzeł. — Allah świad-
kiem, że czasem w nocy, kiedy mnie tutaj zamykają, mam
wrażenie, że dźwięczą tu nie tylko dusze tych zegarów, chińskiej porcelany i kryształowych czar. Także dusze wszystkich
strzelb, mieczy, tarcz i zakrwawionych hełmów zaczynają się
niepokoić i rozmawiać, wywołując taki hałas, że skarbiec zamienia się w pole bitwy.
    — Tę opowieść przynieśli z Chorasanu do Persji, a potem
do Stambułu wędrowni derwisze kalenderyci, których wizerunki oglądaliście — kontynuował mistrz Osman. — Kiedy
sułtan Selim Groźny zwyciężył szacha Ismaila i zaczął rabować Tabriz i Pałac Ośmiu Rajów, Badiuzzaman Mirza, potomek
Timura, zdradził pokonanego i razem z derwiszami przyłączył
się do Osmanów. W śnieżną zimę, gdy świętej pamięci sułtan
Selim Groźny wracał z Tabrizu do Stambułu, wiózł z sobą nie
tylko dwie białoskóre piękności o migdałowych oczach — żony szacha Ismaila, pokonanego pod Czałdyranem — ale i księgi
z biblioteki pałacowej, pozostawione przez poprzednich władców Tabrizu, Mongołów, Ilchanidów i innych, zagrabione Uz-
bekom, Persom, Turkmenom i Timurydom. Będę je oglądał do
czasu, aż sułtan i podskarbi nie usuną mnie stąd.
    Ale jego spojrzenie już miało ten charakterystyczny dla
ślepców wyraz. Lupy nie trzymał już po to, żeby patrzeć, ale
po prostu z przyzwyczajenia. Chwilę milczeliśmy. Osman po-

prosił karła, który słuchał opowiadania bardzo uważnie, aby znów przyniósł pewną księgę, po czym dokładnie ją opisał. Karzeł odszedł. Spytałem naiwnie:

— Kto w takim razie narysował konia do księgi wuja?

— Oba konie mają podcięte nozdrza, bez względu na to, czy powstały w Samarkandzie, czy w Transoksanii, noszą znamiona chińskiego stylu. A przepiękny koń z księgi Wuja wykonany został w stylu perskim, jak w miniaturach mistrzów z Heratu. To piękna miniatura, której próżno gdziekolwiek szukać. Ten wspaniały rumak nie jest mongolskim rumakiem.

— Ale nozdrza ma podcięte zupełnie jak mongolskie konie — przypomniałem.

— Widocznie jakieś dwieście lat temu, kiedy Mongołowie się wycofali i zaczęło się panowanie Timura i jego synów, któryś ze starych mistrzów z Heratu narysował wspaniałego konia z podciętymi nozdrzami, wzorując się albo na koniu mongolskim, albo na miniaturze innego mistrza, który stworzył takiego rumaka. Nikt nie wie, do jakiej księgi i dla jakiego szacha wykonano ten rysunek. Ale jestem pewien, że mówiło się o nim, był wychwalany i podziwiany. Możliwe nawet, że przez faworytę sułtana. Jestem też pewien, że pośledniejsi miniaturzyści, mrucząc z zazdrości, kopiowali i powielali wizerunek konia z podciętymi nozdrzami. W ten sposób stał się on wzorem i na zawsze wrył się w pamięć artystów. Po latach, gdy szach, miłośnik miniatury, poniósł klęskę w którejś z bitew, malarze musieli znaleźć sobie innych opiekunów, szachów i książąt. Jak kobiety z haremu zmieniali miasta, a nawet kraje, ale w pamięci przechowywali ten sam wizerunek konia. Możliwe, że wielu iluminatorów zapomniało o nim, bo w innej pracowni malowano inaczej, w zupełnie innym stylu. Ale niektórzy dalej rysowali i uczyli swoich czeladników przedstawiać konie z podciętymi nozdrzami, twierdząc, że tak rysowali starzy mistrzowie. W ten sposób wieki po tym, jak Mongołowie i ich silne konie z podciętymi nozdrzami opuścili Persję i kraje arabskie, niektórzy dalej przedstawiali te rumaki w taki sposób w przekonaniu, że to wzór do naśladowania. Myślę, że wielu miniaturzystów nie miało pojęcia o zdobywcach — Mongołach ani o ich koniach. Po prostu rysowali według wzorca, tak jak to robią nasi artyści.

— Mistrzu — byłem poruszony — metoda kurtyzany, tak jak przypuszczaliśmy, dała efekty. Okazuje się, że każdy miniaturzysta ma swój styl.

— Nie miniaturzysta, ale pracownia — z dumą sprecyzował mistrz Osman. — W dodatku nie każda pracownia. W niektórych jak w skłóconej rodzinie każdy ciągnie w swoją stronę i nie rozumie, że szczęście tkwi w harmonii, a harmonia to szczęście. Jedni pracują jak Chińczycy, inni jak Turkmeni, a jeszcze inni jak mieszkańcy Szirazu czy Mongołowie i latami spierają się, kłócą i nie mogą dojść do porozumienia, jak to czasem bywa w niedobranym małżeństwie.

Na twarzy mistrza Osmana wyraźnie rozkwitała duma — zamiast zrezygnowanego, nieszczęśliwego starca, na którego przed chwilą patrzyłem, pojawił się stanowczy, zdecydowany mężczyzna.

— Mistrzu, ale tutaj, w Stambule, w ciągu dwudziestu lat zdołałeś narzucić jeden wspólny styl miniaturzystom z czterech stron świata, o różnych charakterach i poglądach — stworzyłeś styl osmański!

Dlaczego strach, który przed chwilą wypełniał moje serce, ustąpił miejsca hipokryzji? Czyżby przez podziw i uwielbienie dla jego talentu utracił autorytet i wpływy i stał się żałosny?

— Gdzie podział się karzeł? — spytał mistrz Osman tonem człowieka łasego na pochlebstwa, który nagle uświadomił sobie, że mu to nie przystoi, i pragnął zmienić temat.

— Niezależnie od tego, że jesteście niedoścignionym mistrzem perskiego stylu, stworzyliście odrębny świat miniatury, godny chwały i siły osmańskiego imperium — chwaliłem dalej. — Właśnie wy wnieśliście do rysunku moc osmańskiego miecza, radosne barwy zwycięstwa, zainteresowanie otaczającymi nas przedmiotami, swobodę życia. Mój mistrzu, to wielkie szczęście przebywać tu z wami i mieć możność przyglądania się tym legendarnym pracom.

Szeptałem tak przez chwilę. W lodowatych ciemnościach i bałagan panującym w skarbcu, który przypominał pole bitwy, byliśmy tak blisko siebie, że mój szept stał się intymny. Chwilę potem, jak u ślepca, który nie jest w stanie panować nad wyrazem twarzy, w starych oczach mistrza Osmana błysnęła radość. Długo wychwalałem starego artystę, kierowany odruchem serca i współczuciem dla ślepego.

Chłodnymi rękoma ujął mą dłoń, pogłaskał mnie po ramionach, policzku. Miałem wrażenie, że jego siła i starość wnikają we mnie. Pomyślałem o czekającej na mnie w domu żonie.

Siedzieliśmy chwilę bez ruchu nad otwartą księgą. Moje pochwały, mój zachwyt dla niego i okazana litość jakby nas zmęczyły, więc odpoczywaliśmy. Między nas wkradło się zakłopotanie.

— Gdzie jest karzeł? — spytał Osman ponownie.

Byłem pewny, że zaszył się w jakimś kącie i nas obserwował. Wodziłem oczami, jakbym go szukał, skłaniałem się to w prawo, to w lewo, ale tak naprawdę wzrok mój utkwiony był w oczach mistrza. Czy naprawdę był ślepy, czy tylko chciał nam to wmówić? Wiedziałem, że niektórzy starzejący się i tracący umiejętności miniaturzyści z Szirazu, by utrzymać szacunek do siebie i uniknąć posądzeń o niemoc twórczą, udawali ślepotę.

— Chcę tu umrzeć — oznajmił.

— Mój mistrzu i panie — zacząłem mu schlebiać. — Doskonale cię rozumiem i zbiera mi się na płacz. Nadeszły okropne
czasy, kiedy nie ceni się sztuki, a dba o pieniądze, nie ceni
się starych mistrzów, lecz tylko imitatorów z Zachodu. Ale
pamiętaj, panie, że masz obowiązek bronić swoich miniaturzystów przed wrogami. Powiedz, proszę, do jakich wniosków
doprowadziła cię metoda kurtyzany? Kto namalował naszego
konia?

— Oliwka.

Powiedział to tak zdecydowanie, że nie zrodziły się we
mnie żadne wątpliwości.

Zamilkł.

— Jestem jednak przekonany, że to nie on zabił twojego
wuja ani Eleganta — stwierdził ze spokojem. — Na pewno jest
autorem miniatury konia, ponieważ był najbardziej przywiązany do dzieł starych mistrzów, znał dobrze legendy z Heratu
i genealogię miniaturzystów, sięgającą czasów Samarkandy.
Wiem, że nie zapytasz mnie teraz: „Dlaczego nie ma takiego konia na innych pracach Oliwki?" — ponieważ wyjaśniałem już,
że artysta, mimo iż zachował w swej pamięci pewne szczegóły
przekazane mu przez mistrza — jak choćby sposób przedstawiania skrzydła ptaka, liścia wiszącego na drzewie — czasem
z jakiegoś powodu, powiedzmy, przez wzgląd na sułtana, sytuację w pracowni, grubiańskość opiekuna, rysuje inaczej, niż
został nauczony. Oliwka miniaturę właśnie tego konia przyswoił sobie w dzieciństwie, gdy uczył się u perskich mistrzów
i nie udało mu się o niej zapomnieć. To, że takie zmiany pojawiły się nagle w księdze Wuja, było okrutnym żartem Allaha.
Czyż nie braliśmy wszyscy za wzór starych mistrzów z Heratu?
Turkmeńscy miniaturzyści uważają, że piękną kobietę można
przedstawić tylko w chińskiej manierze, a my za dobry rysunek uważamy tylko prace z Heratu, prawda? Wszyscy jeste-

śmy wielbicielami starych mistrzów. Za każdym wielkim malarzem stoi Herat Behzada, a za Heratem — mongolskie konie i Chińczycy. Po co Oliwka, tak przywiązany do tradycji Heratu, miałby zabijać biednego Eleganta, który był jeszcze większym zwolennikiem starego stylu?

— Kto w takim razie? — spytałem. — Motyl?

— Bocian! — odrzekł. — Tak podpowiada mi serce. Znam jego ogromny zapał, jego niewyczerpaną zdolność do pracy. Najprawdopodobniej biedny Elegant, malując dla Wuja, dostrzegł w naśladowaniu europejskich mistrzów bezbożność, herezję, niewiarę... i przestraszył się. Z jednej strony był na tyle głupi, że słuchał gadaniny tego nienormalnego erzurumskiego hodży, ale z drugiej — wiedział, że księga, którą przygotowuje Wuj, jest tajnym i wielkim dziełem sułtana. Męczył go strach i targały nim wątpliwości: komu wierzyć — władcy czy hodży z Erzurumu. W innej sytuacji zwierzyłby się mnie, swojemu mistrzowi. Ale nawet on swoim kurzym móżdżkiem pojął, że pracując w stylu europejskich mistrzów, zdradza mnie i naszą pracownię, i dlatego podzielił się swoimi obawami z przebiegłym i chciwym Bocianem. Swój szacunek wobec jego talentu bez zastanowienia przeniósł na niego samego. Wielokrotnie widziałem, jak Bocian wykorzystywał zachwyt szanownego Eleganta i jego samego. Między nimi mogła wybuchnąć kłótnia, w wyniku której Elegant zginął. Możliwe też, że wcześniej podzielił się swoimi obawami z erzurumczykami, więc postanowili pomścić śmierć swojego towarzysza, a jeśli za winnego uznali Wuja, wielbiciela Europy, zamordowali go. Nie powiem, żeby mnie to bardzo zasmuciło. Wiele lat temu zmusił on naszego sułtana do zamówienia portretu, jak to jest przyjęte u niewiernych królów, u weneckiego malarza — nazywał się Sebastiano. Potem za jego namową sułtan kazał mi zrobić kopię tego obrazu. Ze strachu przed władcą skopiowałem wizerunek, ale tym samym dopuściłem się czegoś haniebnego i uwłaczającego. Gdyby nie tamta sprawa, byłoby mi przykro z powodu śmierci Wuja i z większym zapałem starałbym się odnaleźć podłego mordercę. Moim zmartwieniem nie jest Wuj, ale atmosfera panująca w pracowni. Przez niego miniaturzyści, których wychowywałem i których kocham jak własne dzieci, zdradzili mnie i wszystkie nasze malarskie tradycje: zaczęli z przekonaniem naśladować europejskich mistrzów, twierdząc, że tak życzy sobie sułtan. Są niegodziwcami i zasługują na tortury! Jesteśmy godni raju, jeśli służymy swojemu talentowi i sztuce bardziej niż sułtanowi, który daje nam pracę. A teraz chcę w samotności obejrzeć tę księgę.

Powiedział to ze smutkiem, jak pasza odpowiedzialny za klęskę swej armii i skazany na ścięcie. Karzeł położył przed nim nowy manuskrypt i mistrz Osman otworzył go, po czym rozkazującym tonem zaczął instruować karła, jak znaleźć potrzebną stronę. Ponownie stał się naczelnym miniaturzystą, którego wszyscy znali.

Odszedłem, wcisnąłem się w kąt między szafami, wyszywanymi perłami poduszkami, pordzewiałymi strzelbami, inkrustowanymi szlachetnymi kamieniami, i zacząłem obserwować Osmana. Męczyły mnie okropne podejrzenia, których nabrałem, kiedy mówił. Wydało mi się całkiem prawdopodobne, że morderstwo Eleganta i mojego wuja zaplanował właśnie on, aby powstrzymać prace nad bluźnierczą, jego zdaniem, księgą. Zacząłem się obwiniać za wyrażaną adorację. Ale mimowolnie nie odczuwałem głęboki szacunek dla wielkiego mistrza, który teraz całkowicie skupił się na oglądaniu leżącego przed nim rysunku. Analizował go z taką uwagą, jakby studiował go niezliczonymi zmarszczkami na twarzy, bo oczy odmawiały mu posłuszeństwa. Zdałem sobie sprawę, że w celu zachowania tradycji i porządku w pracowni oraz pozbycia się księgi mojego wuja, by znowu stać się jedynym faworytem sułtana, mistrz Osman mógł z lekkim sercem wydać naczelnikowi straży na tortury nie tylko wszystkich malarzy, ale i mnie. Postanowiłem wyzbyć się wszelkich ciepłych uczuć, jakimi darzyłem go przez ostatnie dwa dni.

Jakiś czas później, żeby uspokoić demony szalejące w moim umyśle i odwrócić uwagę dżinów, machinalnie, z roztargnieniem zacząłem przeglądać kolejne wyciągnięte z kufrów księgi. Jak wielu mężczyzn i kobiet trzymało palce w ustach! Właśnie ten gest zaskoczenia wykorzystywali przez ostatnie dwieście lat malarze od Samarkandy po Bagdad. Gdy bohater Kejchosrow, otaczany przez wrogów, wspierany przez Allaha, bezpiecznie przekracza groźne wody rzeki Dżejhun na czarnym koniu, przewoźnik i wioślarz, którzy odmówili mu pomocy, trzymają palce w ustach. Zaskoczony Chosrow zamarł z palcem w ustach, kiedy po raz pierwszy ujrzał piękną Szirin, kąpiącą się w jeziorze, którego wody niegdyś mieniły się srebrzyście, lecz srebrne płatki na ilustracji zdążyły już zmatowieć. Jeszcze więcej czasu poświęciłem podziwianiu pięknych kobiet z haremu, które z palcami w ustach stały za uchylonymi pałacowymi drzwiami, w oknach wysokich pałacowych wież lub zerkały zza kurtyn. Gdy Teżaw uciekał z pola bitwy, jego faworyta, piękna Espinuj obserwowała go ze smutkiem i zdziwieniem, stojąc w pałacowym oknie z palcem w ustach, i błagała spojrzeniem, by nie zostawiał jej na pastwę wrogów. Gdy Józef fałszywie oskarżony przez Zulejkę o gwałt zostaje aresztowany, ona obserwuje go z okna ze złośliwym i lubieżnym wyrazem twarzy z palcem w pięknych usteczkach. Gdy szczęśliwych, lecz ponurych kochanków, jak z wiersza miłosnego, porywa siła namiętności i wina w ogrodzie podobnym rajskiemu, złośliwa służąca obserwuje ich z palcem w ustach i zazdrością w oczach.

Chociaż ów gest znajdował się w zeszycie wzorów każdego malarza i na stałe zapisany był w ich pamięci, to i tak smukły paluszek w ustach pięknej kobiety za każdym razem wygląda inaczej. Jak dalece te ilustracje zdołały mnie uspokoić? Kiedy zapadał zmrok, podszedłem do mistrza Osmana i powiedziałem:

— Mistrzu, kiedy otworzą drzwi, za waszym pozwoleniem chciałbym wyjść ze skarbca.

— Ach, tak? Mamy przecież jeszcze całą noc i ranek! Twoje oczy szybko nasyciły się widokiem najpiękniejszych rysunków, jakie kiedykolwiek stworzono! — Mówiąc to, nie odrywał oczu od leżącej przed nim strony, ale blednący blask jego źrenic świadczył o tym, że powoli ślepnie.

— Przecież poznaliśmy tajemnicę końskich nozdrzy — zareagowałem odważnie.

— Tak! Oczywiście — przytaknął. — Reszta to sprawa sułtana i podskarbiego. Może darują nam wszystkim.

Czy poda im imię Bociana jako mordercy? Ze strachu nawet nie spytałem. Bałem się, że nie pozwoli mi odejść. I jeszcze przyszło mi na myśl, że mógłby mnie oskarżyć.

— Zniknęła szpila, którą Behzad się oślepił — oznajmił.

— Zapewne karzeł odłożył ją na miejsce — wyraziłem przypuszczenie i dodałem: — Co za wspaniałości są na tej stronie, którą właśnie oglądacie!

Jak u dziecka twarz mistrza opromienił uśmiech.

— Popatrz, Chosrow nocą przybył na koniu pod pałacyk Szirin i czeka na nią niecierpliwie. To styl starych mistrzów z Heratu. — Patrzył na miniaturę, jakby widział, nie wziął nawet lupy do ręki. — Popatrz na tę idealną harmonię: czy widzisz liście drzew nocą i wiosenne kwiaty, jakby promieniowały światłem niby gwiazdy? Każdy przedmiot i obiekt przedstawiony tutaj jest cudowny. Razem tworzą piękno. A ja-

ka delikatna pozłota! Koń Chosrowa jest smukły i pełen wdzięku jak kobieta. Jego ukochana Szirin, przedstawiona w okien-
ku na górze, ma pochyloną głowę, ale twarz dumną. Wydaje
się, że dzięki kunsztowi malarza zakochani zawsze pozostaną
w tym świetle płynącym z delikatnych barw pokrywających
rysunek. Widzisz? Są obróceni do siebie twarzami, ale tułowia mają lekko odwrócone w naszą stronę. To dlatego, że są
świadomi, iż znajdują się na miniaturze i że my będziemy na
nią patrzeć. Zupełnie jakby dawali nam do zrozumienia, że
pochodzą z pamięci Allaha. Tu, na rysunku, czas się zatrzymał. I niezależnie od tego, jak szybko rozwijałaby się akcja poematu, przedstawionego na obrazku, bohaterowie nawet nie
drgną, nie ruszą ani ręką, ani ciałem, ani nawet powiekami.
Razem z nimi zastygnie wszystko: szafirowa noc i ptak lecą-
cy w ciemności wśród gwiazd, znieruchomiały w wieczności,
jakby przybito go do nieba. Starzy mistrzowie z Heratu, czekając na aksamitny mrok Allaha, dobrze wiedzieli, że jeśli będą dniami, tygodniami w bezruchu patrzeć na takie rysunki,
to ich dusza prędzej czy później rozpłynie się w bezkresnym
czasie.

Kiedy podczas wieczornego wezwania do modlitwy drzwi
skarbca znów się otworzyły, mistrz Osman nie oderwał oczu
od księgi i było widać, że dziwnie się pochyla — podobnie jak
ślepiec nad stojącym przed nim talerzem.

Straż, dowiedziawszy się od Cezmiego Agi, że mistrz Osman
zostanie, aby nadal pracować, niezbyt dokładnie przeszukała
mnie i nie wymacała szpilki, wetkniętej w bieliznę. Opuściw-
szy pałacowe podwórze, skierowałem się w jedną z uliczek
Stambułu, zatrzymałem w bramie jakiegoś domu i wyjąłem
straszny przedmiot, który oślepił legendarnego Behzada, a następnie wetknąłem go za pas. Niemal biegiem ruszyłem do
domu.

Tak bardzo przemarzłem w lodowatym skarbcu, że mroźne powietrze na ulicy wydało mi się świeżym powiewem wczesnej wiosny. Kiedy przechodziłem przez targowisko Eskihan, na którym już zaczęto zamykać stragany — spożywczy, balwierza, z galanterią, warzywny, skład drewna — nieco zwolniłem, by przyjrzeć się widocznym z ulicy beczkom, narzutom, marchwi, słojom, schowanym w ciepłych pomieszczeniach.

Znalazłem się na ulicy wuja — nijak nie udawało mi się powiedzieć: „mojej ulicy" albo chociaż „ulicy Şeküre" — i wydała mi się ona jeszcze bardziej odległa i obca niż dwa dni temu. Mimo to cieszyłem się, że jestem cały, zdrowy i idę do swej żony. Radowała mnie myśl o tym, że dziś będę spać z nią w jednym łóżku, ponieważ można uznać, iż morderca został znaleziony. Gdy zobaczyłem drzewo granatu i naprawioną okiennicę, z trudem powstrzymałem się, żeby nie krzyknąć jak chłop wrzeszczący z drugiego brzegu rzeczki do swego sąsiada. Postanowiłem rozpocząć rozmowę z Şeküre słowami: „Ustalono, kim jest przeklęty morderca".

Uchyliłem furtkę. Czy to po jej skrzypieniu, czy po panujących wokół ciemnościach, czy po beztrosce, z jaką wróbel pił wodę z wiadra przy studni, czy jeszcze z innej przyczyny — nie wiem, ale podobnie jak wilk, wyostrzonymi zmysłami człowieka, który dwanaście lat przeżył w samotności, wyczułem, że w domu nie ma nikogo. Gdy człowiek ze smutkiem zdaje sobie sprawę z tego, że pozostał zupełnie sam, to z jakiegoś niewytłumaczalnego powodu otwiera drzwi, podnosi pokrywki garnków, zagląda do szaf, kufrów. Postąpiłem tak samo. Zajrzałem nawet do skrzyń.

Jedynym dźwiękiem, jaki słyszałem w ciszy, był szalony łomot mojego serca. Uspokoiłem się, kiedy z najdalszego kufra wyciągnąłem schowaną przez siebie szablę i przymocowałem ją do pasa — jak starzec, który przesiał mąkę i zawiesił sito.

Przez wiele lat pracy piórem moja szabla z rękojeścią z kości słoniowej była dla mnie źródłem ukojenia i równowagi (również podczas marszu). Księgi, które podobno przynoszą pocieszenie w nieszczęściu, w rzeczywistości potęgują rozpacz. Wyszedłem na podwórze. Wróbel odleciał. Zostawiłem dom pogrążony w bezgłośnym mroku, tak jak opuszcza się tonący statek. „Biegnij, odszukaj ich" — biło moje serce. Pobiegłem. Starając się omijać zatłoczone miejsca, pędziłem przez zaułki, dziedzińce meczetów, a kiedy goniło za mną zbyt wiele psów, zwalniałem biegu.

53.
Nazywam się Ester

Gotowałam zupę z soczewicy na kolację, kiedy Nesim zauważył:

— Ktoś stoi w drzwiach.

— Uważaj, żeby się nie przypaliła. — Wsunęłam łyżkę do jego starczej ręki i przytrzymując ją, dwa razy zamieszałam zupę. Gdybym mu nie pokazała, jak to robić, stałby z łyżką nad garnkiem jak kołek.

W drzwiach zobaczyłam Czarnego. Zrobiło mi się go żal. Miał taką minę, że aż strach było o cokolwiek zapytać.

— Poczekaj chwilkę, zaraz wyjdę, niech tylko się przebiorę — powiedziałam.

Włożyłam żółto-różowy strój, w który się ubierałam w czasie ramazanu, gdy byłam zapraszana do bogatych domów lub na trwające kilka dni wesela. Zabrałam również swój odświętny tobołek.

— Zupę zjem po powrocie — rzuciłam w stronę zatroskanego Nesima i wyszłam.

Patrząc na rzadkie dymy z kominów, unoszące się niczym para nad garnkami biedaków, zamieszkujących naszą żydowską dzielnicę, zwróciłam się do Czarnego:

— Mąż Şeküre wrócił z wojny.

Szedł obok mnie w milczeniu. Jego twarz w mroku wydawała się szara jak popiół.

— Gdzie oni są? — zapytał po długiej chwili.

Zrozumiałam więc, że Şeküre z dziećmi nie ma w domu.

— U siebie — wyjaśniłam, mając na myśli poprzedni dom Şeküre, a ponieważ wiedziałam, że to zasmuci Czarnego, dodałam pocieszająco: — Przynajmniej tak mi się zdaje.

— Czy widziałaś jej męża? — zapytał, patrząc mi prosto w oczy.

— Osobiście nie widziałam ani jego, ani Şeküre z dziećmi opuszczających dom ojca.

— Więc skąd wiesz, że się wyprowadzili?

— Domyśliłam się tego po wyrazie twojej twarzy.

— Opowiedz mi wszystko — zażądał zdecydowanie.

Nie rozumiał, że oczy Ester wszystko widzą, a uszy wszystko słyszą, i że Ester — która znajdzie męża dla każdej rozmarzonej dziewczyny i wniesie miłość do każdego nieszczęśliwego domu — musi być dyskretna i nie może zdradzać wszystkiego, co wie.

— Słyszałam, że Hasan, brat poprzedniego męża twej żony, zakradł się do waszego domu — zaczęłam i zauważyłam, że się ucieszył, kiedy powiedziałam: „wasz dom". — Ostrzegł Şevketa, że jego ojciec wraca z wojny, po obiedzie będzie już w mieście i zrobi mu się bardzo przykro, jeśli nie zastanie w domu żony i dzieci. Şevket przekazał tę wiadomość matce, a ona, dręczona wątpliwościami, nie potrafiła podjąć żadnej decyzji. Ale już pod wieczór Şevket uciekł, by zamieszkać z wujem i dziadkiem.

— Skąd to wiesz?

— Şeküre nie mówiła ci, że przez ostatnie dwa lata Hasan knuł przeróżne intrygi, aby ściągnąć ją z powrotem do domu? Przez jakiś czas przekazywałam jej nawet jego listy.

— Şeküre mu odpisywała?

— Znam różne kobiety — powiedziałam z dumą — ale takich jak Şeküre, tak dbających o dom, męża, dobre imię, jest niewiele.

— Ale teraz ja jestem jej mężem.

W jego głosie zabrzmiała typowa dla mężczyzn niepewność, która zawsze wywoływała we mnie smutek. Niesamowite: gdziekolwiek uciekała Şeküre, ci, których pozostawiała, zupełnie się załamywali.

— Hasan dał mi list dla Şeküre — kontynuowałam. — Napisał, że Şevket wrócił do domu, żeby czekać na ojca, że dziecko jest nieszczęśliwe z ojczymem, nieprawnym mężem matki, i że już stąd nie odejdzie.

— Co zrobiła Şeküre?

— Bidulka czekała z Orhanem całą noc na ciebie.

— A Hayriye?

— Hayriye, gdyby mogła, utopiłaby ją w łyżce wody. Zawsze starała się dokuczyć twojej żonie ślicznotce. Nawet dlatego spała z jej ojcem, świętej pamięci Wujem. Hasan, dowiedziawszy się, że Şeküre spędza noc samotnie, bojąc się mordercy i zjaw, posłał mnie do niej z jeszcze jednym listem.

— Co napisał?

Ester, Allahowi niech będą za to dzięki, nie umie czytać, gdy więc rozgniewani panowie albo niecierpliwi ojcowie zadają takie pytanie, może odpowiedzieć:

— Nie znam treści listu, mogłam jedynie dowiedzieć się tego i owego z twarzy pięknej niewiasty, pochłoniętej jego czytaniem.

— Co więc wyczytałaś z twarzy Şeküre?

— Beznadzieję.

Długą chwilę szliśmy w milczeniu. Oczekując na zmierzch, na dachu malutkiej greckiej cerkiewki przysiadła sowa. Zasmarkane dzieci z dzielnicy naśmiewały się z mego ubrania i tobołka. Jakiś pies, radośnie się drapiąc, dał susa na ulicę przy cmentarzu, by powitać zbliżającą się noc.

— Zwolnij! — krzyknęłam w końcu do Czarnego. — Nie dam rady tak szybko wspinać się na te wzgórza. Do tego mam ciężki pakunek. Gdzie idziemy?

— Zanim zaprowadzisz mnie do domu Hasana, zajdziemy do szlachetnych, bogatych ludzi. Oni cię poproszą, żebyś rozwiązała węzełek, i kupią dla swoich sekretnych kochanek haftowane chusteczki, jedwabne pasy i wyszywane srebrem woreczki.

Dobrze, że potrafił jeszcze żartować, ale od razu zrozumiałam, że miał całkiem poważne plany:

— Jeśli będziesz zbierał sprzymierzeńców, nie zaprowadzę cię do domu Hasana, okropnie nie lubię bijatyk i kłótni.

— Ester, jeśli jak zawsze okażesz się mądrą kobietą, to obejdzie się bez bijatyki czy kłótni.

Minęliśmy dzielnicę Aksaray i ruszyliśmy drogą prowadzącą do ogrodów Langa. W starej dzielnicy na wzgórzu Czarny wstąpił do balwierza, który pomimo późnej godziny miał otwarty zakład. Zobaczyłam, jak rozmawia z właścicielem, golącym go przy świetle świecy, którą trzymał chłopiec o czystej twarzy i ładnych rękach. Po jakimś czasie dołączyli do nas balwierz, śliczny czeladnik i jeszcze dwóch ludzi. W rękach mieli szable i topory. Gdy się ściemniło, w dzielnicy Şahzadebaşı przyłączył się do nas pewien młodzieniec z pobliskiej medresy, do którego szabla w ogóle nie pasowała.

— Co wy, zamierzacie w biały dzień napadać na dom? — zapytałam.

— Przecież jest noc — poważnie odpowiedział zadowolony Czarny.

— Nie licz na zbyt wiele, chociaż zebrałeś tylu chwatów — poradziłam. — Oby janczarzy nie dostrzegli twojej uzbrojonej armii.

— Nikt nic nie zobaczy.

— Wczoraj ludzie erzurumskiego hodży napadli najpierw na winiarnię, a następnie na tekke Cerrahiego w dzielnicy Sağırkapı, pobili wielu ludzi. Pewien starzec oberwał polanem po głowie i umarł. Po ciemku mogą was wziąć za tamtych.

— Przecież byłaś w domu zmarłego Eleganta i, dzięki Bogu, widziałaś rozmazany rysunek koni, wykonany atramentem, co przekazałaś Şeküre. Ciekawe, czy Elegant należał do zwolenników tego erzurumskiego kaznodziei?

— Jeśli interesowałam się żoną Eleganta, to tylko po to, aby pomóc Şeküre. Zresztą wstąpiłam do niej, żeby pokazać nowe tkaniny przywiezione holenderskim statkiem. Gdzie mi tam z moim nędznym żydowskim rozumem do waszych prawnych czy politycznych intryg.

— Szanowna Ester, jesteś bardzo mądra.

— Skoro masz o mnie takie zdanie, to powiem ci coś jeszcze: zwolennicy tego erzurumskiego kaznodziei mogą wpaść w większą wściekłość i zabić wielu ludzi, strzeżcie się ich.

Kiedy doszliśmy do ulicy na tyłach Çarşıkapı, na której mieszkał Hasan, moje serce ze strachu zaczęło bić szybciej. Nagie gałęzie kasztanowców i drzew morwowych złowieszczo lśniły w świetle półksiężyca. Wiatr przyniósł dżiny i zjawy, gwizdał w gałęziach drzew, szarpał koronki mego tobołka. Szybko rozniósł nasz zapach, na co zareagowały psy z całej dzielnicy. Kiedy tak szczekały jeden przez drugiego, wskazałam Czarnemu dom. Jakiś czas w milczeniu patrzyliśmy na ciemny dach i okiennice. Czarny rozmieścił ludzi wokoło budynku: w ogrodzie, za drzwiami i drzewem figowym.

— O, tam — machnęłam ręką — w rogu zawsze siedzi wredny Tatarzyn. Jest ślepy, ale lepiej od starosty zna każdego, kto przechodzi tą ulicą. Nieustannie sam siebie zadowala, jak małpy z pałacu sułtańskiego. Dasz mu kilka akcze i wszystko ci opowie.

Z daleka obserwowałam, jak Czarny rzuca monety, a potem przystawia szablę do gardła Tatarzyna. Nie do końca wiedziałam, co stało się później, ale czeladnik balwierza — nawet nie zauważyłam, kiedy tam się znalazł — zaczął bić Tatarzyna trzonkiem topora. Ślepiec płakał. Pobiegłam ich uspokoić i uratować życie nędzarzowi.

— Zwymyślał moją matkę! — wybuchnął praktykant.

— Twierdzi, że Hasana nie ma w domu — powiedział Czarny. — Czy można wierzyć temu ślepcowi? — spytał, podając mi zawczasu napisany list. — Idź, oddaj go Hasanowi, a jeśli naprawdę nie ma go w domu, to jego ojcu.

— A do Şeküre nic nie napisałeś? — Wzięłam list.

— Jeśli coś jej poślę, to jeszcze bardziej rozzłoszczę Hasana i jego ojca. Powiedz jej, że odnalazłem podłego mordercę jej ojca.

— To prawda?

— Nic ci do tego, po prostu tak powiedz.

Syknęłam na płaczącego Tatarzyna, żeby się uciszył.

— Nie zapomnij, co dla ciebie zrobiłam — szepnęłam jeszcze i od razu zrozumiałam, że nie powinnam się mieszać w te sprawy. Dwa lata temu w dzielnicy Edirnekapı pewnej wędrownej handlarce odcięto uszy, po czym ją zabito, bo dziewczynę, której rękę komuś przyrzekła, wydano za innego. Babka opowiadała mi, że Turcy często zabijali ludzi za nic. Przed oczami stanęła mi miska zupy z soczewicy, którą teraz w domu je mój kochany mąż Nesim. Ech, może lepiej zawrócić? Ale w tym domu może być Şeküre. Zaczęła mnie ogarniać ciekawość.

— Świąteczne stroje z chińskiego jedwabiu! — zawołałam dobrze znanym głosem handlarki.

Zobaczyłam, jak drgnęło pomarańczowe światło, sączące się przez okiennice. Otworzyły się drzwi. Uprzejmy ojciec Hasana zaprosił mnie do środka. Było tutaj ciepło jak w bogatych domach. Siedząca przy stole z dziećmi Şeküre podniosła się na mój widok.

— Przyszedł twój mąż — powiedziałam.

— Który?

— Nowy. Dom jest otoczony przez uzbrojonych ludzi: Są gotowi walczyć z Hasanem.

— Hasana nie ma w domu — wtrącił teść Şeküre.

— Chwała niech będzie Najwyższemu! Masz, czytaj — oznajmiłam mu z dumą posła przekazującego nieugiętą wolę sułtana.

Gdy teść czytał list, Şeküre zaproponowała:

— Chodźmy do kuchni, naleję ci zupy z soczewicy, ogrzejesz się.

— Nie lubię — odmówiłam. Źle się czułam, widząc ją w tym domu. Ale potem zrozumiałam, że chce porozmawiać ze mną na osobności, więc chwyciłam łyżkę i ruszyłam jej śladem.

— Powiedz Czarnemu, że to wszystko przez Şevketa — wyszeptała. — Razem z Orhanem całą noc trzęśliśmy się ze strachu przed mordercą. Şevket uciekł. Czarny nie wrócił. Powiedziano mi, że zbiry sułtana zmusiły go do mówienia i przyznał się do współudziału w morderstwie mojego ojca.

— Czyżby nie było go z tobą w chwili, kiedy zabito twojego ojca?

— Ester — powiedziała, patrząc na mnie błagalnie pięknymi, szeroko otwartymi czarnymi oczami — pomóż mi.

— Wytłumacz mi, po co tutaj wróciłaś. Jeśli zrozumiem, pomogę ci.

— Myślisz, że wiem, po co? — Zrobiła taką minę, jakby miała się zaraz rozpłakać. — Czarny surowo potraktował Şevketa. Uwierzyłam, kiedy Hasan powiedział, że wraca ojciec dzieci.

Po jej oczach widziałam, że mówi nieprawdę. Rozumiała też, że wszystkiego się domyślam.

— Uwierzyłam Hasanowi! — szeptała, najwyraźniej próbując dać mi do zrozumienia, że kocha Hasana. Ale czy zdawała sobie sprawę z tego, że częściej zaczęła myśleć o nim po ślubie z Czarnym?

Drzwi się otworzyły i weszła Hayriye, przyniosła pachnący chleb — pewnie dopiero co wyciągnięty z pieca. Kiedy mnie dostrzegła, jej smutna twarz powiedziała mi, że czuje się jak niechciany spadek po ojcu Şeküre — ani ją wyrzucić, ani sprzedać. Şeküre wzięła chleb, odwróciła się do dzieci i w tej chwili mnie olśniło: ona nie szuka męża, ale ojca, który pokochałby te dzieci, patrzące teraz na nią oczyma pełnymi strachu! Gotowa była wyjść za każdego dobrego człowieka.

— Ty szukasz sercem — stwierdziłam, kiedy znów podeszła do mnie — a decyzję trzeba podjąć głową.

— Wracam do Czarnego — zdecydowała, a po chwili milczenia dodała: — Ale pod warunkiem że będzie dobrze traktował Şevketa i Orhana. I nie będzie mi wypominał, że ukryłam się tutaj. I będzie przestrzegał warunków naszego małżeństwa — on wie, o co chodzi. Wczoraj w nocy zostawił mnie w domu zupełnie samą, bezbronną wobec mordercy, złodzieja, złoczyńcy, wobec samego Hasana.

— On jeszcze nie znalazł mordercy twojego ojca, ale kazał ci przekazać, że wie, kto to jest.

— Mam do niego wrócić?

Nie zdążyłam odpowiedzieć, kiedy do pokoju wszedł były teść z przeczytanym listem w ręku:

— Powiedz szanownemu Czarnemu, że pod nieobecność syna nie mogę wziąć na siebie odpowiedzialności i zwrócić mu narzeczonej.

— Którego syna? — spytałam z powątpiewaniem w głosie.

— Hasana — wyznał i zawstydził się, ponieważ był dobrze wychowany. — Mówią, że mój starszy syn wraca z kraju Persów. Są świadkowie.

— A gdzie jest Hasan? — spytałam, biorąc do ust łyżkę zupy, którą nalała mi Şeküre.

Nie odróżniający ludzi dobrych od złych i nie umiejący kłamać starzec wyjawił z dziecinną naiwnością, że syn poszedł do urzędu celnego skrzyknąć tragarzy, urzędników... Jednym słowem, zebrać znajomych.

— Po tym, jak wczoraj narozrabiali erzurumczycy, dzisiaj będzie wielu janczarów na ulicach.

— Nikogo nie widzieliśmy. — Skierowałam się ku drzwiom.

— To twoje ostatnie słowo?

Zadając to pytanie, zwróciłam twarz do teścia, ale Şeküre od razu zrozumiała, że było ono skierowane do niej. Rzeczywiście była zakłopotana albo coś ukrywała — na przykład to, że czeka na powrót Hasana z ludźmi? Podobało mi się w niej nawet to niezdecydowanie.

— Nie chcemy Czarnego — oświadczył odważnie Şevket.

— A ty więcej tutaj nie przychodź, grubasko.

— Kto wtedy przyniesie twojej pięknej mamie koronkowe narzutki, które tak lubi, chusteczki do nosa z ptaszkami i kwiatkami, czerwoną tkaninę na koszulkę, która tak ci się podoba? — powiedziałam i położyłam węzełek na środku pokoju.

— Popatrzcie, wybierzcie, przymierzcie, co wam się podoba, a ja zaraz przyjdę.

Było mi smutno, dawno nie widziałam Şeküre we łzach. Ledwie znalazłam się na ulicy, stanął przede mną Czarny z nożem w ręku.

— Hasana nie ma w domu — zameldowałam. — Może poszedł po wino, aby uczcić powrót Şeküre, a może, jak mówi jego ojciec, wkrótce wróci ze swoimi ludźmi. Wtedy trzeba będzie walczyć, jest szalony. A jeśli dojdzie do tego, że chwyci szablę z czerwoną rękojeścią...

— Co mówiła Şeküre?

— Teść zapowiedział: „Nie oddam narzeczonej", ale ty nie bój się jego, tylko Şeküre. Wydaje mi się, że ma zupełny mętlik w głowie i że wróciła tutaj, ponieważ dwa dni po zamordowaniu ojca nie była w stanie spędzić kolejnej nocy w samotności: bała się mordercy, zagrażał jej Hasan, ty zniknąłeś w tajemniczy sposób. Powiedziano jej także, że jesteś współwinny śmierci jej ojca. Poza tym nie sądzę, żeby były mąż Şeküre miał wrócić. Ale w kłamstwo Hasana uwierzył Şevket, który czeka na ojca. Twoja żona zamierza wrócić do ciebie, jednak stawia warunki.

Patrząc Czarnemu prosto w oczy, wyliczyłam je. Od razu się na nie zgodził, rozmawiając ze mną jak z prawdziwym posłem.

— Ja też mam warunki — dodałam. — Wracam tam. — Wskazałam palcem na zatrzaśnięte okiennice, za którymi siedział teść. — Zaatakujcie niedługo od tamtej strony i od strony drzwi wejściowych. Kiedy krzyknę, wycofajcie się. A gdy pojawi się Hasan, nie wahajcie się ruszyć na niego.

Oczywiście były to słowa niegodne posła, ale ta gra już mnie, waszą Ester, pochłonęła. Kiedy więc ponownie zawołałam: „Handlarka!", drzwi od razu się otworzyły. Podeszłam do teścia:

— Cała dzielnica, kadi oraz wszyscy, którzy tu mieszkają, wiedzą, że Şeküre rozwiodła się i ponownie wyszła za mąż zgodnie z zasadami szlachetnego Koranu. Nawet jeśli twój syn, który już dawno nie żyje, zmartwychwstanie i powróci tu z raju od proroka Musy*, to niczego nie zmieni. Şeküre jest rozwiedziona. Wykradliście zamężną kobietę i ukrywacie ją tutaj. Czarny prosił mnie, abym przekazała wam, że zanim was ukarze, dając znać kadiemu, najpierw wykorzysta do tego swoich ludzi.

— Popełni błąd. Nie wykradaliśmy Şeküre! Jakkolwiek na to spojrzeć, jestem dziadkiem tych dzieci. A Hasan ich wujem. Şeküre, jak została sama, ukryła się u nas. Jeśli chce, może natychmiast odejść. Ale nie zapominaj, że to w tym domu rodziła dzieci i szczęśliwie je wychowywała.

— Chcesz wrócić do domu ojca? — zwróciłam się do Şeküre.

Łzy popłynęły jej z oczu. Zdaje się, że powiedziała: „Nie mam ojca", ale może się przesłyszałam. Dzieci trzymały się jej spódnicy, a kiedy usiadła, mocno się do niej przytuliły. Wszyscy troje płakali. Ester nie jest taka głupia: Şeküre płakała, ale pamiętała o kontrolowaniu sytuacji. Widziałam to i jednocześnie byłam przekonana, że płacze szczerze, bo mnie samej zebrało się na łzy. Szlochała nawet ta żmija Hayriye.

Czarny i jego ludzie rzucili się do ataku w momencie, gdy wszyscy w domu tonęli w rozpaczy, oprócz uprzejmego zielonookiego teścia. Walili w okiennice i drzwi. Dwóch napastników forsowało je taranem, a każde uderzenie przypominało wystrzał z moździerza.

— Jesteś doświadczonym i mądrym człowiekiem — powiedziałam wzmocniona własnymi łzami. — Otwórz drzwi i powiedz, że Şeküre przyszła z własnej woli. Niech te wściekłe psy przestaną atakować.

---

*   Musa — biblijny Mojżesz, prorok występujący w Koranie

— Gdybyś była na moim miejscu, oddałabyś im samotną kobietę, która w twoim domu znalazła schronienie? Do tego swoją synową?

— Ona sama chce odejść — zauważyłam i zapłakana wytarłam nos w fioletową chusteczkę.

— W takim razie niech otwiera drzwi i idzie.

Usiadłam obok Şeküre i dzieci. Dom drżał od uderzeń, co skłaniało nas do tym głośniejszego szlochu. Dzieci rozbeczały się na dobre, a z oczu młodej kobiety, i moich zresztą też, polały się obfitsze łzy. Obie słuchałyśmy walenia i gróźb dobiegających z zewnątrz i wiedziałyśmy, że płaczemy, aby zyskać na czasie.

— Śliczna moja Şeküre — odezwałam się. — Twój teść pozwala ci odejść, twój mąż przyjął wszystkie twoje warunki i z miłością czeka na ciebie — nie masz powodów, aby zostawać tu dłużej. Włóż więc wyjściowe ubranie, zasłoń twarz, spakuj swoje rzeczy, weź dzieci i pójdziemy prosto do twojego domu.

Po tych słowach chłopcy zapłakali jeszcze głośniej. Şeküre szeroko otworzyła oczy:

— Boję się Hasana. Będzie się mścił. Jest nieobliczalny. To przez to, że sama tu przyszłam.

— Ale on przecież rozumie, że masz męża. Nie miałaś wyjścia, musiałaś przecież gdzieś się ukryć. Popatrz, nawet Czarny ci wybaczył i przyjmuje cię z powrotem. A skoro z Hasanem dawaliśmy sobie radę wcześniej, teraz też sobie poradzimy.

— Uśmiechnęłam się do niej.

— Nie mogę otworzyć drzwi. Wyjdzie na to, że odeszłam z własnej woli.

— Moja miła Şeküre, ja także nie mogę tego zrobić. Zrozum, zarzucano by mi, że wtykam nos w wasze sprawy. Nie wybaczyliby mi tego.

W jej oczach wyczytałam zrozumienie.

— Nikt więc nie może otworzyć drzwi. Poczekamy, niech je wyważą i wyprowadzą nas siłą.

To było najlepsze wyjście dla Şeküre i dzieci, ale przestraszyłam się:

— Wtedy poleje się krew — rozważałam na głos. — Jeśli do sprawy nie włączy się kadi, krew zostanie rozlana, a zemsta będzie się ciągnąć latami. Nikt, kto posiada honor, nie może zachować obojętności, będąc świadkiem napaści na dom, wyważenia drzwi i uprowadzenia kobiety.

Şeküre jeszcze mocniej przytuliła dzieci i jeszcze głośniej zapłakała, a ja z goryczą zrozumiałam, jak bardzo jest podstępna i wyrachowana. Wewnętrzny głos podpowiadał mi, że trzeba to wszystko zostawić i odejść, ale nie mogłam wyjść przez drzwi, w które walono taranem. Szczerze mówiąc, bałam się zarówno tego, że w końcu je wyłamią i wpadną do środka, jak i tego, że zrezygnują z napaści. Uzmysłowiłam sobie, że gdy ufający mi i obawiający się tego, by sprawy nie zaszły za daleko, ludzie Czarnego się wycofają, teść nabierze odwagi. Siedziałam bardzo blisko Şeküre i widziałam, że jej łzy nie są szczere, ale dreszcze chwytały ją naprawdę.

Podeszłam do drzwi i krzyknęłam co sił:

— Dość! Przestańcie!

Hałas na zewnątrz i płacz w środku od razu ucichły.

— Przecież drzwi może otworzyć Orhan — olśniło mnie nagle i przymilnym głosem dodałam: — On przecież chce wrócić do domu, nikt nie będzie się na niego gniewał.

Ledwie to powiedziałam, Orhan uwolnił się z rozluźnionych objęć matki, podszedł do drzwi, pewnie odsunął rygiel, potem drewnianą zasuwę i zdjąwszy haczyk, cofnął się o dwa kroki. Przez uchylone drzwi wtargnął chłód. Nastąpiła taka cisza, że usłyszeliśmy, gdzieś z bardzo daleka, leniwe szczekanie psów. Orhan wrócił do matki — pocałowała go — a Şevket zagroził:

— Wszystko opowiem wujkowi Hasanowi.

Şeküre wstała, wzięła na rękę feradże, a ja, widząc, że skierowała się ku drzwiom, poczułam taką ulgę, że niemal się roześmiałam. Zjadłam jeszcze dwie łyżki zupy.

Czarny domyślił się, że nie powinien się zbliżać do drzwi wejściowych. Nie pozwolił wejść do środka swoim ludziom i sam nie wszedł, nawet kiedy zawołano go do pomocy — Şevket schował się w pokoju zmarłego ojca i zamknął drzwi na zasuwę. Dopiero gdy matka pozwoliła mu wziąć kindżał wujka Hasana z rubinową rękojeścią, zgodził się wyjść.

— Bójcie się Hasana i jego szabli — pogroził teść, słusznie zaniepokojony porażką i prawdopodobną zemstą. Czule wycałował wnuków. Szepnął synowej coś na ucho.

Ta rzuciła ostatnie spojrzenie na drzwi, ściany, piec, a ja sobie pomyślałam, że musiała spędzić tutaj razem z pierwszym mężem najszczęśliwsze lata swojego życia. Czy czuła, że w tym domu, w którym żyli dwaj nieszczęśliwi i samotni mężczyźni, pachnie śmiercią? Ponieważ zraniła mnie do głębi, wracając tu, nie przytuliłam się do niej po drodze.

Dwóch sierot i trzech kobiet — nałożnicy, Żydówki i wdowy — podczas tej nocnej wędrówki nie zbliżały do siebie chłód ani mrok, lecz wąskie, trudne do przejścia uliczki obcej dzielnicy oraz strach przed Hasanem. Nasza grupa, chroniona przez ludzi Czarnego, niczym karawana przewożąca skarby szła bocznymi zaułkami. Wybieraliśmy taką drogę, żeby nie natknąć się na strażników, janczarów, bandytów czy Hasana. Było tak ciemno, że czasem wpadaliśmy na siebie i na mury domów. Wydawało się nam, że złe dżiny mogą porwać nas w ciemności, więc staraliśmy się trzymać blisko siebie. Za ścianami i okiennicami, które mijaliśmy po omacku, słychać było kaszel, chrapanie śpiących i odgłosy zwierząt trzymanych w stodołach.

Ja, Ester — która przemierzyłam na własnych nogach cały Stambuł, może poza najnędzniejszymi i najgorszymi dzielnicami, w jakich osiedlali się emigranci, przedstawiciele najbardziej krzywdzonych narodów — czułam zagubienie w tym chłodnym mroku. Ciągle skręcaliśmy raz w jedną, raz w drugą stronę i nie mogłam się zorientować, dokąd idziemy. W końcu jednak poznałam skrzyżowanie, przez które przechodziłam w dzień ze swoim tobołkiem w ręku: mury ulicy Terzibaşı, ostry, przypominający nieco cynamon zapach końskiego nawozu ze stajni przylegających do ogrodu Nurullaha Hodży, pogorzeliska na ulicy Canbazlar, przejście Doğancılar, fontannę Kör Hacı na placu — i zrozumiałam, że nie zmierzamy do domu zmarłego ojca Şeküre, ale w zupełnie innym kierunku.

Najwyraźniej Czarny chciał gdzieś ukryć swoją rodzinę przed nieprzewidywalnym w gniewie Hasanem oraz podłym mordercą. Gdybym je znała, dzisiaj powiedziałabym wam, a jutro Hasanowi. Wcale nie dlatego, że jestem fałszywa, ale dlatego, że byłam pewna, iż Şeküre znów zapragnie zainteresowania ze strony Hasana. Mądry Czarny słusznie postąpił, nie ufając mi.

Gdy znaleźliśmy się na ciemnej ulicy na tyłach targowiska niewolników, usłyszeliśmy krzyki, wycia, jęki i charakterystyczne stukanie oraz dzwonienie krzyżujących się toporów i szabel.

Czarny oddał broń jednemu ze swoich ludzi, wyrwał kindżał z rąk Şevketa, na co ten się rozpłakał, i kazał Şeküre, Hayriye oraz dzieciom uciekać w towarzystwie praktykanta balwierza i jeszcze dwóch ludzi. Nauczycielowi z medresy nakazał natychmiast odprowadzić mnie do domu. Czy to sprawa przypadku, czy też sprytnie chciał ukryć przede mną miejsce, gdzie zamierzał schować rodzinę?

Dzwonienie szabel ustało. Na końcu wąskiej ulicy, którą musieliśmy przejść, znajdowała się kawiarnia. Tłum wpadł do środka i niszczył, co popadnie. Przy świetle pochodni było widać, jak wynoszą na ulicę i na oczach wszystkich tłuką filiżanki, szklanki, łamią dżezwe. Człowieka, który próbował powstrzymać to dzieło zniszczenia, ludzie zaczęli bić, ale zdążył się wyrwać. Z początku pomyślałam, że chodzi wyłącznie o kawiarnię. Słyszałam opowieści o szkodliwości picia kawy, o tym, że niszczy ona oczy i żołądek, zaćmiewa umysł i sprowadza ludzi z drogi prawdy, że to europejska trucizna i Prorok Mahomet odmówił wypicia filiżanki tego napoju, który zaproponował mu szatan pod postacią pięknej kobiety. Pomyślałam więc sobie: kiedy wrócę do domu, niezwłocznie powiem Nesimowi: „Nie pij za dużo tego jadu". Wrogom kawy dodał odwagi zebrany w krótkim czasie tłum ciekawskich, składający się z bezrobotnych, przybyłych do miasta nie wiadomo skąd włóczęgów i uciekinierów, zajmujących liczne w tej okolicy tanie kwatery i inne pomieszczenia. Zrozumiałam, że to ludzie znanego kaznodziei z Erzurumu, Nusreta Hodży. Walczyli z propagatorami wina i prostytucji, kawiarniami w Stambule i bractwami, których modlitwie towarzyszyła muzyka i taniec. Przeklinali wrogów wiary, bałwochwalców, bezbożników i tych, którzy zajmowali się miniaturami. Przypomniałam sobie, że to w tej kawiarni na ścianie wiesza się rysunki i opowiada przeróżne nieprzyzwoite rzeczy o wierze i hodży z Erzurumu.

Na ulicę wypadł jej właściciel. Twarz miał we krwi, myślałam, że zaraz upadnie, ale wytarł koszulą krew z czoła i policzka, wmieszał się w tłum gapiów i też zaczął obserwować rozwój wydarzeń. Tłum ze strachu zafalował. Miałam wrażenie, że Czarny chce podejść do kogoś z ciżby, ale zwlekał. Erzurumczycy zaczęli się wycofywać — zrozumiałam, że nadchodzą straże, prawdopodobnie janczarzy. Pochodnie zgasły, ludzie się rozpierzchli.

Czarny wziął mnie za rękę i popchnął w stronę chłopca z medresy.

— Pójdziecie zaułkami. On zaprowadzi cię do domu.

Młodzieniec też chciał się jak najszybciej wymknąć — ruszyliśmy niemal biegiem. Pomyślałam o Czarnym, ale z drugiej strony — jeśli Ester nie będzie uczestniczyła w wydarzeniach, to przecież nie przekaże wam dalszego ciągu historii.

54.
Ja, kobieta

Już słyszę wasze wątpliwości: „Drogi meddahu, być może potrafisz naśladować różne rzeczy i osoby, ale nigdy kobiety". To prawda, wędrowałem od miasta do miasta, do wczesnych godzin rannych występując na weselach, jarmarkach, w kawiarniach, aż traciłem głos, a i tak nie było mi dane się ożenić. Ale to nie znaczy, że nie znam się na kobietach.

Bardzo dobrze je znam; z czterema stykałem się nawet osobiście, widziałem ich twarze, rozmawiałem z nimi. Były to: 1. Moja zmarła matka; 2. Moja kochana ciotka; 3. Żona mojego starszego brata, która ciągle mnie biła, a gdy pewnego razu ujrzała mnie w pokoju, powiedziała: „Wynocha stąd" (to była moja pierwsza miłość); 4. Kobieta, którą widziałem przelotnie w oknie w mieście Konyi podczas jednej z moich podróży. Chociaż nie zamieniłem z nią słowa, przez wiele lat jej pożądałem. Możliwe, że już nie żyje.

Oglądanie twarzy kobiety, rozmowa z nią, doświadczanie jej bliskości (jako człowieka) otwiera nas, mężczyzn, zarówno na palące pożądanie, jak i głębokie duchowe cierpienie. Dlatego najlepiej nie patrzeć na nie, szczególnie na te ładne, aż do ślubu, jak nakazuje nasza szlachetna wiara. Najlepszym sposobem na zaspokojenie cielesnych pragnień jest towarzystwo pięknych młodzieńców. Mogą w sposób zadowalający zastąpić kobietę, a po pewnym czasie stają się też przyjemnym nałogiem.

Przez to, że w europejskich miastach kobiety chodzą nie tylko z odsłoniętymi twarzami, ale też demonstrują swoje błyszczące włosy, szyję, ręce, a nawet, jeśli to prawda, cudowne nogi, mężczyźni nieustannie mają wybrzuszone z przodu spodnie, co musi być naprawdę męczące i oczywiście powoduje paraliż społeczeństwa. Nic więc dziwnego, że giaurzy każdego dnia oddają Osmanom kolejne twierdze.

Po tym, jak we wczesnej młodości zrozumiałem, że warunkiem szczęścia i spokoju duszy jest życie z dala od pięknych kobiet, jeszcze bardziej zacząłem się nimi interesować. Nie znałem wówczas żadnych kobiet poza matką i ciotką, więc doszedłem do wniosku, że zrozumiem ich uczucia wtedy tylko, jeśli będę robił to, co one, jadł to, co one, wysławiał się, poruszał jak one i, tak, ubierał w ich stroje. Pewnego razu, kiedy matka, ojciec, starszy brat, ciocia — jednym słowem, wszyscy — pojechali do różanego ogrodu dziadka nad brzegiem Fahrengu, zostałem w domu sam, bo udałem, że jestem chory. „Pojedź z nami — nalegała matka. — Zobaczysz psy, drzewa, konie, będziesz je udawał, trochę nas zabawisz. Co będziesz sam robił w domu?". „Boli mnie brzuch", powtarzałem. Nie mogłem przecież powiedzieć, że włożę jej ubrania i będę kobietą. „Skończ z tym rozczulaniem się nad sobą — namawiał ojciec. — Pojedź z nami, posiłujemy się".

Teraz opowiem wam, przyjaciele miniaturzyści i kaligrafowie, o tym, co czułem, gdy rodzice wyszli, a ja włożyłem bieliznę i ubrania mojej nieżyjącej już matki i ciotki. Opowiem o sekretach bycia kobietą. Przede wszystkim jednak muszę was zapewnić, że w przeciwieństwie do tego, co czytamy w księgach i słyszymy na kazaniach, gdy stajesz się kobietą, wcale nie wstępuje w ciebie diabeł.

Wręcz przeciwnie: kiedy wdziałem kwiecistą wełnianą bieliznę matki, po moim ciele rozlało się przyjemne ciepło; stałem się równie wrażliwy jak ona. A kiedy jedwabna pistacjowa koszulka cioci, której właściwie nigdy nie wkładała, musnęła moją skórę, poczułem, jak rośnie we mnie miłość do wszystkich dzieci, nawet do samego siebie. Miałem ochotę gotować, nakarmić cały świat. Gdy już częściowo zrozumiałem, jak to jest mieć piersi, napchałem pod ubranie skarpetek i zwiniętych chust, by poczuć to, co interesowało mnie najbardziej: jak to jest być kobietą z obfitym biustem. Gdy ujrzałem te ogromne wypukłości, ogarnęła mnie — tak, przyznaję — duma, szatańska duma. Od razu pojąłem, że mężczyźni, kiedy tylko zobaczą taką pełną pierś, będą drżeć z chęci dotknięcia jej ustami. Poczułem się bardzo silny, ale czy chciałem być silny? Nie mogłem się zdecydować: pragnąłem siły, a zarazem marzyłem o tym, by ktoś się o mnie zatroszczył; chciałem, aby szaleńczo zakochał się we mnie nieznajomy, bogaty, silny i mądry mężczyzna, a zarazem bałem się go. Włożyłem bransoletki, schowane w wełnianych skarpetach na dnie kufra z posagiem matki, pomalowałem twarz różem, tak jak robią to kobiety po wyjściu z łaźni, żeby policzki były bardziej czerwone, założyłem zielony płaszcz cioci i zebrałem włosy pod czarczafem w tym samym kolorze. Podszedłem do lustra w perłowej ramie i wzdrygnąłem się. Moje oczy i rzęsy wyglądały zupełnie jak kobiece, chociaż nawet ich nie tknąłem. Odsłonięte miałem tylko policzki i oczy, ale byłem nadzwyczajnie piękną kobietą i poczułem się szczęśliwy. Jedynie wzwód przypominał mi o różnicy płci. To, rzecz jasna, wyprowadziło mnie z równowagi.

W trzymanym w ręku lustrze obserwowałem spływającą z mego pięknego oka łzę. Nagle ogarnęło mnie natchnienie i ułożyłem wiersz. Nigdy go nie zapomniałem, bo w tej samej chwili, zainspirowany przez Allaha, zacząłem wyśpiewywać wersy niczym piosenkę, starając się zapomnieć o zmartwieniach:

Moje niezdecydowane serce mówi:
kiedy jestem na Wschodzie, chcę być na Zachodzie,
a znalazłszy się na Zachodzie, dążę na Wschód.
Moje ciało mówi: jeśli jestem mężczyzną,
chcę być kobietą, a jeśli jestem kobietą,
to chcę być mężczyzną.
Tak trudno jest być człowiekiem, jeszcze trudniej jest
żyć po ludzku.
Chcę czerpać rozkosz z tyłu i z przodu, ze Wschodu
i Zachodu.

Na Boga, żeby tylko nie usłyszeli tej piosenki nasi erzurum-
scy bracia, boby się wściekli. Ale czegóż się właściwie boję?
Może wcale by się nie gniewali. Znacie przecież świątobliwego
kaznodzieję Husreta... Nie chcę plotkować, ale mówiono mi,
że chociaż jest żonaty, zupełnie tak jak i wy, subtelni malarze,
lubi ładnych chłopców o wiele bardziej niż nas, kobiety. Po-
wtarzam wam tylko to, co słyszałem. Nic mnie to nie obchodzi,
bo moim zdaniem jest odrażający i stary. Nie ma zębów, a poza
tym, jak mówią ładni chłopcy, obrzydliwie śmierdzi mu z ust
— za przeproszeniem, jak z niedźwiedziej dupy.

Wystarczy, kończę już i wracam do głównego tematu. Jak
tylko zobaczyłem, jaka jestem piękna, nie chciałem więcej prać
i zmywać ani chodzić po ulicach jak niewolnica. Bieda, łzy,
nieszczęście, płacz z rozczarowania po spojrzeniu w lustro —
wszystko to jest udziałem brzydkich kobiet. A ja muszę znaleźć
męża, który będzie nosił mnie na rękach. Gdzie on jest?

Zacząłem podglądać przez dziurkę w ścianie synów paszów i notabli, których mój nieżyjący już ojciec zapraszał do
naszego domu pod różnymi pretekstami. Chciałem znaleźć
się w tej samej sytuacji, co owa sławna piękność z małymi
usteczkami, która ma dwoje dzieci i w której kochają się wszy-

scy malarze. Może po prostu powinienem opowiedzieć wam o nieszczęsnej Şeküre? Chociaż chwileczkę, obiecałem przecież inną historię.

Historia miłosna opowiedziana przez kobietę pod wpływem szatana

Historia jest bardzo prosta. Wydarzyła się w Kemerüstü, biednej dzielnicy Stambułu. Jeden z jej mieszkańców, wykształcony Ahmed Czelebi, pracował jako sekretarz u Vasıfa Paszy. Był dobrze wychowanym człowiekiem, miał żonę i dwoje dzieci. Pewnego razu zobaczył jednak w otwartym oknie bośniacką piękność — czarnowłosą, czarnooką, wysoką, o delikatnej skórze — i zakochał się w niej. Kobieta była zamężna i Ahmed Czelebi zupełnie jej nie interesował. Poza tym kochała swojego przystojnego męża. Nieszczęsny Czelebi nie chciał się zwierzyć ze swoich zmartwień nikomu i wkrótce miłosna tęsknota sprawiła, że pozostały z niego tylko skóra i kości. Zaczął pić wino, które kupował u Greka. Nie mógł jednak długo ukrywać swojej miłości. Ponieważ sąsiedzi uwielbiali historie miłosne oraz podziwiali i szanowali Ahmeda Czelebiego, początkowo rozumieli również jego uczucie, co najwyżej trochę sobie żartowali i nieco lekceważyli sytuację. Ale Czelebi nie mógł się opanować. Co wieczór się upijał, po czym szedł pod drzwi domu, w którym mieszkała piękność z mężem, siadał przed nimi i płakał jak dziecko. Ludzie w końcu się zaniepokoili, ale nie byli w stanie ani stłuc zakochanego, ani go pocieszyć, gdy nieszczęśnik zapłakiwał się na śmierć. Czelebi, jak przystało na szlachetnego mężczyznę, starał się tłumić łzy, nie wybuchał gniewem, nikogo nie drażnił. Stopniowo jednak jego beznadziejna zgryzota zaczęła wpływać na otoczenie, stając się zmartwieniem powszechnym. Sąsiedzi tracili dobre samopoczucie, a Czelebi — podobnie jak płacząca na środku placu fontanna — stał się źródłem smutku. Początkowo mówiono w dzielnicy o zmartwieniu, potem pojawiły się pogłoski o nieszczęściu, które ostatecznie przekształciły się w pewność, że to fatum. Ktoś się przeprowadził, komuś źle poszły interesy, artyści stracili natchnienie i nie mogli tworzyć. Jako ostatni wyjechał wraz z żoną i dziećmi zakochany Czelebi. Delikatna piękność i jej mąż zostali w dzielnicy sami. Nieszczęście, którego oboje byli przyczyną, ostudziło ich miłość, popsuło wzajemne stosunki. Żyli tak razem do końca swoich dni, ale nigdy nie byli szczęśliwi.

Chciałem powiedzieć, że lubię tę historię za to, iż pokazuje, jak niebezpieczna jest miłość i kobiety, ale nagle przypomniałem sobie — głupek ze mnie — że przecież teraz jestem kobietą i powinienem powiedzieć coś zupełnie innego: „Ach, jakże wspaniała jest miłość!".

Ale cóż to za obcy wchodzą do kawiarni?

55.
Nazywają mnie Motyl

Gdy spostrzegłem tłum, od razu zrozumiałem, że mieszkańcy Erzurumu mordują naszych dowcipnisi, braci malarzy.

Wśród obserwatorów pogromu zauważyłem Czarnego. W ręku trzymał kindżał, obok niego stało kilku podejrzanych mężczyzn, znana handlarka Ester i jeszcze parę kobiet z tobołkami. Patrzyłem, jak tłum rujnuje kawiarnię i bije wybiegających z niej ludzi. Miałem zamiar się stąd ulotnić, ale w tej samej chwili pojawiła się druga grupa ludzi, prawdopodobnie janczarów. Erzurumczycy zgasili pochodnie i uciekli.

Nikogo nie było w ciemnych drzwiach kawiarni, nikt ich nie pilnował. Wszedłem: wszystko wokół było potłuczone i połamane; szedłem dalej, depcząc po odłamkach filiżanek, talerzy, szklanek, glinianych mis i okiennych szyb. Na ścianie, zawieszona wysoko na gwoździu, paliła się wprawdzie lampka oliwna, która nie zgasła w czasie tego zamieszania, ale nie oświetlała podłogi, tylko ukazywała plamy sadzy na suficie.

Ułożyłem poduszki jedną na drugiej, wspiąłem się na nie i zdjąłem lampkę. W świetle dostrzegłem leżące na podłodze ciała. Oglądałem twarze umazane krwią. Jeden z rannych jęczał. Zaszlochał jak dziecko, gdy zobaczył płomień. Cofnąłem się.

Ktoś wszedł do kawiarni. Z początku się przestraszyłem, ale zaraz później rozpoznałem Czarnego. Wspólnie pochyliliśmy się nad trzecim ciałem. Kiedy przybliżyliśmy lampkę, potwierdziły się nasze podejrzenia: zabito meddaha.

Na jego twarzy, umalowanej jak u kobiety, nie było śladów krwi, ale szczęka, oko, wargi nosiły ślady uderzeń; na szyi widniały sińce. Ręce miał założone za plecy, więc łatwo było się domyślić, że jeden z oprawców trzymał ubranego w kobiece szaty starca, a pozostali bili go i w końcu udusili. Czyżby rzucili się na niego, gdy jeden z nich powiedział: „Odetnijcie mu język, aby już nigdy nie mógł wygadywać rzeczy przeciwko szanownemu hodży z Erzurumu"?

— Poświeć tutaj — polecił Czarny.

Skierowałem światło na palenisko, wokół którego rozsypana była mielona kawa; poniewierały się tu rozbite młynki do kawy, sitka, wagi, odłamki filiżanek. W kącie, w którym meddah co wieczór wieszał rysunki, Czarny szukał rzeczy zmarłego: pasa, ręcznika, kołatki. Powiedział, że chodzi mu o miniatury, po czym zbliżył do mojej twarzy lampkę, którą wcześniej mi odebrał. Tak, tak, oczywiście, że byłem autorem dwóch z nich. Namalowałem je w ramach braterskiej przysługi. Nie znaleźliśmy niczego prócz wykonanej w Persji tubitejki, którą zmarły nosił na ogolonej głowie.

Przeszliśmy przez wąski korytarz prowadzący do tylnych drzwi. Nikogo nie spotkaliśmy. Najwyraźniej tędy uciekali przed bandytami goście kawiarni, a wśród nich również malarze. Przewrócone beczki do kwiatów i porozrzucane worki kawy świadczyły o tym, że stoczono tu bójkę.

Atak na kawiarnię, morderstwo meddaha i ciemność nocy budząca lęk zbliżyły nas z Czarnym do siebie. Myślę, że właśnie dlatego milczeliśmy. Przeszliśmy dwie ulice, Czarny podał mi lampę i nagle przystawił kindżał do gardła.

— Teraz pójdziemy do twojego domu. Chcę go przeszukać dla pewności.

— Już był przeszukany — odpowiedziałem.

Nie czułem gniewu, lecz poniżenie. Jeśli Czarny wierzy głupim plotkom o mnie, czy to nie znaczy, że jest zwyczajnym zawistnikiem? Nawet kindżał trzymał niezbyt pewnie.

Mój dom znajdował się w przeciwnym kierunku, niż teraz szliśmy. Zaczęliśmy skręcać to w prawo, to w lewo, w kolejne uliczki, przechodziliśmy przez puste ogrody, nad którymi unosił się przytłaczający zapach wilgoci, i mijaliśmy samotne drzewa. W ten sposób zatoczyliśmy szeroki łuk i obraliśmy kierunek ku mojemu domowi. Byliśmy w połowie drogi, gdy Czarny nagle zatrzymał się i patrząc na mnie, oznajmił:

— Razem z mistrzem Osmanem spędziliśmy całe dwa dni w skarbcu, podziwiając arcydzieła starych mistrzów.

Na co ja po chwili, prawie krzycząc, odrzekłem:

— W tym wieku, nawet jeśli miniaturzysta usiądzie za deską razem z Behzadem, wszystko, co zobaczy, będzie cieszyć jego oko, wywoła w jego duszy spokój albo go podnieci, ale nie wzbogaci jego kunsztu. Rysunku nie wykonuje się okiem, lecz ręką. Nauczyć się tego jest bardzo ciężko, nie tylko w wieku mistrza Osmana, ale nawet w moim.

Specjalnie mówiłem bardzo głośno, ponieważ chciałem, żeby moja przepiękna żona usłyszała, że nie wracam sam, i schowała się przed Czarnym, choć nie traktowałem tego patetycznego, wymachującego kindżałem głupca poważnie.

Kiedy przechodziliśmy przez furtkę, wydało mi się, że wewnątrz domu zabłysło drżące światło, ale zaraz zrobiło się ciemno. Miałem wejść do swego domu, w którym — starając się przypodobać Allahowi — spędzałem dni na gorliwej pracy, a kiedy męczyły się oczy, oddawałem się miłości z moją piękną żoną. Miałem więc wejść do domu, popychany przez to bydlę. Wydało mi się to tak bezczelnym wtargnięciem w moje życie intymne, że poprzysiągłem zemścić się na Czarnym.

Zniżywszy lampę, przeglądał papiery i miniaturę, którą prawie zakończyłem: osądzeni nieszczęśnicy proszą sułtana, aby uwolnił ich od długów przerastających ich możliwości. Czarny dokładnie lustrował wszystko, co znajdowało się w okolicy mojej deski: farby, podstawki, noże, pędzle, rysunki, urządzenie do glansowania papieru, nożyki do ostrzenia ołówków, piórniki; zajrzał do szafki, skrzyń i pod dywaniki. Nie przeszukiwał wcale mojego domu, jak zapowiedział, przystawiając mi do gardła kindżał, ale moją pracownię. Jakbym nie mógł schować czegoś w pokoju moim i mojej żony, z którego ta właśnie nas obserwowała.

— Szukam ostatniej ilustracji z księgi wuja — wyjaśnił w końcu. — Zabójca ukradł ten rysunek.

— Różni się on od pozostałych — odparłem natychmiast.

— Twój zmarły wuj, pokój jego duszy, kazał mi narysować drzewo w rogu strony, na drugim planie. Na pierwszym miała być umieszczona jakaś osobistość, najprawdopodobniej Jaśnie Oświecony Sułtan. Miejsce zostało przygotowane, ale wizerunku jeszcze nie było. Obiekty na drugim planie miały być pomniejszone, jak u Europejczyków, dlatego Wuj poprosił mnie o namalowanie małego drzewa. Gdy patrzyło się na ten rysunek, odnosiło się wrażenie, że się obserwuje świat przez otwarte okno. Wtedy właśnie zrozumiałem, że na ilustracji wykorzystującej perspektywę brzegi i złocenia zastępują okienną ramę.

— Za brzegi i złocenia odpowiadał Elegant.

— Jeśli to pytanie, to ci od razu odpowiem, że nie zabiłem go.

— Morderca nigdy nie przyznaje się do popełnionego czynu — słusznie zauważył Czarny i zapytał, co robiłem w okolicy kawiarni, kiedy na nią napadnięto. Postawił lampę, która teraz oświetliła mi twarz, tuż przy poduszce, na której siedzia-

łem, między moimi miniaturami a papierami. Sam miotał się
w półmroku niczym cień.

Oprócz tego, co powiedziałem i wam — że kawiarnię odwiedzałem rzadko, a dziś pojawiłem się tam przypadkiem —
powtórzyłem też, że namalowałem dwa z wiszących w niej
rysunków — choć w zasadzie nie pochwalałem tego, co się
w niej działo.

Bo jeśli malarz nie czerpie siły ze swojego talentu, miłości
do miniatury ani chęci połączenia się z Allahem, ale z dążenia
do wyszydzania i podkreślania marności żywota — tłumaczy-
łem — to prędzej czy później upokorzy i ukarze samego siebie.
I nie ma znaczenia, czy szydzi z kaznodziei z Erzurumu, czy
z samego szatana. Poza tym, gdyby ludzie z kawiarni nie wzięli
sobie za cel erzurumczyków, całkiem prawdopodobne, że nie
napadnięto by na nią tej nocy.

— Mimo to zachodziłeś tam — odgryzł się drań.

— Zaglądałem, aby się zabawić. — Czy doceniał szczerość
moich odpowiedzi? — Choć jesteśmy potomkami Adama, choć
sumienie i rozum podpowiadają nam, co jest złe i niewłaści-
we, to i tak znajdujemy przyjemność w tym, co grzeszne. Ja
na przykład czuję się niezręcznie, bo czerpałem przyjemność
z oglądania tanich miniatur, z wcielania się w innych oraz
z ordynarnych, pozbawionych rymu i rytmu opowiadań o szatanie, monecie i psie.

— Ale czemu w ogóle miałeś ochotę wkraczać do tego sie-
dliska niewiernych?

— No dobrze — uległem wewnętrznym podszeptom. —
Czasem ogarniają mnie wątpliwości. Od kiedy zostałem uznany za najbardziej utalentowanego artystę w pracowni, i to
nie tylko przez mistrza Osmana, ale również przez sułtana,
tak bardzo zacząłem się obawiać zawiści innych, że starałem
się chodzić tam, gdzie oni, zaprzyjaźnić się z nimi i do nich

się upodobnić, aby z chęci zemsty nie zwrócili się przeciwko mnie. Rozumiesz? A ponieważ nadali mi przydomek Erzurumczyk, chodziłem do tej nędznej kawiarni, aby rozwiać plotki.

— Mistrz Osman mówił, że często zachowywałeś się tak, jakbyś przepraszał za swój talent i uzdolnienia.

— I co jeszcze mówił o mnie?

— Rysowałeś niedorzecznie drobne obrazki na ziarenku ryżu, na paznokciu, starając się przekonać wszystkich, że dla sztuki jesteś gotowy poświęcić wszystko. Dokładasz zbyt wielu starań, aby zdobyć akceptację innych.

— Mistrz Osman jest utalentowany niemal tak jak Behzad. Kontynuuj.

— Wyliczył twoje wady.

— Jakież to ja mam wady?

— Masz talent, ale rysujesz nie dla sztuki, lecz by cię zauważono. Kiedy tworzysz, największą radość czerpiesz z wyobrażania sobie, jaką przyjemność sprawisz podziwiającym twoją pracę. Tymczasem powinno się rysować dla własnej przyjemności.

Uraziło mnie to, że mistrz Osman tak otwarcie opowiadał o moich wadach nie artyście, lecz marnemu sekretarzynie, który pisał listy i uciekał się do tanich pochlebstw. Czarny dodał:

— Mistrz Osman uważa, że wielcy mistrzowie nigdy nie wyrzekliby się stylów i metod, które rozwijali, poświęcając się sztuce, wyłącznie z powodu zarządzenia szacha, kaprysu nowego księcia lub zmiany mody. Dlatego, aby nie zostać przymuszonym do zmiany stylu lub maniery, bohatersko się oślepiali. A ty przecież z przyjemnością, zapominając o honorze, naśladowałeś europejskich mistrzów, robiłeś rysunki do księgi wuja, tłumacząc sobie, że taka jest wola sułtana.

— W takim razie mistrz Osman nie powiedział niczego złego — zauważyłem. — Pójdę, przygotuję ci lipowej herbaty.

Wyszedłem do sąsiedniego pokoju. Moja ukochana żona, ubrana w jedwabną chińską nocną koszulę, nabytą u handlarki Ester, rzuciła się w moje objęcia. „Przygotuję ci lipowej herbaty" — przedrzeźniała mnie, kładąc rękę na moim przyrodzeniu.

Odsunąłem ją, otworzyłem szafę stojącą obok rozłożonego materaca i spomiędzy aromatycznej bielizny wyciągnąłem szablę z agatową rękojeścią. Wyjąłem ją z pochwy. Była tak ostra, że rozcinała na dwoje rzuconą na nią jedwabną chusteczkę do nosa, a płatek złota malarskiego cięła jak od linijki.

Schowałem ją za plecami i wróciłem do pracowni. Czarny był bardzo zadowolony ze swojego przesłuchania i wciąż krążył z kindżałem w ręku wokół czerwonego dywanika. Położyłem na nim nie dokończoną miniaturę.

— Rzuć na nią okiem.

Nachylił się z ciekawością, usiłując zrozumieć symbolikę.

Stanąłem za jego plecami, przewróciłem go na podłogę i przystawiłem szablę do gardła. Kindżał wypadł mu z ręki. Mój ciężki tułów przygniatał pełne wdzięku ciało Czarnego. Leżał twarzą w dół. Starałem się podbródkiem i ręką przycisnąć jego głowę do ostrza szabli. Rozsądnie nie ruszał się — rozumiał, że przy pierwszej okazji przeleję jego krew. Drażniły mnie jego kręcone włosy, kuszący tył głowy, w który w innej sytuacji z przyjemnością dawno bym przywalił, i jego bezkształtne uszy. Wyszeptałem, jakbym zdradzał mu tajemnicę:

— Mam ochotę cię zabić.

Podobała mi się pokora, z jaką mnie słuchał.

— Znasz *Księgę królewską* — wyszeptałem. — Szach Feridun popełnił błąd i przy podziale swego kraju na trzy części gorsze krainy oddał dwóm starszym synom, a najlepszą, Iran, zostawił młodszemu, Iradżowi. Zawistny Tur postanowił odpłacić młodszemu bratu. Zwabił go w pułapkę, ale zanim podciął mu gardło, trzymał go, tak samo jak teraz ja ciebie, za włosy i przygniatał całym ciałem. Czy czujesz ciężar mojego ciała?

Nic nie odpowiedział, ale po jego oczach — przypominających teraz wyrazem spojrzenie ofiarnej owcy — poznałem, że słucha, i spłynęło na mnie natchnienie:

— Jestem wierny nie tylko perskiej tradycji malarskiej, ale i obcinania głów. Widziałem też inne wersje uwielbianej przez wszystkich sceny, opisującej śmierć szacha Sijawusza.

Długo opowiadałem Czarnemu, jak Sijawusz przygotowywał się do pomszczenia swych braci, jak spalił swój pałac i mienie, jak pożegnał się z żoną, wsiadł na konia i ruszył z armią na wyprawę, o tym, jak przegrał bitwę i jak ciągnęli go po trupach i zakurzonej ziemi za włosy, jak położyli twarzą w dół i przystawili do gardła kindżał, jak legendarny szach znalazł się w takiej samej pozycji, jak Czarny teraz i jak między jego przyjaciółmi i wrogami zrodził się spór o to, czy go zabić, czy mu wybaczyć — czemu szach się przysłuchiwał. Potem zapytałem swoją ofiarę:

— Czy podoba ci się ta scena? Geruj zachodzi Sijawusza od tyłu, tak jak ja ciebie, siada na nim, kładzie swój miecz na jego szyi, chwyta go za włosy i podcina mu gardło. Twoja czerwona krew, która wkrótce popłynie, sprawi, że z suchej ziemi podniesie się czarny kurz. Później w tym miejscu zakwitnie kwiat.

Zamilkłem. W tym momencie usłyszeliśmy lamentujących gdzieś w oddali i biegających po ulicach erzurumczyków. Przerażające odgłosy zbliżyły nas — leżących jeden na drugim — do siebie.

— We wszystkich tych miniaturach — mocniej pociągnąłem Czarnego za włosy — czuje się, jak trudno jest elegancko oddać postacie, które wzajemnie się nienawidzą, ale które — jak nasze — spoiły się w jedno. Tak jakby w obrazki wkradł się chaos zdrady, zawiści i bitwy, poprzedzający magiczny i wspaniały moment ścięcia głowy. Nawet najwięksi mistrzowie z Kazwinu mieliby trudności z narysowaniem dwóch mężczyzn, jednego na drugim. Wszystko by pomieszali. Tymczasem ty i ja... Zobacz, jak elegancko leżymy.

— Ostrze tnie — wyjęczał.

— Dziękuję, że przemówiłeś, ale ostrze wcale nie tnie. Pilnuję, aby nie zniweczyć piękna naszej pozycji. Dawni mistrzowie wyciskali ludziom łzy z oczu, kiedy w scenach miłości, śmierci lub wojny rysowali ciała zlane w jedno. Spójrz, moja głowa połączyła się z twoją potylicą, jakby była częścią ciebie. Czuję zapach twoich włosów. Moje nogi tak harmonijnie wyciągnęły się po obu stronach twoich nóg, że można by nas wziąć za jakieś nieznane zwierzę o czterech kończynach. Czy czujesz na sobie mój ciężar? — Nic nie mówił, ale już nie przyciskałem jego szyi mocniej do szabli. — Jeśli będziesz milczał, ugryzę cię w ucho — wyszeptałem.

Gdy w jego oczach zobaczyłem, że jest gotów odpowiadać, powtórzyłem pytanie:

— Czy czujesz na sobie mój ciężar?

— Tak.

— Przyjemnie ci? Ładnie wyglądamy? — spytałem. — Czy jesteśmy równie piękni jak legendarni bohaterowie, którzy zabijają się z taką elegancją na starych arcydziełach?

— Nie wiem — odpowiedział Czarny. — Przecież nie mogę widzieć nas w lustrze.

Kiedy wyobraziłem sobie, że moja żona obserwuje nas z drugiego pokoju, leżących na podłodze w świetle oliwnej lampy, podniecenie sprawiło, że mógłbym ugryźć Czarnego w ucho.

— Szanowny Czarny — zwróciłem się do niego — wszedłeś do mojego domu, zakłóciłeś mój spokój, uzbroiłeś się w kindżał, chciałeś mnie przesłuchiwać. Czy teraz czujesz moją siłę?

— Tak. Czuję również, że masz rację.

— Dobrze, pytaj, o co chcesz.

— Opowiedz o tym, jak mistrz Osman cię pieścił.

— W czasach mojej nauki, kiedy byłem bardziej dystyngowany, subtelny i piękniejszy niż teraz, kładł się na mnie, tak jak ja w tej chwili na tobie. Gładził moje ręce, czasem sprawiał mi ból, ale ponieważ byłem oczarowany jego wiedzą, talentem, siłą, podobało mi się to i nie miałem mu tego za złe, bo go kochałem. Miłość do mistrza Osmana oznaczała dla mnie miłość do rysunku, koloru, papieru, piękna miniatur, wszystkiego, co narysowane, a co za tym idzie — do wszechświata i Allaha.

— Często cię bił?

— Jako ojciec bił mnie sprawiedliwie, a jako mistrz — boleśnie, tak abym pamiętał naukę. Pewnych rzeczy nauczyłem się lepiej i szybciej tylko dlatego, że bałem się oberwać linijką po rękach. Aby uniknąć cięgów, starałem się nie przelewać farb, nie marnować złota, prawidłowo wyprowadzać zgięcie końskiej nogi, tuszować niedoskonałości rysunku, w porę myć pędzle, skupiać uwagę na szkicu. Ponieważ talent i mistrzostwo zawdzięczam batom, teraz bez wyrzutów sumienia sam biję swoich uczniów. Wiem, że nawet niesprawiedliwy cios, jeśli nie poniża ucznia, wyjdzie mu na dobre.

— Ale sam wiesz, że gdy bijesz przystojnego, słodkookiego, anielskiego ucznia, doznajesz czystej przyjemności z wymierzania kary. Z pewnością mistrz Osman również ją odczuwał, bijąc ciebie.

— Czasami brał marmurowy kamień szlifierski i uderzał mnie z taką siłą w ucho, że dzwoniło mi w głowie przez wiele dni, chodziłem jak oszołomiony. Niekiedy bił w policzek tak mocno, że potem tygodniami piekło, a oko łzawiło. Nie zapomniałem o tym, ale kocham swojego mistrza.

— Nie — zaprzeczył Czarny. — Nigdy nie uwolniłeś się od gniewu. Złość gromadziła się w twojej duszy. Odpłacałeś mu, naśladując europejski styl rysunku podczas pracy z wujem.

— Nie znasz malarzy, jest zupełnie na odwrót — cięgi, które otrzymują jako uczniowie, sprawiają, że odczuwają miłość i głębokie przywiązanie do nauczyciela aż do jego śmierci.

— Iradżowi i Sijawuszowi okrutnie i podstępnie poderżnięto gardła. Napadnięto na nich tak, jak ty na mnie, od tyłu. A wszystkiemu była winna zawiść braci, która w *Księdze królewskiej* wynika z niesprawiedliwości ojca.

— Racja.

— Wasz niesprawiedliwy ojciec podjudził was przeciw sobie, a teraz zamierza was zdradzić — powiedział bezczelnie Czarny, po czym zajęczał: — Oj, tnie! — i skrzywił się z bólu. — Oczywiście przelanie mojej krwi nic cię nie kosztuje, ale gdybyś mnie wysłuchał... Ach! Nie naciskaj tak! Już wystarczy!

Zmniejszyłem ucisk na jego szyję.

— Mistrz Osman, który od waszego dzieciństwa śledził każdy wasz krok, westchnienie, który odkrywał wasze możliwości, szczęśliwie przemieniając je w talent, teraz odwraca się od was, aby zachować styl pracowni, jakiej poświęcił całe życie.

— W dniu pogrzebu Eleganta przytoczyłem trzy przykłady, aby pokazać ci ohydę tego, co nazywają stylem.

— Twoje przykłady dotyczyły stylu malarzy — zauważył Czarny ostrożnie. — A mistrz Osman troszczy się o styl pracowni.

Szczegółowo opowiedział mi, jakie znaczenie przykłada sułtan do znalezienia mordercy Eleganta i Wuja. Nawet otworzył dla poszukujących skarbiec. Mistrz Osman chce wykorzystać tę okazję i zniszczyć księgę Wuja, a także ukarać tych, którzy zdradziwszy go, zaczęli naśladować europejskich mistrzów. Za autora koni z przyciętymi nozdrzami uważa Oliwkę, ale w ręce katów odda Bociana, bo jest pewien jego winy.

Czułem, że Czarny mówi prawdę, i nagle nabrałem ochoty, by ucałować go za to. Wcale nie przeraziło mnie, że Bocian zostanie skazany, bo to oznaczało, że po śmierci Osmana — niech Allah ześle mu wiele lat życia! — to ja zostanę naczelnym iluminatorem.

Zaniepokoiło mnie nie to, że wszystko, o czym mówił Czarny, się ziści, lecz że mogłoby się nie ziścić. Analizując słowa Czarnego, doszedłem do wniosku, że mistrz Osman był gotów poświęcić nie tylko Bociana, ale również mnie. Gdy to sobie uświadomiłem, serce zaczęło mi bić szybciej i poczułem grozę, jakiej doznaje dziecko, które nagle traci ojca. Za każdym razem, gdy sobie o tym przypominałem, musiałem siłą powstrzymywać się od poderżnięcia Czarnemu gardła. Nie zamierzałem dyskutować na ten temat ani z nim, ani z samym sobą. Dlaczego fakt wykonania pod wpływem europejskich mistrzów kilku idiotycznych rysunków miałby czynić z nas zdrajców? Pomyślałem, że za śmiercią Eleganta mogli stać Bocian i Oliwka. Może nawet uknuli spisek przeciwko mnie. Odjąłem szablę od gardła Czarnego.

— Chodźmy do Oliwki, przewrócimy do góry nogami jego dom — zaproponowałem. — Jeśli ostatni rysunek jest u niego, to będziemy przynajmniej wiedzieć, kogo mamy się strzec. Jeśli nie znajdziemy go, to w trójkę z Oliwką zjawimy się u Bociana.

Powiedziałem, że nie biorę szabli, że wystarczy nam jego kindżał, i przeprosiłem, że nie przyniosłem lipowej herbaty. Spojrzeliśmy wymownie na dywanik, po którym przed chwilą się tarzaliśmy. Przysunąłem do jego twarzy lampę: na szyi zobaczyłem ślad po szabli i oznajmiłem, że będzie to znak naszej przyjaźni. Rana tylko trochę krwawiła.

Na ulicach nikt nie zwracał na nas uwagi. Szybko doszliśmy do domu Oliwki. Zastukaliśmy w furtkę, w drzwi, w zamknięte okiennice — nikogo. Czarny wypowiedział na głos myśl, która również mi przemknęła przez głowę:

— Wchodzimy?

Wykręciłem metalową obręcz w zamku, używając do tego tępej krawędzi kindżału Czarnego. Potem wsunąłem go pomiędzy framugę i drzwi. Naciskając na nie całym ciężarem ciała, wyważyliśmy je i wyłamaliśmy zamek. Powiało stęchlizną, zapachem wilgoci, brudu i samotności. Ujrzeliśmy nie sprzątniętą pościel, rozrzucone pasy, kamizelki, dwa turbany, poduszki, słownik persko-turecki Nakşibendiego Nimetullaha, półkę na turban, kawałek sukna, miedziane naczynia wypełnione obierkami z jabłek, mnóstwo dywaników, aksamitną narzutę na łóżko, farby, pędzle i najrozmaitsze przybory do rysowania i szycia. Miałem ochotę obejrzeć rysunki leżące na desce, stosy równo pociętego indyjskiego papieru, ale powstrzymałem się: niech szuka wojowniczo nastawiony Czarny. Mnie, utalentowanemu malarzowi, nie przystoi dotykać rzeczy malarza mniej utalentowanego — to przynosi pecha.

Oliwka nie jest taki zdolny, za jakiego się uważa. Jest po prostu bardzo zawzięty. Braki w umiejętnościach stara się nadrobić uwielbieniem dla starych mistrzów. Dawne poematy mogą jedynie rozpalić wyobraźnię, ale to ręka rysuje. Gdy Czarny grzebał w koszach na bieliznę, kufrach i pudełkach, ja niczego nie dotykałem, oglądałem pokój: grzebień z hebanowego drewna, brudny ręcznik, butelki po różanej wodzie, zabawny indyjski drukowany fartuch, kaftan, stary płaszcz z rozcięciem, pogięta miedziana taca, brudne dywany i mnóstwo innych niedbale rozrzuconych rzeczy. Dziwne, przecież Oliwka sporo zarabiał. Albo jest bardzo skąpy, albo od razu przepuszcza pieniądze.

— Prawdziwy dom mordercy — podsumowałem. — Nie ma tu nawet dywanika do modlitwy. — I po chwili namysłu dodałem: — Rzeczy człowieka, który nie umie być szczęśliwy.

Gdzieś w głębi świadomości wirowała jednak myśl: poczucie niedoceniania i bliskość szatana pomagają malarzowi.

— Czasem człowiek nawet wie, jak być szczęśliwym, ale i tak nie potrafi — zauważył Czarny roztropnie.

Wyciągnął ze skrzyni i położył przede mną serię rysunków na szorstkim papierze z Samarkandy. Zobaczyliśmy arcywesołego szatana, który właśnie wyszedł z podziemi, drzewo, ładną kobietę, psa i narysowaną przeze mnie śmierć: obrazki te wieszał na ścianie zabity meddah, gdy opowiadał swoje historie. Czarny wskazał na ten przedstawiający śmierć.

— W księdze wuja był identyczny.

— Zarówno meddah, jak i właściciel kawiarni wiedzieli, że rysowane przez miniaturzystów obrazki kryją jakąś mądrość. Dlatego też każdego wieczoru meddah prosił jednego z nas o naszkicowanie czegoś na tych kartach. Podpytywał o temat, trochę sobie z nami żartował, dodawał od siebie to i owo, po czym rozpoczynał występ.

— Dlaczego narysowałeś dla niego to samo, co do księgi wuja?

— Na jego prośbę. To był tylko jeden obrazek. Nie rysowałem go z uwagą i namaszczeniem jak do księgi Wuja, ale szybko, ciężką ręką. Tak samo robili inni. Prawdopodobnie chcieli być dowcipni i kreślili dla meddaha dokładnie to, co tworzyli dla Wuja, tyle że topornie i upraszczając.

— A kto narysował konia z przyciętymi nozdrzami? — zapytał Czarny.

Przysunąwszy lampę, ze zdziwieniem patrzyliśmy na rumaka. Przypominał konia wykonanego w księdze Wuja, ale wyglądał na szybszego, bardziej dzikiego i miał odpowiadać raczej mało wybrednym gustom. Tak jakby ktoś nie tylko mniej zapłacił miniaturzyście i poganiał go, ale także zmusił do narysowania prostszego, a przez to bardziej realistycznego zwierzęcia.

— Bocian wie najlepiej, kto jest jego autorem — stwierdziłem. — Ten zapatrzony w siebie głupek nie może żyć bez plotek i dlatego co wieczór chodzi do kawiarni. Jestem pewien, że to jego rysunek.

56.
Nazywają mnie Bocian

O północy przyszli Motyl z Czarnym, rozłożyli rysunki na podłodze i zażądali, abym powiedział, kto jest ich autorem. Motyl
przystawił mi przy tym do gardła kindżał. Przypomniała mi
się wtedy gra „Czyj to turban?", w którą bawiliśmy się w dzieciństwie: rysowaliśmy nakrycia głowy hodży, sipahi, sędziego,
kata, podskarbiego, sekretarza, po czym trzeba było połączyć
te rysunki z karteczkami odwróconymi tekstem do dołu.

Przyznałem się do narysowania psa. To my opowiedzieli-
śmy jego historię meddahowi. Z kolei łagodny Motyl, trzymający kindżał na moim gardle, naszkicował śmierć, nad którą
przyjemnie migotało światło lampy. Pamiętam, że przedstawieniu szatana oddał się z wielkim entuzjazmem Oliwka,
a opowieść o nim została w całości wymyślona przez świętej
pamięci meddaha. Drzewo zacząłem ja, a potem liście dory-
sowywali wszyscy malarze, którzy przyszli do kawiarni. Tak
też było z obrazkiem Czerwieni: trochę czerwonego atramentu
prysnęło na kartkę, więc skąpy meddah zapytał, czy nie moglibyśmy zrobić z tego ilustracji. Dokapaliśmy jeszcze trochę
atramentu, a potem każdy z nas naszkicował coś na czerwono
w rogu i przedstawił historię swojego rysunku meddahowi,
aby ten mógł opowiedzieć ją innym. Tego wspaniałego konia
— brawo! — narysował Oliwka, a tę smutną kobietę, jeśli się
nie mylę, Motyl. Wówczas Motyl odjął kindżał od mojej szyi

i powiedział Czarnemu, że owszem, przypomina sobie, że narysował tę piękną kobietę. Wspólnie przygotowaliśmy monetę na targowisku, natomiast Oliwka, którego przodkiem był kalenderyta, był autorem ilustracji z dwoma derwiszami. Kalenderyci zajmowali się żebractwem i lubili ładnych młodzieńców, a ich szejch Auhaduddin Kirmani dwieście pięćdziesiąt lat temu napisał poemat, w którym ogłosił, że doskonałość Allaha objawia się w pięknych twarzach.

Przeprosiłem za nieporządek w domu, usprawiedliwiając się zaskoczeniem. Ponieważ żona już spała, nie mogłem nawet zaproponować im aromatycznej kawy ani słodkiej pomarańczy, za co również przeprosiłem. Powiedziałem tak, by nie wpadli do jej pokoju i bym nie musiał się na nich wściec, gdy — przerzuciwszy do góry nogami sukna, materiały z kordu, letnie szarfy z indyjskiego jedwabiu, płótna, perskie drukowane tkaniny i zajrzawszy pod kobierce, poduszki, do koszy i kufrów oraz między kartki z miniaturami, które przygotowałem do różnych ksiąg — niczego nie znajdą.

Nie ukrywam, że czerpałem przyjemność z udawania przed nimi strachu. Talent malarza wynika z umiejętności skupienia uwagi na chwili bieżącej, z poważnego traktowania najdrobniejszych rzeczy. Trzeba jednak umieć popatrzeć na traktujący się zbyt poważnie świat jakby z boku, z dystansem i poczuciem humoru, jakbyśmy obserwowali rzeczywistość w krzywym zwierciadle.

Opowiedziałem im, że kiedy erzurumczycy napadli na kawiarnię, w środku jak zawsze było tłoczno: oprócz mnie byli tam Oliwka, malarz Nasır, kaligraf Cemal, dwaj młodziutcy czeladnicy, młodzi malarze, którzy teraz sypiają z tymi czeladnikami, niezwykłej urody Rahmi i jeszcze kilku przystojnych nowicjuszy, poetów, palaczy opium, wędrownych derwiszów i jacyś obcy — w sumie około czterdziestu osób. Gdy rozjuszony tłum wpadł do kawiarni, zaczęła się ogólna panika. Zebrani przestraszyli się i rzucili do drzwi; w tym zamieszaniu nikt nawet nie pomyślał, by bronić tego miejsca i nieszczęsnego starca — meddaha ubranego w kobiecą suknię. Czy byłem tym zasmucony?

— Tak! Bardzo! Ja, Musavvir Mustafa, zwany też Bocianem, poświęciłem całe swoje życie iluminacji i uważam za absolutnie konieczne przesiadywanie każdego wieczoru z braćmi malarzami i rozmawianie z nimi, żartowanie, ironizowanie, prawienie komplementów, czytanie wierszy oraz robienie aluzji — wyznałem, spoglądając prosto w wilgotne oczy tępemu Motylowi, temu ociężałemu, niezgrabnemu chłopcu w podeszłym wieku, którego zżerała zazdrość. Patrzyłem na naszego Motyla — jako uczeń był wrażliwy, delikatny i przystojny, a jego oczy nadal były tak śliczne jak oczy dziecka.

Opowiedziałem im, jak to wędrując z miasta do miasta, z dzielnicy do dzielnicy, zmarły meddah trafił w końcu do kawiarni, w której zbierali się malarze. Drugiego dnia, kiedy starzec zajmował się żonglerką słowną, jeden z miniaturzystów dla żartu i prawdopodobnie pod wpływem kawy narysował i powiesił na ścianie obrazek psa, a meddah również dla żartu udał, że jest owym psem — wcielił się w niego i wygłosił mowę. Żart się spodobał i od tej pory co wieczór artyści coś rysowali, opowiadali meddahowi na ucho skrawki historyjek, a ten rozwijał je przed zebranymi w kawiarni. Ponieważ docinki pod adresem hodży z Erzurumu wprawiały żyjących w ciągłej obawie przed gniewem kaznodziei artystów w dobry humor i sprawiały, że do lokalu zaczęło napływać więcej klientów, jego właściciel, pochodzący z Edirne, popierał przedstawienia.

Motyl i Czarny powiedzieli, że rysunki z kawiarni znaleźli w pustym domu Oliwki, i zapytali, co o nich myślę. Odpowiedziałem, że tu nie ma o czym myśleć: właściciel kawiarni, tak samo jak Oliwka, był wędrownym derwiszem, żebrakiem, złodziejem, obcym i łajdakiem. Naiwny Elegant, który drżał ze strachu, wysłuchując surowych nauk hodży, a w szczególności jego piekielnych kazań piątkowych, musiał poskarżyć się na nich erzurumczykom. Albo, co bardziej prawdopodobne, kiedy Elegant kazał im skończyć z wybrykami, właściciel oraz Oliwka, którzy byli podobnego temperamentu, postanowili pozbyć się nieszczęsnego złotnika. Erzurumczycy rozzłościli się — pewnie także dlatego, że Elegant opowiedział im o tajemnej księdze. Uznali więc Wuja za winnego całego zła i go zabili, a dziś dokonali drugiego aktu zemsty — splądrowali kawiarnię.

Ciekawe, czy gruby Motyl z ponurym Czarnym, który wyglądał jak zjawa, przejęli się tym, co mówiłem, gdy grzebali z satysfakcją w moich rzeczach. Kiedy ze skrzyni z orzechowego drewna wyciągnęli moje wysokie buty, zbroję i wyposażenie wojskowe, dostrzegłem zawiść na dziecięcej twarzy Motyla — z dumą więc przypomniałem to, o czym wszyscy od dawna wiedzieli: brałem udział w wyprawie wojennej i jestem pierwszym muzułmańskim malarzem, który przedstawił na płótnie widziany na własne oczy lot kuli, wieże wrogich fortec, stroje niewiernych wojowników, płynące rzekami trupy, wojska na koniach ustawione w szeregu i gotowe do szarży.

Gdy Motyl poprosił mnie, abym pokazał, jak się wkłada cały ten rynsztunek, rozebrałem się bez skrępowania. Zdjąłem kaftan podbity czarnym króliczym futrem, spodnie i bieliznę. Podobało mi się, jak patrzyli na mnie przy świetle ognia z kominka. Naciągnąłem długie czyste spodnie i grubą czerwoną koszulę, które wkładałem pod zbroję. Następnie włożyłem buty z żółtej skóry, a na wierzch getry. Wyjąłem z pokrowca zbroję i z przyjemnością założyłem. Obróciłem się do nich plecami i rozkazałem Motylowi, jak jakiemuś słudze, mocniej ściągnąć paski, a potem założyć naramienniki. Zamocowałem naramienniki, włożyłem rękawice, przepasałem się rzemieniem na szablę i w końcu nałożyłem pozłacany hełm, który nosiłem podczas różnych ceremonii.

Tak wystrojony uroczyście ogłosiłem, że sceny bitewne nie będą już przedstawiane tak jak dawniej.

— Nie można dłużej malować jeźdźców przeciwnych stron za pomocą tego samego szablonu, jedynie odwróciwszy go na drugą stronę — rzekłem. — Od tej pory sceny bitewne w pracowniach Osmanów będą rysowane tak, jak ja je widziałem i przedstawiałem: tumult zderzających się wojsk, odziani w zbroje wojownicy, skrwawione ciała!

— Miniaturzysta rysuje nie to, co sam widzi, ale to, co widzi Allah — przypomniał Motyl, zżerany zazdrością.

— Racja — potwierdziłem — ale Allah widzi to, co i my widzimy.

— Allah widzi to, co i my widzimy, ale nie tak jak my — wytknął mi Motyl. — Wojnę, którą my widzimy jako chaos, On w swojej wszechwiedzy postrzega jako starcie dwóch uporządkowanych sił.

Oczywiście miałem dla niego odpowiedź. Chciałem rzec: „Naszym obowiązkiem jest wierzyć Allahowi, zatem rysujmy to, co on nam pokazuje, a nie to, co przed nami ukrywa", ale zrezygnowałem. Wcale nie dlatego, że Motyl mógł oskarżyć mnie o naśladowanie Europejczyków albo że krawędzią kindżału uderzał mnie w hełm i w plecy, niby sprawdzając twardość zbroi. Liczyłem na to, że jeśli przeciągnę na swoją stronę tego głupiego Motyla o pięknych oczach i Czarnego, to nie wpadniemy w pułapkę, jaką zastawił na nas Oliwka.

Kiedy już ustalili, że nie znajdą tutaj tego, czego szukają, powiedzieli mi, o co chodzi. Przyznali, że szukają rysunku, który zabrał podły morderca. Odparłem, że mój dom był już przeszukiwany z tego powodu, a chytry zabójca (miałem na myśli Oliwkę) z pewnością ukryłby obrazek w niedostępnym miejscu. Nie wiem, czy rozważyli moje słowa. Czarny opowiedział mi o koniach z podciętymi nozdrzami i o trzech dniach, które nasz sułtan dał mistrzowi Osmanowi na znalezienie mordercy. Czas właśnie się kończył. Kiedy spytałem o znaczenie podciętych nozdrzy, Czarny powiedział, patrząc mi prosto w oczy, że mistrz Osman uznał je za wskazówkę, ślad, który jego zdaniem prowadził do Oliwki, choć mistrz bardziej podejrzewał mnie, wiedząc, jak bardzo jestem ambitny.

Z początku wydawało mi się, że przyszli do mnie, aby znaleźć obciążające mnie dowody zbrodni, ale teraz doszedłem do wniosku, że przyczyną ich wizyty było coś jeszcze. Zapukali do mych drzwi także z powodu samotności i rozpaczy. Kiedy im otworzyłem, kindżał w ręku Motyla drżał. Bali się nie tylko tego, że ohydny morderca, którego tożsamość właśnie w bólach ustalali, może w ciemnościach zapędzić ich w kąt i z uśmiechem starego przyjaciela poderżnąć im gardła. Sen z powiek spędzał im też strach, że mistrz Osman w zmowie z sułtanem i podskarbim wyda ich na tortury. Grozą napawał ich również rozbestwiony tłum erzurumczyków na ulicy. Krótko mówiąc, chcieli widzieć we mnie przyjaciela. Ale mistrz Osman nastawił ich przeciwko mnie. Musiałem więc ich przekonać, że się mylił — na to zresztą mieli nadzieję.

Gdybym po prostu powiedział, że mistrz popełnił błąd, że stracił rozum, od razu zraziłbym do siebie Motyla. W załzawionych oczach tego przystojnego miniaturzysty, którego rzęsy — gdy uderzał kindżałem w moją zbroję — trzepotały jak skrzydła owada, od którego wziął przewisko, ciągle jeszcze dostrzegałem resztki miłości do nauczyciela, którego był ulubieńcem. Za czasów naszej młodości miniaturzyści naśmiewali się z uczucia tych dwóch, ale oni nie zwracali uwagi na otoczenie. Wymieniali wymowne spojrzenia, zalecali się do siebie, a mistrz Osman ogłaszał, że najwykwintniejsze pióro i największy talent do nakładania farb posiada Motyl. Ta opinia była raczej sprawiedliwa, ale nasilała niezadowolenie zawistnych malarzy, którzy wymyślali na ich temat kalambury z bezwstydnymi aluzjami. Nie tylko ja domyślałem się, że mistrz Osman zamierza uczynić swoim następcą właśnie Motyla. Skoro rozmawiał z innymi o moim kłótliwym, swarliwym charakterze i zarozumialstwie, stało się dla mnie jasne, że pomysł ten zrodził się w jego głowie już dawno. Mistrz Osman uważał — i słusznie — że w większym stopniu niż Oliwka i Motyl ulegam wpływom Europejczyków, i wiedział, że na życzenie sułtana nie odmówiłbym pracy w nowym stylu, co wywoływało jego oburzenie: „Starzy mistrzowie nigdy nie rysowaliby w ten sposób!".

W tej sprawie mogłem współpracować z Czarnym. Świeżo upieczony zdenerwowany małżonek musiał dokończyć księgę zmarłego wuja nie tylko po to, aby zdobyć serce przepięknej Şeküre i pokazać, że może zająć miejsce jej ojca, ale również po to, aby zwrócić na siebie uwagę sułtana.

Zacząłem mówić o tym, że księga szanownego Wuja to cud, któremu nic nie może dorównać. Kiedy to arcydzieło zostanie wykonane w takiej formie, jakiej pragnął sułtan i zmarły Wuj, cały świat będzie zdumiony siłą i bogactwem naszego pana, a także naszym talentem i kunsztem. Giaurzy nie tylko będą się bali nas, naszej potęgi i bezwzględności, ale również będą zadziwieni, gdy przekonają się, że potrafimy śmiać się i płakać, że umiemy naśladować frankońskich mistrzów, że dostrzegamy najbardziej wybujałe kolory i najdrobniejsze szczegóły. W końcu przyznają z przerażeniem to, o czym wiedzieli tylko najmądrzejsi z sułtanów: żyjemy jednocześnie w świecie naszych ilustracji i w towarzystwie naszych starych mistrzów daleko, daleko stąd.

Motyl cały czas postukiwał w mój pancerz — na początku jak dziecko, które chce sprawdzić, czy jest prawdziwy, potem jak przyjaciel, który chce się przekonać o jego niezawodności, a w końcu walił jak zazdrośnik, który pragnie porąbać na części zbroję i wytrząść ze mnie duszę. Sądzę, że rozumiał, iż mam większy talent od niego, więcej nawet: z rozgoryczeniem domyślał się, że wie o tym również mistrz Osman. Motyl to naprawdę doskonały malarz, obdarzony zdolnościami przez Boga, więc tym bardziej jego zazdrość była dla mnie powodem do dumy: w przeciwieństwie do niego stałem się mistrzem dzięki sile swojego pędzla, nie musiałem w tym celu trzymać za „pędzel" mistrza. Poczułem, że uda mi się zmusić go do zaakceptowania mojej wyższości.

Podnosząc głos, wyjaśniłem, że niestety niektórzy starają się przeszkodzić w powstaniu tej cudownej księgi. Mistrz Osman był dla nas jak ojciec. Jego zdolności były niezrównane. Wszystkiego nauczyliśmy się od niego! Był jednak negatywnie nastawiony do tego wspaniałego dzieła. Dlaczego, kiedy wpadł na trop mordercy w skarbcu sułtana i kiedy zrozumiał, że zabójcą jest Oliwka, starał się to ukryć? Miałem pewność, iż Oliwka schował się w opuszczonej tekke bractwa kalenderytów nieopodal Fenerkapı. Ów klsztor derwiszów został zamknięty za rządów dziadka naszego sułtana nie dlatego, że był jaskinią degeneracji i amoralności, lecz raczej w wyniku nie kończących się wojen z Persami. Niegdyś Oliwka chełpił się tym, że jest strażnikiem nielegalnej tekke derwiszów. Jeśli mi nie wierzą i podejrzewają podstęp, mają kindżał. Mogą się ze mną policzyć od razu, tu na miejscu.

Motyl zadał mi jeszcze dwa silne ciosy, jakich nie wytrzymałaby przeciętna zbroja. Odwrócił się do Czarnego, który uwierzył w moje słowa, i krzyknął na niego jak dziecko. Pod-szedłem do Motyla od tyłu, opancerzoną rękę zacisnąłem na jego szyi i przyciągnąłem go do siebie. Drugą ręką ścisnąłem jego nadgarstek, zmuszając go do upuszczenia kindżału. Nie walczyliśmy w pełnym tego słowa znaczeniu, ale też nie była to zabawa. Przypomniała mi się mało znana historia z *Księgi królewskiej*. Zacząłem opowiadać:

— Trzeciego dnia bitwy pomiędzy zakutymi w pancerze i uzbrojonymi po uszy armiami Iranu i Turanu, u podnóża góry Hamaran, Turanie wysłali na pole walki zwinnego Szengila, aby wyjaśnił, kim był zagadkowy perski wojownik, który w ciągu pierwszych dwóch dni zabił dwóch wielkich żołnierzy Turanu. Szengil rzucił wyzwanie tajemniczemu wojownikowi, a ten je przyjął. Dwie armie, połyskujące zbrojami w południowym słońcu, wstrzymały oddech i obserwowały bieg wydarzeń. Opancerzone konie obu mężów wpadły na siebie z takim impetem, że iskry powstałe wskutek zderzenia osmaliły im zady, a z nozdrzy buchnęła im para. Pojedynek trwał długo. Turanin strzelał z łuku, Pers zręcznie manewrował koniem i wywijał mieczem. W końcu perski wojownik zajechał Szengila od tyłu i zrzucił go z wierzchowca. Szengil próbował uciec, ale Pers chwycił go za zbroję, po czym złapał za kark. Poddawszy się, Szengil zadał pytanie, nie licząc na odpowiedź: „Kim jesteś?". „Dla ciebie jestem śmiercią", odpowiedział tajemniczy wojownik. Kim on był?

— To legendarny Rustam — zgadł Motyl, cieszący się jak dziecko.

Pocałowałem go w szyję.

— Wszyscy zdradziliśmy mistrza Osmana — powiedziałem. — Zanim wymierzy nam sprawiedliwość, musimy odnaleźć Oliwkę, uwolnić się od tej trucizny krążącej wśród nas i pogodzić się, abyśmy mogli się przeciwstawić odwiecznym wrogom sztuki i tym, którzy marzą o wysłaniu nas na tortury. Być może, kiedy zjawimy się w opuszczonej tekke Oliwki, okaże się nawet, że okrutnym mordercą nie jest żaden z nas.

Biedny Motyl milczał. Jakkolwiek był utalentowany i pewny siebie i niezależnie od tego, jak mocne miał poparcie, po prostu — jak każdy z nas — szukał towarzystwa innych miniaturzystów, chociaż wzajemnie się oczernialiśmy i sobie zazdrościliśmy. Za nic w świecie nie chciał zaznać samotności i trafić do piekła.

Udaliśmy się do Fenerkapı. Niebo miało dziwny zielonożółty kolor, ale nie wpływał na to blask księżyca. Poświata ta sprawiała, że Stambuł, z jego gołymi topolami, kopułami, kamiennymi ścianami, starymi drewnianymi domami, wyglądał jak obca, wroga twierdza. Gdy wspięliśmy się na wzgórze, gdzieś za meczetem Bejazyta ujrzeliśmy płomienie.

W nieprzeniknionych ciemnościach dogoniliśmy w połowie załadowany wóz, zaprzężony w wołu, który wiózł worki z mąką w stronę miejskich murów; zapłaciliśmy kilka akcze i wsiedliśmy. Czarny siadał bardzo ostrożnie, miał przy sobie rysunki. Popatrzyłem na niskie obłoki, oświetlone łuną pożaru; na mój hełm spadło kilka kropel deszczu.

Długo wędrowaliśmy, szukając opuszczonego klasztoru. Postawiliśmy na nogi wszystkie okoliczne psy. W niektórych domach paliło się światło, ale nikt nie odpowiadał, gdy pukaliśmy do drzwi. W końcu za czwartym razem otworzył nam dziwny typ w takke* ze świecą w ręku. Patrzył na nas, jakbyśmy byli upiorami. Unikając nasilającego się deszczu, wytłumaczył nam, jak dojść do opuszczonego klasztoru, i z zadowoleniem dodał, że spotkamy się tam z dżinami i złymi duchami.

---

*   takke — mała, płaska czapeczka zakładana przez mężczyzn w krajach Wschodu pod nakrycie głowy

W ogrodzie przywitał nas spokój majestatycznych cyprysów, obojętnych na pogodę i fetor gnijących liści. Uniosłem wzrok i przez szczeliny w deskach, z których zbite były ściany, a później przez nieduże okiennice dostrzegłem światło lampy oliwnej, a w nim groźny cień człowieka odmawiającego modlitwy. A może tylko udawał, że się modli, by nas zmylić?

57.
Nazywają mnie Oliwka

Co było słuszniejsze: przerwać modlitwę i otworzyć drzwi czy dokończyć ją, zmuszając tym samym przybyszy do czekania na deszczu? Kiedy zdałem sobie sprawę, że ktoś mnie obserwuje, zaniepokojony przerwałem modły. Otworzyłem drzwi i zobaczyłem swoich — Motyla, Bociana, Czarnego. Wyrwał mi się okrzyk radości. Mocno uścisnąłem Motyla.

— Co oni robią z nami! — jęknąłem, wciskając głowę w jego ramiona. — Czego oni od nas chcą? Za co mordują?

Wszyscy zdradzali panikę typową dla zwierząt oddzielonych od stada. Taki typ zachowania widziałem już wielokrotnie u mistrzów malarstwa.

— Nie bójcie się — powiedziałem. — Tutaj jesteśmy bezpieczni.

— Boimy się, bo wśród nas może być człowiek, którego należy się obawiać — oświadczył Czarny.

— Tak, słyszałem. Jak o tym pomyślę, to też zaczynam drżeć — wyznałem.

Wśród członków straży i miniaturzystów krążyły pogłoski, że tajemnica morderstw Eleganta i szanownego Wuja została wyjaśniona. Zabójcą był jeden z nas, jeden z tych, którzy przyczynili się do powstania sławnej księgi. Czarny spytał, ile miniatur wykonałem dla Wuja.

— Pierwsza przedstawiała szatana. Narysowałem go tak, jak często malowano go w pracowniach za panowania Białych Baranów. Meddah myślał podobnie, dlatego też narysowałem dwóch wędrownych derwiszów. A potem zaproponowałem Wujowi, aby dołączył ich do księgi. Przekonałem go, że derwisze zajmują specjalne miejsce w świecie Osmanów.

— I to wszystko? — zapytał Czarny.

Kiedy odpowiedziałem: „Tak, to wszystko", skierował się ku drzwiom z miną człowieka, który przyłapał ucznia na kradzieży. Wyszedł, po czym przyniósł nie tknięty przez deszcz rulon i położył przed nami, trzema malarzami, tak jak kotka kładzie przed kociętami rannego ptaka.

Poznałem je, kiedy jeszcze trzymał je pod pachą: były to obrazki, które wyniosłem z kawiarni podczas napadu. Nie spytałem, w jaki sposób weszli do mojego domu i znaleźli te prace. Każdy z nas — ja, Motyl i Bocian — kolejno wskazaliśmy ilustracje, które narysowaliśmy dla nieżyjącego już meddaha. W końcu na boku została tylko miniatura wspaniałego konia z przyciętymi nozdrzami. Uwierzcie mi, nie miałem pojęcia, że został narysowany.

— To nie twoja robota? — zapytał Czarny z surowością nauczyciela.

— Nie, nie rysowałem tego.

— A konia do księgi Wuja?

— Tamtego też nie rysowałem.

— Mistrz Osman ustalił, że to twój styl — powiedział Czarny.

— Ja nie mam stylu — odparłem. — Nie mówię tego, aby się przechwalać, że niby przeciwstawiam się współczesnym tendencjom. I nie po to, aby dowodzić swojej niewinności. Dla mnie posiadanie stylu jest gorsze niż bycie mordercą.

— Twoje obrazki różnią się od prac starych mistrzów i innych malarzy — upierał się Czarny.

Uśmiechnąłem się do niego. Zaczął opowiadać rzeczy, które z pewnością dobrze już znacie. Słuchałem więc uważnie o tym, jak nasz sułtan w porozumieniu z podskarbim szukali sposobu na powstrzymanie morderstw, o trzydniowym ultimatum dla mistrza Osmana, o metodzie kurtyzany, specyfice nozdrzy oraz cudownej wizycie Czarnego w pałacu sułtana w celu zbadania wielkich ksiąg. W życiu zdarzają się takie momenty, kiedy czujemy, że dana chwila zostanie w nas na zawsze. Padał deszcz. Motyl, jakby nim przygnębiony, ze smutkiem wziął kindżał do ręki. Bocian, który tył zbroi miał biały od mąki, odważnie zmierzał do serca klasztoru z lampą w ręce. Ci mistrzowie, malarze, których cienie tańczyły na ścianach niczym duchy, byli moimi braćmi. Jakże ich kochałem w tej chwili! Jak cudownie być miniaturzystą!

— Czy wiesz, jakie szczęście cię spotkało, że razem z mistrzem Osmanem mogłeś oglądać arcydzieła dawnych artystów? — zwróciłem się do Czarnego. — Tam, w skarbcu, całował cię? Gładził twoją piękną twarz? Trzymał za rękę? Czy zachwycałeś się jego talentem i wiedzą?

— Pokazał mi na przykładzie starych mistrzów to, co wydaje się twoim stylem — odpowiedział Czarny. — Okazuje się, że styl nie jest świadomym wyborem malarza. To ukryty defekt, ujawniający przeszłość artysty i jego zapomniane wspomnienia. Pokazał mi też, jak błędy i słabości, trzymane w sekrecie, abyśmy nie tracili szacunku dla starych mistrzów, zaczęto z dumą nazywać cechami indywidualnymi lub stylem, na wzór artystów europejskich. Teraz, kiedy tak wielu miniaturzystów zaczęło się przechwalać swoimi ułomnościami, świat stanie się co prawda bardziej różnorodny, ale równocześnie głupszy i oczywiście mniej doskonały.

Czarny wypowiadał te słowa z pewnością siebie, co świadczyło o tym, że stał się jednym z głupców zapatrzonych w nowe mody.

— A mistrz Osman nie wyjaśnił ci, czemu przez wiele lat rysowałem dla naszego sułtana konie z normalnymi nozdrzami? — zapytałem.

— To z powodu miłości do was i wszystkich tych razów, jakie wymierzył wam podczas nauki. Mistrz Osman był jednocześnie waszym ojcem i umiłowanym. Był tak do was przywiązany, że nie zdając sobie z tego sprawy, upodabniał was do siebie i do każdego z was z osobna. Chciał, żeby styl miała cała pracownia, a nie pojedynczy uczniowie. Zachwycaliście się nim, podporządkowywaliście się mu i nie wykraczali poza wzorce, jakie wam pokazał. Tylko kiedy pracowaliście nad innymi księgami i rysowaliście obrazki, których mistrz Osman nie miał nigdy zobaczyć, przedstawialiście konia, zachowanego w pamięci przez cały ten czas.

— Moja matka, pokój jej duszy, była mądrzejsza od mojego ojca — powiedziałem. — Pamiętam, jak pewnego wieczoru siedziałem zapłakany, zarzekając się, że już więcej nie pójdę do pracowni, bo bił nas tam nie tylko mistrz Osman czy inni surowi i nerwowi nauczyciele, ale też starsi uczniowie, którzy chcieli nam w ten sposób pokazać nasze miejsce. Matka wtedy powiedziała, że na świecie są dwa rodzaje ludzi: jednych miażdżą razy otrzymywane w dzieciństwie — to znaczy cięgi, jak się tego oczekuje, zabijają w nich diabła. Inni mają więcej szczęścia: w wyniku chłosty diabeł nie zostaje zabity, ale przestraszony i oswojony. Tacy ludzie, choć nigdy nie zapominają smutków z dzieciństwa (matka zabroniła mi jednak komukolwiek o tym opowiadać), stają się bardziej przebiegli, łatwiej zdobywają przyjaciół, rozpoznają wrogów, na czas wyczuwają rodzące się za ich plecami intrygi i — tu już dodaję od siebie

— rysują lepiej od innych. Za to, że nie umiałem na przykład prawidłowo naszkicować gałęzi, mistrz Osman wymierzał mi policzek, tak że po twarzy ciekły mi gorzkie łzy bólu, ale przed oczami nagle wyrastał cały las. Bił mnie pięściami po głowie, bo nie widziałem błędu w miniaturze, a potem brał lustro, przykładał do rysunku, przystawiał swój policzek do mojego i w lustrze wskazywał błędy, które w magiczny sposób ujawniały się moim oczom, przy czym robił to z taką miłością, że nie zapomniałem jej do dziś. Płakałem nocą w łóżku po tym, jak poniżył mnie przy wszystkich, skrzyczał i uderzył linijką po rękach, ale rankiem następnego dnia z miłością całował mnie po dłoniach, a ja nie miałem wątpliwości, że zostanę wspaniałym malarzem. O, nie, nie rysowałem tego konia.

— Rozejrzymy się po klasztorze — Czarny miał na myśli siebie i Bociana — w poszukiwaniu ostatniego rysunku, skradzionego przez podłego mordercę wuja. Widziałeś ten obrazek?

— Takiej ilustracji nie mógłby przyjąć ani nasz sułtan, ani malarze związani ze starymi mistrzami, ani religijni muzułmanie — powiedziałem i zamilkłem.

Moje słowa jeszcze bardziej rozpaliły Czarnego. Razem z Bocianem zaczęli szukać, przewracając wszystko do góry nogami. Pomagałem im: pokazałem na przykład dziurę w podłodze pod przeciekającym dachem, żeby nie wpadli do niej, ale jeśli chcą, poszukali i tam. Otworzyłem drzwi do małej celi: weszli do niej pewnie, kiedy jednak zobaczyli, że nie ma tam ściany i pokój zalewa deszcz, od razu się cofnęli.

Cieszyłem się, że nie dołączył do nich Motyl, ale byłem pewien, że jak tylko znajdą dowód mojej winy, zrobi to. Bocian był tego samego zdania co Czarny, który obawiał się, że mistrz Osman wyda nas na tortury. Utrzymywał, że musimy się wzajemnie wspierać i zjednoczyć podczas konfrontacji z podskarbim. Wyczułem, że Czarny nie tylko chciał sprawić Şeküre niezwykły prezent ślubny w postaci schwytania mordercy Wuja, ale dążył również do tego, by skierować osmańskich miniaturzystów na ścieżkę europejskich mistrzów, płacąc im pieniędzmi sułtana za dokończenie księgi w ich manierze (był to pomysł już nawet nie tyle bluźnierczy, ile po prostu idiotyczny). Domyślałem się również, że za całą tą intrygą stał też Bocian, który gotów był pozbyć się nas, a nawet mistrza Osmana, by tylko osiągnąć swój cel, czyli stanowisko naczelnego miniaturzysty. A ponieważ wszyscy przypuszczali, że mistrz Osman wybierze na nie Motyla, Bocian za wszelką cenę chciałby zwiększyć swoje szanse na awans.

Gubiłem się w tym wszystkim. Słuchając odgłosów deszczu, pogrążyłem się w rozmyślaniach. Następnie, jak człowiek, który odrywa się od tłumu i przeciska przez orszak, aby wręczyć petycję przejeżdżającemu na koniu wezyrowi, panu i władcy, wpadłem na pomysł przypodobania się Bocianowi i Czarnemu. Zaprowadziłem ich przez przedpokój i szerokie drzwi w okropne miejsce, w którym kiedyś znajdowała się kuchnia. Zapytałem, czy są w stanie w tych ruinach coś znaleźć. Odpowiedzieli, że nie. Nie było śladu kotłów, garnków, patelni i miechów, których kiedyś używano tu do przygotowywania posiłków dla biednych i opuszczonych przez Boga. Nigdy nie zamierzałem sprzątać tego okropnego miejsca, pokrytego pajęczynami, kurzem, błotem, przeróżnymi odłamkami oraz ekskrementami kotów i psów. Silny wiatr, który jak zwykle pojawił się znikąd, wprawił w ruch płomień lampy, przez co nasze cienie stawały się raz ciemniejsze, raz jaśniejsze.

— Szukacie i szukacie, ale nie możecie znaleźć mojego ukrytego skarbu — powiedziałem.

Grzbietem dłoni jak szczotką zgarnąłem sadzę z miejsca, gdzie trzydzieści lat temu było palenisko, a kiedy ukazały się zarysy pieca, pociągnąłem i z trudem odsunąłem zasuwkę skrzypiących drzwiczek. Przystawiłem lampę do otworu. Nigdy nie zapomnę, jak Bocian, zanim Czarny zdołał się poruszyć, rzucił się w stronę pieca i chwycił skórzane torby. Chciał je otworzyć, nie wyciągając nawet na zewnątrz, ale ponieważ wróciłem do dużego pokoju, a Czarny ruszył za mną — bo nie chciał zostawać w tym ponurym pomieszczeniu — Bocian dołączył do nas, powłócząc długimi, chudymi nogami.

Nie wiedzieli, co powiedzieć, kiedy w pierwszej torbie znaleźli moje czyste wełniane skarpety, spodnie, czerwone kalesony, mój najskromniejszy mintan*, brzytwę, grzebień i inne rzeczy. W drugiej ciężkiej sakwie, którą otworzył Czarny, leżały: pięćdziesiąt trzy weneckie złote monety, złoto listkowe, skradzione przeze mnie z pracowni w ciągu ostatnich lat, drogocenne zeszyty z wzorami, jeszcze więcej złota listkowego ukrytego między kartkami, nieprzyzwoite rysunki, których część wykonałem sam, a resztę uzbierałem, pamiątkowy agatowy pierścionek mojej drogiej matki, pukiel jej białych włosów i moje najlepsze pióra i pędzle.

— Gdybym rzeczywiście był mordercą — powiedziałem z głupią dumą — zamiast tych wszystkich rzeczy znaleźlibyście tutaj ostatni rysunek z księgi Wuja.

— A skąd wzięły się te przedmioty? — zapytał Bocian.

— Kiedy straż przeszukiwała mój dom, tak samo jak i twój, bezczelnie ukradła dwie spośród owych złotych monet, które gromadziłem przez całe życie. Pomyślałem, że przez podłego mordercę będą nas przeszukiwać jeszcze nieraz — jak się okazało, miałem rację. Gdybym ukradł ten rysunek, schowałbym go tutaj.

---

* mintan lub minten — krótki kaftan, do bioder, z długimi rękawami

Ostatniego zdania nie powinienem był mówić, ale poczułem, że się uspokoili i przestali bać, iż uduszę ich w jakimś ciemnym kącie. Przecież wy także mi uwierzyliście, czyż nie? Ale teraz ja zacząłem się niepokoić. Wcale nie dręczyło mnie to, że moi przyjaciele malarze — znani mi od dziecka — dowiedzieli się o tym, że latami chciwie gromadziłem pieniądze, kradłem i chowałem złoto, zbierałem nieprzyzwoite rysunki, że zobaczyli mój zeszyt z wzorami. Choć prawdę mówiąc, żałowałem, że pokazałem im to wszystko pod wpływem paniki. Jedynie tajemnice człowieka, którego życie było pozbawione sensu, mogły zostać tak łatwo odkryte.

— Mimo wszystko — powiedział po jakimś czasie Czarny — ustalmy, co będziemy mówić na torturach, jeśli mistrz Osman odda nas w ręce katów bez ostrzeżenia.

Ogarnęła nas beznadzieja i apatia. Bocian i Motyl przy bladym świetle lampy oglądali nieprzyzwoite rysunki z mojego zeszytu. Sprawiali wrażenie, jakby to wszystko w ogóle ich nie obchodziło — w jakiś koszmarny sposób wydawali się wręcz zadowoleni. Domyśliłem się, na który rysunek właśnie patrzą, i również zapragnąłem na niego zerknąć. Wstałem, podszedłem do nich od tyłu i zacząłem w milczeniu oglądać obsceniczną miniaturę mojego autorstwa. Poczułem zadowolenie, jakbym przywoływał odległe, przyjemne wspomnienie. Czarny też się do nas przyłączył. Z niewiadomego powodu fakt, że w czwórkę przyglądaliśmy się temu rysunkowi, odprężał mnie.

— Czy ślepiec może dorównać widzącemu? — spytał Bocian po dość długiej chwili.

Czyżby miał na myśli to, że chociaż rzeczy, na które patrzymy, są nieprzyzwoite, to jednak sam dar widzenia, zesłany nam przez Allaha, był czymś wspaniałym? Nie, Bocian nie znał się na tych sprawach, nigdy nie czytał szlachetnego Koranu. Wiedziałem, że ten wers często cytowali starzy mistrzowie z Heratu. Owe słowa były odpowiedzią na groźby przeciwników malarstwa, którzy twierdzili, że nasza religia zakazuje sporządzania ilustracji i że w dniu Sądu Ostatecznego wszyscy malarze zostaną zesłani do piekła. W tym momencie usta otworzył Motyl i nieoczekiwanie — jakby niechcący — wypowiedział słowa, których nigdy wcześniej od niego nie słyszałem:

— Chciałbym kiedyś wykonać rysunek pokazujący, że ślepiec nie może dorównać widzącemu!

— Kim jest ślepiec, a kim widzący? — naiwnie spytał Czarny.

— *Wa ma jastawila ama wa'l-basiru,* co po arabsku znaczy: „Nie dorówna ślepy widzącemu" — powiedział Motyl i kontynuował:

Nie dorówna ciemność światłu.
Nie dorówna cień żarowi.
Nie dorównają martwi żywym.

Nagle wzdrygnąłem się na myśl o losie Eleganta, Wuja i zabitego tej nocy naszego brata meddaha. Czy inni byli równie przerażeni jak ja? Dosłownie zamarliśmy. Bocian trzymał w rękach otwarty zeszyt i chociaż wszyscy jeszcze patrzyliśmy na nieprzyzwoity rysunek, on już nie dostrzegał zawartej w nim wulgarności.

— A ja chciałbym przedstawić dzień sądu — powiedział. — Zmartwychwstanie umarłych, oddzielenie winnych od niewinnych. Czemu nie ilustrujemy szlachetnego Koranu?

W młodości, kiedy rysowaliśmy w jednym pokoju, od czasu do czasu odrywaliśmy oczy od desek tak, jak to robili dawni mistrzowie, i patrzyliśmy w dal, żeby odetchnąć. Przy okazji poruszaliśmy tematy zupełnie nie związane z naszą pracą. Teraz podobnie rozmawialiśmy, o czym popadnie, nie patrząc na siebie — z przyzwyczajenia odwróciliśmy się w stronę okna, wlepiając wzrok w jakiś odległy punkt. Czy to przez niepokojące wspomnienia szczęśliwych lat nauki, czy przez szczerą skruchę, jaką odczuwałem, bo dawno nie czytałem szlachetnego Koranu, czy może przez okropny widok zniszczonej kawiarni — sam już nie wiem dlaczego — ale w mojej głowie wszystko się poplątało, moje serce zabiło mocniej, zupełnie jakby przeczuwało niebezpieczeństwo. Musiałem coś powiedzieć:

— W końcowej części sury *Krowa* znajdują się wersy, które chciałbym zilustrować. Są tam takie słowa: „Panie nasz! Nie bierz nam za złe, jeśli zapomnieliśmy lub jeśli zgrzeszyliśmy! Panie nasz! Nie nakładaj na nas ciężaru, jak nałożyłeś na tych, którzy byli przed nami! Panie nasz! Nie nakładaj na nas tego, czego my nie jesteśmy w stanie unieść! Odpuść nam, przebacz nam i zmiłuj się nad nami!".

Mój głos załamał się, wstydziłem się swoich łez. Myślę, że podświadomie przestraszyłem się drwin, którymi w czasach nauki często maskowaliśmy wzruszenie.

Sądziłem, że uda mi się powstrzymać płacz, ale wkrótce zmienił się on w szloch. Zauważyłem, że pozostałych ogarnęło braterskie współczucie, smutek i przygnębienie. Od tego momentu w pracowni sułtana będzie się rysować na europejski sposób, a styl, któremu oddaliśmy całe swoje życie, księgi, które ilustrowaliśmy, stopniowo zostaną zapomniane, wszystko się skończy... Jeśli nas nie przyłapią i nie zabiją erzurumczycy, to kalekami uczynią nas kaci sułtana. Ale gdy tak płakałem, szlochałem i wzdychałem, wsłuchując się w postukiwanie deszczu o dach, nagle zrozumiałem, że rozpaczam z innego powodu. Czy pozostali zdawali sobie z tego sprawę? Czułem wyrzuty sumienia z powodu tych łez, jednocześnie szczerych i fałszywych.

Podszedł do mnie Motyl, położył rękę na ramieniu, pogładził po głowie, pocałował w policzek, powiedział czułe słowo. Ten przejaw przyjaźni sprawił, że zapłakałem jeszcze głośniej. Nie patrzyłem na niego, ale z jakiegoś powodu pomyślałem, że on też płacze. Usiedliśmy obok siebie.

Przypomnieliśmy sobie, jak w tym samym roku oddano nas do pracowni, jak smutno nam było, kiedy oderwano nas od matek; przypomnieliśmy sobie pierwsze cięgi i radość z pierwszych prezentów, jakie przysłał nam główny skarbnik; przypomnieliśmy sobie dni, kiedy z radością biegliśmy do domu. Z początku on opowiadał, a ja słuchałem, ale wkrótce do naszej rozmowy przyłączył się Bocian, potem nie wytrzymał Czarny, który przez jakiś czas uczył się wraz z nami. Wkrótce zapomniałem o swoich łzach i też zacząłem ze śmiechem wspominać to i owo.

Przypomnieliśmy sobie zimne poranki, kiedy to wstawaliśmy na długo przed świtem, rozpalaliśmy palenisko w największej pracowni, grzaliśmy wodę i sprzątaliśmy. Wspominaliśmy ponurego i ostrożnego starego mistrza, który mógł cały dzień rysować jeden listek na drzewie, a widząc, że patrzymy przez okno na zieleń wiosennych drzew zamiast na jego dzieło, napominał setki razy: „Patrzcie tu, a nie tam!" — ale nigdy nas nie bił. Przypomnieliśmy sobie niosące się po całej pracowni zawodzenie chudziutkiego ucznia, kiedy szedł z tobołkiem ku drzwiom: wyrzucono go za to, że przesadził w gorliwości i dostał zeza. Następnie przypomnieliśmy sobie scenę, gdy patrzyliśmy z przyjemnością, bo niczym nie zawiniliśmy, jak czerwony atrament wycieka z uszkodzonego miedzianego kałamarza, zalewając powoli miniaturę, nad którą trzech miniaturzystów pracowało od ponad trzech miesięcy (scena przedstawiała wygłodniałą armię osmańską na brzegu rzeki Kynyk; wojska zmierzały w stronę Szirwanu, zajmując po drodze miasto Eresz, gdzie żołnierze mogli napchać żołądki). Z należytym szacunkiem wspominaliśmy, jak w tym samym czasie byliśmy zakochani w pewnej Czerkiesce, najpiękniejszej żonie siedemdziesięcioletniego paszy, który zażądał — jako człowiek bogaty, doświadczony w bojach i potężny — abyśmy sufit w jego domu pomalowali tak samo jak w pawilonie łowieckim sułtana. Potem z nostalgią przypomnieliśmy sobie, jak to w zimowe poranki jedliśmy gorącą zupę z soczewicy na progu na wpół otwartych drzwi, żeby para nie rozmiękczyła papieru. Rozmawialiśmy też o tym, jak było smutno z dala od przyjaciół, kiedy mistrz Osman zmusił nas do pracy w dalekich krajach. Przed moimi oczami ożyła scena: ciepły dzień, szesnastoletni Motyl, posługując się muszlą morską, zręcznie glansuje papier. Wpadające przez otwarte okno słońce oświetla jego nagie ręce koloru miodu. Bezmyślnie zajmuje się mechaniczną pracą i nagle zamiera, zauważywszy jakąś wadę na papierze. Uważnie ją studiuje, przeciąga muszlę w różnych kierunkach po tym punkcie, przyjmuje poprzednią pozycję, ręce energicznie poruszają się w górę i w dół, a on sam, rozmarzony, patrzy gdzieś w dal przez okno. Nigdy nie zapomnę, jak w pewnym momencie odwrócił głowę w moim kierunku i spojrzał mi prosto w oczy — sam później też tak postępowałem z innymi. To spojrzenie, które znali wszyscy uczniowie, miało tylko jeden sens: kiedy nie marzysz, czas stoi w miejscu.

58.
Nazwą mnie mordercą

Zapomnieliście o mnie, prawda? Nie ma powodu, bym dłużej ukrywał przed wami moją obecność. Odczuwam nieznośną potrzebę mówienia do was tym głosem, który stopniowo się we mnie nasila. Czasami powstrzymywałem się z wielką trudnością, bałem się, by ów ton głosu mnie nie zdradził. Czasem wyrywają mi się słowa świadczące o mojej drugiej osobowości, może to zauważacie. Zaczynają mi wtedy drżeć ręce, a na czole pojawiają się krople potu.

A jednak jestem tutaj tak szczęśliwy! Siedzę sobie z braćmi malarzami, pocieszamy się wzajemnie, wspominamy przeszłość: dwadzieścia pięć lat pozbawionych wrogości, a wypełnionych pięknem rysowania. Siedzimy tutaj, przeczuwamy zbliżający się koniec świata, wspominamy cudowne minione dni, patrząc na siebie wilgotnymi oczyma pełnymi miłości... Przypominamy trochę kobiety w haremie.

To porównanie wziąłem z Abu Saida z Kermanu, który wprowadził do historii o Timurydach opowieści o dawnych mistrzach Sziraz i Heratu. Sto pięćdziesiąt lat temu władca Czarnych Baranów Dżihan Szach pokonał małe armie walczących między sobą chanów i szachów Timurydów, podbił ich ziemie, przeszedł przez całą ziemię Persów, w Asterabadzie pokonał Ibrahima, wnuka młodszego syna Timura, Szach Ruha, zdobył Gurgan i skierował swoją armię ku twierdzy Herat. Według historyka z Kermanu to wielkie uderzenie pokazało, że wszechmocnych Timurydów, którzy przez pół wieku rządzili połową świata — nie tylko Persją, ale i ziemiami od Indii po Bizancjum — ogarnęła taka panika, że Herat zamienił się w miejsce sądu ostatecznego. Abu Said z perwersyjną satysfakcją przypomina czytelnikom, jak to Dżihan Szach z Czarnych Baranów bestialsko wymordował wszystkich członków dynastii Timurydów, którzy zostali w twierdzy; jak następnie wybrał z haremów szacha i książąt część kobiet i odprawił je do swojego; i w końcu jak posłał miniaturzystów w charakterze uczniów do swych pracowni. W tym miejscu historyk nie skupia już uwagi na szachu i jego wojownikach, starających się przechwytywać wroga w basztach twierdzy, lecz na artystach, od dawna przewidujących tragiczny koniec oblężenia i czekających w pracowni wśród farb i pędzli. Wymienia ich imiona, jedno po drugim, twierdząc, że będą znani i świat o nich nie zapomni. A ci iluminatorzy, o których jednak świat zapomniał, podobnie jak o kobietach z haremu, obejmowali się i płakali, wspominając dawne piękne dni.

Podobnie jak ogarnięte melancholią kobiety, przywoływaliśmy sympatię sułtana, który obdarowywał nas podbitymi futrem kaftanami i pełnymi sakiewkami w zamian za wykonane przez nas prezenty, jakie wręczaliśmy mu w czasie świąt: pokryte scenami szkatułki, lustra i talerze, malowane strusie jaja, zabawne miniatury, mapy i księgi. Gdzie podziali się ci dawni miniaturzyści pracujący dzień i noc i zadowalający się drobnostkami? Oni nie zamykali się w domach, nie skrywali zazdrośnie swoich metod pracy, nie drżeli o to, że wyda się ich dodatkowy zarobek, lecz codziennie przychodzili do pracowni. Gdzie się podziali ci najskromniejsi malarze, którzy przez całe życie skrupulatnie odwzorowywali pałacowe ściany, liście drzew, wypełniali pustkę na obrazkach polnymi kwiatami o siedmiu płatkach? Gdzie ci mistrzowie, którzy nie znali zawiści i uznawali za normalne i sprawiedliwe, że Allah dał jednym talent i zdolności, a drugim gorliwość i pokorę? Wspominaliśmy ich: garbatego i bez przerwy uśmiechniętego, rozmarzonego i ciągle pijanego oraz tego, który starał się podsunąć nam swoją córkę, bo nijak nie mógł jej wydać za mąż. Ożywał przed naszymi oczami obraz pracowni z czasów, gdy dopiero terminowaliśmy, i późniejszych, gdy już staliśmy się mistrzami.

Był wśród nas zezowaty rysownik, który kreśląc obramowanie kartki, wypychał językiem prawy policzek, jeśli zaznaczał jej lewą stronę, a lewy, jeśli linię ciągnął po prawej. Albo taki chudziutki, niziutki malarz, który chichocząc, powtarzał sobie: „Cierpliwości, cierpliwości, cierpliwości", gdy coś źle pokrył farbą. Albo siedemdziesięcioletni mistrz, całe godziny spędzający piętro niżej z introligatorami, który dużo rozmawiał z ich uczniami i twierdził, że czerwony tusz, jeśli nanieść go na czoło, opóźnia starzenie. Był też taki, co wyłapywał praktykantów lub nawet przypadkowe osoby, aby sprawdzić gęstość farby i kładł ją na ich paznokciach, ponieważ jego były już umazane. I jeszcze grubas, z którego śmialiśmy się, gdy gładził brodę puszystymi króliczymi łapkami, jakimi zbierano złoty pył pozostały po pracy. Gdzie oni się podziali?

Gdzież są te deski do glansowania papieru, które po latach używania stawały się niemal częścią ciała uczniów, a potem rzucano je w najdalszy kąt? Gdzie te nożyce do papieru o długich ostrzach, które praktykanci tępili, walcząc nimi jak szablami? Gdzie są deski, na których wypisywano imiona mistrzów, żeby ich nie pomylić? Gdzie podział się przyjemny zapach chińskiego atramentu, przerywające ciszę pobrzękiwania dzbanuszków z kawą? Gdzie nasza pasiasta kotka, która każdego lata przynosiła kocięta, a my z meszku w ich uszach i włosów na karku robiliśmy pędzle? A te wspaniałe arkusze indyjskiego papieru, na których w wolnym czasie mogliśmy ćwiczyć kaligrafię na wzór mistrzów? I co stało się z nożykiem do ostrzenia piór z metalową rączką, którego można było użyć w celu usunięcia niewybaczalnego błędu jedynie za specjalnym pozwoleniem naczelnego miniaturzysty? Co w ogóle stało się z tradycją usuwania błędów?

Zgodziliśmy się co do tego, że sułtan popełnił błąd, zezwalając malarzom rysować w domu. Dawniej siedzieliśmy w pracowni, we wcześnie zapadające zimowe wieczory oczy bolały od pracy przy świecach i lampach — ale za to jak wspaniałą chałwę przynoszono nam z kuchni sułtana! Ze łzami w oczach wspomnieliśmy starca, któremu drżały ręce i dlatego nie mógł już rysować ani trzymać w rękach papieru, a który raz w miesiącu przychodził do pracowni ze słodyczami przygotowanymi dla nas przez jego córkę. Mówiliśmy o tym, jak po pogrzebie głównego iluminatora Czarnego Memi, zarządzającego pracownią przed mistrzem Osmanem, weszliśmy do jego pokoju, który długo stał pusty, i w paczce pod siennikiem, na którym sypiał za dnia, wśród innych papierów znaleźliśmy jego zdumiewające rysunki.

Rozmawialiśmy, wyliczając strony, z jakich byliśmy dumni i jakie moglibyśmy wyjmować i oglądać bez końca, jak to czynił mistrz Czarny Memi, gdybyśmy tylko mieli ich kopie. Wyjaśniliśmy, dlaczego iluminowane złotem niebo z obrazu przedstawiającego pałac, a wykonanego do *Księgi umiejętności*, przekonująco zwiastowało koniec świata. Nie dlatego, że posłużono się złotem, ale ze względu na jego tonowanie pomiędzy wieżami, kopułami i cyprysami — tak powinno używać się złota na subtelnych ilustracjach.

Opisaliśmy, jak sportretowano zadziwienie i łaskotki naszego Proroka, kiedy w czasie Wniebowstąpienia aniołowie unieś-

li go za przedramiona z wierzchołka minaretu; był to obraz
o tak ciemnych kolorach, że nawet dzieci, kiedy patrzyły na
tę błogosławioną scenę, najpierw drżały, przepełnione bojaźnią Bożą, a dopiero potem ostrożnie się śmiały, jakby to je ła-
skotano.

Ja opowiedziałem, w jaki sposób przedstawiłem zgładzenie
przez naszego poprzedniego wielkiego wezyra buntowników,
którzy schronili się w górach. Delikatnie i z szacunkiem ułożyłem w rogu karty ścięte przez niego głowy, gustownie rysując
każdą z nich, ale nie jak zwykłą głowę oddzieloną od zwłok,
ale jako indywidualną twarz, w stylu portrecistów europejskich, brużdżąc przed śmiercią brwi, plamiąc czerwienią szyje,
wkładając w zgnębione usta pytanie o sens życia, otwierając
nozdrza na ostatni desperacki wdech i zamykając oczy na ten
świat. W ten sposób sprawiłem, że malowidło wypełniła przerażająca aura boskiej tajemnicy.

Mówiliśmy o ulubionych miłosnych i batalistycznych scenach, wspominaliśmy niesamowicie piękne kobiety, tajemnicze ogrody na pustkowiach, gdzie w gwiaździste noce spotyka-
li się kochankowie, wiosenne drzewa, bajeczne ptaki, stojący
w miejscu czas... A ile krwawych bitew musieliśmy narysować, strasznych jak własne koszmary, rozrąbanych na pół wojowników, koni w zakrwawionych rynsztunkach, potężnych
bohaterów zadających sobie nawzajem ciosy kindżałami, kobiet o kształtnych ustach, wspaniałych rękach, skośnookich,
z pochylonymi głowami, obserwujących tylko życie przez
uchylone okna. Przypomnieliśmy sobie, jak kreśliliśmy zadu-
fanych w sobie przystojnych młodzieńców, majestatycznych
szachów i chanów i ich dawno już zburzone pałace i państwa.
My, malarze, jak płaczące w haremach szacha kobiety, przechodzimy z życia do historii, ale czy dane nam będzie przejść
z historii do legendy? Nie chcieliśmy myśleć o tym, że o nas

zupełnie zapomną, przecież strach przed zapomnieniem jest gorszy od strachu przed śmiercią... I tak zaczęliśmy wspominać nasze ulubione motywy śmierci.

Od razu przypomniało się nam, jak Dehhak*, nakłoniony przez szatana, zabił swojego ojca. W czasach Dehhaka, którego historia została opisana na początku *Księgi królewskiej*, wszystko było proste i nie wymagało wyjaśnień, bo wszechświat dopiero co powstał. Chciałeś mleka, to doiłeś kozę i piłeś; mówiłeś „koń" — siadałeś na nim i pędziłeś galopem; mówiłeś „zło" i pojawiał się szatan, wmawiający ci, jak to wspaniale jest zabić ojca. Scena, w której za namową szatana Dehhak morduje swojego ojca Merdasa, pochodzącego ze słynnego arabskiego rodu, była piękna dlatego, że nie miała przyczyny, i dlatego, że morderstwa dokonano o północy, w zachwycającym pałacowym ogrodzie, przy świetle złotych gwiazd, spowijającym topole i bujne wiosenne kwiaty.

Później wspominaliśmy, jak legendarny Rustam, nie wiedząc o tym, że wrogimi wojskami dowodzi jego syn Suhrab, po trzech dniach zaciętej walki zabija go. Było coś poruszającego we wspomnieniu bohatera, rozpaczającego straszliwie, gdy zrozumiał, że żołnierz, któremu rozpruł pierś, to jego rodzony syn.

Choć właściwie co?

Deszcz ciągle uderzał o dach klasztoru, a ja chodziłem po pokoju w tę i z powrotem. Nagle odezwałem się:

— Albo nasz ojciec mistrz Osman zdradzi nas i zabije, albo my jego.

Wszyscy, łącznie ze mną, zamarli w przerażeniu: to była prawda. Nadal krążąc po pokoju i myśląc z przerażeniem, że wszystko mogłoby wrócić do poprzedniego stanu, powiedzia-

---

* Dehhak — mityczny tyran o wyglądzie demona

łem sobie: „Opowiedz historię Afrasijaba, który zabił Sijawusza, żeby zmienić temat rozmowy. Ale to ten rodzaj zdrady, który mnie nie przeraża. Opowiedz lepiej o śmierci Chosrowa". No dobrze, ale czy powinna to być historia w wersji Firdausiego z *Księgi królewskiej*, czy też ta opowiedziana przez Nizamiego w *Chosrowie i Szirin*? Patos charakteryzujący wersję z *Księgi królewskiej* polega na tym, iż Chosrow rozpoznaje, kim jest morderca wkradający się do jego sypialni! Szukając jakiegoś ratunku, mówi stojącemu obok służącemu, że chce dokonać namazu*, i prosi go, aby przyniósł wodę, mydło, czyste ubranie i dywanik modlitewny, a naiwny młodzieniec, nie rozumiejąc, że pan posyła go po pomoc, idzie wykonać polecenie. Gdy zostają tylko we dwóch, morderca najpierw zamyka drzwi od środka. W ostatniej scenie *Księgi królewskiej* Firdausi z nienawiścią opisuje knującego zbrodnię mordercę: jest śmierdzący, włochaty, z dużym brzuchem.

Ciągle krążyłem po pokoju, a moja głowa pełna była słów, mimo to — niczym we śnie — nie mogłem dobyć z siebie głosu. Wtedy właśnie zauważyłem, że pozostali szepczą między sobą i zerkają na mnie z wrogością.

Nagle wszyscy trzej nieoczekiwanie rzucili się na mnie. Byli tak szybcy i silni, że nie utrzymałem się na nogach — upadliśmy i potoczyliśmy się po podłodze. Walczyłem, ale łatwo mnie pokonali.

Jeden usiadł mi na kolanach, drugi na prawej ręce. Czarny rozsiadł się na mojej piersi i kolanami przycisnął moje ramiona. Nie mogłem się ruszyć. Wszyscy sapali. Wtedy coś sobie przypomniałem: Mój nieżyjący już wujek miał okropnego syna, starszego ode mnie o dwa lata — mam nadzieję, że już daw-

---

* namaz — w islamie rytualna modlitwa odmawiana pięć razy w ciągu doby, będąca jednym z pięciu obowiązków muzułmanina

no złapano go podczas jakiegoś napadu na karawanę i ścięto mu głowę. Ten wstrętny zazdrośnik wiedział, że jestem od niego mądrzejszy i subtelniejszy, i z byle powodu wszczynał awantury albo upierał się, byśmy się siłowali. Zawsze jednak przegrywałem. Po krótkiej walce siadał na mnie okrakiem, kolanami ściskał mi ramiona i patrzył mi w oczy tak jak Czarny teraz. Z jego ust zwisała strużka śliny, która stale się powiększała, a gdy miała spaść na moją twarz, z obrzydzeniem odwracałem głowę na bok, co go niesamowicie bawiło.

Czarny poradził mi, żebym niczego nie ukrywał.

— Gdzie jest ostatni rysunek? Przyznaj się!

Z dwóch powodów poczułem złość i zniewalający żal. Po pierwsze, niepotrzebnie powiedziałem im o wszystkim, nie zorientowałem się, że już wcześniej doszli do porozumienia. Po drugie, nie uciekłem, bo nie przypuszczałem, że ich zazdrość stanie się aż tak wielka.

Czarny zagroził, że jeśli nie oddam ostatniego rysunku, poderżnie mi gardło.

Ale się wpakowałem. Mocno zacisnąłem usta w obawie, że słowa same się wyrwą. Wydawało się, że jestem w sytuacji bez wyjścia. Jeśli rzeczywiście się dogadali i wydadzą mnie podskarbiemu jako mordercę, uratują swoją skórę. Jedyna nadzieja w mistrzu Osmanie, który być może wskaże innego podejrzanego lub podpowie kolejny trop. Czy jednak mogę być pewny, że to, co powiedział Czarny o Mistrzu, było prawdą? Czarny mógł mnie zabić tu i teraz, po czym obarczyć winą.

Przystawili mi do gardła kindżał. Czarny triumfował i nie skrywał tego. Wymierzyli mi policzek. Kindżał podrapał szyję. Jeszcze jeden policzek.

Nagle doszedłem do następującego wniosku: jeśli nic nie powiem, nic się nie stanie! Ta myśl dodała mi sił. Już dłużej nie ukrywali, że zazdrościli mi jeszcze w czasach, kiedy byliśmy uczniami: znacznie lepiej nakładałem farby, rysowałem prostsze linie i wykonywałem doskonalsze miniatury. Lubiłem ich za tę bezgraniczną zazdrość. Uśmiechnąłem się do ukochanych braci.

Jeden — nie chcę, abyście wiedzieli, kim był ten łajdak — pochylił się i gorąco mnie pocałował, jak ukochaną po wielu latach rozłąki. Pozostali obserwowali wszystko przy świetle lampki. Nie miałem innego wyjścia: oddałem pocałunek bratu. Jeśli już wszystko zmierza ku rozwiązaniu, niech wiedzą, że rysowałem najlepiej. Obejrzyjcie moje prace.

Kiedy odpowiedziałem pocałunkiem, rozzłościł się nagle i zaczął mnie bić. Pozostali go jednak powstrzymali. Byli niezdecydowani. Niezgoda między nimi rozzłościła Czarnego. Wydawało mi się, że nie byli źli na mnie, ale na swoje zmarnowane życie i chcieli zemścić się za to na całym wszechświecie.

Czarny wyciągnął coś zza pasa — była to długa igła. Przystawił ją do mojej twarzy, jakby chciał mi wykłuć oko:

— Osiemdziesiąt lat temu, kiedy padł Herat, wielki mistrz Behzad zrozumiał, że już wszystko stracone i — dumny — oślepił się, żeby nikt nie zmusił go do rysowania w nowym stylu. Niedługo po tym, jak przekłuł sobie oczy igłą, cudowne boskie ciemności opadły na tego sługę Allaha, wybitnego artystę. Ślepy i pijany Behzad przywiózł igłę z Heratu do Tabrizu, a następnie szach Tahmasp podarował ją ojcu naszego sułtana razem z legendarną *Księgą królewską*. Mistrz Osman początkowo nie rozumiał przyczyny tego daru. Ale dziś pojął, że za tym okrutnym podarunkiem kryło się życzenie nieszczęścia. Dowiedziawszy się, że sułtan zamówił swój portret w stylu europejskim i że wy, jego ukochane dzieci, zdradziliście go, mistrz Osman wczoraj w nocy w pałacowym skarbcu wbił sobie tę szpilę w oczy tak samo jak niegdyś Behzad. Czy mamy oślepić i ciebie, łajdaku? Doprowadzasz do upadku pracowni, której mistrz oddał całe swoje życie!

— Czy mnie oślepisz, czy nie, i tak nie ma już tutaj dla nas miejsca — odparłem. — Nawet jeśli mistrz Osman rzeczywiście oślepnie albo umrze, a każdy z nas będzie rysował tak, jak chce, z wykorzystaniem europejskich metod, w końcu opanujemy jakiś styl, być może nawet podobny, ale nie uda nam się już odnaleźć siebie — w pełnym tego słowa znaczeniu. A jeśli będziemy rysować tak jak dawni mistrzowie, upierając się, że tylko w ten sposób odnajdziemy siebie, nasz sułtan, który odwrócił się nawet od mistrza Osmana, znajdzie na nasze miejsce innych, bardziej odpowiadających mu malarzy. Ludzie zaczną uważać nas za godnych pożałowania. Napaść na kawiarnię jedynie pogarsza naszą sytuację, bo część winy zrzucą na nas, miniaturzystów — w końcu wystąpiliśmy przeciw szanowanemu kaznodziei.

Z całych sił starałem się wyjaśnić, że nie ma sensu, abyśmy walczyli z sobą, ale oni nie słuchali; byli wzburzeni, wierzyli, że jeśli do rana znajdą winnego, będą dalej normalnie pracować, unikną tortur, a w pracowni przez wiele lat nic się nie zmieni. Gdy Czarny groził mi jednak, że mnie oślepi, starali się odsunąć igłę od moich oczu, którą on ciągle przystawiał. Jakby nagle mogło się okazać, że mordercą jest kto inny, a sułtan by się dowiedział, że niepotrzebnie mnie okaleczono. Przerażała ich także zażyłość Czarnego z mistrzem Osmanem i swoboda, z jaką mówił o naszym nauczycielu.

Teraz Czarny przestraszył się, że dojdziemy do porozumienia i odbierzemy mu igłę. Wybuchła kolejna sprzeczka. Jedyne, co mogłem robić, to odginać ciągle głowę. Walka o igłę toczyła się zatrważająco blisko moich oczu.

Wszystko stało się tak szybko, że z początku nic nie zrozumiałem. Poczułem krótki silny ból w prawym oku; na chwilę zdrętwiało mi czoło. Potem wszystko jakby wróciło do normy, ale w głębi opanowało mnie przerażenie. Oliwna lampa zniknęła, choć nadal wyraźnie widziałem przed sobą postać zdecydowanie kierującą igłę w moje, tym razem lewe, oko. To nie był Czarny. Ten ktoś dopiero co wziął igłę z rąk Czarnego. Był uważny i dokładny. Kiedy uświadomiłem sobie, że szpila bez trudu przenika moje oko, zamarłem, chociaż poczułem ten sam palący ból. Drętwota zdawała się teraz opanowywać całą głowę, ale ustała, kiedy wyjęto igłę. Patrzyli na zmianę to na szpilę, to na moje oczy, jakby nie byli pewni tego, co się stało. Kiedy jednak zdali sobie sprawę z nieszczęścia, jakie mnie spotkało, uspokoili się w końcu, a ciężar na moich ramionach zmalał.

Zacząłem wyć — nie z bólu, lecz z przerażenia, bo w pełni zrozumiałem, co mi uczyniono. Mój krzyk przynosił ulgę nie tylko mnie, ale i im. Kiedy jednak moje zawodzenie się przeciągało, zaczęli okazywać zdenerwowanie. Nic mnie nie bolało; myślałem jedynie o tym, że igła przekłuła moje oczy.

Jeszcze nie oślepłem. Jeszcze — chwała Najwyższemu! — mogłem widzieć, jak z przerażeniem obserwują mnie i jak drżą na suficie ich cienie. To wszystko jednocześnie mnie cieszyło i niepokoiło.

— Puśćcie mnie! — krzyknąłem. — Puśćcie mnie! Chcę jeszcze ostatni raz wszystko zobaczyć, błagam was!

— Opowiadaj — zażądał Czarny. — Opowiadaj, jak spotkałeś się z Elegantem tamtego wieczoru. Potem zostawimy cię w spokoju.

— Eleganta spotkałem, gdy wracałem z kawiarni do domu. Był zdenerwowany, strasznie wyglądał. Najpierw zrobiło mi się go żal. Ale dajcie mi na razie spokój, ciemnieje mi w oczach, potem wam opowiem.

— Tak od razu nie ściemnieje — pocieszył mnie Czarny — możesz mi wierzyć. Mistrz Osman zobaczył nawet konia z przyciętymi nozdrzami po tym, jak przekłuł sobie oczy.

— Elegant chciał ze mną porozmawiać, powiedział, że tylko mnie ufa. — Kiedy tak opowiadałem, zrobiło mi się żal, ale nie Eleganta, tylko siebie.

— Jeśli opowiesz wszystko, zanim krew zakrzepnie ci w oczodołach, jeszcze rano ostatni raz do woli napatrzysz się na świat — przerwał mi Czarny. — Słyszysz? Deszcz ustaje.

— Zaproponowałem Elegantowi, żebyśmy wrócili do kawiarni, ale nie spodobał mu się ten pomysł, więcej nawet, przestraszył go. Wtedy pierwszy raz zrozumiałem, jak bardzo oddalił się od nas szanowny Elegant, z którym pracowaliśmy dwadzieścia pięć lat. Przez ostatnie osiem, dziewięć lat, od czasu, gdy się ożenił, spotykałem go w pracowni, ale zamieniałem z nim tylko parę słów. Powiedział mi, że widział ostatni rysunek. Uznał go za wielce grzeszny. Żadnemu z nas taki grzech nie będzie wybaczony. Wszyscy będziemy smażyć się w piekle, mówił. Był przerażony jak ktoś, kto nieświadomie dopuścił się herezji.

— Jakiej herezji?

— Kiedy zadałem mu to samo pytanie, popatrzył na mnie zdumiony, jakbym doskonale znał na nie odpowiedź. Pomyślałem wtedy, że nasz przyjaciel strasznie się postarzał. Powiedział, że Wuj w ostatnim rysunku zbyt zuchwale korzystał z perspektywy. Wszystko było zrobione na nim jak u Europejczyków, wszystko zostało przedstawione tak, jak widzą nasze oczy, a nie Allah. Na tym polegało pierwsze wykroczenie. Drugie: Kalif Islamu, Nasz Sułtan, ma na rysunku rozmiar psa. I trzecie: tej samej wielkości jest szatan, a do tego całkiem sympatyczny. Ale największym bezeceństwem (czego nie można było uniknąć, skoro rysunek wykonany był w stylu europej-

skim) było to, że wizerunek naszego sułtana, spory portret ze
szczegółowo oddanymi rysami twarzy, wyglądał tak, jakby go
namalowali chrześcijanie, którzy nie zdołali pokonać przyzwy-
czajeń bałwochwalców i którzy wieszają na ścianach „portrety", aby oddawać im cześć. Elegant dowiedział się o portretach
od Wuja i nie bez racji zakładał, że razem z ich pojawieniem
się zakończy się era muzułmańskiego rysunku. Nie poszliśmy
do kawiarni — w której, jak mówił, znieważało się hodżę i naszą religię. Rozmawialiśmy, spacerując po ulicach. Czasem za-
trzymywał się i pytał mnie, jakby prosił o pomoc, czy tak ma
być, czy jest jakieś wyjście z tej sytuacji i czy to prawda, że
wszyscy będziemy się smażyć w piekle? Z jednej strony kajał
się, z drugiej wyczuwałem, że sam nie wierzył w to, co mówił.
Udawał, że strasznie rozpacza.

— Skąd wiesz, że udawał?

— Eleganta znaliśmy od dziecka. Był prawym człowiekiem,
ale cichym, ociężałym, niepozornym. Jak jego złocenia. Tamtego wieczoru ujrzałem przed sobą jeszcze głupszego Eleganta
niż ten, którego znałem całe życie, bardziej naiwnego, bogo-
bojnego, ale płytkiego.

— Był w bliskich stosunkach z erzurumczykami — przypomniał Czarny.

— Żaden muzułmanin nie zamartwiałby się tak, nieumyśl-
nie popełniwszy grzech — ciągnąłem. — Dobry muzułmanin
wie, że Allah jest sprawiedliwy i zawsze bierze pod uwagę
zamiary swojego sługi. Tylko głupiec wierzy, że przez zjedzo-
ny przypadkowo i nieświadomie kawałek świńskiego mięsa
można trafić do piekła. Prawdziwy muzułmanin rozumie, że
piekło istnieje po to, aby straszyć innych. Elegant właśnie to
robił: chciał mnie nastraszyć. Prawdopodobnie za namową
Wuja. A teraz powiedzcie prawdę, bracia malarze, czy moje
oczy nabiegły krwią, czy tracą kolor?

Przystawili lampę do mojej twarzy i przyjrzeli się im dokładnie, troskliwie jak lekarze.

— Nie, chyba jeszcze nie.

Czy ostatnim widokiem będą spoglądające na mnie oczy tych trzech? Wiedziałem, że nigdy nie zapomnę tej chwili. Kontynuowałem opowieść nie tylko dlatego, że żałowałem swych uczynków, ale i ze względu na tlącą się wciąż we mnie nadzieję.

— Prace nad księgą szanowny Wuj otoczył tajemnicą, więc Elegant był przekonany, że bierze udział w jakimś sekretnym projekcie. Każdy z nas narysował coś w miejscach wyznaczonych przez Wuja, ale całego obrazka nigdy nie widzieliśmy. Już ta aura tajemnicy przekonała Eleganta, że dopuszcza się herezji. Tak więc pierwsze wątpliwości i strach przed grzechem zaszczepił w nas właśnie Wuj, a nie erzurumczycy, którzy w życiu nie widzieli księgi z ilustracjami. Ale czego miałby się obawiać malarz o czystym sumieniu?

— Malarz o czystym sumieniu dzisiaj ma się czego bać — rozsądnie nie zgodził się ze mną Czarny. — O złoceniach nikt nic nie mówi, ale rysunki są zabronione w naszej religii. Ponieważ ilustracje perskich mistrzów, a nawet arcydzieła największych mistrzów z Heratu były postrzegane jako udoskonalona sztuka zdobienia rękopisów, nikt nie zwracał im uwagi, bo w końcu tylko upiększali pismo i dodawali wspaniałości kaligrafii. A poza tym kogo obchodzą nasze miniatury? Ale kiedy wykorzystujemy styl europejskich mistrzów, nasza praca przestaje być tylko zdobnictwem, a zaczyna być prawdziwym rysunkiem. A to zakazane jest przez szlachetny Koran i wcale nie podoba się naszemu Prorokowi. Nasz sułtan, i mój wuj wiedzieli o tym. Dlatego właśnie wuj został zabity.

— Wuj został zabity, ponieważ się bał. Twierdził, że zamówione rysunki nie stoją w sprzeczności z naszą religią i Koranem. A to było na rękę erzurumczykom, którzy za wszelką cenę starali się znaleźć w naszej pracy coś niezgodnego z wiarą. Elegant i twój wuj byli siebie warci.

— I obu zabiłeś ty, czyż nie? — spytał Czarny.

Myślałem, że zaraz mnie uderzy, ale zrozumiałem, że świeżo upieczony mąż przepięknej Şeküre nie powinien mieć nic przeciwko śmierci Wuja. Nie, nie będzie mnie bił, a jeśli nawet, to i tak mi wszystko jedno.

— Nasz sułtan rzeczywiście chciał, żeby księgę stworzono w duchu europejskich mistrzów — upierałem się. — Ale twój wuj chciał rzucić wyzwanie wszystkim. Aby zyskać sławę. Oddawał cześć europejskim artystom, których prace widział podczas podróży. Godzinami opowiadał nam — tobie przecież też — te bzdury o perspektywie, o portretach... Ślepo w to wierzył. Moim zdaniem w tym, co robiliśmy, nie było niczego szkodliwego, niczego, co stałoby w sprzeczności z naszą religią. On też o tym wiedział, ale usiłował wywołać wrażenie, że niby tworzy niebezpieczną księgę, podobało mu się to. Wykonywanie ryzykownej pracy za przyzwoleniem sułtana było dla niego tak samo ważne, jak uwielbienie dla europejskich mistrzów. Gdybyśmy malowali obrazki, żeby wieszać je na ścianie — tak, to byłby grzech. Ale ani jeden rysunek, jaki wykonaliśmy do księgi, nie zawierał nic grzesznego, nic zakazanego, żadnego bezbożnictwa. Czy nie mam racji?

Mój wzrok powoli tracił ostrość, ale widziałem jeszcze na tyle dobrze, żeby zauważyć, że moje pytanie zasiało w nich ziarno zwątpienia.

— Nie macie pewności? — zapytałem wesoło. — Nawet jeśli w tajemnicy rozmyślaliście o tym, że wasze rysunki zawierają nie sprecyzowaną ideę grzechu, cień bezbożności, to i tak nigdy się do tego nie przyznacie, bo oznaczałoby to przyznanie racji naszym wrogom — erzurumczykom. Ale przecież nie możecie utrzymywać, że jesteście zupełnie czyści i niewinni, bo wtedy trzeba byłoby wyrzec się chlubnego i przyprawiającego o zawrót głowy poczucia udziału w zagadkowym, tajnym projekcie. Wiecie, kiedy zrozumiałem, że jestem z tego dumny? Gdy przyprowadziłem biednego Eleganta do tekke derwiszów! Przyprowadziłem go tu w środku nocy, po tym, jak niemalże zamarzliśmy na śmierć, włócząc się po ulicach. Podobało mi się, że widzi we mnie heretyka, spadkobiercę kalenderytów, a nawet więcej: moją chęć do stania się kalenderytą.

Sądziłem, że gdy Elegant zrozumie, że jestem ostatnim przedstawicielem bractwa, w którym kwitła wszelka rozpusta: homoseksualizm, narkomania, łajdactwo — przestraszy się mnie i nabierze do mnie większego szacunku, a może ze strachu zamknie wreszcie usta. Ale stało się odwrotnie. Nasz tępy przyjaciel z dzieciństwa, któremu mój przybytek zupełnie się nie spodobał, zaczął wygłaszać zarzuty o bezbożności, które zasłyszał od Wuja. Z początku prosił: „Pomóż mi, powiedz, że nie trafimy do piekła, a jeszcze dziś spokojnie zasnę", lecz teraz przeszedł do gróźb. Mówił, że to wszystko źle się skończy. Twierdził, że za daleko odeszliśmy od tego, czego zażyczył sobie padyszach, jeśli chodzi o ostatnią ilustrację, i że sułtan nigdy nam tego nie wybaczy. Mało tego, plotki dotrą do uszu hodży z Erzurumu.

Przekonanie go, że wszystko jest w jak największym porządku, stawało się niemożliwe. Zrozumiałem, że opowie swoim tępym kolegom, wielbicielom erzurumskiego kaznodziei, kupę bredni usłyszanych od Wuja, te wszystkie bzdury o obrazie religii, atrakcyjnym przedstawieniu szatana. Te głupki uwierzyłyby w każde kłamstwo. Wiecie przecież, że nie tylko świta sułtana, ale i inni malarze zazdrościli nam zainteresowania ze strony naszego władcy. Wszyscy oni, jednym głosem, chętnie nazwaliby nas: MINIATURZYSTAMI BEZBOŻNIKAMI. Współpraca Eleganta z Wujem tylko uwiarygodniłaby te oszczerstwa. Mówię „oszczerstwa", bo nie wierzę w słowa Eleganta na temat księgi i ostatniego rysunku. Ja wtedy twojego zmarłego wuja nosiłem na rękach i wydawało mi się zupełnie zrozumiałe, że sułtan stał się bardziej oziębły wobec mistrza Osmana, a bardziej przyjazny wobec Wuja. Może nie aż tak bezgranicznie jak Wuj, ale wierzyłem w to, co opowiadał mi o europejskich mistrzach i ich pracach. Szczerze wierzyłem, że my, osmańscy malarze, jeśli nie będziemy wchodzić w układy z szatanem, możemy przejąć z ich stylu te elementy, które spodobały się nam w czasie podróży — nie sprowadziłoby to na nas żadnego nieszczęścia. Życie było proste. Twój wuj, niech spoczywa w pokoju, zastąpił mistrza Osmana i stał się dla mnie nowym ojcem w nowym życiu.

— Starczy o tym — przerwał mi Czarny. — Opowiedz, jak zabiłeś Eleganta.

— Czyn ten — powiedziałem, uświadamiając sobie, że nie przechodzi mi przez gardło słowo „morderstwo" — popełniłem nie tylko dla nas, aby nas uratować, ale dla dobra całej pracowni. Elegant wiedział, że jest potężnym zagrożeniem. Modliłem się do Wszechmogącego Boga, aby ukazał mi ohydę tego drania, a moje prośby zostały wysłuchane, kiedy zaoferowałem Elegantowi pieniądze. Bóg objawił mi wtedy jego nikczemność. Pomyślałem o złotych monetach, ale wiedziony ręką Boga, skłamałem. Powiedziałem, że monet nie ma w tekke, że ukryłem je gdzie indziej. Wyszliśmy. Prowadziłem go przez puste ulice, nie wiedząc, dokąd pójść. Nie miałem żadnego pomysłu, co mam zrobić. Zacząłem się bać. W końcu, kiedy po długiej wędrówce wróciliśmy na ulicę, którą już wcześniej szliśmy, nasz brat, złotnik Elegant, który poświęcił całe życie formie i kopiowaniu, zaczął coś podejrzewać. Ale wtedy Bóg zesłał mi opuszczony dom, strawiony przez ogień, a obok domu wyschniętą studnię. — Zrozumiałem, że nie dam rady opowiedzieć dalszego ciągu, i stanowczo zakończyłem: — Gdybyście byli na moim miejscu, też pomyślelibyście o pozostałych braciach malarzach i uczynili to samo.

Gdy usłyszałem, że zgadzają się ze mną, niemal się rozpłakałem. Dlaczego? Sam nie wiem. Z powodu ich miłosierdzia, na które nie zasłużyłem? Nie. Może dlatego, że znów usłyszałem dźwięk wpadającego do studni ciała? Też nie. A może przypomniałem sobie, jak szczęśliwy byłem, zanim stałem się mordercą? Nie... Przed oczami stanął mi obraz ślepca, który przemierzał naszą biedną dzielnicę, kiedy byłem jeszcze dzieckiem: z brudnego ubrania wyciągał jeszcze brudniejszy miedziany kubek i mówił, odwróciwszy się w stronę dzieci, stojąc przy fontannie: „Dzieci, które z was naleje ślepemu panu do kubka wody z fontanny?". I kiedy nikt nie reagował na jego prośbę, dodawał: „Wyświadczcie mi przysługę, moje dzieci, zróbcie pobożny uczynek!". Nie było widać jego tęczówek, miały ten sam kolor co białka oczu.

Zaniepokojony tym, że jestem podobny do owego ślepego starca, naprędce i bez satysfakcji opowiedziałem, jak wykończyłem Wuja. Nie do końca trzymałem się prawdy, ale i nie skłamałem całkowicie. Opowiadałem tak, by historia ta nie dręczyła zbytnio mojego serca, ale by równocześnie przekonać ich, że nie udałem się do domu Wuja z morderczym planem. Zależało mi na podkreśleniu, iż nie było to zabójstwo z premedytacją, co zrozumieli, gdy próbowałem się rozgrzeszyć słowami: „Człowiek nie może trafić do piekła, jeśli nie ukrywa swych złych uczynków".

— Ostatnie słowa Eleganta, wypowiedziane, zanim wyprawiłem go do aniołów Allaha — ciągnąłem w zamyśleniu — zaczęły toczyć me wnętrze niczym robak. Ponieważ ręce zbrukałem krwią z powodu ostatniej miniatury, wciąż obsesyjnie o niej rozmyślałem. W końcu postanowiłem, że muszę ją zobaczyć, i dlatego udałem się do Wuja, który przecież już żadnego z nas do siebie nie zapraszał. Zachowywał się wyniośle, nic mi nie chciał pokazać. Jakby nie było żadnego rysunku, żadnego powodu, by zabijać człowieka! Aby nie traktował mnie z taką pogardą i obojętnością, przyznałem się do tego, że zabiłem Eleganta i wrzuciłem do studni. Obojętność zniknęła, ale dalej odnosił się do mnie z lekceważeniem. Czy przystoi ojcu tak poniżać syna? Wielki mistrz Osman gniewał się na nas, mocno bił, ale nigdy nas nie lekceważył. Popełniliśmy błąd, zdradzając go. — Uśmiechnąłem się do swych braci, którzy uważnie mnie słuchali, tak jak słucha się ostatnich słów człowieka na łożu śmierci. Ich sylwetki traciły ostrość.

— Zabiłem Wuja z dwóch powodów: za to, że zmusił mistrza Osmana, jak małpę, do naśladowania europejskiego artysty Sebastiano. I jeszcze dlatego, że w chwili słabości zapytałem go, czy mam własny styl.

— I co powiedział?

— Powiedział, że mam, ale według niego nie był to zarzut, lecz pochwała. Pamiętam, że zastanawiałem się, czy nie powinienem się tego wstydzić. Z jednej strony rozumiem, że styl to coś haniebnego, ale z drugiej podpuszczał mnie szatan — chciałem mieć swój styl, czułem się nim wyróżniony.

— Każdy po cichu marzy o tym, by go mieć — powiedział Czarny tonem mędrca — tak samo jak każdy chce, żeby narysowano jego portret, taki, jakiego zapragnął sułtan.

— Czy nie da się pokonać tej choroby? — zapytałem.

— Kiedy zmieni się w epidemię, żaden z nas się jej nie przeciwstawi.

Ale nikt mnie nie słuchał. Czarny opowiadał historię biednego turkmeńskiego beja, który za wcześnie powiedział córce szacha o swojej miłości do niej i za to spędził dwanaście lat na zesłaniu w Chinach. Ponieważ nie miał portretu ukochanej, powoli zapominał jej twarz, patrząc na chińskie piękności, a miłosny ból, który zesłał na niego Allah, zamieniał się w prawdziwe cierpienie. Wszyscy wiedzieliśmy, że opowiada własną historię.

— Dzięki Wujowi poznaliśmy znaczenie słowa „portret" — powiedziałem. — Mam nadzieję, że Bóg da, iż przyjdzie taki dzień, gdy bez obaw opowiemy prawdziwą historię naszego życia.

— Bajki należą do wszystkich — odrzekł Czarny.

— A rysunki do Allaha — zakończyłem wersem Hatifiego z Heratu. — Ale w miarę rozprzestrzeniania się stylu europejskich mistrzów talentem stanie się umiejętność opowiadania cudzych historii jak własnych.

— Właśnie tego chce szatan.

— Zostawcie mnie teraz! — krzyknąłem nieoczekiwanie nie tylko dla nich, ale i dla siebie. — Pozwólcie mi ostatni raz przyjrzeć się światu!

Przestraszyli się. To dodało mi pewności siebie.

— Zwrócisz ostatni rysunek? — Czarny ocknął się pierwszy.

Posłałem mu spojrzenie, które mówiło: „Zwrócę". Natychmiast mnie uwolnił. Serce zaczęło mi walić w piersi.

Już dawno zorientowaliście się, kim jestem, chociaż próbowałem ukryć swą tożsamość. Mimo wszystko nie dziwcie się, że zachowuję się jak starzy mistrzowie z Heratu. Oni ukrywali swoje podpisy nie dlatego, żeby się nie ujawniać, ale z szacunku dla swoich mistrzów i tradycji. Z kagankiem w ręku, dzięki własnemu wydłużonemu cieniowi, który wskazywał mi drogę, podniecony, szedłem przez zupełnie czarne pomieszczenia klasztoru. Czy to zasłona ciemności opadała na me oczy, czy jedynie pokoje i korytarze były takie ciemne? Ile zostało mi czasu, dni, tygodni, zanim oślepnę? Ja i mój cień zatrzymaliśmy się w kuchni. Z czystego rogu zakurzonej szafy wzięliśmy papiery i szybko wróciliśmy. Czarny na wszelki wypadek szedł za mną, ale kindżału z sobą nie zabrał.

— Jestem szczęśliwy, że zobaczę to jeszcze raz, zanim oślepnę — powiedziałem z dumą. — Chcę, abyście i wy zobaczyli. Proszę.

W świetle olejnej lampy pokazałem im ostatni rysunek, który zabrałem z domu Wuja tego dnia, kiedy go zabiłem. Z początku patrzyłem na ich zaciekawione twarze, pełne strachu, gdy spojrzeli na dwustronicową miniaturę. Potem zbliżyłem się do nich i również popatrzyłem na dzieło. Lekko drżałem. Gorączkowałem albo z powodu przekłutych oczu, albo w wyniku ogarniającego mnie zachwytu.

Stosując nowe metody kompozycji, Wuj tak rozlokował nasze rysunki, które wykonaliśmy na różnych częściach strony — małe i duże drzewa, konie, szatana, śmierć, psy, kobiety — że zdawało się nam, iż patrzymy nie w księgę, do której Elegant wykonał zdobienia, ale w okno, przez które widać cały świat. W centrum tego świata, tam gdzie powinien się znajdować portret sułtana, widniał mój portret, co napawało mnie dumą. Niestety podobieństwo było niepełne, chociaż pracowałem przed lustrem wiele dni, ścierając szkice i rysując od nowa. Nie mogłem powstrzymać euforii, gdy patrzyłem na ten obrazek — nie dlatego, że znajdowałem się w centrum wszechświata, ale dlatego, że wyglądałem jak ktoś bardziej wyrafinowany i tajemniczy niż w rzeczywistości. Była to diabelska sztuczka. Chciałem, żeby bracia malarze dostrzegli mój entuzjazm, zrozumieli i poczuli go. Byłem tutaj i jednocześnie znajdowałem się w centrum wszechświata, jak padyszach albo król, co wprawiało mnie jednocześnie w dumę i peszyło. Spróbowałem zrównoważyć te dwa uczucia; uspokoiłem się i doznałem ogromnej przyjemności, mogąc podziwiać rysunek. Żeby rozkosz była większa, powinienem przedstawić siebie tak, jak to robią europejscy mistrzowie, z najmniejszymi szczegółami, ze zmarszczkami na twarzy i fałdami ubrania, wzorami na koszuli, wypryskami i śladami po ospie.

Na twarzach moich starych przyjaciół widziałem strach i zachwyt, i jeszcze odwiecznie towarzyszącą wszystkim malarzom zawiść. Byli oburzeni, iż popełniłem taki grzech, ale jednocześnie zazdrościli mi.

— Patrząc na ten rysunek nocami, przy świetle lampy — przerwałem milczenie — po raz pierwszy poczułem, że Allah mnie opuścił, i zrozumiałem, że ta samotność zmusza mnie, abym przyjaźnił się z szatanem. Gdybym rzeczywiście znajdował się w centrum wszechświata — a kiedy patrzyłem na obrazek, bardzo tego pragnąłem — doznawałbym jeszcze większej samotności, niezależnie od rzeczy, które mnie otaczają i które lubię — mojej kobiety, pięknej jak Şeküre, moich przyjaciół wędrownych derwiszy i cudownego czerwonego koloru, królującego na rysunku. Nie byłbym przerażony, mogąc chwalić się swą osobowością czy indywidualnym stylem. Nie przeszkadzałoby mi też, gdyby inni oddawali mi cześć i podziwiali mnie. Wręcz przeciwnie — ja tego pragnę.

— Chcesz powiedzieć, że nie masz wyrzutów sumienia? — zapytał Bocian, wyglądający jak człowiek, który wyszedł z meczetu po piątkowym kazaniu.

— Czuję się jak szatan nie dlatego, że zabiłem dwóch ludzi, ale że zrobiłem taki portret. Wydaje mi się, że zabiłem ich, żeby móc to narysować. Ale samotność mnie przeraża. Naśladowanie europejskich mistrzów bez opanowania ich sztuki zamienia malarza w niewolnika, a nie chcę nim być. Więc oczywiście rozumiecie, że zabiłem tych dwóch, bo chciałem, aby w pracowni wszystko było jak dawniej. Allah oczywiście też to zrozumie.

— Ale to sprowadzi na nas nieszczęście — przeraził się Motyl.

Czarny wciąż patrzył na miniaturę. Nagle złapałem go za nadgarstek i zacisnąłem na nim palce z całej siły, wbijając w skórę paznokcie. Wykręciłem rękę. Czarny upuścił kindżał. Podniosłem go.

— Nie uratujecie się, oddając mnie w ręce katów — powiedziałem i przysunąłem się do twarzy Czarnego, kierując ostrze kindżału na jego oko. — Oddaj igłę.

Wolną ręką wyciągnął igłę i dał mi ją. Wetknąłem ją w pas i zajrzałem w jego cielęce oczy.

— Żal mi Şeküre, która nie mogła zrobić nic lepszego, jak tylko wyjść za ciebie za mąż. Gdybym nie musiał zabić Eleganta, żeby uratować was wszystkich, zostałaby moją żoną i byłaby szczęśliwa. Najlepiej opanowałem sztuczki europejskich mistrzów, o których opowiadał jej ojciec. Dlatego słuchajcie mnie uważnie: zrozumiałem, że dla nas, mistrzów malarzy, chcących żyć uczciwie ze swojego talentu, nie ma tu miejsca. Jeśli ograniczymy się do kopiowania Europejczyków, tak jak chciał tego zmarły Wuj czy sułtan, to i tak napotkamy opór — jeśli nie erzurumczyków czy ludzi pokroju Eleganta, to na pewno własnego tchórzostwa. Poniesiemy porażkę. Jeśli ulegniemy szatanowi i spróbujemy opanować ich styl i manierę, zdradzimy naszą przeszłość. Ale mało prawdopodobne, żeby się nam udało — mnie nie starczyło talentu i wiedzy, kiedy tworzyłem własny wizerunek. Mój portret wyszedł prymitywnie, nie dałem rady uchwycić podobieństwa. Jeszcze raz przekonałem się — właściwie wszyscy o tym wiemy, chociaż jest to przykre — że aby opanować w stopniu mistrzowskim styl europejski, potrzebne są wieki. Gdyby Wuj ukończył księgę i wysłał ją do Wenecji, tamtejsi malarze i doża wyśmialiby naszą pracę i na tym by się skończyło. Pomyśleliby, że Osmanie nie chcą już być Osmanami. Przestaliby się nas bać. Cudownie by było, gdybyśmy nadal szli ścieżką dawnych mistrzów! Ale nikt — ani nasz Jaśnie Oświecony Padyszach, ani przygnębiony brakiem portretu Şeküre Czarny — tego nie chce. Naśladujcie więc styl Europejczyków! Stawiajcie podpisy pod waszymi imitacjami ich obrazów! Dawni mistrzowie z Heratu, starając się przedstawiać wszechświat tak, jak widział go Allah, nie zostawiali sygnatur, żeby ukryć swoją tożsamość. Wy będziecie się podpisywać, aby ukryć brak osobowości. Jest jednak inne wyjście: indyjski sułtan Akbar zaprasza do siebie najbardziej utalentowanych malarzy świata. Obdarzy ich złotem, otoczy miłością i szacunkiem. Może i was już wzywał? To oczywiste, że nie tutaj, w Stambule, ale w pracowni w Agrze dokończymy księgę na tysiąclecie islamu.

— Żeby wpaść na coś takiego, trzeba wpierw zostać mordercą? — dogryzł mi Bocian.

— Nie, wystarczy być najzdolniejszym i najbardziej utalentowanym — odparłem, nie przejmując się jego słowami.

Gdzieś w oddali dwukrotnie zapiał kogut. Zebrałem swoje rzeczy, złote monety, zeszyt z wzorcami; ilustracje schowałem do teczki. Pomyślałem, że mógłbym pozabijać ich po kolei kindżałem, którego koniec trzymałem wycelowany w gardło Czarnego, ale wobec moich przyjaciół z dziecięcych lat — włącznie z Bocianem, który wbił igłę w moje oczy — odczuwałem tylko sympatię.

Krzyknąłem na Motyla, który już chciał się podnieść — zmusiłem go, żeby usiadł z powrotem. Przekonany, że uda mi się uciec z tekke, ruszyłem w stronę wyjścia. W drzwiach jeszcze się odwróciłem i wygłosiłem wspaniałe zdanie, które zawczasu przygotowałem:

— Moje odejście ze Stambułu będzie podobne do odejścia Ibn Szakira z Bagdadu, kiedy uciekał przed mongolskimi zdobywcami.

— To będziesz musiał iść nie na wschód, ale na zachód — zauważył zawistny Bocian.

— Do Boga należy Wschód i Zachód — powiedziałem po arabsku ulubioną frazę zmarłego Wuja.

— Ale Wschód jest na wschodzie, a Zachód na zachodzie — oświadczył Czarny.

— Artysta nie powinien ulegać pysze pod żadną postacią — powiedział Motyl. — Powinien po prostu malować tak, jak to uważa za stosowne, i nie przejmować się ani Wschodem, ani Zachodem.

— Słuszne słowa — zgodziłem się. — Niech cię obejmę.

Zrobiłem dwa kroki, gdy nagle Czarny rzucił się na mnie. W jednej ręce trzymałem zawiniątko z ubraniem i złotymi monetami, a pod pachą drugiej — foliał z rysunkami. Skupiłem się na ochronie swojego dobytku, a zaniedbałem własne bezpieczeństwo. Nie udało mi się na czas cofnąć ręki, w której trzymałem kindżał. Ale tym razem on też nie miał szczęścia. Lekko potknął się o stolik i natychmiast stracił równowagę. Zamiast przejąć kontrolę nad moim przedramieniem, uczepił się go, aby nie upaść. Kopiąc go ze wszystkich sił oraz gryząc w palce, zdołałem się uwolnić. Zawył w obawie o swoje życie. Wtedy nadepnąłem mu na rękę, którą chciał mnie chwycić, co sprawiło mu ogromny ból. Wymachując nożem przed pozostałymi dwoma, krzyczałem:

— Siedźcie na miejscu!

Usiedli. Jak legendarny Kejkawus, wsunąłem ostrze kindżału w nos Czarnego. Trysnęła krew, spojrzał na mnie błagalnie, w jego oczach pojawiły się łzy.

— No, powiedz, czy oślepnę?...

— Jeśli Allah jest zadowolony z twoich miniatur, ześle na ciebie wspaniałą ciemność. Wtedy zobaczysz nie ten świat, ale piękne obrazy, które widzi On. Ale jeśli nie jest z ciebie zadowolony, dalej będziesz widział tak jak teraz.

— Najważniejsze swoje rysunki stworzę w Indiach. Nie namalowałem jeszcze tego, za co Allah mógłby mnie osądzić.

— Nie miej zbyt wielkiej nadziei na to, że uda ci się uciec od europejskiego stylu — uprzedził mnie Czarny. — Czy wiesz, że sułtan Akbar proponuje malarzom, aby podpisywali prace? Portugalscy jezuici dawno temu przywieźli do Indii europejskie ryciny i manierę malowania. Europejczycy są teraz wszędzie.

— Ten, kto chce pozostać w czystości, zawsze znajdzie sobie miejsce, gdzie może się schować — oponowałem.

— Tak, na przykład oślepiając się i uciekając do nie istniejącego kraju — znów odgryzł się Bocian.

— Po co miałbyś uciekać? Zostań z nami i ukryj się tutaj — radził Czarny.

— Tutaj do końca życia będziecie kopiować europejskich mistrzów, aby znaleźć swój styl, ale nigdy go nie odnajdziecie właśnie dlatego, że poświęcicie się kopiowaniu.

— Nie ma innego wyjścia — mruknął Czarny.

Oczywiście prawdziwym jego szczęściem nie była miniatura, ale przepiękna Şeküre. Wyciągnąłem kindżał z jego zakrwawionego nosa i niczym kat przygotowujący się do stracenia skazańca uniosłem go nad jego głową.

— Gdybym chciał, mógłbym w tej chwili skrócić cię o głowę — oświadczyłem, chociaż było to oczywiste. — Chyba daruję ci przez wzgląd na dzieci Şeküre i jej szczęście. Przyrzeknij, że będziesz ją chronił!

— Przysięgam!

— Daję jej ciebie w prezencie — powiedziałem wielkodusznie, ale moja ręka, nie wiadomo czemu, z całej siły pchnęła ostrze kindżału w stronę głowy Czarnego.

W ostatniej chwili wykonał unik, dlatego trafiłem w ramię, nie w kark. Z przerażeniem patrzyłem na to, co zrobiła moja ręka wbrew mej woli. Wyrwałem kindżał, zanurzony po samą rękojeść w ciele Czarnego, i rana zabarwiła się czystą czerwienią. Bałem się i było mi wstyd. Ale jeśli oślepnę na statku, na przykład na arabskich wodach, nie będę mógł zemścić się na moich braciach...

Bocian, słusznie obawiając się, że będzie następny, uciekł do wewnętrznych ciemnych pokoi. Nawet poszedłem za nim, ale przestraszyłem się i zawróciłem. Na koniec jeszcze ucałowałem Motyla na pożegnanie. Nie dałem rady zrobić tego tak serdecznie, jak bym chciał — przecież dopiero co polała się krew. Poczułem łzy płynące z moich oczu.

W martwej ciszy przerywanej tylko jękami Czarnego, opuściłem klasztor. Prawie biegiem pokonałem mokry, pełen błota ogród i ciemną dzielnicę. Statek, który zawiezie mnie do pracowni sułtana Akbara, odpływał po porannym namazie. Wtedy też po raz ostatni miała podpłynąć do niego łódka z Kadırgi. Biegłem, a z oczu kapały mi łzy.

Kiedy bezszelestnie jak złodziej przemierzałem Aksaray, na horyzoncie pojawiły się pierwsze blaski dnia. Wyskoczyłem z kolejnej uliczki i znalazłem się przed kamiennym domem, w którym spędziłem pierwszą noc, kiedy dwadzieścia pięć lat temu przybyłem do Stambułu. Wszedłem wtedy przez uchyloną furtkę, a daleki krewny przywitał mnie z otwartymi ramionami, przygotował posłanie. Naprzeciwko domu dostrzegłem studnię, do której chciałem się rzucić z nieszczęścia i wstydu, kiedy to w wieku jedenastu lat zmoczyłem się we śnie. Nie zatrzymując się, dotarłem do placu Bejazyta, gdzie z żalem pożegnałem sklepik zegarmistrza (w którym często naprawiałem swój zegarek), warsztat szklarza (u którego kupowałem kryształowe lampki, kubki do sorbetu i butelki, a następnie ozdabiałem je kwiatami, aby potem po cichu sprzedać bogaczom) i łaźnię, którą swego czasu odwiedzałem, bo nie było tam tłumu, a usługi tanie.

W zrujnowanej kawiarni nie dostrzegłem nikogo, dom Wuja też stał pusty; szczerze życzyłem pięknej Şeküre szczęścia z nowym mężem, chociaż może już leżał martwy. Gdy me ręce po raz pierwszy zbrukały się krwią, długo włóczyłem się po ulicach, wszystko było wrogo do mnie nastawione: stambulskie psy, ciemne drzewa, ślepe okna, czarne kominy, duchy i zapracowane ranne ptaszki, spieszące na poranny namaz. Teraz, kiedy przyznałem się do przestępstw i zdecydowałem się opuścić miasto mojego życia, czułem na sobie same przyjacielskie spojrzenia.

Gdy minąłem meczet Bejazyta, przez jakiś czas patrzyłem ze wzgórza na Złoty Róg: horyzont już się rozjaśniał, ale woda była jeszcze ciemna. Dwie rybackie łodzie, statek towarowy z obwisłymi żaglami, zapomniana galera, niewidoczne, ociężale przelewające się fale mówiły: „Nie wyjeżdżaj, nie wyjeżdżaj". Łzy bezustannie płynęły mi z oczu. Może dlatego, że zostały przekłute? Przekonywałem siebie: wyobraź sobie wspaniałe życie, które czeka na ciebie w Indiach, tam będziesz mógł w pełni ujawnić swój talent.

Skręciłem z drogi, szybko przeszedłem przez dwa zapuszczone ogrody i znalazłem się na zielonym podwórzu starego kamiennego domu. To tutaj w latach nauki we wtorki spotykałem mistrza Osmana i niosłem za nim do pracowni jego torbę, czapkę, piórnik, deskę do pisania. Zdaje się, że nic się tutaj nie zmieniło, tylko platany w ogrodzie bardzo urosły, tak że aura wielkości, przepychu i potęgi, typowa dla czasów sułtana, otaczała teraz dom i ulicę.

Ponieważ droga prowadząca do portu wiodła obok pracowni, w której spędziłem dwadzieścia pięć lat, uległem podszeptom szatana i postanowiłem ostatni raz na nią spojrzeć. Wybrałem trasę, jaką odprowadzałem mistrza Osmana. Przeszedłem ulicę Okçular, na której wiosną odurzał zapach lipy i przy której znajdowała się piekarnia — mistrz Osman kupował tu pierożki z mięsem; wdrapałem się na wzgórze otoczone kasztanowcami i drzewami pigwowymi, gdzie zwykle stali żebracy; przeszedłem w pobliżu nowego bazaru, którego brama była jeszcze zamknięta, i balwierza, którego mistrz Osman co rano pozdrawiał. Minąłem plac, gdzie latem, w tym wiecznie pustym miejscu, rozbijali namiot linoskoczkowie i dawali przedstawienia. Minąłem pałac Ibrahima Paszy; kolumnę ze żmijami, malowałem je setki razy, platany (za każdym razem rysowaliśmy je inaczej), kasztanowce i drzewa morwowe na Hipodromie, w których rankiem ćwierkały wróble i skrzeczały sroki.

Ciężkie drzwi pracowni były zamknięte. Ani przy nich, ani na górze, ani na galerii nikogo nie było. Zdążyłem tylko zerknąć na maleńkie okienko na górze z zasłoniętą okiennicą; w latach nauki, umierając z nudów, podziwialiśmy przez nie drzewa. Nagle ktoś mnie zawołał.

Miał nieprzyjemny, przenikliwy głos. Powiedział, że zakrwawiony kindżał z rubinową rękojeścią, który wciąż ściskałem w dłoni, należy do niego. Ukradł mu go jego siostrzeniec Şevket wraz ze swoją matką. Uznał, że byłem jednym z ludzi Czarnego, którzy nocą napadli na jego dom i uprowadzili Şeküre. Ten pewny siebie, zagniewany człowiek o piskliwym głosie wiedział, że Czarny i jego przyjaciele artyści przyjdą do pracowni. W jego rękach migotało ostrze szabli, bił od niej tajemniczy czerwony blask. Twarz miał wykrzywioną ze złości i nienawiści, był gotów rzucić się na mnie. Chciałem mu powiedzieć, że się myli, powstrzymać go, ale jego broń już zawisła nade mną.

Nie zdążyłem nawet unieść kindżału, poruszyłem jedynie ręką z zawiniątkiem.

Tobołek upadł na ziemię. Jednym płynnym ruchem, nie wytracając prędkości, ostrze szabli odcięło najpierw moją rękę, po czym zagłębiło się w szyi, odcinając mi głowę.

Zrozumiałem, że uchodzi ze mnie życie, po dwóch niepewnych krokach, jakie wykonało moje ogłupiałe ciało; po idiotycznych wymachach mojej dłoni ściskającej kindżał i po tym, jak upadło moje samotne ciało, z którego szyi fontanną tryskała krew. Moje nieszczęsne stopy, które wciąż się poruszały, jakby stawiały kolejne kroki, wierzgały bezcelowo niczym nogi zdychającego konia.

Z miejsca, w którym w błocie leżała moja głowa, nie widziałem ani swojego mordercy, ani zawiniątka ze złotymi monetami i rysunkami. Czyli leżały gdzieś za nią, bliżej drogi prowadzącej do portu Kadırga, w stronę morza, gdzie już nigdy nie będzie mi dane dotrzeć. Moja głowa już nigdy się nie obróci, nie zobaczy ani monet, ani rysunków, ani reszty świata. Poddałem się napływowi myśli.

Nim szabla nie odcięła mi głowy, myślałem o tym, że statek zaraz wypłynie, więc trzeba się spieszyć. W dzieciństwie matka zawsze powtarzała mi: „Pospiesz się". Mamo, szyja boli, nie mogę się ruszyć.

A więc tak wygląda śmierć.

Wiedziałem jednak, że jeszcze nie umarłem. Moje przekłute źrenice nie poruszały się, ale wszystko doskonale widziałem: wznoszącą się drogę, ściany, łuki, dach pracowni, niebo.

Wydawało się, że sekundy ciągną się w nieskończoność, i wtedy zrozumiałem, że widzieć znaczy wspominać. Przypomniałem sobie, co wcześniej czułem, kiedy godzinami patrzyłem na wspaniały rysunek. Jeśli długo się przypatrujesz, umysł wtapia się w czas miniatury.

Znalazłem się w wiecznym czasie rysunku.

Wydawało mi się, że stałem się niewidzialny, że moja głowa z gasnącymi myślami, leżąca w błocie, przez długie lata będzie odwrócona w stronę tego smutnego wzgórza, kamiennej ściany pracowni i nieosiągalnych kasztanowców i drzew morwowych w oddali.

To nie kończące się oczekiwanie wydało mi się czymś tak bolesnym i przygnębiającym, że zapragnąłem uciec, wyzwolić się z tej pętli czasu.

59.

Ja, Şeküre

Spędziłam bezsenną noc w domu dalekiego krewnego, gdzie ukrył nas Czarny. Leżałam w jednym łóżku z Hayriye i dziećmi. Czasem drzemałam, ale często budziłam się, bo we śnie bez przerwy prześladowały mnie jakieś dziwaczne stwory i kobiety z odciętymi, na chybcika przyklejonymi w różnych miejscach rękami i nogami. Nad ranem obudziło mnie zimno. Okryłam dokładniej Şevketa i Orhana, przytuliłam ich, ucałowałam i poprosiłam Allaha, żeby zesłał im trochę przyjemnych snów, takich, jakie miewałam za dobrych czasów w domu mojego zmarłego ojca.

Nie mogłam jednak zasnąć. Po porannej modlitwie wyjrzałam na ulicę przez zakryte okiennicami małe okienko w ciemnym pokoiku i zobaczyłam to, co widywałam w dawnych szczęśliwych snach: podobny do zjawy człowiek, zmęczony wojną i otrzymanymi ranami, idzie do mnie — rozpoznaję ten chód — w ręku trzyma kij jak szablę. We śnie rzucałam się w jego objęcia, ale nim zdążyłam zapleść mu ramiona na szyi, budziłam się ze łzami. Teraz jednak zrozumiałam, że ten zakrwawiony człowiek na ulicy to Czarny, i z moich ust wyrwał się krzyk, jakiego nigdy jeszcze nie wydałam przez sen.

Pobiegłam otworzyć drzwi.

Jego twarz spuchła. Z nosa ciekła krew. Na ramieniu przy szyi ziała rana. Cała koszula była zachlapana krwią. Ledwo zauważalnie uśmiechnął się do mnie.

— Wejdź — powiedziałam.

— Wołaj dzieci, wracamy do domu — oświadczył.

— Nie starczy ci sił, żeby tam dojść.

— Nie martw się o to — powiedział. — Mordercą okazał się Velican Efendi.

— Oliwka — wyszeptałam. — Zabiłeś tego nieszczęśnika?

— Uciekł do Indii statkiem odpływającym z Kadırgi. — Spuścił wzrok, bo wiedział, że nie doprowadził sprawy do końca.

— Jak ty masz zamiar dojść do domu? Niech wyprowadzą dla ciebie konia.

Czułam, że może umrzeć, i zrobiło mi się go żal. Nie tylko dlatego, że umarłby w samotności, ale również dlatego, że nie zdążył w swym życiu zaznać prawdziwego szczęścia. Jego smutne i pełne zdecydowania oczy mówiły, że nie chce umierać w tym obcym domu, nie chce, żeby widziano go w takim żałosnym stanie.

Z pewną trudnością usadowiono Czarnego na koniu i ruszyliśmy do domu. Szliśmy ulicami z tobołkami w rękach. Dzieci z początku bały się spojrzeć na Czarnego. A on, lekko kołysząc się na koniu, opowiedział im, jak znalazł podłego mordercę ich dziadka i jak z nim walczył. Zauważyłam, że dzieci zaczęły patrzeć na niego przyjaźniej, i modliłam się do Allaha: „Proszę, nie pozwól mu umrzeć!".

W końcu dojechaliśmy. Orhan radośnie zakrzyczał: „Wróciliśmy do domu!". Zrozumiałam, że Azrael, anioł śmierci, ulituje się nad nami, Allah pozwoli jeszcze Czarnemu trochę pożyć. Nie robiłam sobie jednak wielkich nadziei. Z doświadczenia wiedziałam, że nigdy nie wiadomo, czyją duszę i kiedy Allah wezwie do siebie.

Z trudnością ściągnęliśmy Czarnego z konia. Wszyscy razem zanieśliśmy go na górę i położyliśmy na łóżku w pokoju ojca, tym z niebieskimi drzwiami. Hayriye zagrzała i przyniosła wodę. Za pomocą nożyczek zdjęliśmy z niego przylepioną do ciała koszulę, pas, buty i bieliznę. Po otwarciu okiennic delikatne zimowe słońce, igrające w gałęziach drzew, przeniknęło do pokoju, odbijając się od imbryków, garnków, pudełek z żywicą, puzderek, szklanych przedmiotów. Oświetliło śmiertelnie bladą skórę Czarnego oraz jego rany koloru wiśni i mięsa.

Zamoczyłam w ciepłej wodzie kawałek materiału na prześcieradło, namydliłam i ostrożnie, jakbym czyściła stary drogocenny dywan lub z miłością i poświęceniem doglądała jednego z moich synów, obmyłam tors Czarnego. Oczyściłam jak lekarz okropne rozcięcia na ramieniu, rany w nosie i delikatnie, by nie sprawić bólu, siniaki na twarzy. Tak jak czyniłam to, myjąc synów, kiedy byli mali, szeptałam mu banialuki. Na piersiach i rękach też miał rozcięcia. Palce lewej ręki z powodu ugryzienia stały się całkiem fioletowe. Krwią przesiąknięte były szmatki, którymi wycierałem ciało Czarnego. Dotknęłam jego piersi; poczułam pod ręką miękkość jego brzucha; długo patrzyłam poniżej. Z dołu, z podwórza dobiegały głosy dzieci. Czemu niektórzy poeci nazywają to pałką wodną albo piórem?

Kiedy usłyszałam, że przyszła Ester, roznosicielka wieści, zeszłam do kuchni.

Ester była bardzo zdenerwowana, nie objęła mnie nawet, a od razu zaczęła opowiadać, jak to przed drzwiami pracowni znaleziono głowę Oliwki, a także węzełek z miniaturami potwierdzającymi jego winę. Zamierzał uciec do Indii, ale postanowił ostatni raz zajrzeć do pracowni. Są świadkowie tego, że to Hasan, zobaczywszy Oliwkę, wyciągnął szablę i jednym ciosem odciął mu głowę.

Kiedy opowiadała, rozmyślałam o tym, gdzie teraz znajduje się mój biedny ojciec. Wiadomość, że morderca dostał za swoje, uwolniła mnie od strachu. Poza tym zemsta daje człowiekowi przyjemny spokój i poczucie sprawiedliwości.

„Ciekawe, co czuje teraz ojciec, gdziekolwiek przebywa" — pomyślałam i nagle świat wydał mi się wielkim pałacem z nieskończoną liczbą pokoi z otwartymi drzwiami. Czasem, kiedy sobie coś przypominamy, przechodzimy z jednego pokoju do drugiego, ale większość ludzi z lenistwa pozostaje w jednym pomieszczeniu.

— Nie płacz, moja droga — objęła mnie Ester. — Widzisz, ostatecznie wszystko dobrze się skończyło.

Dałam jej cztery złote monety. Każdą z nich z apetytem wzięła na ząb.

— Wszędzie pełno fałszywych weneckich pieniędzy — uśmiechnęła się.

Po jej wyjściu powiedziałam Hayriye, żeby nie wpuszczała dzieci na górę. Sama zaś poszłam tam, zamknęłam drzwi, położyłam się obok nagiego Czarnego, po czym — bardziej z ciekawości niż z pożądania, bardziej z poczucia troski niż strachu — zrobiłam to, o co prosił mnie w domu Żyda Wisielca, w dniu, w którym zamordowano ojca.

Od wieków perscy poeci przyrównywali męskie przyrodzenie do pióra z trzciny, a my uczyłyśmy się na pamięć i w kółko powtarzałyśmy porównanie kobiecych ust do kałamarza, zupełnie nie zastanawiając się nad tym, co to znaczy. Nie powiem, że teraz zrozumiałam, o czym pisali poeci: Że usta są małe? Że kałamarz zagadkowo milczy? Albo że Allah był malarzem? Miłości nie należy pojmować logiką kobiety takiej jak ja — która bez przerwy się martwi, jak zapewnić sobie bezpieczeństwo — lecz poprzez brak logiki.

Pozwólcie, że zdradzę wam tajemnicę. W tym pokoju, w którym pachniało śmiercią, zachwytem napełniało mnie nie to, co miałam w ustach. To, co mnie zachwycało, kiedy tak leżałam z całym światem pulsującym w mojej buzi, to było radosne szczebiotanie moich synów, przeklinających i dokazujących razem na podwórku.

Kiedy moje usta były zajęte, moje oczy patrzyły na Czarnego, który teraz spoglądał na mnie jakoś zupełnie inaczej. Jego skóra pachniała zapleśniałym papierem, jak niektóre stare księgi ojca. Włosy wchłonęły woń starego kurzu ze skarbca. Jęczał jak dziecko, kiedy dotykałam jego ran i siniaków. Powoli wracał do życia. Rozumiałam, że przywiążę się do niego jeszcze mocniej. Nasze miłosne uniesienia nabierały tempa, pędziliśmy nie wiadomo dokąd, tak jak pędzi statek pod pełnymi żaglami na spotkanie z nieznanymi morzami.

Wiedziałam, że Czarny, który już nieraz pływał po tych morzach z bóg wie jakimi kobietami, nawet teraz, w tak żałosnym stanie, całkowicie panował nad sobą. Podczas kiedy ja nie byłam pewna, czy całuję swoje przedramię, czy jego, czy ssę własny palec, czy całe życie, on patrzył bezmyślnie przez jedno na wpół otwarte oko, odurzony bólem i rozkoszą, sprawdzając, dokąd zabiera go świat. Od czasu do czasu delikatnie brał moją głowę w dłonie i, zadziwiony, oglądał moją twarz. Raz patrzył na nią jak na obraz, to znowu jak na mingrelską kurwę. W chwilach szczególnej rozkoszy wydawał z siebie jęk godny legendarnych bohaterów, których przecinano na połowę jednym cięciem szabli, z miniatur ilustrujących potyczkę armii perskiej i Turanu; przestraszyłam się, że te jęki słychać w całej dzielnicy. Jak prawdziwy mistrz rysunku, który w momencie największego natchnienia pozwala Allahowi prowadzić pędzel, ale cały czas panuje nad formą i układem całości, Czarny mimo niezwykłego podniecenia nie tracił kontroli nad tym, co się wokół niego działo.

— Powiesz dzieciom, że nakładałaś maść na moje rany — wyszeptał bez tchu.

Te słowa nie tylko zabarwiły naszą miłość — znajdującą się w wąskiej przestrzeni pomiędzy życiem i śmiercią, tym, co zakazane, rajem, beznadziejnością i wstydem — ale też stały się pretekstem do jej uprawiania. Przez następne dwadzieścia sześć lat, aż do śmierci z powodu chorego serca mojego ukochanego męża Czarnego, który upadł przy studni, każdego popołudnia wchodziliśmy po obiedzie do tego pokoju i kochaliśmy się w świetle przenikających przez okiennice promieni słońca. Nazywaliśmy to nakładaniem maści na rany. W pierwszych latach towarzyszyły temu głosy Şevketa i Orhana, bawiących się na dworze. Jeszcze długo spałam z zazdrosnymi synami, bo nie chciałam, żeby boczyli się na swojego nowego ojca. Poza tym wszystkie rozsądnie myślące kobiety wiedzą, że lepiej spać z dziećmi niż ze skrzywdzonym przez życie mężem.

Ja i dzieci byliśmy szczęśliwi, ale Czarny nie potrafił. Najbardziej oczywistym tego powodem były dawne rany na ramieniu i szyi, które pozostawiły po sobie trwałe ślady. Słyszałam, jak mówiono o moim ukochanym mężu, że już do śmierci będzie kaleką. Choć to w żaden sposób nie wpływało na jego życie, może jedynie na wygląd. A bywało i tak, że niektóre kobiety, widząc Czarnego z pewnej odległości, opisywały go jako przystojnego. Ale prawe ramię Czarnego opadło, a jego szyja pozostała dziwacznie skrzywiona. Plotkarze twierdzili również, że kobiety podobne do mnie wychodzą za mąż jedynie za takich mężczyzn, na których mogą patrzeć z góry, i że kalectwo Czarnego jest z jednej strony przyczyną jego nieszczęścia, ale z drugiej — ukrytym powodem mojego szczęścia.

Możliwe, że w tej plotce, jak i we wszystkich, jest trochę prawdy. Przyznam się, że czasem odczuwałam niedostatki naszego życia i rozpaczałam, że nie mogę robić tego, co — jak mówiła Ester — słusznie mi się należało: dumnie przejeżdżać ulicami Stambułu na pięknym koniu, w otoczeniu niewolników, nałożnic i sług... Czasem również tęskniłam za mężem, który z wysoko podniesioną głową patrzyłby na świat oczami zwycięzcy.

Jakakolwiek była tego przyczyna, Czarny ciągle był smutny. Wiedziałam, że nie ma to nic wspólnego z jego kondycją fizyczną, po prostu w jego duszy zamieszkał dżin smutku, dlatego bywał zmartwiony nawet w chwilach naszej szczęśliwej bliskości. Żeby uspokoić tego dżina, czasem pił wino, czasem oglądał miniatury, a czasem szedł do malarzy, kaligrafów i poetów, gdzie zabawiali się z przystojnymi młodzieńcami i bawili w słowne gry, konkurując w alegoriach, dwuznacznościach i metaforach. Przez jakiś czas pełnił obowiązki sekretarza u Egri Süleymana Paszy i na dworze sułtana, co pozwoliło mu zapomnieć o dawnych przejściach. Kiedy po czterech latach umarł nasz ceniący sztukę sułtan, a na tronie zasiadł sułtan Mehmed, obojętny na walory miniatury, Czarny nie przestał interesować się księgami i rysunkiem, ale teraz czynił to niemal w tajemnicy, za zamkniętymi drzwiami. Czasem otwierał którąś z ksiąg po ojcu i oglądał jakąś miniaturę, wykonaną w Heracie za czasów syna Timura. Gdy patrzył, jak Szirin zakochuje się w Chosrowie, oglądając jego wizerunek, ogarniało go uczucie ni to winy, ni smutku — zdawało się, że jakaś przyjemna tajemnica żyła w jego wspomnieniach.

W trzecim roku panowania nowego sułtana królowa angielska przysłała mu w prezencie osobliwy zegar z muzycznym mechanizmem. Przez kilka tygodni wciągano jego części na wzgórze w wewnętrznej części pałacowego ogrodu, które było widać od strony Złotego Rogu, a następnie zegarmistrze z Anglii składali koła zębate, różne inne elementy i ustawiali figury. Tłum, który zebrał się wyznaczonego dnia na wzgórzach, wpadł w zachwyt, kiedy zegar głośno zagrał, a figury wielkości człowieka zaczęły się poruszać w takt muzyki. Prze-

suwały się i obracały tak, jakby były dziełem samego Allaha, a nie jego sług. Do tego chronometr wydzwaniał godziny,
a jego dźwięk było słychać w całym Stambule. Czarny i Ester,
każde osobno, poinformowali mnie, że zegar, którym tak zachwycają się wszyscy mieszkańcy miasta, łącznie z najprost-
szym i niewykształconym ludem, wzbudził niepokój sułtana
i duchownych. Takie krążyły pogłoski. Po kilku latach następny sułtan, Ahmed, obudził się pewnej nocy i kierowany wolą
Allaha pochwycił żelazny topór, po czym roztrzaskał zegar,
szczególnie dokładnie krusząc figury. Mówiono, że sułtan ujrzał we śnie świetlistą twarz błogosławionego Proroka, który
mu powiedział, że jeśli pozwoli, aby ludzie konkurowali z Allahem w tworzeniu swoich wizerunków, to Allah odwróci się
od niego. Więc sułtan jeszcze w półśnie złapał za topór. Opisał
też nadwornemu historykowi to wydarzenie, a kaligrafowie
sporządzili księgę *Krem historii* i otrzymali za to pełne worki
złota, ale do pracy nad księgą nie zaproszono malarzy.

Tak zwiędła czerwona bujna róża miniatury, która dzięki
Persom kwitła w Stambule blisko sto lat. Walka między stylem
starych mistrzów z Heratu i nowymi europejskimi metodami,
która stała się przyczyną kłótni między malarzami i zrodziła
tyle problemów, skończyła się niczym. Od tej pory nie ryso-
wano ani tak jak na Zachodzie, ani tak jak na Wschodzie. Malarze nie oburzali się i nie buntowali, przyjęli to wszystko ze
smutną pokorą, jak starzec w milczeniu przyjmuje chorobę.
Nikt więcej nie interesował się dziełami wielkich mistrzów
z Heratu i Tabrizu ani nowymi metodami Europejczyków. Miniatura pogrążyła się w ciemności jak miasto, kiedy nocą ga-
sną wszystkie światła i zamykają się drzwi domów. Nikt nie
pamiętał czasów innego postrzegania wszechświata.

Księga mojego ojca niestety nie została dokończona. Miniatury do niej przygotowane przekazano do pałacu, a tam

sprawni i skrupulatni bibliotekarze porozrzucali je po różnych księgach razem z innymi rysunkami, wykonanymi w pracowni. Hasan uciekł ze Stambułu i przepadł, nie było o nim żadnych wieści. Ale Şevket i Orhan nie zapomnieli, że mordercę ich dziadka zabił nie Czarny, lecz ich wuj.

Mistrz Osman umarł w dwa lata po oślepnięciu, a jego stanowisko naczelnego malarza zajął Bocian. Motyl, który również podziwiał talent mojego zmarłego ojca, ostatnie lata życia spędził na rozrysowywaniu wzorów kobierców, tkanin i namiotów. Zajmowali się tym również młodzi uczniowie z pracowni. Nikt nie uważał upadku sztuki iluminacji za stratę. Może dlatego, że nikt nie widział narysowanej własnej twarzy.

Przez całe życie marzyłam o dwóch obrazkach, choć nikomu tego nie wyjawiłam:

1. Chciałam, żeby narysowano mnie. Wiedziałam, że to niemożliwe, bo nawet ujrzawszy mnie, żaden z malarzy z pracowni padyszacha i tak by nie uwierzył, że kobieta może być piękna, jeśli nie obdarzy się jej oczami i ustami chińskiej doskonałości. A jeśli narysowaliby mnie, zgodnie z tradycją starych mistrzów z Heratu, jako piękną Chinkę, to tylko ci, którzy mnie znają, zdołaliby się domyślać, że za jej twarzą ukrywa się moja. I nawet jeśli następne pokolenia skojarzyłyby, że nie miałam chińskich oczu, nie mogłyby sobie wyobrazić mojej twarzy takiej, jaka była naprawdę. Dziś, na stare lata, pocieszają mnie synowie, ale jakże byłabym szczęśliwa, gdybym miała swój portret wykonany w młodości!

2. Chciałabym, aby narysowano szczęście: napisał o nim w jednym mesnewi poeta Sarı Nazım z Persji. Dobrze wiem, jak powinien wyglądać taki obrazek: matka z dwojgiem dzieci. Młodszy, którego matka trzyma w ramionach i tuli z uśmiechem, ssie jej pierś, również się uśmiechając. Spojrzenia star-

szego, odrobinę zazdrosnego, i matki spotykają się. Chciałabym być tą matką z obrazu, chciałabym, aby namalowano ptaka na niebie. Leciałby, ale jednocześnie sprawiałby wrażenie zawieszonego w bezruchu przez całą wieczność. Niech będzie to narysowane w stylu starych mistrzów z Heratu, którzy potrafili zatrzymać czas. Wiem, że to nie takie łatwe.

Mój syn Orhan, który wciąż jest na tyle niemądry, że do wszystkiego podchodzi z żelazną logiką, przypomina mi stale, iż umiejący zatrzymać czas mistrzowie z Heratu nie mogliby narysować mnie tak, jak wyglądam naprawdę, za to malarze europejscy, którzy w kółko tworzyli jedynie portrety madonn z dzieciątkiem, nie byliby w stanie wstrzymać czasu. Może i ma rację. Człowiek przecież nie szuka szczęścia w malowidle, ale w samym życiu. Miniaturzyści wiedzą o tym, tyle że nie potrafią tego narysować. Dlatego zastępują radość życia radością wizerunku.

Całą tę historię, której nie da się narysować, opowiedziałam memu synowi Orhanowi z nadzieją, że ją spisze. Bez wstydu oddałam mu listy, które wysyłali do mnie Czarny i Hasan. Dałam mu też rozmazany szkic z końmi, znaleziony przy zabitym Elegancie. Najważniejsze, byście nie dali się zwieść Orhanowi, jeśli opisał Czarnego jako człowieka bardziej roztargnionego, niż był w rzeczywistości, nasze życie cięższe, niż jest naprawdę, Şevketa bardziej niesfornego, a mnie piękniejszą i krnąbrniejszą. By opowiedzieć naprawdę zachwycającą, przekonującą historię, Orhan nie cofnąłby się przed żadnym kłamstwem.

Kalendarium
wydarzeń historycznych*

336–330 p.n.e.
Persją rządzi **Dariusz**. Jest ostatnim władcą Achemenidów. Jego imperium podbija Aleksander Wielki.

336–323 p.n.e.
Aleksander Wielki ustanawia swoje imperium. Podbija Persję i najeżdża Indie. Jego czyny, zarówno jako bohatera, jak i monarchy, stają się legendą w świecie islamu i po dziś są żywe.

622
Hidżra, czyli wędrówka Proroka Mahometa z Mekki do Medyny. Początek ery muzułmańskiej.

1010
Powstaje *Księga królewska* **Firdausiego**. Perski poeta Firdausi ofiarowuje ją sułtanowi Mahmudowi z Ghazny. Zawarte w niej opowieści z kręgu perskich mitów i historii — m.in. inwazja Aleksandra, przygody bohaterskiego Rustama, walki między Persją i Turanem — od XIV wieku stanowią nieustanną inspirację dla miniaturzystów.

1206–1227
Rządy mongolskiego władcy **Dżyngis-chana**, który podbija Persję, Rosję i Chiny, rozszerzając granice swego imperium aż po Europę.

---

*   Opracował Paweł Ciemniewski na podstawie wydania: Orhan Pamuk, *My Name is Red*, New York 2001.

ok. 1141–1209

Czasy poety **Nizamiego**, twórcy eposu romantycznego *Piątki*, na który składają się następujące poematy: *Skarbiec tajemnic, Chosrow i Szirin, Lejla i Madżnun, Siedem portretów* oraz *Księga Aleksandra Wielkiego*. Wszystkie te historie inspirowały miniaturzystów.

1258

Złupienie Bagdadu przez Hülegü (rządził w latach 1251–1265), wnuka Dżyngis-chana.

1300–1922

Czasy **imperium osmańskiego**. Potęga sunnitów władała całą południowo-wschodnią Europą, środkowym Wschodem i północną Afryką. W czasie swego największego rozkwitu imperium sięgało granic Wiednia i Persji.

1370–1405

Rządy władcy **Timura**, który zdobywa posiadłości należące wcześniej do Czarnych Baranów w Persji. Timur podbija tereny od Mongolii po Morze Śródziemne, zajmując część Rosji, Indii, Afganistanu, Iranu, Iraku i Anatolii (gdzie pokonuje armię osmańskiego sułtana Bejazyta I w 1402 r.).

1370–1526

Dynastia Timurydów, założona przez Timura, patronuje wspaniałemu rozkwitowi życia artystycznego i kulturalnego; sprawuje władzę w Persji oraz Azji Środkowej. Za jej panowania rozwijają się szkoły miniatury w Szirazie, Tabrizie i Heracie. W piętnastym stuleciu Herat staje się centrum islamskiego malarstwa oraz domem wielkiego mistrza Behzada.

1375–1467

Czarne Barany — federacja plemion turkmeńskich — panuje nad częścią Iraku, wschodniej Anatolii i Iranu. Szach Dżihan (rządził w latach 1439–1467), ostatni władca Czarnych Baranów, zostaje pokonany przez Uzuna Hasana z federacji Białych Baranów w 1468 roku.

1378–1502
Białe Barany — federacja plemion turkmeńskich — panuje w północnym Iraku, Azerbejdżanie i wschodniej Anatolii. Władca Białych Baranów Uzun Hasan (rządził w latach 1452–1478) nie powstrzymał ekspansji Osmanów na wschodzie. Pokonał jednak w 1467 roku szacha Dżihana z Czarnych Baranów oraz w w 1468 roku Timuryda Abu Saida, rozszerzając w ten sposób swoje wpływy na Bagdad, Herat i Zatokę Perską.

1453
Sułtan osmański **Mehmed Zdobywca** zajmuje Stambuł. Upadek imperium bizantyńskiego. Nieco później sułtan Mehmed zamawia swój portret u Belliniego.

1501–1736
Imperium Safawidów rządzi w Persji. Ustanowienie szyizmu jako religii państwowej pomaga zjednoczyć państwo. Stolica imperium, która znajdowała się najpierw w Tabrizie, zostaje przeniesiona do Kazwinu, a później do Isfahanu. Pierwszy władca Safawidów, szach Ismail (panował w latach 1501–1524), podbija ziemie Azerbejdżanu i Persji, którymi władała federacja Białych Baranów. Persja przeżywa znaczne osłabienie za rządów szacha Tahmaspa I (panował w latach 1524–1576).

1512
Ucieczka Behzada. Wielki miniaturzysta Behzad emigruje z Heratu do Tabrizu.

1514
Splądrowanie Pałacu Ośmiu Rajów. Osmański sułtan Selim, po pokonaniu armii safawidzkiej pod Czałdrynem, plądruje Pałac Ośmiu Rajów w Tabrizie. Powraca do Stambułu ze wspaniałą kolekcją perskich miniatur i rękopisów.

1520–1566
Sulejman Wspaniały i złoty wiek kultury osmańskiej. Rządy osmańskiego sułtana Sulejmana Wspaniałego. Kolejne podboje roz-

szerzają granice imperium na wschodzie i zachodzie: wtedy to na-
stępuje pierwsze oblężenie Wiednia (1529) i zdobycie Bagdadu po
pokonaniu Safawidów (1535).

1556–1605

Rządy **władcy Indii, Akbara**, potomka Timura i Dżyngis-chana. Powstają pracownie miniaturzystów w Agrze.

1566–1574

Rządy osmańskiego **sułtana Selima II**. Zawarcie traktatów pokojo-
wych z Austrią i Persją.

1571

Bitwa pod Lepanto. Trwająca cztery godziny bitwa morska pomiędzy sprzymierzonymi siłami chrześcijan i Osmanów była następstwem osmańskiej inwazji na Cypr (1570). Chociaż siły osmańskie
zostają pokonane w 1573 r., Wenecja poddaje Cypr. Bitwa pod Lepanto ma ogromny wpływ na morale Europejczyków. Staje się inspiracją dla Tycjana, Tintoretta i Veronesego.

1574–1595

Rządy sułtana osmańskiego **Murata III** (to właśnie w tych czasach
toczy się akcja powieści). Podczas jego panowania (w latach 1578–
–1590) toczyły się wojny osmańsko-safawidzkie. Spośród wszystkich sułtanów Murat III najbardziej interesował się miniaturami
i księgami. Kazał zilustrować miniaturami *Księgę umiejętności, Księgę uroczystości obrzezania* i *Księgę zwycięstw*. Ilustracje do tych
dzieł przygotowują najznakomitsi osmańscy artyści, m.in. miniaturzysta Osman (Mistrz Osman).

1576

**Propozycja zawarcia pokoju przedstawiona Osmanom przez sza-
cha Tahmaspa**. Po dekadach wzajemnej wrogości safawidzki szach
Tahmasp sprawia prezent osmańskiemu sułtanowi Selimowi II po
śmierci Sulejmana Wspaniałego. Chce tym gestem doprowadzić do
ustanowienia pokoju. Pośród darów posłanych do Edirne znajdowała się wyjątkowa kopia *Księgi królewskiej*, nad którą pracowano

przez ponad dwadzieścia pięć lat. Księga ta zostaje później przeniesiona do skarbca w pałacu Topkapı.

1583
Jakieś dziesięć lat po przybyciu do Stambułu perski miniaturzysta **Velican (Oliwka)** zostaje nadwornym miniaturzystą Osmanów.

1587–1629
Rządy safawidzkiego władcy **szacha Abbasa I** rozpoczynają się od usunięcia z tronu jego ojca, Mohammada Chodabandeha. Szach Abbas osłabia tureckie wpływy w Persji, przenosząc stolicę z Kazwinu do Isfahanu. Zawiera pokój z Osmanami w 1590 roku.

1591
Historia Czarnego i nadwornych miniaturzystów Osmanów. Na rok przed tysięczną rocznicą (liczoną w latach księżycowych) hidżry Czarny powraca ze Wschodu do Stambułu — rozpoczynają się wydarzenia opisane w powieści.

1603–1617
Rządy osmańskiego **sułtana Ahmeda I**, który niszczy wielki, ozdobiony rzeźbami zegar nadesłany w prezencie przez królową Elżbietę I.

Spis treści

Redaktor prowadzący
Anita Kasperek

Konsultacja merytoryczna
prof. dr hab. Tadeusz Majda

Opracowanie stylistyczne
Paweł Ciemniewski

Zespół korektorsko-redakcyjny
*Renata Bubrowiecka, Wiesława Otto-Weissowa,
Urszula Srokosz-Martiuk, Małgorzata Wójcik*

Opracowanie graficzne
Jakub Sowiński

Redakcja techniczna
Bożena Korbut

Printed in Poland
Wydawnictwo Literackie Sp. z o.o., 2007
ul. Długa 1, 31-147 Kraków
bezpłatna linia telefoniczna: 0 800 42 10 40
księgarnia internetowa: www.wydawnictwoliterackie.pl
e-mail: ksiegarnia@wydawnictwoliterackie.pl
fax: (+48-12) 430 00 96
tel.: (+48-12) 619 27 70
Skład i łamanie: Infomarket
Druk i oprawa: Drukarnia DEKA

Wydawnictwo Literackie
poleca bestsellerową powieść
Orhana Pamuka *Śnieg*

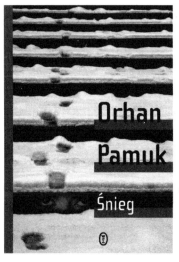

Obowiązkowa lektura naszych czasów.

Margaret Atwood

„Śnieg" pozwala nam poczuć smak prozy tureckiego noblisty.

Elżbieta Sawicka, „Rzeczpospolita"

To olśniewająca literatura. Turecki pisarz stworzył liryczną historię o utraconych marzeniach, konfliktach religijnych i pragnieniu władzy. Jednocześnie gorzka jak piołun i zabawna.

Piotr Kofta, „Dziennik"

Thriller polityczny, smutny romans, trochę reportaż, a trochę baśń. Książka dziwna, intrygująca, duszna i sugestywna.

Łukasz Modelski, „Twój Styl"

„Śnieg", jak każda wielka literatura, potrafi zagrać jednocześnie na kilku rejestrach: syntezą i szczegółem, rysem komicznym i tragicznym, polityką, psychologią, a do tego wszystkiego jeszcze metafizyczną refleksją.

Anita Piotrowska, „Tygodnik Powszechny"

Polityczny thriller inspirowany twórczością Fiodora Dostojewskiego. Niezwykle mądra powieść.

„The Guardian"

Reportaż przemieniony w baśń. Groteskowa, okrutna i piekielnie komiczna powieść, polityczna farsa, w której człowiek nigdy nie stoi po właściwej stronie, rozdarty między śmiechem a płaczem...

„Der Tagesspiegel"